LA CÁTEDRA

Nicolás Casullo

LA CÁTEDRA

Grupo Editorial Norma

Barcelona Buenos Aires Caracas Guatemala Lima México Panamá Quito
San José San Juan San Salvador Santafé de Bogotá Santiago

© 2000. Nicolás Casullo
© 2000. De esta edición:
Grupo Editorial Norma
San José 831 (1076) Buenos Aires
República Argentina
Empresa adherida a la Cámara Argentina del Libro

Diseño de tapa: Ariana Jenik
Foto de tapa: Eduardo Rey
Impreso en la Argentina por Indugraf S. A.
Printed in Argentina

Primera edición: mayo de 2000

CC: 21932
ISBN: 987-9334-62-0
Hecho el depósito que marca la ley 11.723
Libro de edición argentina

Para Ana,
Mariana y Liza

PRIMERA PARTE

1

Humberto observó a Yolanda. Ella no era del todo una imagen pero la estaba viendo. Le resultó imposible calcular cuándo fue que no alcanzaba todavía a discernir su cuerpo, cómo empezó a verlo, desde qué momento lo veía. Como si una frase pudiese aparecer antes que las palabras. Pensó Humberto que las palabras empezaban siempre en algún lado. No eran el silencio fabuloso de la sangre, tampoco el de los ojos. Se preguntó en qué lugar preciso empezaban esta noche. Después de treinta años de haberla abandonado terminaba de recorrer la casa de su infancia. Deshabitada, sin luces, ceñida por el desfiladero de los patios.

Desde el jardín del fondo regresó al vestíbulo para sentarse en el piso y encender un cigarrillo, para fijar la vista en el cuerpo invisible de Yolanda recostado en la cama de bronce de la antesala, la única pieza con muebles. El cuerpo había perdido todos sus datos pero conseguía verlo en aquella habitación donde tantas veces le contaron que su abuelo, apoyado en tres almohadas, engañaba al insomnio leyendo la biblia hasta el amanecer.

Con el tiempo, no esta noche, Humberto va a saber que sólo le falta su propia historia. Encontrarla. Conseguirá precisar algo de eso en una caminata por los entrepisos del shopping, o al aplastar entre dos porciones y el moscato su masa cerebral contra el mostrador de la pizzería: su historia no tenía imágenes dentro de él. Parpadeaba en alguna otra parte. En el espanto, llegará a deducir Humberto. Recién entonces empezará a comprender que lo abominable, eso apagado, raspando, persiste siempre en los bordes de las cosas.

Pero de tal secreto se dará cuenta meses más tarde, con el tiempo, no esta noche cuando nada comienza ni termina para Humberto Baraldi sentado sobre las baldosas sucias del vestíbulo de su casa de infancia. Ahora son sólo figuras irreconocibles, contornos del vitral que se le escapan. Probablemente frases de novelas que debió leer alguna vez, así lo siente, partículas extraviadas. Ahora todavía no puede relacionar esas siluetas inesperadas, contra sus ojos, con su propia historia escapada. Tampoco entender que lo aciago de la vida apenas postergaba un fragmento más de tiempo, el del mutismo que lo anuncia, el de la obnubilación humana que lo ignora.

Humberto presiente que las visiones le acarician el alma como nunca antes, pero sobre todo le asombra la nitidez de esos rostros fugaces, aquellos arabescos que parecen estallar en el vidrio desde una oscuridad más sumergida que la penumbra del lugar. Figuras que no estaba imaginando ni tampoco creía recordar. Humberto comprueba que si cierra los párpados esos fantasmas sin señas simulan ser partes de un sueño inexplicable del vitral. Persisten cerca suyo aunque no pueda verlos.

En cambio, si deja sus ojos inmóviles y abiertos en un punto preciso, en el hueco de la puerta abierta de la antesala, encuentra el cuerpo de Yolanda. Ella está ahí. Descubre que el cuerpo de Yolanda, poco a poco, toma forma más atrás del marco de esa puerta, en las tinieblas de la otra habitación.

Recordó que el día anterior preparaba su clase teórica cuando lo interrumpió el llamado del profesor Gaspari, sesentón temeroso, intrigante, acomodaticio, rata típica de la carrera convencido de que cualquier vericueto burocrático es más oportuno que una mínima idea interesante. Gaspari le hablaba para reptar como gusano entre palabras correctas y mal aliento telefónico, con el velado propósito de inquirirle al jurado Humberto Baraldi si su joven protegido Muratore, pequeña máquina de la nada y vuelto de Europa con un doctorado a cuestas, viviría alguna dificultad en el concurso para una ayudantía, teniendo en cuenta que sus dos competidores eran chicos sin otro blasón que haber estado desde hace cuatro años en la cátedra enseñando plebeyamente *ad honorem.*

Después había regresado a los apuntes de su clase sobre Wordsworth: lo revelado por los aedos volvía como ráfaga de polvo hasta convertirse en oficio del caminante solitario. La misión radicaba en romper la geografía de las voces y el mundo, andar lo terrestre para decir amorosamente lo nunca visto. Sin embargo, ahora se le escapaban los detalles de aquel momento cuando se adormeció en el sillón de su escritorio. Creía recordar que antes del entresueño había contemplado la biblioteca con los libros ordenados por temas. También debió mirar hacia el balcón para comprobar que atardecía. Seguramente quiso regresar a sus notas, pero las imágenes del poeta entraron en conjunción perfecta con la música de Brahms. Lo último que presintió mientras se apagaba el ruido de los autos por la avenida Córdoba, fue que por detrás de los versos, de aquella música, flotaba uno de los dulces fondos del mundo. Desde el sexto piso también el río no muy lejos le agregaba un fragmento a su postal predilecta, la más íntima, ese acorde del alma que había que cuidar del laberinto de las cosas.

No supo qué lo despertó. Sin duda el golpe de viento y lluvia que abrió de par en par las puertas del balcón para provocar el vuelo estrepitoso de sus papeles hacia la biblioteca. O el teléfono, porque al abrir los ojos ya sonaba. Más tarde dedujo que la embestida de la tormenta formó parte de un último tramo de inconsciencia antes de contemplar cómo las ráfagas de agua se estrellaban sobre los libros y barrían las cosas del escritorio. No dejó de escuchar el teléfono mientras recogía las carpetas desparramadas sobre el piso.

Fue la voz de una mujer hablando de parte de un abogado, un tal Alberto Conti. La comunicación amenazó con cortarse varias veces, pero en ese momento a Humberto le preocupaba el crujido del ventanal castigado por el viento. La mujer le explicó lo difícil que había sido ubicarlo, ningún familiar conocía su domicilio. Según ella, debía presentarse en algún momento del día siguiente para firmar la escritura final del juicio sucesorio correspondiente a la vieja casa de Almagro. Después de colgar había ido hacia el balcón para trabar la puerta con el respaldo de una silla. Se quedó mirando la lluvia y el principio de la noche. Le parecía insólito que el pleito de sucesión se hubiese prolongado tres décadas, seguramente, por desacuerdos entre los hermanos de su padre. Pensó en el llamado que lo despertó y en ese huracán arrasando la pieza. Sintió que ambas cosas todavía lo aturdían pero que al mismo tiempo eran como un extraño recuerdo. Un solo acorde fundido en algún hueco detrás de los ojos. Nada tenían que ver entre sí aunque regresaban a su cabeza por el silencio de una única imagen.

Un trueno partió el corazón del edificio. Recién en ese momento pudo advertir que se había quedado sin luz. La lámpara en el suelo ya no funcionaba. Tampoco podía repasar los libros en los estantes, la franela los volvía a humedecer. No se le ocurría de qué manera barrer la alfombra sin que la escoba la ensuciase más: se propuso por lo menos amontonar las hojas de las plantas del balcón que habían invadido la pieza. Ignoraba dónde escondía las velas la hermana del portero. Entonces decidió quitarse la camisa para secar los libros antes de que fuese demasiado tarde. Humberto recordó: se había parado sobre el respaldo del sillón en un complicado equilibrio. Le fueron llamando la atención las gotas sobre los lomos, el brillo de esas gotas sobre las palabras. Nunca las había visto así, se asemejaban a letras de títulos a punto de parir otras letras.

Al bajarse del sillón llamó al portero, pero no escuchó la voz de Ruperto. Atendió el teléfono Clara, la hermana, la última persona a quien hubiese querido revelarle su precaria situación. A los pocos minutos la salteña golpeó la puerta. Pudo distinguir los rasgos de su cara mezclados con las sombras del corredor. Le pareció más avejentada que otros días, mucho más que sus 33 años. Como de costumbre la maestra de Orán no contestó a ninguna de sus explicaciones. Simulaba no escucharlas o saberlas de antemano. Se contentó con mostrarle las velas en un estante.

–Las velas están en el lugar de las velas.

Pero en la cocina el aspecto de Clara había cambiado. La luz de la pequeña llama la transportaba a otra edad sin perder el tono de su puro acervo hispánico, como ella decía. En ese momento deseó que se fuese lo más rápido posible, o mejor dicho, se propuso no mirarla más. La mujer le preguntó si tenía tapones de repuesto. Recién entonces ella había sacado uno del bolsillo para mostrárselo. Al regresar la electricidad se detuvo junto al balcón a contemplar la llovizna.

–No me pida que le barra la alfombra –dijo antes de irse.

Humberto recordaba que se quedó mirando la puerta. Después puso a Mozart a todo volumen para que las cosas volviesen como antes. En el portazo de Clara había logrado confirmar que era la manera de aparecer de ella, en un estado de absoluta arbitrariedad, el dato que desarmaba la mayor parte de sus razonamientos con respecto a su presencia dos veces por semana para limpiar el departamento. En varias ocasiones se propuso romper el contrato arreglado meses atrás, como si necesitase hacerlo antes de que Clara, algún día, optara por dejar de venir con la misma falta de fundamentos de todos sus actos. Alta, flaca, desde un principio le llamó la atención un detalle de su persona: de pronto, no siempre, parecía mucho más vieja de cara que de cuerpo. Una diferencia con ulterioridades que Humberto no sabía si sólo lo intrigaba, o de manera un poco más lastimosa llegaba a perturbar su juicio a partir de un pacto secreto con ese rostro.

Las facciones de Clara habían vivido una historia indescriptiblemente distinta al resto de su humanidad, y lo seguían haciendo. Portaba un fantasma clavado sobre sus hombros, una cara que se desentendía del mundo real, que nada tenía que ver con la lozanía de su piel ni con la agilidad de su cuerpo, descentramiento que de manera curiosa le permitía, con total dominio de sí misma, medir extrañamente el espacio y el tiempo de cada una de sus conductas: ya sea para su manifiesta indiferencia con respecto a él, así lo encontrase desnudo en el baño, como también por sus constantes frases despectivas y, por supuesto, eso en especial había meditado Humberto, para los embates carnales que se apoderaban de su rostro cuando imprevistamente avejentaba sin aviso. Era la expresión de su semblante, una artificiosidad casi intelectual, el camino que se abría paso dentro de ella como una biografía distante cuando se paraba al lado de su escritorio pero no para humillarlo por alguna media sucia debajo de la cama, sino para sonreírle. Ciertos días una repentina fisonomía de Clara, extranjera a cualquier sentimiento compartido, se aproximaba al escritorio a curiosear la tapa de un libro.

Lo conmocionante para Humberto resultaba el esplendor de las infinitas muecas y tiempos de sus rostros, el juego ininterrumpido de sus bocas, las imágenes incontables de aquellos ojos entrecerrados, las secuencias sin límites de sus gestos, las formas nasales de respirar, los arabescos de los labios. Los sentidos de Humberto se paralizaban en preguntas inconfesables de su cabeza, y no obstante claves, fundidas con el asombro ¿Quiénes eran esas caras? ¿De dónde seguían viniendo? ¿Cómo hacer para que una de ellas permaneciese un poco más?

La música arrasó con aquellas imágenes, revivió en cambio la estampida del viento venciendo el ventanal, el timbre del teléfono, la voz entrecortada de aquella mujer. Humberto abrió los ojos sobre la lámpara de su escritorio, entonces las cuerdas del cuarteto y la luz encendida sobre los papeles fueron otra vez, imperceptiblemente, el cosmos en compañía del hombre, algo que le sonó a frase escrita por el abuelo: un silencio rodeado de Mozart y el mundo zurcido.

2

Apagó el cigarrillo en el piso del vestíbulo. Supuso que las palabras no podían persistir sin imágenes, como el cuerpo de Yolanda ahora sobre una cama de bronce en la pieza oscura. Las palabras no podían ser siluetas ciegas. Contaban siempre lo que eran, lo que fatídicamente tenían que ser. Como en las páginas de su ensayo escrito de a ratos, como los encuentros con Clara, como historias armadas dentro de cada palabra y que lo fascinaban por acechar cerca de su escritorio sin dar nunca explicaciones: en su propia cueva fortificada, en lugares sin ningún otro testigo que las pudiese ver así.

Volvió a recorrer muy lentamente la vieja casa de su infancia. Nadie te mandó, se dijo, ni siquiera la ocurrencia del primo Santiago. Pero necesitaba repetirse que estaba en la casona del abuelo. Como decían sus alumnos, también él terminaba en una película donde se veía caminar en blanco y negro por un patio. Al llegar al galpón del fondo comprobó que estaba con candado. La pieza de las mucamas, arriba, había sido transformada por Saturnino Hernández en un depósito para dos grandes bañeras y la cocina de leña. El desván conservaba las mismas estanterías con libros de contabilidad del puesto en el Abasto, cajones repletos de papeles, lámparas de mesitas de luz y hasta varios cuadernos suyos de la secundaria con apuntes de física.

Desde la ventanita del desván se asomó al segundo patio. Sólo su padre había querido seguir viviendo ahí, sin el suficiente dinero para comprarle la casa a sus hermanos. En 1964, un día de febrero, los dos la recorrieron por última vez. Humberto recordó la noche anterior a la mudanza. En plena madrugada lo despertó la música. Encontró a su padre en el sillón de la sala escuchando a Schubert. Podía rememorar cualquier detalle de esa escena, los ojos cerrados de su padre, la posición de su cuerpo, el ventanal abierto, la pava y el mate sobre la alfombra, el tono del empapelado, la araña de caireles, el cuadro de la pareja frente al mar, la pintura de la campesina en la rueca. No hubiese entendido aquella noche cómo a veces terminaba el tiempo. En cambio ahora no trataba de entender, sino de probar si podía sentir que el tiempo era el mismo de aquella noche: alguien que llegaba de pronto, alguien que recién aparecía para suspender de manera inconcebible al mundo. Las filigranas de la escalera le habían devuelto una figura perdida para siempre, pero también lo que no supo, que jamás los había olvidado. Sin embargo las paredes agrietadas, la humedad de los techos, el jardín sin árboles ni plantas, le refregaban otra desolación. Nada en la casa tenía que ver con él sino con ese otro tiempo escapado de todos los sitios. Agachó la cabeza para salir por la pequeña puerta del desván. De pronto tuvo conciencia de que Yolanda estaba sola en la antesala y a lo mejor otra vez atemorizada. Regresó, desde el vestíbulo volvió a ver el cuerpo de ella dormido sobre la cama de bronce. Más tarde caminó por los patios hacia el galpón del fondo y con una piedra rompió el candado para encontrarse con los palos blancos y rojos con que su padre estaqueaba las plantas. Se dio cuenta de que la casa construida por el abuelo a principio de siglo atesoraba inútilmente su último y más recóndito bastión mítico. Vivió en ese lugar hasta los 19 años, cuando todavía los retratos de abuelo, sus bibliotecas, sus libros religiosos, transmitían sin revelar nunca del todo los secretos pastorales, la aparición oscura y destellante de Dios en las cosas para que no fuesen simplemente cosas. Pero la inmensa casona no lo había esperado, no le reservó esa noche ni ninguna otra. Había tenido razón Darío, como siempre que estaba borracho, en lo que nunca vivimos hasta que un día regresa el pasado. Los reencuentros en cambio no dejaban de ser lastimosos. Mientras escarbaba la tierra con un palo, Humberto concibió que la casa había muerto dentro suyo desde hacía demasiado tiempo. Se lo dijo el propio abogado Conti, ahora era una finca de barrio tasada para la venta. Algo de eso debió intuir él mismo cuando le propuso a Yolanda venir a asaltarla esta noche. Pensó en su primo Santiago, también él, sin darse cuenta, le anticipó el desenlace.

Pero ese día en su conjunto había sido un paso en falso. Desde que salió del departamento mal dormido y se topó con el kiosquero, el diariero y el mozo, su recóndita trilogía ontológica que ya le tenían preparado los cigarrillos, el diario y el café sin ningún tipo de logos discursivo. Salió con el auto y con la suficiente anticipación hacia Ezeiza, calculando poder conversar serenamente con su hijo que se iba por seis meses a Chicago. Se imaginaba que la charla con Guido en la cafetería del aeropuerto permitiría aclarar varios malentendidos de los últimos meses.

Su madre no iba a estar y eso mejoraba las perspectivas del diálogo. Pero lo encontró distante, acaparado por algunos amigos y una muchacha con bastante más edad que los 18 años de Guido y acompañada de un perro gigante. Recién al borde de la escalera de embarque, cuando ella y la bestia se fueron, pudo abrazarlo, decirle que no le parecía mal su viaje a Estados Unidos para un curso de historietista, ni mucho menos la invitación de un entrañable amigo dedicado a esas cosas. En todo caso, hubiese preferido una decisión no tan precipitada sobre el nuevo y repentino cambio de proyecto en su vida. En el viaje de regreso recordó la cara atribulada de Guido a los cuatro años mientras aprendía a patear una pelota en una cancha de básquet mexicana, el tiempo de sus preguntas sobre cómo era la Argentina, y también esa chica de segundo año de la secundaria que lo hizo penar de amor, hasta confesárselo una noche los dos solos en una cantina de Palermo. Ese día Guido también había jurado que sería arqueólogo, viajaría a Grecia, desenterraría Troya, a condición de hacerlo juntos.

Recién a las cinco de la tarde llegó al estudio del abogado Conti para firmar el legajo sucesorio. Una mujer gorda y petisa lo puso al tanto de los detalles, entre otros, que el resto de la familia había pasado durante la tarde. La casa de Almagro era cedida por sus herederos sin cargo alguno a la iglesia metodista, con el objetivo de instalar una clínica médica para la congregación. Le explicó que la propiedad se encontraba en un estado edilicio aceptable después de veintinueve años de mantenerse deshabitada, gracias a los cuidados y vigilancia de Saturnino Hernández, encargado en su oportunidad para tal fin en decisión compartida de los hijos sucesorios. Don Saturnino Hernández había muerto meses atrás de paro cardíaco, a los 87 años de edad.

Al escuchar ese nombre Humberto había recuperado brumosamente la figura de Saturnino. Amigo de la familia, peón del abuelo cuando joven en el puesto del Abasto. Si la memoria no le fallaba, viudo a los pocos años de casarse, con un hijo no demasiado santo, según contaban. Fue en ese instante cuando se topó con Santiago, parado al lado suyo.

Santiago era un joven en musculosa, zapatillas blancas, audífonos colgados del cuello. Se presentó como su primo, hijo de Jonathan el hermano menor de su padre, aclarándole que lo esperaba desde hacía tres horas y a punto de irse, pensando que no vendría. Le cayó bien la sonrisa, el tono desenfadado de Santiago, un muchacho de buen físico y pelo largo sujeto prolijamente en la nuca. Lo había dejado de ver cuando era muy chico, demasiado tiempo atrás, como lo confirmó el propio Santiago al informarle que había cumplido recientemente 28 años. La aparición del abogado había interrumpido el reencuentro. Con afabilidad exagerada el doctor Conti los invitó a pasar a otra habitación para mostrarles una serie de objetos pertenecientes a Saturnino Hernández. El propósito, según puntualizó el letrado, era reconocer si formaban parte de las posesiones de la vieja familia. Pudo ver dos juegos de llaves de la casa, cinco tomos de una historia del cristianismo que alguna tía pietista debió obsequiar al muerto, y otras menudencias sin valor. Por último el abogado lo condujo hasta su escritorio para entregarle dos cartas dirigidas a Humberto Baraldi y selladas nueve años atrás, en 1983; remitidas por Sebastián Lieger, según constaba en los sobres, al domicilio de la casa de Almagro.

En la vereda, cuando su primo le propuso un café, Humberto se volvió a preguntar por ese tal Sebastián y las cartas. Como si fuese otra voz adentro de él, se le desenredó ese nombre en la memoria: Sebastián, amigo del barrio en aquel entonces, a quien, si no se equivocaba, había dejado de ver para siempre en 1964, al mudarse de la casa de Almagro. Pero en el bar su primo Santiago resultó el mayor acertijo. Sentados contra el ventanal le contó trabajar a destajo en una cuadrilla de la municipalidad, con misión de romper calles cuando se necesitaba arreglar caños. Había sido arquero de un club de la C, dejó segundo año comercial al morir su padre y convertirse en la parte pobre de la familia, hubo un tiempo de trabajos en varios talleres mecánicos, y luego una ristra de oficios y tareas digna de ser escuchada: heladería con socio estafador, fabricación de betún cuando empezaban las zapatillas, ayudante de plomero asmático, albañil en la costa atlántica, vendedor de impermeables tailandeses en el Litoral, compraventa de figuras del santoral, camionero de enlatados a Cuyo, bañero en Ostende donde le pagaron con dos perros de raza, cajero de un café literario, y desde hacía un tiempo, además novio sin mucho entusiasmo de una egresada de Letras quien solía visitarlo en su pensión para cenar con algunos paraguayos amigos. De entrada habían sido dos cortados largos.

3

Recorrió las galerías exteriores del primer piso, donde la casa era una réplica más angosta de la planta baja, hasta el patio ya sin la glicina. Contempló los hierros que la sostenían como un techo en los veranos, por donde la lluvia tardaba en aparecer. Subió por la escalera rumbo al segundo piso, hacia la terraza, para comprobar si desde aquel mismo sitio volvía a descubrir las figuras que su padre tantas noches le señaló en viejos lugares del cielo. Más tarde bajó despacio, con la idea de despertar a Yolanda y poner fin a sus últimas veinticuatro horas. Se le dio por pensar que aún estaba en el entresueño de los versos de Wordsworth, de la música de Brahms, y no habían existido tormentas ni libros mojados, tampoco el abogado Conti, el viaje a Ezeiza, su primo Santiago, el miedo de Yolanda ni esa casa de una ciudad antigua.

Desde hacía mucho estaba en guardia frente a la amenaza de no regresar más de la preparación de sus clases teóricas: ese deseo de caer, de deslizarse para siempre alguna vez con los garabatos de la birome hacia el otro lado de las hojas donde un rostro macilento, venerado, no sólo lo esperaba sino que además no escondía su recelo. Posiblemente al observar su desconcierto frente a las dos cartas que le entregó el abogado, Santiago le preguntó quién las había escrito. No supo explicarle sobre las señas actuales de Sebastián Lieger, seguía tan desorientado como al guardarlas en su agenda.

–Nunca me gustó mucho mandar ni recibir cartas, Santiago. Tampoco leer libros de correspondencias célebres. Es obsceno meterse en lo que se escribió para una sola persona. Recuerdo el día que mi padre me mostró las cajas de cartas recibidas por el abuelo a lo largo de los años de sus parientes y amigos de Génova, eran centenares. Y otro tanto debió mandar el abuelo a Italia. Me produjo una sensación desagradable. Sentí que el viejo muerto desaparecía otra vez en el aire, como sus cartas.

Su primo pareció entender lo inoportuno de seguir hablando del tema. Entonces fondeó en la vieja familia. Humberto debió reconocerse conmovido por la naturalidad con que Santiago lo inmiscuía en su propia vida íntima, en combinación con su interés por conocer la historia de la casa paterna. Un tiempo, según su primo, al cual había llegado tarde, pero que su padre le metió en la cabeza como edad de virtudes extraviadas sin explicarle en qué consistía eso. El abuelo había muerto veinte años antes de su nacimiento, pero Santiago se preguntaba cómo podía ser que alguien que no tuvo nada que ver con uno tuviese tanto que ver con uno. Percibía en los ojos de Santiago una suerte de decisión inquebrantable ¿Quién era ese muchacho? ¿Por qué lo había esperado en la antesala del abogado, por qué se entrometía en su vida? Lo recordaba, sí, de chico, una figura tan borrosa y forzada que no servía para explicar ni el café ni esa charla. La cuestión era inventar un pretexto y levantarse pronto. Volvió a mirarlo: era la versión exacta de sus antípodas, un tarambana al garete con quien no compartiría una cuadra en la vida.

—Las viejas tías te pueden contar, Santiago, hablá con ellas.

Su primo seguía plegando la servilleta camino hacia una figura impredecible. Alzó los hombros como si no le interesasen los recuerdos de ellas.

—Hace poco estaba en una fonda por Colegiales, donde tengo amigos tacheros de cuando trabajaba un taxi. De repente entró una vieja de mil años, una mendiga sin dientes, desgreñada. Se acercó a la mesa y se nos queda mirando, después empieza a gritar, nos acusa con un dedo. Nadie le entendía los alaridos que pegaba, pero me estaba diciendo algo. Al final el fondero la sacó carpiendo mientras todos se cagaban de risa. Me impresionó la loca.

La servilleta terminó siendo un pájaro de alas abiertas. Santiago lo depositó sobre la mesa. Después le pidió un cigarrillo.

–Aquel tiempo se acabó, Santiago. Tu padre murió, mi padre y mi madre también. El hilo quedó cortado, la radio en silencio.

–Tu viejo me hablaba del tiempo de la casa, siempre le pedía al tío que se acordase de esas cosas.

–Mi padre era buen contador de historias.

Santiago le hizo señas al mozo por otros dos cafés y arrancó de nuevo. Se dio cuenta de que el muchacho absurdamente lo esperaba desde hacía tiempo, pero avanzaba sobre un malentendido que le resultaba difícil contrarrestar. Le pedía palabras, reminiscencias, su reino en este mundo. Complicado entonces desilusionarlo desde sus equidistantes intenciones, desde su vida como divorciado y urgido por retirarse de remembranzas y novelones personales, ahora sin hijo siquiera por un tiempo con quien discutir las desventuras de un linaje. Más bien poseído, a los 49 años, por el sueño de las palabras calmas, sobre todo las leídas.

–Algunas veces, cuando miro al abuelo, pienso qué andaría diciendo si tuviese que vivir ahora, entre tantos truchos y forros.

–¿Vos mirás al abuelo?

–Tengo un retrato suyo colgado en la pensión, fue lo único que me llevé de casa junto con la ropa.

Humberto aplastó el pucho contra el cenicero. Algo había en esa respuesta que se le metió por la espalda. Creyó que el primo empezaba a valer la pena.

–El retrato del abuelo tiene un marco ovalado, con un borde bañado en oro que vale una fortuna. Hace tiempo un anticuario me lo quiso comprar, pero juré que no lo vendía. Me acuerdo una noche de mierda que le debía guita a un nervioso imbancable. Toda la noche me la pasé mirando el puto marco. Te vendo, no te vendo, ma sí, lo vendo, entonces saqué el marco y lo envolví con diarios. Pero al final dije no. Por eso, cuando hago una boludez miro al abuelo.

–Un pastor metodista sirve para esas cosas.

–El primo Esteban también fue pastor ¿no es cierto?

23

–Sí, Esteban fue pastor. Recién se había recibido cuando murió en el setenta y dos.

Nombres, rostros, revoltijos en las tripas del cerebro. Humberto sintió que en el fondo no le interesaba hablar sobre aquellos temas.

–Mi viejo me decía, escucháme cretino, aquí está el bien ¿ves? Y apoyaba el canto de las dos manos en la mesa. Y aquí está el mal ¿entendés Santiago la puta que te parió? Y apoyaba las manos en otra parte de la mesa, casi al lado. No sé lo que veía el viejo, yo sólo veía el hule.

Los dos rieron. Humberto se echó hacia atrás en la silla como si recién se sentase del todo.

–Fijáte Santiago que al abuelo le interesó ese tema. Escribió mucho sobre Adán, sobre Caín, sobre Judas. En realidad todos terminamos viendo el hule de la mesa.

–Te cuento algo que me pasó hace unos años. Conocí a un tipo, Pedro se llamaba. Me cayó bien cuando me propuso laburar juntos. Era hacer muñecos de papel crepé para las fiestas de cumpleaños: los vendíamos en los jardines de infante. Pedro me hizo varios favores fuertes, necesité plata para un aborto por ejemplo y ahí estuvo. Se la devolví de a poco, nunca me la pidió. De diez. Me enseñó a pescar con todos los secretos, los fines de semana íbamos a Chascomús. Un día me pasan el dato que durante el tiempo de los milicos anduvo entreverado con la pesada, en un grupo de tareas. No lo pude creer. Averiguo más, y sí, era cierto. Me volví loco. Una tarde estábamos haciendo muñequitos y le pregunto. Él acepta, lo reconoce, dice que no me va a hablar de eso. Ni ahora ni nunca, dice. Entonces me abrí, me fui, pero lo quería mucho, de verdad. Nunca supe si hice lo que tenía que hacer.

–Hiciste bien, no te quepa la menor duda.

–Ahí tenés, y todavía lo pienso. El abuelo, mudo.

–Cada uno decide y rinde cuentas, te hubiese dicho. Pero es peligrosa la teología a la seis de la tarde en un bar de Tribunales.

Después de pedir dos medialunas, su primo había retornado al tema de la casa de Almagro.

–Me gustaría que me cuentes la historia de ese tiempo, yo nací un año después que vendieron la casa. Me muero por saberla más en detalles. Digo, cuando tengas tiempo.

–No me sobra, Santiago. Y en el fondo también esa historia es un lugar común.

–Se me ocurrió que con lo que me contás puedo hacer un video sobre el abuelo y la casa. Por eso quería encontrarte. Mi novia hace videos y está enseñándome, ella también piensa que vos sabés la historia de tanto escucharme hablar de vos, creo que la convencí.

Es absurdo, por eso es cierto, se dijo Humberto. Entonces también había pedido dos medialunas. La moda retro es una epidemia, pensó.

–Nunca más volví a la casa ni al barrio. Cuando nos mudamos corté con todo de un día para el otro. La facultad, los grupos literarios, la política, algo de todo eso me hizo siempre seguir de largo.

Fue en ese momento cuando Santiago tiró las llaves sobre la mesa.

–Ahí las tenés.

–¿Qué son?

–Se las afané al boga, son de la casa.

–Pero no son nuestras.

–Son nuestras ¿cómo que no? Estaban ahí, sobre el escritorio. En último término son del abuelo.

Ocurrencias laicas, concluyó Humberto mientras pretendía desentrañar el contenido de ciertos paquetes en el galpón del fondo. Yolanda había llegado a su departamento con un kilo de helado y escuchó el relato de su conversación con Santiago esa tarde. Sin perder su cara de sueño y cansancio, ella estaba ahí para discutir su probable adaptación del *Hiperión* de Hölderlin, pero ni Mingo Corrales ni Zulema se hicieron presentes a la cita. Yolanda, comprensiva, a veces íntima pero excitada siempre por alguien que nunca llegó y uno puede reemplazar con astucia, aceptó la idea de acompañarlo a visitar la casa de su infancia, o por lo menos aproximarse a sus alrededores. Antes de salir Humberto había llamado por teléfono a su primo para incorporarlo a la excursión nocturna, pero en la pensión atendió su novia, dijo que Santiago no estaba, aunque tomó nota de la invitación por si volvía a tiempo. Humberto consideró que Yolanda debió asustarse al entrar a la casa, y no le dijo nada. Tal vez por la oscuridad, por el eco en las piezas, o al escuchar que hasta hacía poco la habitaba un viejo solitario repentinamente muerto. La vio nerviosa, demasiado callada, al rato empezó a temblar, su cara se fue desfigurando en un gesto de miedo, hasta que logró calmarla sobre la cama de bronce del finado cuidador, donde ella ingresó en su pasatiempo favorito, quedarse dormida.

Humberto regresó otra vez al vestíbulo. Se detuvo delante del vitral con sus tonos descuartizados por la oscuridad, sorprendido de haber olvidado los detalles de esas figuras que a gatas distinguía. Tuvo en cambio una visión fugaz pero no alcanzó a retenerla ni a perseguirla: había pasado como una de esas imágenes que dejan la fragancia de una escritura inevitablemente perdida. Empezaba a padecer demasiadas sensaciones discordantes, cierto aturdimiento, lo inútil de comparecer frente a los agujeros de su memoria. Entró a la antesala a tientas para aproximarse a la cama y despertar a Yolanda. Pero ella ya no estaba. La llamó varias veces sin recibir respuesta. La puerta de calle estaba entornada y en la vereda no vio a nadie. Caminó hacia la esquina de Lavalle y Salguero imaginando un taxi mientras repasaba el día siguiente. Reunión de cátedra, terminar un artículo pedido por una revista cordobesa, y por la noche participación en una mesa para presentar un libro todavía no leído: uno de esos días que le hubiese gustado saltear.

4

Recién después de varios días, en un momento tan lagañoso como poco oportuno, pero eso lo dedujo más tarde, Humberto leyó una de las cartas de Sebastián Lieger con el primer café de la mañana. Al terminarla dejó las hojas fuera del sobre, en el mostrador, como si las palabras que acababa de leer flotasen en otra parte, no entre la ducha y el desayuno en el bar justo cuando a Liborio se le ocurrió preguntarle sobre la situación en Rusia.

Esa semana citó a una nueva reunión de cátedra, la intención fue avanzar posiciones aprovechando las características de sus aliados, el cinismo agresivo de Raúl Cortez y la forma arrasadora de Gabriela Ceballos para cerrar de la peor manera cada desencuentro de opinión. La charla fue tensa, sin embargo las diferencias no llegaron a plantearse tan rotundamente como esperaba Humberto, irritado al final con Joaquina Fernández, su adjunta, al verla retroceder en posiciones acordadas antes de encontrarse con el resto. Se lo cuestionó en el bar, al quedarse a solas. Fue mientras esperaba el regreso de Joaquina del baño cuando pensó en las cartas de Sebastián.

–Así no quiero la materia. Tampoco entiendo tu manera de conciliar posiciones, Joaquina, en todo caso ese papel dejámelo a mí.

–Mantengamos la calma, mañana voy a hablar con Ernestina.

Humberto miró por la ventana. Con respecto a la anciana, Joaquina se disgustaba cuando Gabriela o Raúl la llamaban el ataúd. Ernestina de Queirolo provenía de la vieja carrera, y si como titular la había aceptado a la manera de una herencia, no la supuso tan conflictiva. Pero sin duda con su lenguaje mesurado Joaquina Fernández mostraba una especial capacidad para persuadirla.

–A Ernestina concedéle una bibliografía que le interese y dejála trabajar tranquila en su comisión. Con eso se conforma. Ella se dedicó siempre a su negocio de antigüedades, hace unos años quebró y tuvo que cerrarlo, pobre.

–Antigüedades, tonito de bacana, y un poco de docencia. Es la clásica pituca que nunca vivió nada digno de ser contado.

–No seas esquemático con la gente.

Joaquina nunca se quitaba los anteojos, tampoco sorprendía con algún cambio de peinado o ropa más ajustada. Su adjunta por concurso no había coincidido desde un principio con su programa de la materia. Ella era el estilo académico vernáculo deplorable con sello de posgrado en Europa. Años de facultad apostándole a mezquindades, compitiendo contra los otros por ser discípulas de algún ganso mayor, educada en burocratismos temáticos, resentida y acusadora de los que hacían exactamente lo mismo, y con soberbias en tono gris que para colmo nadie registraba.

–La materia está bien considerada por los alumnos, pero es demasiado especial, Humberto. Ya sabés lo que pienso. Le falta sistematicidad, inscribirse teóricamente en términos adecuados. Le sobran cruces arbitrarios, divagaciones que no vienen al caso, y sobre todo anécdotas biográficas de todo tipo, en lugar de dispositivos de análisis de textos. Cómo decirte: instrumentás la historia del pensamiento para una actualidad, pero terminás distorsionando ese legado de ideas, terminás inventando lo que no fue.

Nadie más objetivo y certero que un adversario, pensó Humberto. Ella no borraba la sonrisa de su atildado discurso.

–¿Y qué fue lo que fue? Inventos magnos para cada presente insoportable. Sólo las obras, los textos son historia, de acuerdo. Pero qué fabuloso imaginarse a cada uno, diez minutos antes de que se pusiesen a escribir. Y no te hablo de los contextos sino del libro que no escribieron

–Son obras de conocimiento, eso es lo que entiendo: coherencias teóricas que existen más allá de nosotros.

–No quiero volver a discutirlo ¿Te acordás de esa película de Greta Garbo? Ella apoya la nuca en la columna del living y dice: toda cátedra tiene sentido si permite impugnar al mundo.

Alguna vez descifraría por qué sus ingeniosidades la dejaban indiferente. Le ofreció un cigarrillo sabiendo que Joaquina había dejado de fumar: llegó a descubrir que rechazarlos la alteraba.

–¿Qué mundo? ¿Qué querés decir con mundo, Humberto?

–El hedor pestilente del presente humano. Lo saben hasta los locutores.

Los ojos de Joaquina parecieron buscar desconcertados, por el aire, la verdad o la parodia de esa sentencia sombría.

–Hacé un seminario sobre conocimiento y política, entonces.

–Hago Estética. Las pinturas rupestres significan hoy, Joaquina, si no, no significan nada: bailan alrededor del televisor. De otra forma todo es simple licenciatura, profesorado bonaerense. Si la cuestión es santificar una obra, una terminología, o creer que una teoría milagrosamente explica los secretos de la historia, mejor llamamos a un publicista, lo va a hacer mejor, más entretenido, y con la ventaja para todos de que no va a creer en lo que dice.

Al volver a su departamento escuchó la voz del primo Santiago en el contestador automático, interesado en saber cuándo podían encontrarse a charlar sobre la casa del abuelo. Decidió llamarlo al día siguiente con el propósito de renegar definitivamente de ese proyecto. Después apareció la voz de Yolanda para disculparse por huir tan rápido de la incursión al barrio de Almagro, con el agregado de no haber tenido tiempo de hablarle durante la semana. Bajó a la portería, sintió la invasión nerviosa de las situaciones probablemente desagradables. Con la excusa de supuestos problemas económicos, le explicó a Clara la decisión de cancelar su trabajo de limpieza y que ya no volviese a ir. Ella lo miró sin pestañear, con los ojos bien abiertos.

–Así es Clara.

–Como supondrá no voy a ir a trabajarle gratis, si es lo que pretende.

–No, para nada, no quise decir eso.

Tardó en contestar, con el mismo gesto aplacado, indiscernible de siempre.

–Si vuelve a necesitar, ya sabe. Yo siempre estoy abajo haciendo cosas.

Un fugaz movimiento de los ojos de Clara le señaló el sótano del edificio, la estrecha y mugrienta escalera que conducía hacia las piletas de lavar y las bauleras, donde según le había contado planchaba ropa para varios departamentos. En la cocina pensó en Clara junto con dos pomelos exprimidos hasta llenar el vaso. Esa noche había proyectado leer con más detenimiento las cartas de Sebastián Lieger, pero prefirió dejarse llevar por sus notas dispersas para una clase de la materia, datos que se deslizaron en el cuaderno donde avanzó algunos párrafos de su ensayo hasta concluir la página con una cita que corroboraría puntualmente más tarde. En realidad cuando dio vuelta la hoja, había atrapado sólo la primera frase de una historia, una oración con palabras casi no premeditadas donde un hombre, un insano, veía cómo se levantaban, cómo se arqueaban muy lentamente las maderas del piso en un rincón de una pieza. Le rondó la idea de escribir una novela, pero no desde aquella imagen repentina que brotó inmaculada en su mente. Le había gustado lo que le contó su primo Santiago sobre el represor que termina haciendo muñequitos en papel crepé para jardines de infantes. Una pequeña historia, los diminutos detalles de un día de ese hombre sentado doce horas con la tijera en la mano.

Con tiempo suficiente, en una de las mesas más alejadas del mostrador y de Liborio, a la mañana siguiente abordó las cartas de Sebastián Lieger fechadas nueve años atrás, en abril de 1983. Se fijó en el dorso del sobre, la primera la remitía desde la provincia de Córdoba. Si recordaba bien, no se veía con Sebastián desde 1964, época cuando el viejo amigo había entrado, junto con una hermana cuyo nombre se le escapaba, en abogacía de la UCA. El texto consistía, al principio, en comentarios sobre un probable programa de materia a dictar en Buenos Aires, en relación al cual consultaba su parecer, pero sin agregar un solo detalle en cuanto a de qué cátedra se trataba ni sobre su contenido.

Humberto no alcanzaba a entender el porqué de esa carta. En 1983 todavía vivía en México, ese año sólo volvió al país por un mes, en enero, con la intención de preparar el terreno para un regreso definitivo. Sebastián, sin embargo, daba la sensación de escribirle como algo absolutamente normal, sin reparar tampoco, ninguna frase lo atestiguaba, en el hecho de habérsela enviado al antiguo domicilio de Lavalle.

Sobre el final hacía una breve alusión a los pasados tiempos de amistad, nombraba a Ariel Rossi para aclararle inmediatamente no haberlo vuelto a encontrar desde 1972, cuando una noche discutieron sobre Althusser, ciencia, ideología, el verdadero y falso Marx y ciertos temas tan absurdos que prefería no recordar. Le llamaron la atención dos datos de la carta. En primer lugar Sebastián dejaba entrever cierto recelo con respecto a dicha cátedra de la carrera de Filosofía en Buenos Aires a la cual deseaba ingresar, pero donde parecía involucrarlo, como si aguardase una opinión suya para aclarar sus vacilaciones. Las palabras de un párrafo, sobre todo, podían leerse de ese modo sin violentar mucho la interpretación. El otro dato, casi forzado teniendo en cuenta el tono general, era una alusión a ciertas cosas, así decía sin especificar, de las cuales en realidad nunca supo mucho a pesar de opiniones en contrario, sino "sólo como testigo leal".

La segunda carta, enviada también desde Córdoba, lo desconcertó todavía un poco más. Sebastián retornaba al tema de su futuro puesto en la facultad, con un programa posiblemente para un seminario circunstancial, "Doctrina sobre lo Bello", agregando el dato de haber pasado una semana en Buenos Aires en agosto de 1983 sin poder ubicarlo telefónicamente ni ser atendido cuando fue a la casa de Almagro. De manera algo oscura, Sebastián decía haber confirmado sus presentimientos, no le agradó el grupo de profesores, se sorprendió al advertir lo enterado que estaban de sus trabajos docentes en la Universidad de Tucumán, de sus dos ensayos académicos publicados en 1980 sobre los cuales hubiese preferido que nadie se acordase, detalles agregados a sus antecedentes que no obstante le agradecía a Humberto haber hecho llegar a esa gente. Por último, Sebastián aludía fugazmente a que obedecería su consejo de presentarse a concurso con altas posibilidades de ganarlo a pesar de "esos extraños personajes": el único encomillado de la carta.

Humberto se quitó los anteojos, encendió un cigarrillo y desperdigó sus ojos por el bar vacío. Solamente un hombre, en el otro extremo, le hacía compañía. Volvió a ponerse los anteojos para releer la carta. Al levantar la vista percibió la mirada del parroquiano a la distancia. Le hizo señas al mozo por otro café. Reconocía en esas hojas, con la firma de Sebastián Lieger, un gran equívoco, pero no lograba atrapar los motivos. Por cierto el asunto no le concernía a pesar de tratarse de la carrera de Filosofía y sus meandros, en los cuales nunca quiso inmiscuirse desde que ganó el concurso en 1989, seis años después de aquellas aflicciones de Sebastián que, por lo visto, llegado el momento había desistido de entrar en la carrera. Aunque en cada uno de esos detalles erróneos se hacía explícito, en las dos cartas, la curiosa sensación de ser respuestas a opiniones suyas que jamás en realidad le pertenecieron.

Humberto leyó nuevamente las cartas frase por frase. Al terminar se preguntó la razón de esos despropósitos: haber sido elegido vía correo por Sebastián en 1983 después de veinte años de no verse, y el que ignorase al enviarle las cartas su larga ausencia de la Argentina en aquel tiempo. Posiblemente Sebastián se había enterado de su dedicación a la filosofía, o leyó algunos artículos suyos publicados en revistas mexicanas durante el exilio. Pero esa conjetura no resultaba explicación suficiente. Otra vez le pareció encontrar la mirada del parroquiano desde el otro extremo. Levantó la vista para sorprenderlo pero no dio resultado. Lo más absurdo de las cartas, concluyó Humberto, era un olvido de Sebastián Lieger: enviárselas a su casa de infancia. Después de pagar y despedirse de Liborio caminó lentamente hacia la esquina, vio cómo el desconocido también salía del bar, se detenía en la puerta con el diario doblado debajo del brazo y cruzaba la calle en dirección contraria.

5

Mientras subía para la clase teórica se topó con Gabriela Ceballos en la escalera de la facultad. A Humberto le gustaba la melancólica elegancia de Gabriela, el vestirse para un lugar pensando siempre en otro que no estaba ni siquiera en sus cálculos. Esa tarde lo pudo comprobar al verla con su sombrero década del treinta, el vestido a tono y un collar de perlas con dos vueltas por el cuello. Gabriela se detuvo al llegar al descanso, esquivó el tropel de alumnos y sin preámbulos comentó lo poco feliz de la última reunión de cátedra, sobre todo a partir de las intervenciones de Joaquina. Aprovechó el disgusto de su ayudante para comentarle su decisión de hablar con Darío Zabala, a quien le propondría el ingreso al equipo para dar un seminario. Ella lo miró asombrada de volver a escuchar ese nombre hundido en los años.

–Me cuesta imaginar a Darío junto al pizarrón, la última vez que lo vi fue por el '79 en Marsella.

–Ahora vive en una chacra por Cañuelas, una vez por mes voy a almorzar con él.

Gabriela siguió parpadeando debajo de su sombrero años locos, como si la mención de Darío hubiese abierto una grieta en la escalera.

–No se qué decirte, Humberto, estuve hablando con Raúl pero en realidad no termino de saber qué pasa. A simple vista discutimos cómo dar una materia sobre estética, si desde beneméritas teorías que ya nadie recuerda o desde lo trágico del mundo que ya nadie registra, pero en el fondo tengo la sensación de asistir a otra cosa, con Joaquina apostando a quedarse con todo.

Humberto había aprendido a respetar las intuiciones de Gabriela, también su manera de exponer las ideas en bruto, aunque ahora, en estos nuevos tiempos, con gesto más sofisticado. El olfato de ella fue siempre un salvoconducto puesto a prueba infinidad de veces.

–Con Raúl pensamos si podías tomar un café después de la clase.

–No puedo Gabriela, pero sí mañana.

Esa noche se había citado con su primo a la salida del teórico. En realidad venía pensando en tal encuentro durante toda la tarde: se propuso hablar personalmente con Santiago, evitar el teléfono para explicarle su falta de tiempo y las escasas ganas de dedicarse a recordar abuelos y casas perdidas. No deseaba lastimarlo, se imponía entonces argumentarle con serenidad las causas por las cuales desistía de la idea.

Antes de abrir la carpeta sobre el escritorio recorrió las caras de los aproximadamente veinticinco alumnos aterrizados en las sillas para mirarlo como bestia a punto de proferir palabras. Le gustaron los bucles de una rubia a la izquierda y el perfil de un muchacho rapado. Observó cómo Gabriela Ceballos se sentaba detrás de todos, contra la pared. Ella cumple, pensó Humberto. Desde su entrada a la cátedra dos años atrás había sido una mezcla de docente brillante y fidelidad sin pausa. No lograba adivinar, en todo caso, si aquella energía de Gabriela venía acompañada de una pasión auténtica, o en su particular historia se había propuesto finalmente llevar a cabo al menos algo, sin prestar atención a los amores íntimos a partir de los cuales uno dedica su vida a eso y no a otra cosa. Si el corazón era un bolero con logotipo de acantilado, como sostenía el ridículo de Darío Zabala, a ella la quería como una criatura caída en ese abismo para no volver a salir. Recordó el día en que conoció a Gabriela allá por el '71, cuando en la militancia lo mandaron a trabajar con villeros de zona sur. La primera vez la citó por avenida Calchaquí pasando el acceso sudeste, un paraje con carros de cirujas y el puente del Roca. Se estaba al tanto de que ella era jefa de una banda desmanteladora de autos para vender las piezas sueltas, también que estaba a punto de ser enganchada por el peronismo de base. Su misión era convencerla para la JP de la Tendencia. Esa noche, mirando el descampado y casi nunca a él, Gabriela fumó en boquilla larga, escuchó en silencio la propuesta. Ella conocía la zona, varios aguantaderos que ni dios podría ubicar, y según lo informado manejaba lo mismo armas cortas que largas.

La Rossi se hacía llamar, aunque viejos conocidos la seguían apodando Particulares. Este último nombre provenía de una artesanía mitológica ejercida por la Rossi y que algunos afirmaban haber disfrutado sin poder desgraciadamente presentar pruebas. Un don del cielo, por lo menos entre Avellaneda y Wilde, nunca desmentido ni siquiera por ella misma. Se contaba que la Rossi, con el culo, llegaba a componer cuarenta y tres diferentes y milagrosos juegos eróticos. Agregaban que el Uruguayo, primero su lugarteniente en la rapiña y luego responsable político de fierros para la organización por Sarandí, le había puesto un mote a cada una de esas variaciones, para anotarlos en un cuaderno Laprida que con el tiempo resultó mágicamente leído por todos pero en realidad sólo visto por unos pocos. Para la mayoría, el trasero de la Rossi, de una estética clásica y argentina en su altivez, consistencia y configuración, era la auténtica causa de la leyenda. Pero los más cercanos al Uruguayo sostenían, quizás por fraternidad cuando ella lo largó sin aviso, o para restarle méritos políticos a la Rossi, que el montevideano había sido su maestro creativo, el practicante, y además el memorioso escriba de las cuarenta y tres contorsiones distintas del culo de Particulares.

El Sordo las recitaba por aquel tiempo como ejercicio militante para las evaluaciones sobre capacidad de memoria en los ámbitos. Como una letanía repetía infinitamente lo registrado en el cuaderno del Uruguayo. "El Pellizco", tarascones con los bordes de las nalgas; "El Batido" removedor del pito a partir de espasmos de rodillas; "La Esquiada" ,ondulación del cuerpo al sentarse cadenciosamente sobre la verga al aire; "La Montura" con ella al trote o cabalgando en puntas de pie sobre el tálamo. Según las buenas lenguas, el rito pasaba por conocer de antemano tales denominaciones para pedírselas y llegar a la vivencia. Así se extendió la historia de un supuesto goce extraterrestre, donde Particulares, parada o acostada, desnuda o a medias, te ponía indefectiblemente detrás de ella y se lanzaba a las prestidigitaciones. Le quedó Particulares, después a veces también nombre de guerra, aunque para la militancia más joven todo fue un incomprobable mito del sur. Cada tanto aparecía un ufanado por los cafés de citas y comentaba conocer en carne propia algunos de los malabarismos de Particulares cuando estaba en vena. Como recitaba el Sordo, "La Pulida" frote suave, exasperante y sostenido, "El Difunto" frote hondo hasta no vértela, "El Primerizo" entre los glúteos y de punta, "El Ascensor" subiendo y bajando muy despacio por la raya, "José y María" hasta chorrearle entre las gambas, "Perón Vuelve" parada cabeza abajo sosteniéndole los tobillos, "El Bizco" en cuatro patas por afuera, "La de Mamá" enterrada hasta el mango. Lo cierto es que la Rossi, tiempo después le confesó llamarse Gabriela mientras asistía a un curso de la primaria organizado por la militancia, aquella noche inicial dijo todo lo que sabía, de entrada, apenas empezó a hablar, como muestra de compromiso: dónde guardaba las cubiertas para la reventa, algunos tipos de granadas caseras, las señas de varios yiros que colaborarían, y si bien tuvo orden de arriba de averiguar estrictamente todos los antecedentes de ella, ni en esa cita ni nunca quiso preguntarle por lo de Particulares.

Comenzó el teórico con las edades en la cosmogonía de Hesíodo, cuando un grupo de jubilados pidió permiso para interrumpir la clase, plantear las miserables remuneraciones que recibían y solicitar una ayuda económica por mínima que fuese. Sin saber quién lo propuso se entabló un diálogo con los alumnos, ocasión que permitió a uno de los viejos, de elegante traje con chaleco, recordar su juventud como tenor y ensayar algunos trozos de óperas y hasta inclinarse profesionalmente para recibir los aplausos. Gabriela le sonrió desde el fondo. Un día se enteró de que la habían nombrado responsable de armas en la Panamericana para aumentar el parque operativo. La dejó de ver definitivamente cuando la desbandada general, donde le contaron cómo ella resistió en la zona, cobijó a cuanto desenganchado se le cruzaba en el camino y acompañó a varios para que se despistasen por el interior de la provincia. Por varios años la creyó muerta, sobre todo al recordar que no daba un paso en la vida sin su Luger y una 38 en el bolso, hasta un día cuando supo la forma milagrosa con que la Rossi sorteó la cita con un chupado, su fuga por la frontera de Brasil vestida de colla, esto ya se lo contó ella misma en Londres, y después España donde empezó la secundaria en Asturias ayudada por un cuerpo de ecologistas franceses, para terminarla en una escuelita de Marsella controlada con dinero de la ETA donde se convirtió en bilingüe mientras limpiaba vidrieras con el líquido mágico de un ingeniero chaqueño. Más tarde se enteró de la licenciatura de Gabriela sobre estética en París, esto último en pareja y embarazada por un locutor de radio tercermundista que coleccionaba pájaros vistosos de las ex colonias, del cual se separó un poco antes de conocer a Joaquina Fernández en el Quartier, cuando su actual adjunta hacía el doctorado y animó a Gabriela a programar su tesis en Buenos Aires sobre plástica utópica en el siglo XIX argentino.

Durante una hora y media sin ser interrumpido por los alumnos, habló sobre la palabra poética en la Grecia primordial, cuando el canto de las fuentes poblaba la tierra de amor rememorativo pero también de furia: era el recuerdo marítimo, las hermosas diosas y ninfas desnudas, pero también el sordo resplandor de la muerte en los ríos subterráneos. La memoria había labrado sus formas en los bosques sagrados, en las cavernas que todavía no eran oráculos, lugares del borde donde el vate podía escuchar cuándo había sido el olvido y cómo resonaba en la potestad del silencio. Después Gabriela pasó al frente, ya sin su sombrero, y en los últimos 45 minutos analizó la figura de la divina Mnemosine en su combate con Lethé, donde el ciclo de las encarnaciones escondía el misterio de las voces en el vuelo disciplinado de sus hijas, Moleté la musa del oficio, y más tarde en los acordes de Aoidé narradora celeste de la belleza final para el poeta que en los sonidos de las cosas descubría el cúmulo de los nombres y por lo tanto el de todos los destinos.

Su primo Santiago lo esperó en un bar de Primera Junta en compañía de su novia. A Humberto le llamó la atención la presencia de ella, ese segundo dato infaltable en toda situación planificada, que a partir de un detalle no previsto comienza a resquebrajarse. Al principio su novia no habló, sin embargo Humberto fue advirtiendo que ni el diálogo deshilvanado ni las anécdotas de Santiago, conseguían hacerlo regresar de la cara de Celina, así la había nombrado: de su semblante atento a cada uno de sus gestos, de la boca con un rouge intenso que apenas se entreabrió en una sola y primera sonrisa.

—Tiempo atrás seguro que me encontrabas en sintonía con el proyecto. Pero ahora no, Santiago. No sé como explicarte, un día la política me dijo chau, y fue de verdad. Un día con mi mujer lo dijimos a dúo y también resultó cierto. Me fui yendo de los lados. Entonces me quedé calmo, con el escritorio, un buen equipo de sonidos y un hijo en Chicago.

Celina comenzó a intervenir con algo parecido, sintió Humberto, a pequeñas pausas utópicas entre las frases. Al escucharla se fue corrigiendo: ella consistía en tácticas sublimes de respirar, o mejor dicho, guardianas de las palabras o sus promesas. Maneras de acomodar su pelo la voz o el cuerpo a cada inicio de las oraciones, y el cigarrillo al pausado declinar de los tonos. Se preguntó si no le había hablado solamente a ella, a su mentón apoyado en la mano, a esos dedos delgados un poco más oscuros que su rostro.

Santiago no se amilanó frente a su resistencia existencial, le propuso que grabase en cinta los recuerdos sobre la vieja casa cuando tuviese ganas y tiempo. Después Celina le explicó el propósito: querían hacer un video aprovechando la propiedad deshabitada. De pronto ella se había adueñado de la charla, con una serenidad que no sin astucia pretendía diferenciarse de las tercas arremetidas de su primo. Para Celina se trataba de biografiar el presente desde los dispositivos y artefactos que fijaron nuestras mentalidades en el mundo de la vida. Así se lo explicó mientras jugaba con dos dedos en el botoncito de su discreto escote. Las viejas casas sobre todo, igual que el tango, las fotografías de los abuelos, las puertas canceles de hierro forjado, las torres de la ciudad, los campanarios y los viejos bargueños eran textos de un multiculturalismo identitario que sólo el testimonio oral y el lenguaje de las imágenes podían narrativizar como arqueología de la mezcla modernista que nos produjo. Humberto reconoció que ella era consciente de que cada una de sus palabras lo hastiaban de una manera tan perfecta que se volvían perplejidad al escucharla, silencio, dificultad de respuesta, y desde ahí distanciamiento. Pero precisamente en ese sitio incalificable, también deseo descarnado, ojos sobre su boca de labios borravino y el botón del chaleco que se desprendió para tensar ahora al siguiente, el de abajo, algo parecido a una bronca de datos contrapuestos que cada treinta segundos terminaban en la imagen de ella sentada en el borde una cama desprendiéndose el corpiño. La licenciada en Letras le habló también de las huellas íntimas en el tiempo fílmico, tan hermanable a lo que podían ser en las escrituras de Musil, de Canetti o ciertas páginas de Thomas Mann, para pedirle que la llamase cuando tuviese listo cada cassette.

Celina se fue sola. Su madre seguía enferma y le escapaba a los medicamentos si alguien no vigilaba los horarios y las dosis. Humberto repasó que en ningún momento ella había develado un gesto que se desprendiese de lo conversado para posarse en otro lugar del mundo. No supo tampoco si alguna gota infinitesimal de su seducción la había rozado. Sospechaba sin embargo que ella se levantó para salir por la puerta del bar con pleno conocimiento de los hechos.

Caminó por Rivadavia con Santiago en dirección a Plaza Once. No quiso mencionar a Celina, como si fuese lo único que esa noche lo unía a su primo de una manera confusa. Lo deseado como siempre estaba en otra parte, no ahí, por esas veredas donde examinaba la mejor forma de volver atrás y negarse a ese proyecto absurdo en el cual terminó comprometido. Sin embargo, y recién ahora se daba cuenta del todo, sentía afecto por ese muchacho al lado suyo: picador de asfalto soñando con un video que no le interesaba absolutamente a nadie. ¿Cómo decírselo entonces? En lugar de eso le comentó las cartas de Sebastián Lieger y sus incertidumbres frente al caso, hasta que Santiago le sugirió conectarse con el tipo y aclarar el asunto. Pero después de treinta años había perdido el rastro de esa gente, apenas si recordaba que ya no vivían en Almagro.

Entonces Santiago entró a un bar, pidió la guía, encontró varios Lieger a los cuales fue llamando desde el mostrador frente a la cara somnolienta del cajero, hasta que el séptimo intento dio resultado y pudo comunicarse con la familia. Había atendido una tal Cristina Lieger. Casi inmediatamente Humberto recuperó aquel nombre y un rostro, el pelo renegrido de la hermana menor de Sebastián y su silueta parada en la puerta de la casa de enfrente. Su primo le pasó el tubo y arregló encontrarse en la casa de Cristina por La Paternal. Al colgar advirtió que no le había preguntado por su hermano.

Llegó cansado al departamento, lo esperaba un fax de su hijo desde Chicago con muy pocas palabras y un insólito dibujito de nene de cuatro años, la casita con el techo a dos aguas, el árbol, la tranquera y un perro guardián. También escuchó la voz de Marisa, su ex esposa, preguntando dónde se pagaban los impuestos territoriales. Abrió la ventana del dormitorio para sentir una agradable calma nocturna arrimándose por los edificios de Córdoba donde sobrevivían algunas luces. Sus ojos se detuvieron sobre un balcón oscuro, lejano. Había vislumbrado la silueta de alguien inmóvil, no pudo cerciorarse si era hombre, si joven o viejo, tampoco hacia dónde miraba. Bajó las persianas y apagó la luz. Se tapó con las sábanas y pensó en Celina. En la televisión se encontró con Errol Flynn.

6

Al día siguiente conversó con Cristina Lieger, sentados en un living amplio con sillones cubiertos por fundas protectoras. Una mujer corpulenta, físicamente atractiva, pero irreconocible si trataba de rastrearla desde aquella otra muchacha tímida con la bolsa de los mandados en la puerta de un almacén. No hizo falta avanzar más de un par de frases en el tema de Sebastián para que el gesto sombrío de Cristina rompiese rápidamente con la cálida atmósfera del reencuentro. La palidez de ella coincidió con un dato imprescindible, ignorado por Humberto: su hermano había muerto, en el 84, un año después de su regreso de Tucumán. Ella empezó a llorar con envidiable discreción, como si hubiese esperado especialmente ese encuentro postergado con Humberto. Durante la charla, y más de una vez, comentó lo que hubiese necesitado Sebastián su presencia aquel último tiempo.

De acuerdo al parecer de Cristina, el breve trabajo en la facultad de Filosofía nunca le gustó a Sebastián, tampoco la gente con la cual trataba. Ella cada tanto cerraba los ojos al hablar, pero fueron otras cosas, no muy conectadas con la cátedra, lo que según Cristina terminaron envolviéndolo y lo consumieron. Murió en el umbral de una casa, por Belgrano, mientras caminaba por la vereda. Posiblemente del corazón, o por un aneurisma, o ahogado en su vómito. Los médicos no le habían dado un diagnóstico definitivo. Humberto preguntó por el baño, pero cuando estuvo frente al inodoro con la bragueta abierta no supo en realidad para qué había entrado.

Al regresar al living Cristina le ofreció whisky, pero prefirió un poco de agua fresca o soda. Ella, sin perder la congoja, le fue mostrando los programas de la cátedra donde trabajó su hermano como ayudante, también dos pequeños libros editados por la Universidad de Tucumán, una carpeta con papeles y una carta de Sebastián para ella, escrita en Córdoba, donde en un párrafo decía "según Humberto" aludiendo a su posible traslado a Buenos Aires. Quiso aclararle a Cristina, dándose cuenta lo difícil que le resultaba, el no haberse carteado jamás con Sebastián ni recibido ningún mensaje suyo, a excepción de las dos cartas leídas días atrás. Comprendió que Cristina no prestaba mayor atención a sus palabras; la veía demasiado conmovida al revivir aquellos momentos de angustias. Lo que sí advirtió a lo largo de la charla fue la devoción hacia su hermano y el dolor que sin proponérselo le había causado su visita. Con un café Cristina comenzó a reponerse, volvió a sonreír y eligió cambiar de tema. Le contó sobre un tren fantasma desmontable, negocio heredado de las andanzas de un tío por las provincias, posible de ser reciclado como *discotheque*, con escenas, música, experiencias y literatura de terror, proyecto sobre el cual le pidió ayuda para imaginar su montaje definitivo.

En la calle Humberto paró un taxi y dijo al centro. Le parecía oportuna la idea de caminar por la peatonal de Lavalle. Precisaba un paisaje íntimo y añejo, buscar con los ojos un lugar que lo tragase. Pensó en las razones por las cuales Sebastián, desde su deterioro mental o síntomas semejantes había delirado cartearse con él. Y de no ser un delirio, su conducta escondía cosas ignoradas también por su hermana. Lo indiscutible era que el caso concluía en la conversación con Cristina: el desatino de dos cartas escritas diez años atrás, una cátedra universitaria, y Sebastián muerto una tarde de invierno de 1984, como la escena inaudita de un viejo día a miles de kilómetros de su conciencia. Nada quedaba por hacer, apenas una pizza chica y olvidar al mismo tiempo la ocurrencia de Cristina con su tren fantasma recibido en testamento.

Cuando el mozo apoyó en la mesa el flan con crema presintió un ramalazo de imágenes, le pareció intuir que se relacionaban con aquellas otras escritas en su cuaderno: una pieza, una persona, las tablas del piso que comienzan a encorvarse. Aunque estas nuevas, ya casi perdidas al aparecer, se habían llenado de otra claridad, un día nublado afuera de esa pieza, y alguien tal vez mirando desde afuera la habitación del hombre refugiado. Volvió a preguntarse si aquella frase de Sebastián, "según Humberto", expresaba simplemente la locura de su antiguo amigo. Cristina le había comentado ciertas referencias sobre Humberto Baraldi hechas por su hermano: quizás ella conocía otras cosas significativas de los últimos tiempos de Sebastián y decidió callárselas. No obstante la había sentido particularmente franca en su relato sobre aquellos días penosos, por lo tanto nada quedaba a ser conjeturado.

Entró al cine para ver una policial reputada como excelente por su ayudante Raúl Cortez. Cuando se apagaban las luces trató de reconstruir un gesto de Celina. A pesar de haber contado sólo quince espectadores en la sala, un hombre se le sentó asiento por medio. Al rato, pero ahora a la izquierda y en la misma fila, no muy lejos, se sentó otro hombre que después se deslizó hacia una butaca todavía más próxima. Se sintió incómodo, trató de observar a ambos de reojo echándose hacia atrás en el asiento, volvió a pensar en Sebastián Lieger, en una calle invernal por Belgrano, en la tristeza recatada de Cristina, en las dos cartas sin el mínimo sentido, y también en esa respiración muy baja pero con algo de siniestra del hombre de la derecha. Se levantó de un envión. En el hall del cine, mientras observaba los afiches de los próximos estrenos, tomó conciencia de la torpe situación de estar ahí sin ningún motivo ni cita con nadie y habiendo escapado de un cine por primera vez en su vida. Regresó malhumorado al departamento y en el grabador del teléfono escuchó la voz de su editor anunciándole que en una semana tenía primeras pruebas de galera: no había más llamados. Al acostarse creyó haber oído música en la otra pieza, prestó más atención pero pudo comprobar que estaba rodeado de silencio. Había sido como un acorde largo. Dedujo haberse olvidado de apagar el equipo, pero cuando fue a averiguar verificó que los aparatos ni siquiera estaban enchufados. Al encender la luz del escritorio se fijó en la agenda, al día siguiente almorzaba en la chacra de Darío Zabala y por la tarde participaba en una conferencia en la Feria del Libro sobre los intelectuales y la ética.

A pesar de los nubarrones, subió al auto rumbo a Cañuelas. Darío vivía de dar clases en una escuelita de la zona acondicionada a su medida, con mesa de fórmica, calentador, mate, un mapa de la república y un viejo mostrador comprado en la demolición de una fonda donde se agolpaban los alumnos antes de escapar por la ventana. Durante el viaje recordó las viejas citas en la pizzería de Lanús frente a la estación, las reuniones de ámbito en las cuales Darío nunca había dejado de esgrimir su dureza ideológica con los impuntuales, también con los que descargaban las 38 por miedo a un accidente, y hasta contra algunos cuadros excelentes pero angustiados por amores con mujeres de las clases enemigas. Se habían conocido antes, en la facultad, pero nada sobrevivió más tarde, durante la militancia, de aquel Darío alumno brillante, paródico, enamoradizo, incapaz de pensar una reunión de estudio sin un final festivo aunque fuese lunes a la madrugada. Sí, había sido después, en el tiempo político de salvar al mundo, cuando llegó a sentir una admiración casi religiosa por su personalidad, acompañada con algo de miedo, de asombroso temor por la inflexibilidad de Darío, por la frialdad de sus convicciones ideológicas íntimas. Nada había quedado de aquellas teatralizaciones preparando los finales cuando con un viejo gabán hasta el piso se mimetizaba de Nietzsche en la montaña y componía a un viejo Zaratustra seducido por una hippie canadiense.

Después llegó el exilio, muchos años de no verse ni escribirse. Hacía poco, en otro almuerzo en la chacra, Darío inusualmente rememoró ese tiempo: estuvimos lejos, dijo, tierras extrañas, nunca calculadas. Y se quedó mirando la pava: la terminal de un colectivo nos parecía un acontecimiento distante y mirá dónde fuimos a parar. Entonces sonrió, medio arrepentido por la remembranza, para preguntarle, ¿Humberto, quiénes fuimos hace tantos miles de años? Darío empezó el destierro en la romana Plaza España vendiendo posters de líderes asiáticos y africanos pintados por Adela, su mujer. Piadoso oficio en la ciudad eterna donde se creyó y hasta escribió poemas sintiéndose Giordano Bruno en 1600, pero venta callejera a través de la cual también desembocó, por esas cosas, en la cama de una egipcia embarazada de dos meses, con quien decidió convivir y contrabandear cigarrillos americanos distribuidos por tunecinos en los semáforos. Una tarde la egipcia lo invitó a conocer las pirámides, dos pasajes universitarios de verano comprados con cincuenta cartones de Marlboro. La egipcia lo abandonó en una pensión de El Cairo con la cuenta de la pensión impaga, y fue tanta su desesperación por encontrar a esa mujer en la ciudad musulmana sin poder otra cosa que el idioma castellano, que le confesó haber descubierto en ese rastreo el amor absoluto, mezcla de laberinto y silencio, de gesticulaciones y de infinito. En las esquinas de El Cairo llegó a convencerse de que la encontraría sólo a condición de mirar primero las caras de todas las mujeres del mundo, un estado de pesadilla del que despertó un día, al borde de la autopista que iba al aeropuerto, sin saber desde cuándo dormía allí ni cómo había llegado.

Regresó de la tierra faraónica en compañía de una alemana de Frankfurt conocida al embarcar y que hablaba de Habermas, con una receta de vida ecológica a imponer por correspondencia en el Trastévere, incluido bicicleta, zonas campestres, coitos colectivos y aguas de cercanías volcánicas. Hasta una noche cuando su esposa Adela, antigua responsable en la Boca para el regreso de Perón, y sus dos hijos ya grandecitos, le exigieron a Darío integrarse a una exitosa empresa familiar de diseño textil en Boloña, a esa altura con viajes a Japón y doradas tarjetas de crédito. Darío dijo no, después que no sabría hacer nada, por último que era ideológicamente cuestionable. Sus hijos lo fueron olvidando, Adela conoció a un secretario de la embajada de Libia que se propuso como amante y socio suculento en el negocio, encrucijada en la cual Darío Zabala decidió volver a Heidegger, George Trakl y Paul Celan, como inescrutable respuesta a su expulsión del hogar fundado en épocas utópicas bajo el signo de Rosas y también de Yrigoyen, para regresar más tarde y ya definitivamente solo a su país en democracia, recibir cartas de sus hijos con nueva nacionalidad, incursionar apenas un cuatrimestre dando clases en la carrera de Filosofía, proseguir un intercambio epistolar en francés con un egipcio sabio conocido aquel verano en el Nilo, quien vaya a saber con cuáles argumentos lo llevó a elegir su retiro en Cañuelas. Antes había sufrido un principio de infarto para olvidarse pronto de las recomendaciones médicas, más tarde aquel episodio de una niña vecina suya desangrándose en la calle, y su madre en cambio muerta sobre la ruta, despedazada por el ómnibus. Nunca quiso contarle los detalles de la rehabilitación de esa chica de siete años, Lidia, paralítica y muda por el accidente, a la cual Darío, en Cañuelas, se dedicó día y noche hasta que se fue recuperando, primero el habla, luego el cuerpo, cuando el único pariente, un tío mendocino de la niña, pactó con Darío cederle legalmente a la desahuciada.

La parsimonia de Darío para asar la mitad de un chivito a la parrilla, para poner la mesa, para asegurar el mantel contra el viento, para trabajar el chimichurri y alargar el almuerzo, le pareció a Humberto que se hermanaba con esas gotas del tanque de agua cayendo de tanto en tanto sin dejar nunca de caer cuando pensaba que era la última sobre las baldosas de la galería. Ahora, con el cielo despejado, Darío cortaba prolijamente membrillo y queso.

7

Fue postergando el tema durante todo el almuerzo pero en la sobremesa evitó rodeos inútiles. Le propuso dictar un seminario de la materia el próximo cuatrimestre. Desde su primera respuesta Darío se indispuso con la iniciativa, mucho peor, la tomó a broma aclarándole haber sospechado de entrada que se traía algo escondido.

Le contestó a Darío no estar dispuesto a discutir tal suposición, sino ese cuestionable derecho a cancelar los saberes, a entrar en mutismo santo en Cañuelas y de esa forma interrumpir la crítica a las cosas. Finalmente una cátedra nunca dejaba de ser algo ilegal, una interpretación que de por sí pasaba a ser desacuerdo con el mundo.

Darío se levantó de la mesa para anudarse un trapo a la cintura y empezar con el lavado de los platos. Enjuagaba la ensaladera cuando dijo que demasiada gente conocida se había vuelto ilustradamente vieja, con excesivas incertezas frente a la historia, algo semejante a una arteriosclerosis disimulada con puntos y cargos académicos. La vejez en lo teológico es acercarse dulcemente a dios, dejar la biblia en reposo, recitarla mal y de memoria. Los doctos laicos, en cambio, cuantos más chotos y seniles leían como nunca. Humberto se propuso mantener un tono de paciencia. Más allá de los postes de alumbrado un tropel de chicos despertó al perro, que corrió a averiguar el suceso como un bólido sin el mínimo decoro.

–Entonces nos queda la nueva barbarie, la vida rústica, perder un don social en la alta montaña. ¿Sabés a lo que me hace acordar, Darío? Antes era proletarizarse, ahora sería el destierro en las márgenes.

–Yo no le pongo títulos a baldear la galería todos los días. Digo, ¿es tan insignificante vivir sin martillazos nietzscheanos?

Darío se quitó el delantal para arrimarse a la mesa. Desde ahí le informó que ahora le tocaba secar todo. Con la pipa echando humo explicó por qué en realidad no había renunciado como un anacoreta a la universidad ni a la lengua madre del resto de las ciencias. Simplemente se había ido. Si creyese ciertas tales cosas las haría, dijo, y miró la pata de la silla. Regresó del paréntesis rememorando a un poeta: para lo que verdaderamente importa llegamos tarde. ¿Era más o menos así, no? Tampoco se puede sentir tan definitivamente un verso y en la puta vida obedecerlo.

Le preguntó a Darío dónde se guardaban los vasos y los cubiertos. Después le dijo que se equivocaba, al poeta no se lo obedecía a la manera de un teórico engatusador, se lo llevaba fallidamente en el alma para nada, como un arrepentimiento nunca cumplido, como un silencio rodeado de bosta de palabras. Necesitó escribir esa imagen, dijo Humberto, saber que son palabras para siempre. Darío contuvo la respuesta, se aproximó un poco más hasta apoyar los codos sobre la tabla y rascarse la nuca como disconforme con el rumbo. ¿Qué me contás con eso? Si yo hubiese sido él, ponéle la firma que también lo escribía, pero no soy el poeta, él me lo impide, si no, lo convertís en un artículo más, en escritura envidiable, no jodamos. Después se tiró a fondo sacándose de encima el resto. El silencio es nada, Humberto, efectivamente, pero adentro es la voz de uno alguna vez suspendida bendito dios, resguardada de coloquios, crítica, suplementos literarios y cátedras. Darío volvió a encender parsimoniosamente su pipa: me dijeron que te invitaron a un programa de televisión, dijo. No preguntaba ni afirmaba, sólo lo decía. Humberto abandonó el repasador y masticó despaciosamente el último pedazo de queso: me invitaron pero no fui, eso es todo. Para el café entraron a la casa. Humberto miró su reloj, eran las tres y media de la tarde, le quedaba un largo viaje hacia la Feria del Libro.

–No te entiendo, por qué desertar cuando al menos se tienen las cosas más claras que antes.

–Tu jabón debe ser mejor que el mío, Humberto.

–Por lo menos tenemos más claro lo que somos, y la cátedra es todavía un lugar apropiado, respirable.

–A ver Humberto, ¿de qué me querés convencer? ¿Que forme parte del cuerpo docente de la carrera por amor a la filosofía? ¿No hay algo un cachito mejor donde depositar el amor humano? Pequeños rufianes alertas, sindicato de escuálidos por concurso, maquinita de antiguos, medioevales y modernos, ¿Pero te volviste pelotudo o canalla?

–También hay gente rescatable.

–Claro, sí, los conozco, esos son los más insoportables.

–¿No tenés miedo de la ira del Señor? ¿ No te amedrenta el inesperado tronar de su venganza ? ¿No exigió de nosotros y desde los orígenes una filosofía de apoyo, un par de muletas sobre lo que importa ? Realmente no entiendo por qué decís esas cosas ¿Por gula, por soberbia, por pereza, por lujuria, por envidia?

–Soy maestro semirrural, o semimaestro conurbanístico, como quiso mi primera novia ¿No la conociste? No, no te debo haber contado nada de ella. Tal vez por recelo ahora que lo pienso. Era una piba sencilla y profunda como la minita de Novalis.

–Quiero que des el seminario. Creo que va a ser importante.

–Vos siempre creés, Humberto, y eso es lo imperdonable, hablemos francamente, nadie tiene la culpa de que vos creas cosas. Vos sos como el mejor de los peores. Además, nunca pegamos una. Discreción entonces.

–Al contrario, las cosas en la tierra parecen confirmar lo calculado desde hace tanto. Todo salió al mango y tan mierda como lo previsto. Eso es más deplorable que haber vencido.

–Vos tendrías que haber sido sociólogo, una gatita descerebrada. La filosofía a veces te condena por lo menos a avergonzarte de vos mismo, a darla por muerta hace muchísimo, a silbar una música. Cuando silbás se acabaron las palabras. Te lo explico, vos pensás, y mientras pensás silbás, y al silbar te olvidás de pensar, y ya está. Lo mejor que nos pasó fueron algunas noches solitarias, o acompañadas, siempre muy lejos de la facultad ¿Qué cosas? Melancolizaáe un galo, ciertas páginas, ciertos diálogos al pedo, alguna irreverencia esplendorosa que no figura en los antecedentes, el poder levantarte una mina hablándole del mal en Schelling, pero hablándole en serio, como ni ella misma se lo merecía ni pudo valorar. Tan bien me salían esas veces que ni ganas de coger me quedaban.

–¿Sabés lo que pienso ? Podés jugar un rato de la manera que quieras, o intervenir desde el lugar más honesto posible ¿Qué otra cosa?

–Y dadas las circunstancias actuales, por raro y privilegiado destino volvemos a elegir el lugar del mejor. Ese nunca va a sorteo. Seguimos siendo lo que fuimos siempre. Atención, tenemos algo importante que decir, ojo, a todos, cuidado, escuchen, oigan boludos de la platea, se acabaron las balas y las historias malditas, ahora empezamos con la tolerancia y los coloquios. Me cago en esos lugares honestos.

–Me gustaría que estés en la cátedra, después de todo Estética está de moda.

–¿Ahora la bautizaron Estética? En el 88, cuando trabajé en la carrera, se llamaba de otra forma: Doctrinas sobre lo Bello. Sí, recuerdo a un viejo de otra comisión.

Humberto miró fijo la boca de Darío, necesitaba imperiosamente seguir escuchándola, que no se interrumpiese justo ahora para llamar al perro que se había trenzado en la puerta con un colega menor. Recordó las cartas de Sebastián Lieger, hablaban de concursar en una materia con ese nombre, Doctrinas sobre lo

Bello. Recién se notificaba que aquél había sido el nombre de su cátedra hasta poco antes de entrar como titular.

Durante el viaje de regreso se sintió desagradablemente excitado por el tráfico en la ruta, la mala digestión y aquel dato imprevisto. También con algo de desilusión por las escasas referencias obtenidas de parte del inimputable Darío Zabala, nombrado ayudante interino por un cuatrimestre en la vieja materia, a la que abandonó a la segunda semana. Apenas si había recordado algunos puntos sueltos del programa. El episodio confuso de las cartas de Sebastián preocupándolo desde hacía varios días se relacionaba, todavía no sabía cómo, con su propio reingreso a la facultad cuando volvió de México. Desde 1990 era titular de una cátedra con nombre cambiado y sin rastros a la vista. Lo que pensó que había sido un simple seminario dictado por Sebastián, "Doctrina sobre lo Bello", de pronto se convertía en un dato que de alguna forma lo involucraba, pero un dato vaciado de la mínima referencia, su materia con otro nombre y como un orificio ciego. Estaba cercado, adelante por un ómnibus turístico de dos pisos, atrás por un camión. El resto eran bocinazos y autos que arremetían por las banquinas. Tuvo un presentimiento, desde aquella masa informe en su cabeza brotaba una aureola de luz. Un muerto, Sebastián Lieger, alucinó cartas guardadas por otro muerto, el viejo Saturnino Hernández, vigía y centinela de la casa de Almagro. Después de todo no resultaba un conjunto de datos desguarnecidos de lógica, sino bastante cercano: su materia en la facultad, pero con otro nombre. Y por debajo de aquella evidencia fantaseó la caverna académica, viejos con úlceras hegelianas, ancianas reaccionarias amantes de Platón, gibosos aristotélicos, criaturas antiquísimas debajo de las baldosas, respirando entre velos para cavar una inmensa gruta donde había caído prisionero. Sonrió aferrado al volante, paralizó su sonrisa en una mueca exagerada, después largó la carcajada mientras hacía sonar desaforadamente su bocina contra el embotellamiento hasta el eructo con gusto a tinto y chivito.

Sus comentarios en la mesa redonda de la Feria del Libro se prolongaron más de lo previsto debido a una serie interminable de preguntas por parte de los asistentes, típicas de cuando el tema se refería a la misión del intelectual. Al entrar a su edificio a medianoche, en el pasillo, vislumbró el cuerpo de Clara detrás de una reja, al costado del viejo ascensor. La saludó sin que ella lo escuchase, la vio apenas cuando desaparecía en el sótano. En su departamento registró una llamada de Mingo Corrales con el fin de reunirse para discutir la adaptación del *Hiperión*, aunque sobre todo comprobó cómo la canilla de la pileta, en pleno descontrol y sin poder cerrarla, había inundado de agua el baño. No quiso pedirle ayuda al portero porque vendría su hermana. Llamó por teléfono a Santiago por si conocía a un plomero, pero su propio primo se ofreció a solucionar el problema y a la media hora se hizo presente portando una caja de herramientas de unos paraguayos amigos. Junto con los fideos recalentados, le contó a Santiago las nuevas referencias con respecto a Sebastián Lieger y sus dudas en cuanto a si Cristina le había dicho toda la verdad.

Consideró correcta la idea de Santiago, llamarla mañana y proponerle otra cita, invitación que ella convirtió en un encuentro para esa misma noche a la salida de una velada en el Teatro Colón. Cristina llegó retrasada, cuando estaban a punto de pagarle al mozo: la vieron aparecer con un sobrio y adecuado traje de plateísta de ópera. Por cierto, ella había retaceado información en el primer encuentro. Sebastián Lieger si bien a veces parecía un poco trastornado, conservó siempre una indiscutible lucidez para discernir qué le pasaba. Ella descartó poner en tela de juicio la salud mental de su hermano, quien durante los últimos meses de su vida nombró en algunas ocasiones a Humberto y en otras a Ariel Rossi. También en las cartas se hacía mención a Ariel, quien había formado parte de sus amistades de juventud en Almagro. Nunca volvió a saber nada de la vida de Ariel, pero le resultaba fácil deducir que la relación de éste con Sebastián persistió con los años. Varias noches Cristina fue testigo de sueños angustiados de su hermano, donde lo escuchó pronunciar el nombre de Ariel.

Humberto aprovechó esta nueva conversación para comentarle que había heredado la cátedra donde circunstancialmente trabajó su hermano, pero sobre todo regresó al tema de las cartas.

Le explicó su desconcierto al leerlas, recalcando que nunca le había escrito a Sebastián, como tampoco llegaron a tener ningún reencuentro ocasional. Cristina, sin perder sus formas delicadas, pareció molestarse al escucharlo. No le creyó del todo, al punto que dijo recordar una carta de Humberto Baraldi en la mesita de luz de Sebastián, carta que su hermano se llevó junto con otras cosas al mudarse y vivir solo los últimos meses. Ella no volvió a encontrarla, su hermano se desprendió de todos sus rastros, ni siquiera conservó sus libros más queridos, como si se hubiese sentido gravemente enfermo, sin cura, y actuado con absoluta reserva. Humberto quiso rebatirle aquel dato sobre una carta suya, pero Cristina insistió en la veracidad de su memoria: ella retenía azarosamente el nombre de uno de los profesores amigo de Sebastián en Filosofía. Se trataba de Marcos Lencina, sin duda un hombre muy viejo que de seguir viviendo podía ser consultado. A Humberto no terminaban de convencerlo los nuevos detalles: la mentira de Cristina, o de su hermano tal vez, sobre una supuesta carta suya, tampoco aquel Sebastián preparando el final de su vida en soledad, y al mismo tiempo muerto de un repentino ataque al corazón: un contrasentido con respecto al amor supuestamente abnegado de una hermana todavía llorosa que le había contado cómo penó junto a la cama del enfermo.

Esa noche Santiago durmió en su departamento, en el sofá del living, previo llamado a su novia Celina para no preocuparla. Humberto quiso hablar con ella, escuchar su voz, con la excusa de tener casi finalizado el primer cassette y preguntarle cuándo podrían encontrarse. Mientras compartía jugo de pomelo con su primo, apareció Yolanda en el teléfono con su pedido de ser buscada al día siguiente a la salida de un ensayo. Al colgar Santiago le preguntó si Yolanda era su pareja. La respuesta negativa habilitó a su primo, según dijo, para despejar una intriga sobre el proceder de las actrices en la cama. La interrogación la explicó de esta manera: si el saber actuar de Yolanda privilegiaba de una manera particular sus conductas en el lecho. Aplacado por la respuesta, su primo rescató el tramo final de la charla con Cristina Lieger, para confesarse interesado en el proyecto del tren fantasma a convertir en boliche bailable. En realidad Santiago no quiso admitir que Cristina le gustaba, con ese garbo de distinguida cuarentona de barrio un poco antigua, aunque sí aceptó serle infiel a Celina cuando no quedaba otra. Estuvo a punto de preguntarle por la conducta de Celina, pero prefirió tragarse el resto del pomelo. Mientras se bañaba pensó en la intransigente dureza de Darío Zabala, la ética malentendida de una generación cagada a balazos.

GRABACIÓN I (VIDEO/CASA)

Hoy comienzo, Celina. Acostumbrado a dictar clases y a escribir pulcros ensayos, no sé cómo me irá ahora cuando me dejo tentar por los recuerdos personales. Entonces grabo. Tenía dos años cuando murió el abuelo. Fueron siempre tan escasos mis recuerdos reales sobre aquel hombre en vida, como inmensa la supuesta memoria de haberlo conocido. Creo haber estado en sus brazos una tarde, veo la glicina florecida, pienso entonces en un verano. Retengo sus manos huesudas, con venas fuertes y azules. Sin embargo no sé si ese detalle me pertenece, o es la voz de mi padre hablando de las manos del abuelo. Durante cierto tiempo, hasta un día cuando mi madre me reveló el equívoco, creí en un abuelo creador de todo lo valioso del mundo y de lo reverenciado por la familia. Conservo una imagen primera, podría decir única de su figura. Aquí ambos términos tienen un significado decisivo en mi vida. Visión inicial y para siempre, como si efectivamente el principio se confundiese con el destino y su nombre heredado. La casa, como todas las de su época, tenía en la planta baja una comunicación interna de piezas y puertas en línea recta, desde la sala hasta la cocina, pasando por el comedor y varios dormitorios. Afuera quedaba el sendero invernal de los patios. Recuerdo un día haber visto, desde el otro extremo de la casa, la silueta lejana, inmóvil, erguida del abuelo, esperándome debajo del dintel de la puerta de la antesala, su escritorio. Digo esperándome, no sé si fue así. Con los años y con respecto a esa escena, mi memoria concibió infinidad de voces del abuelo, un improbable pronunciar mi nombre, como también imaginé los gestos del abuelo viéndome llegar. Yo sólo percibo el contorno fugitivo de las piezas y una silueta alta, delgada, de traje negro con chaleco, a la cual jamás llego. En el recuerdo, de pronto, no soy yo el protagonista, sino los ojos del abuelo aguardando, mientras dejo atrás cada una de las puertas abiertas. Lo de las puertas es otra experiencia borrosa, primitiva, donde se funde mi infancia, incapaz de ser pensada ahora desde datos ciertos, con el pánico real y con mi padre el dueño de las iniciales palabras consoladoras escuchadas en la vida. Sucedía de la siguiente manera. Las innumerables puertas siempre abiertas de la casa atesoraban entre la madera y la pared un espacio invisible, un ángulo ciego y amenazante. En esos lugares se escondían monjas cubiertas con túnicas de un perfume agridulce, las descubría por ese aroma, no por verlas, sabía detrás de cuales puertas estaban con los ojos bien abiertos y las sonrisas muertas acechando mi paso. Terror en mis sueños y después en la vigilia, sobre todo por las noches cuando me ordenaban algo y debía transitar la casa entre aquellas hembras agazapadas del otro lado de las puertas abiertas respirando muy débil para pasar desapercibidas, criaturas silenciosas con olor a flores rancias, apenas mujeres en mi conciencia y sin embargo ellas, siempre ellas, rostros bellos repetidos, iguales. Un día mi padre, yo tendría cinco años, luego de escuchar mi confesión, o tal vez mi pedido de ayuda para expulsarlas, me convenció de la dulzura y la bondad de las monjas a pesar de no ser ninguna de ellas protestantes metodistas, ni siquiera luteranas. Mi hermana y mis primas, todas unos pocos años más grande, nunca supieron de esas criaturas ocultas en los rincones a quienes reconocía por un aroma ácido en sus bocas entreabiertas. Mis primas en cambio eran para mí lo opuesto a ese terror, eran cinco, estaban siempre juntas en cualquier momento del día, bañadas por las tardes, peinadas con una perfección asombrosa, siempre confabulando y poseedoras de secretos imposibles de compartir. Según mi primo Esteban, él me llevaba un año y era el otro varón, ellas sabían disfrutes ignorados de la vida y de la casa, algo parecido, diría hoy, a códigos impronunciables frente a otros. Eran sabias, decía Esteban, pero en algún momento se delatarían y seríamos como ellas. En los tres grandes patios de mosaicos italianos o en el jardín del fondo había sillones, plantas, árboles, presencias parecidas a las marcas del tiempo, a las lluvias, al invierno, a los meses del sol llegando más fuerte, señas de ramas desnudas o pimpollos invisibles descubiertos por la abuela Pepa sin dejar de hablar nunca con las hojas. Por algunos de los patios se deslizaban las primas eligiendo a veces el del banco de plaza, o los sillones del hierro bajo el farol, para avisar cómo ciertos lugares de la casa eran recobrados o perdidos por largo tiempo, cómo con ellas los tiempos volvían o simulaban irse para siempre cuando el viento y el frío y la escarcha los vaciaba y sólo la abuela persistía en recorrerlos. Para mi primo Esteban, ellas guardaban fotos nunca vistas del abuelo, libros robados de su biblioteca, leídos en voz muy baja por las dos más grandes, y cartas donde el muerto volvía y vigilaba cómo hacían las mujeres desnudas para meterse los hijos en el vientre. De acuerdo a Esteban, mi hermana Martina y Alicia se lo habían contado una noche debajo de la cruz del comedor, junto a la inmensa mesa con dieciséis sillas usada sólo de vez en cuando. Por cierto, ellas flotaban en las piezas estuviesen o no estuviesen en las piezas, para Esteban ellas siempre portaban algo escondido, de las mujeres, de la abuela, de las tías, la voz de un hilo telefónico invisible por donde las primas solían escuchar, saber, eran testigos de diálogos y datos inconcebibles sobre el pasado, sobre lo venidero, como si escondiesen debajo de las blusas secretos decisivos, no el de los hombres, ellos eran figuras de rumbos y sitios previstos, de voces fuertes y siempre iguales cuando regresaban al atardecer y los arcanos de la casa se replegaban dentro de ellas, de todas, también de las primas, para recién reaparecer cuando volvían a quedarse solas, solas con Esteban y conmigo. En las cercanías de aquella edad sobrevino sin embargo el aniquilamiento de ese mundo hundido en imágenes difusas. Y la aparición, por cierto, de otro mundo más tortuoso a lo largo y a lo ancho de los tres pisos de la casa, compartido con Esteban. Una tarde mi madre nos descubrió a los dos cerca de las bibliotecas del abuelo muerto, hojeando una inmensa biblia en alemán. Rememoro: es difícil construir frases sobre acontecimientos de los orígenes. Nos extasiaban, creo, las láminas a toda página de aquella biblia sobre las visiones de *los profetas de Israel cayendo como caos de imágenes contra el eternamente sorprendido pueblo de Dios. Esa tarde la pregunta de Esteban, a mi madre, fue como la tentación en el paraíso. El fin de los tiempos del abuelo divino. Fue la impertinencia de Esteban al no poder soportar el silencio escondido en las fábulas. Si el abuelo no sabía francés, cómo pudo escribir esta biblia en francés, preguntó Esteban sentado al lado mío en el escritorio, ante la irrepresentable mirada de asombro de mi madre. Entonces, como en las láminas del libro santo, se precipitaron desde lo alto del cielo los castigos del mundo, y la casa pasó a ser, de un instante para el otro, una comarca de datos tan inasibles como portentosos. En la cabeza de Esteban, de igual manera en la mía, las biblias del abuelo pastor, las óperas del abuelo, los Salmos del abuelo, los himnos del abuelo, los cuadros, libros, plazas y calles, y fundamentalmente la iglesia del abuelo, no constituían la forma a través de la cual los mayores, en homenaje espontáneo, referían las predilecciones de aquel hombre. Para Esteban, también para mí, esa escuálida preposición metida entre las cosas y su nombre, era la única certeza de nuestro estar en la tierra, y todo aquello, la casa, las palabras, la iglesia los domingos, las canciones, el padrenuestro, las historias, eran creaciones genuinas del abuelo pastor por quien orábamos antes de dormir arrodillados contra la cama. Todo lo había escrito, fundado y previsto ese hombre para abandonarlo más tarde en el silencio ensordecedor de los cuartos de la casa. Ese día de la revelación maldita Esteban insultó demencialmente al abuelo. No recuerdo las palabras, pero sí el lugar. Fue en el laboratorio de mi padre, una pequeña pieza en el primer piso debajo del balcón terraza, invadida por tubos de ensayo, aparatos incomprensibles y el nauseabundo aroma de antiguos experimentos químicos. Recuerdo ese día como si su nitidez proviniese de haberme desprendido de la gracia. Va a ser mejor, Humberto, va a ser mejor, repetía Esteban con el rostro endurecido, con un rencor imposible de expresar en palabras. No podría jamás atrapar ahora todas las imágenes de aquel momento en el laboratorio, donde se invertía el cosmos y había escuchado de la boca de mi primo la peor de las blasfemias. Abracé a Esteban, pedí perdón por él. Trataba de olvidar aquel insulto y al mismo tiempo sentía imposible tal olvido. Lloré, no sólo por las fatídicas palabras de mi madre, creídas de una vez y para siempre, sino por el infeliz lenguaje de mi primo. Pero sobre todo me tragué las lágrimas imaginando ahora el mundo más allá de la casa, más allá de las veinticinco habitaciones extendiéndose desde la azotea del segundo piso, por el patio de glicinas del primero, hasta el vestíbulo de la planta baja. La casa pasaba a ser como todas las casas, el mundo no terminaba allá arriba ni ahí abajo, las cosas en realidad habían sido hechas por alguien sin nombre ni rostro. Aquello, afuera, seguía entrando y entrando como un cuerpo sin cuerpo para quebrar ese territorio cuyas fronteras inabarcables y tan próximas habían sido padres, tíos, tías, hermanos, primos, es decir, apenas los hijos y nietos de un hombre. Sentí al diablo hablando por boca de Esteban.*

8

El martes, Humberto dictó algunos de sus cursos privados antes de encontrarse con Santiago. En el medio hizo tiempo por librerías de Corrientes y a las cinco, en la maderera, obedeció los consejos de su primo con respecto a los estantes y laterales para una nueva biblioteca. A la salida del café Santiago aceptó acompañarlo hasta el edificio de 25 de Mayo donde funcionaban los institutos de Filosofía. Iba con la intención de preguntar por los antecedentes de su materia, sin saber si era el sitio adecuado ni qué trámites debía realizar.

Prefirió averiguar el rumbo correcto antes de subir las escaleras. Un rengo de guardapolvo los atendió con amabilidad, corroborando la intuición de Humberto: ese tipo de datos lo brindaban los archivos del subsuelo. El encuentro posterior no resultó tan armonioso, una mujer de caminar muy lento, centinela agazapado en retaguardia, apareció por el pasillo invadido de escritorios, expedientes y una jauría adormecida de ventiladores contra la pared. Con tono receloso les aclaró que para recabar ese tipo de información, en el segundo subsuelo, hacía falta la firma del director de la carrera.

Santiago le hizo señas de dejarla ir. Cuando ya no la vieron, su primo abrió varias puertas contiguas hasta entrar en un pequeño cuarto. Se toparon con una montaña de retratos de antiguos rectores, biblioratos cubiertos de polvo, cajas de velas fechadas en 1940 y varios paquetes de papel higiénico. Humberto volvió al pasillo para iniciar la retirada, pero se detuvo frente a un grupo de profesores arribando por la escalera desde el subsuelo. Fueron los ojos de una mujer de bastante edad, pálida, vestida con una anacrónica discreción, los que lo atenazaron al piso. Ella lo miró fijo, parecía reconocerlo o confundirlo con otra persona. La vio subir con el resto de sus acompañantes hacia la planta baja, mientras no atinaba a comprender la elucubración de su primo: Santiago le proponía retornar y permanecer en el cuartito, a la espera de que se deshabitase el edificio. Le contestó sobre su poca predisposición a participar en semejante despropósito. En media hora debía formar parte de una mesa redonda y lo único aconsejable era regresar otro día más temprano.

A los pocos minutos de espera no escucharon ruidos ni voces. Sin darse cuenta se habían quedado solos, a oscuras, en el primer subsuelo. No supo bien por qué, pero se introdujo en la pequeña pieza detrás de Santiago y espió por la rendija de la puerta. Retenía, como grabados a fuego, los ojos absortos de aquella anciana. Trató de recordar su figura por la facultad hasta convencerse que jamás se había cruzado con ella.

Oyeron pasos lejanos, algunas órdenes, el silbido de un tango, batifondos de baldes, escobas y trapos mojados contra los mosaicos. Al salir del refugio Humberto quedó aturdido por la desmesura del silencio. Santiago pretendió inútilmente encender alguna luz en el pasillo. Al llegar al segundo subsuelo, al final de la galería, detectaron un cartelito que señalaba el lugar de los archivos un piso más abajo todavía. A esa altura la escalera se adelgazaba de manera poco hospitalaria, como un resto inutilizable del edificio.

Entre las densas sombras del tercer subsuelo adivinó los contornos de una puerta cerrada con llave, pero a través del vidrio su primo logró discernir hileras de archivos cubriendo las paredes. Alumbrado por el encendedor y ayudado por un alambrecito, Santiago se arrodilló frente a la cerradura tanteando la posibilidad de forzarla. Humberto creyó oír pisadas muy leves en el piso de arriba. Sintió la transpiración en la espalda. Consideró la conducta de su primo desde distintos puntos de vista. También se preguntó por la suya, en ese remanso de la conciencia que permite el delito. Cuál era el motivo de estar parado en las tinieblas de un subsuelo, si Estévez, el decano, le hubiese firmado en un trámite de cinco minutos una autorización para lo que buscaba. Escudriñó su reloj sin desentrañar el minutero.

La puerta se abrió con el chillido previsto, la luz eléctrica en cambio tampoco funcionaba adentro: habían interrumpido la corriente. Poco a poco fue reconociendo el sitio. La habitación, en el fondo, daba a una amplia puerta con banderola que cubría toda la pared, bloqueada por la fila de archivos. Con el encendedor fue leyendo las tarjetas de referencias, mientras Santiago anunció ir por los paquetes de velas vistos en el cuarto de los retratos. Su primo regresó cuando tenía en sus manos dos carpetas, la de su materia, "Estética", y también su antecesora, "Doctrinas sobre lo Bello". Despejó el escritorio más grande y encendieron seis velas para distribuirlas en semicírculo sobre la superficie metálica. Sacó el atado de cigarrillos y se dispuso a leer los expedientes en el calor sofocante de ese sótano. Santiago había encontrado un tarro de café en buen estado, también azúcar, y el calentador a gas que esparció rápidamente un aroma más agradable que la temperatura.

En las primeras páginas de "Estética", bajo Legajo 21.777, encontró su nombramiento a fines de 1989, su apellido curiosamente envuelto en un círculo y tildado con una x en lápiz azul, la composición del jurado, como también el de su adjunta, Joaquina Fernández, con sus datos respectivos y fechados el mismo año. Después venían los restantes integrantes de la cátedra, a excepción de la vieja Ernestina de Queirolo, con respecto a la cual un amarillento legajo con código 1200 remitía a consideraciones de una antigua titularidad sin fecha. La última hoja era la constancia de un trámite elevado al Instituto de Filosofía, hacía apenas seis meses, donde se solicitaban 2.500 pesos para el mantenimiento edilicio del Área Cursos y Seminarios de la materia. Humberto volvió a leer ese expediente sin entender el motivo de que estuviese incluido en la carpeta. Él era el titular y sabía que no existía ningún área de cursos y seminarios. Lo consideró un documento totalmente ajeno a la cátedra, traspapelado de otro bibliorato. No obstante, retiró con cuidado aquella hoja y la guardó en el bolsillo de su saco.

Abrió la carpeta de la materia "Doctrinas sobre lo Bello", inscripta también bajo legajo 21.777, para enterarse que se había dictado desde 1984 hasta 1988, como parte de un proyecto urgente de reformulación de la currícula de la disciplina: así decían los fundamentos. Había una breve solicitud sin firma, elevada al decano, donde se pedía aclaración sobre el número verdadero de legajo que identificaba a la materia. No había respuestas a dicho pedido. Además se topó con un contrato por seis meses a Darío Zabala como ayudante de primera. El titular interino era el doctor Federico Uriarte, precisamente el hombre que había tenido tanto que ver con su regreso al país desde México, al proponerle la titularidad de la materia cuando ya había pasado a denominarse "Estética".

Se preguntó por qué Uriarte no le hizo referencia a todo lo anterior: por desgracia el profesor había fallecido dos años atrás de cáncer a la garganta. En los primeros tres años de dictado de "Doctrinas sobre lo Bello", el puesto de adjunto lo ejerció el profesor Marcos Lencina. Humberto recordó ese nombre, Cristina Lieger había aludido a Lencina, recomendando que fuese a verlo en relación a su hermano Sebastián. Tampoco Uriarte le habló nunca de Lencina, ni de su propia renuncia como titular en 1987, al dictarse el cuarto año de la materia. La otra adjunta que registraba el legajo, ya lo imaginaba, era doña Ernestina de Queirolo, su actual ayudante ataúd todavía no jubilada. En otra hoja la carpeta informaba sobre la visita de un profesor dinamarqués, Humss Sewer, nacido en 1889 según constaba en ficha adjunta, pero bajo legajo 1200. Humberto calculó que contaría 98 años cuando dictó su seminario de cátedra, "Las saberes perdidos".

Trató de imaginarse el contenido de ese curso, y también el de otros dos seminarios por esa misma época, "De lo verdadero no existente en nuestra Historia" dictado por Ernestina de Queirolo, y "Ëxperimentum Mundi", a cargo del doctor Ramiro Fernández, con algunos posgrados en Roma desde 1936 a 1940.

Finalmente se topó con Sebastián Lieger. Registraba como Segundo Jefe de Trabajos Prácticos por concurso en 1984, y varios pedidos de licencia al poco tiempo de obtener el cargo. La sorpresa la tuvo al dar vuelta la página y encontrarse con un sumario contra Sebastián, que entre paréntesis llevaba también aquel evanescente número guía, el 1200. Los fundamentos le resultaron difíciles de comprender. Consideró que el texto disimulaba recatadamente los sucesos a través de un extenso y tedioso lenguaje administrativo. Uno de los ayudantes de la materia, junto con dos alumnos, no aparecían sus nombres, denunciaban a Sebastián Lieger por conducta indebida en el campo de las relaciones académicas, sin exponer ningún detalle revelador sobre dicho procedimiento cuestionado.

En su escrito de defensa Sebastián declinaba, en cuatro líneas, utilizar dicha alternativa. En la hoja siguiente renunciaba a la cátedra y a participar en un seminario, por considerarlo "fuera de lugar", agregando al final del escueto párrafo "como otras circunstancias sobre las que me impongo silencio". Indudablemente Cristina Lieger no estaba al tanto de estos episodios, o también ella prefirió un prudente mutismo al respecto.

Su primo Santiago había partido en misión exploratoria hacia la planta baja, para interiorizarse sobre las posibles formas de salir del edificio. Humberto se quitó el saco y la camisa, fue por más café y encendió otro cigarrillo. Cuando Darío Zabala estuvo en la materia por quince días, en 1988, el titular Uriarte ya había renunciado, por eso ni se lo mencionó. Lo de Sebastián Lieger fue diferente, nadie renunciaba tan fácilmente y sin pelear a un concurso ganado.

Al regresar al escritorio observó el polvo de la claraboya en la puerta del fondo de la pieza. Bajo la luz indecisa de las velas, la suciedad acumulada en aquellos vidrios altos formaba extrañas figuras. Buscó descifrar las semejanzas de las siluetas, cuando una de esas imágenes borrosas paralizaron sus ojos. La escasa luz no le permitía ver con precisión, sin embargo tuvo la aterradora conciencia de un rostro en la claraboya que no era dibujo del polvo, sino alguien que lo miraba. Se apartó de las velas para acercarse: el rostro había desaparecido. Se encaramó a uno de los archivos para examinar mejor esos vidrios. Comprobó, casi sin aliento, que la claraboya daba a la parte más baja de otra pieza, a ras del suelo. No conseguía reaccionar por su descubrimiento, alguien había estado con sus ojos sobre aquellos vidrios sucios, o tal vez seguía estando, ahora más atrás, en la compacta negrura de esa habitación a otro nivel.

Creyó escuchar pasos disimulados caminando por el corredor. De un salto se bajó del archivo y estuvo en la otra puerta. Espió la oscuridad del amplio pasillo: ningún dato parecía intranquilizar al silencio. En voz baja pronunció varias veces el nombre de su primo, pero nadie contestó. No obstante, tenía la sensación de una presencia extraña entre los bultos de la galería. Contuvo la respiración, permaneció en silencio el tiempo suficiente hasta comprobar que cada sombra continuaba impertérrita en el lugar de siempre.

No había otro momento más oportuno que ese para serenarse. Pero el calor resultaba insoportable ahí abajo. Sonrió imaginando su propia cara en un espejo. Sentía la transpiración en los brazos como larvas transparentes, sin embargo era el cerebro el que le sudaba en visiones ridículas. Se preguntó por qué estaba en ese sitio a las nueve menos cuarto de la noche. Algo tan incongruente como haber pensado que alguien lo espiaba en esa cueva tan lejos del sol. Con unos folios amarillentos se apantalló la nuca. Precautoriamente corrió la silla para sentarse del otro lado del escritorio y mirar de frente la banderola.

La carpeta de "Doctrinas sobre lo Bello", en una ficha final, remitía a una materia anterior, "Reglas y Preceptivas del Orden Artístico", dictada desde 1977 a 1982. Al revisarla comprobó que a lo largo de sus seis años había contado con varios titulares interinos: una arquitecta, Erna Stromberg, por un breve lapso. Un cura, el padre Edelmiro Sayago. Después Ernestina de Queirolo, y por último Ramiro Fernández, el del posgrado en Italia, quien por dos veces firma la autorización, con sello y legajo 1200, para viajes de Ernestina rumbo a Alemania. En folio aparte, fechado dos años antes a esos viajes, constaba el fallecimiento de Héctor Queirolo, sin duda esposo de Ernestina. Posiblemente se había abierto un nuevo horizonte en la vieja amistad entre la viuda y Fernández. En un expediente agregado, con sello del Instituto de Filosofía, aparecía una serie de cursos sin títulos dictados en alguna parte y varias boletas sobre refacciones edilicias, plomería y pintura, de un inmueble que no se identificaba.

Se sirvió más café. Manoteó a su izquierda el paquete de cigarrillos. En ese momento regresó Santiago para comentarle que deberían salir por la terraza hacia un edificio lateral, pensión barata con música de cumbia y cuartetos. El portón de entrada resultaba inexpugnable. Para su primo los pisos subterráneos eran comparables a un laberinto, con pasadizos, tramos equivalentes a viejos túneles interrumpidos cada tanto por oficinas modernamente instaladas con aparatos de aire acondicionado, recovecos que terminaban de pronto en paredes como tapiando algo, y una abertura en el piso que sin duda daba a un cuarto subsuelo, al cual se bajaba por una escalera vertical tipo barco.

Humberto decidió librarse de sus zapatos, aunque al pensarlo mejor también se quitó los pantalones. La última carpeta mencionaba una cátedra anterior, correspondiente al período 1973 a 1975. Buscó en el archivo las letras y los números del código y se enteró del nombre: "Cultura y Liberación", sin titular concursado, bajo legajo 21.777 y a cargo de un cuerpo colectivo de artistas y asesores especiales sin nombres a la vista. La materia se había subdividido en tres módulos, "Manual del Esteta Popular", "Lo Bello Proletario" y "Foquismo Artístico". El resto, eso lo descubrió en páginas posteriores, aparecía como seminarios del Instituto bajo código 1200 y simulaban flotar en otro tiempo y espacio. Uno de ellos se denominaba "De lo Sublime Kabalístico en la Decadencia Moderna", a cargo del profesor David

Schulem. Otro, "Tiempo de Trivium", desarrollado por el padre Edelmiro Sayago, y un tercero, "Psicagogía", dictado por la profesora Matilde Lombrozo.

Este último curso le permitió conocer un detalle, la ayudante de la licenciada Lombrozo era la recién egresada Joaquina Fernández, su actual adjunta. Recién en ese momento relacionó el apellido de Joaquina con el de Ramiro Fernández, doctorado en la Italia de entreguerras. Ella le había contado sobre su padre fallecido años atrás, pero nunca de su participación académica.

Como otro dato singular de la carpeta, leyó una breve notificación en hoja sin logotipo ni sello de la facultad, apenas el número 1200, informando de la aceptación definitiva de un inmueble en 1977 cuyo domicilio aparecía como notorio espacio en blanco dentro del renglón. La firma consistía en una letra S sin aclaratoria. Se apoderó de esa hoja y la metió en el bolsillo de su saco.

Obedeciendo al código, regresó al archivo para buscar la materia previa a la consultada, pero de manera poco clara en esta nueva carpeta que indicaba la cátedra "Bellas Artes", año 1968, se reiteraban patentemente los dos números diferentes de legajos. Por una parte el FL 21.777, que le servía a la Universidad para fijar la currícula de estética en la Carrera, más allá de los diferentes nombres que asumiese. Pero también parecía intercalado varias veces el otro nomenclador, el FLI 1200, aunque ahora con esa "I" final que posiblemente aludiese al Instituto. Hacia atrás "Bellas Artes" se detenía recién en 1965, con algunas listas de bibliografías obligatorias y recomendadas sobre Grecia y Renacimiento totalmente normales y algunas facturas de una empresa de mudanzas, otra de decoración de interiores y de una ferretería con varios metros de soga gruesa.

La humedad del pañuelo no le alcanzaba para secarse la cara. Las gotas desde el pelo se deslizaban por las mejillas o caían directamente sobre los papeles. Los titulares de "Bellas Artes" habían sido sucesivamente el profesor Héctor Queirolo, aún con vida y esposo de Ernestina, luego la profesora Matilde Lombrozo. En el medio de ellos dos, sólo por cinco meses, el profesor danés Humms Sewer, nombrado *ad honorem* "durante su estadía en la

Argentina". Ese tiempo no registraba actividad de Seminarios. Como si no hubiesen hecho falta. Pero la carpeta reenviaba a una materia más vieja "Arte y Sociedad" encuadrada en el código 21.777, instituida entre los años 1959 y 1965, donde como ayudantes, entre otros, figuraban dos jóvenes sociólogos que Humberto conocía y ahora trabajaban en el BID: Jorge Crespi y Natalio Ferreyra. Leyó los nombres de los titulares, profesores del tiempo en que el propio Humberto cursaba la carrera. Pero como lo suponía, más adelante se encontró con seminarios paralelos bajo el nomenclador FLI 1200, una suerte de casamatas debajo de la arena. Eran tres cursos o materias optativas, repitiéndose según los cuatrimestres: "Poéticas y Alabanzas" en manos de David Schulem, "Tratadística de la Melancolía en las Problemáticas Teóricas", llevado adelante por Héctor Queirolo y Ramiro Fernández, y en tercer término "Rapto Divino en el Maniqueísmo Contemporáneo Urbano", titularizado por la arquitecta Erna Stromberg con la ayuda del padre Sayago. Le pidió a Santiago que cambiase las velas consumidas. Nunca se había enterado, cuando fue alumno, de dichos seminarios.

Humberto concluyó que FLI 1200 había sido una sigla, una cifra, pero sobre todo una cátedra fantasmal, flotante más allá del tiempo, solapadamente legalizada por la Universidad desde muchos años atrás. Emergía por épocas, quedaba sepultada en otras, pero en realidad sostenía de manera invisible toda una historia. En esos números apretados por un paréntesis se anudaban cursos, lugares innombrables, inmuebles obtenidos, programas, viajes, insumos absurdos, y lo más despiadado, la virtual expulsión y no sabía qué otros detalles de Sebastián Lieger, disfrazada de renuncia.

Fue hacia el archivo por una nueva carpeta, hasta dar con el título "Gramática, Retórica y Dialéctica", dictada entre 1943 y 1954. Se encontró con páginas polvorientas, hojas carcomidas en los bordes, frases casi borradas, machas de tinta, clips herrumbrados imposibles de sacar sin romper el papel, por fin con los primitivos nombramientos y todos los apellidos que calculaba. Los concursos mostraban un trámite administrativo dudoso, jurados que no habían quedado inscriptos, y el dato de que las siete ceremonias de examen se habían celebrado entre el 29 de julio y el 3 de agosto de 1942. A través de ellos habían sido nombrados el profesor Queirolo como titular, el padre Sayago y el danés Sewer como adjuntos, la profesora Lombrozo como Jefa de Ayudantes, David Schulem y Erna Stromberg como auxiliares, y otra persona que más tarde nunca apareció, la señora K. Hans, sin título ni ningún otro tipo de datos.

Un texto de tres páginas firmado por Erna Stromberg y Sewer sintetizaba fríamente el Congreso de Filosofía de 1949 en Mendoza, al cual ambos habían asistido, hojas que informaban que los debates entre tomistas y existencialistas, entre antiguos y modernos, nada aportaban al proyecto en marcha, salvo una charla en el tren de regreso a Buenos Aires con Hans Gadamer sobre el griego y la filología. Qué proyecto se preguntó Humberto, y revisó los papeles que restaban en la carpeta sin encontrar respuesta ni nada de valor, salvo la absurda foto del rostro de una niña de cuatro o cinco años, y un escueto parte, emitido y sellado por el decanato de ese entonces, donde el legajo 21.777/42 de la materia remitía a otra inscripción previa y provisoria, el F:L:I 1200 "que a partir de la fecha cesa y se archiva en lugar reservado", así decía el papel, "y donde constan 62 páginas de anexos con los antecedentes, fundamentos y causas de su promoción".

Por más que rastreó no pudo encontrar esa carpeta originaria en los archivos. Sin darse por vencido revisó papeles amontonados en un rincón de la pieza, hasta ubicar un bibliorato descolorido, forrado en paño, con el número FLI 1200. Su corazón ya era un guiñapo sin latidos. Lo llevó al escritorio, leyó el año, 1942. Levantó los ojos para pitar hondo del cigarrillo: casi el mismo año de las velas que lo estaban alumbrando. Pero alguien la había despoblado de información, o a lo largo de los años la utilizaron azarosamente para otros menesteres. Dentro de ella descubrió una página arrancada de *Radiolandia* con la foto sin epígrafe de un joven bandoneonista, y dos esquemas escritos por una misma mano sobre la teoría de las emanaciones de Plotino, junto a un croquis de la Argentina con el logotipo de una santería de Acassuso. Uno de los esquemas aparecía dibujado en la contratapa de la revista *Alumni*, que cuarenta años atrás se vendía en las puertas de las canchas para saber los resultados de los demás partidos. El otro en el dorso de una hoja de publicidad, con el anuncio de medias de nylon y lapiceras fuentes importadas de Montevideo. Después, algunos textos sueltos, impresos en alemán, en cirílico y hasta en hebreo, dentro del menú de una cantina Ligure. Debió reconocer que en esa raquítica carpeta se perdían las huellas de su materia de los miércoles a las seis de la tarde. Arrancó las hojas con los nombramientos de 1942 para llevárselas. Se puso los pantalones, la camisa y también los zapatos. El saco lo dejó colgado del índice, sobre el hombro.

9

Ese fin de semana prefirió la soledad del departamento. Escuchar música, leer dos novelas de amigos postergadas hacía meses, tostadas con dulce de naranja y la ventisca otoñal sin detenerse nunca afuera.

Tuvo tiempo de sobra para meditar los días recientes, reverberando todavía en el hilar de su cabeza. Los *lieder* engarzaron el resto de los detalles sueltos, y la biblioteca siguió siendo el centinela que al fin y al cabo daba cuenta de su vida aún en los años de exilio, cuando consiguió durar, embalada, en la casa de sus padres. A diferencia de otras épocas de su vida, ese fin de semana advirtió rotundamente que en los últimos años valoraba sólo las cosas que daban cuenta, que rendían el íntimo y pequeño examen del porqué, eso era todo. Schubert, por su padre en infinitas y perdidas noches de una música de fondo. El humor escéptico de su hijo Guido, igual al de su abuela. Y también esos libros eran una historia con sentido propio, una pertenencia incompartible: ordenados así, de ninguna otra forma. Esa enmarañada combinación de títulos testificaban de alguien como el milagro de un trazo contra el viento en la arena.

Dos días sin ver a nadie lograron retrotraer el mundo a sus reales límites. Sus ojos se acostumbraron nuevamente a las habituales querencias de afuera y de adentro. Y con respecto a los incordios motivados por las cartas de Sebastián Lieger, persistía en la reflexión de Humberto la conciencia de un gigantesco sinsentido. Lo averiguado en el Instituto pasaba a ser producto de algo semejante: una ocurrencia que no podía explicarse a pesar de la andanada de revelaciones. No dejaba de ser el historial de personajes extraños, posiblemente conjurados contra una crónica académica inestable y siempre arrasada por algún gobierno. Sebastián había sido parte precaria de ese tejido oculto de profesores seguramente muertos, retirados. En definitiva, para lo que a Humberto le importaba, el tema de su amigo de juventud se reducía a un cúmulo de decisiones que encaró en la vida, que ya nunca conocería, y a su propia personalidad conflictiva y sin duda megalómana.

Yolanda tocó el timbre recién el domingo a la noche. No quiso verla durante esos dos días, ni que lo importunase durante el Racing-River por la radio. Ella no supo que el empate a último minuto también la había salvado. Subió con ropa de frío, una botella de vino, y se sentó en el sillón del escritorio a leer los suplementos culturales. Mucho después le desprendió la blusa.

Le gustaban los corpiños blancos de Yolanda inventándole otra historia a sus pechos diminutos. Era desde el cuerpo delgado de Yolanda, casi masculino, desde su vagina como una marca liviana, fugitiva, donde ella precisamente encontraba los lugares confusos y a lo mejor por eso encandilante de la hembra. Su cuerpo era la pura alquimia, ya no las pequeñas tetas apenas asomadas cuando se desvestía, sino pechos inmensos de un dibujo de ella misma como madona desbordada. Y si al principio ellos se perdían dentro de las manos, después de sus quejidos, en la silueta esbozada, brotaban inabarcables, blasfemos. Igual que ella abajo suyo, cuando sus contornos, los ángulos de su cintura, las nalgas en vigilia, la tenue distancia entre los bordes de los muslos y su sexo, recobraban las dimensiones que únicamente ella quería. Como si su forma de hacer el amor fuesen sitios sin dueños, ni de ella ni de otro, hacia los cuales Yolanda iba primero para posesionarse. Retratos de ella misma como una tonalidad que escapaba y volvía para armar también la semblanza de su amante sin dejar de mostrar, en la almohada, los ojos de un muchachito de divino rostro.

Cuando le trajo el vaso de agua la encontró en posición de buda sobre las sábanas. Recién entonces Humberto le recordó su miedo días atrás en la casa de Almagro. Ella le confesó haberlo pensado y no entender lo que sintió esa noche. Pero sin aceptar del todo lo del miedo.

–Te quedaste dormida, tremenda ofensa a la memoria del abuelo.

–¿Dormirme, quién te dijo? Creí que tenías demasiadas ganas de caminar solo por la casa. Al rato me fui, de puro discreta que soy.

–Y ahora encima te tomaste todo el vaso.

Días después, recostado en esa misma cama mirando el televisor apagado, debió reconocer que cierto desasosiego no lo había abandonado del todo. Como una enfermedad mal curada presentía las secuelas en aquellas cosas de todos los días que habían perdido su apacible normalidad. Leer un libro y descubrirse con la cabeza en otra parte, escuchar música para darse cuenta que tendría que estar escuchándola, pensar en un segundo cassette para Celina y postergarlo noche tras noche, y hasta quedarse extrañamente callado frente a la altanera opinión de su ayudante Raúl Cortez, en cuanto a que algunos integrantes de la cátedra carecían de las cualidades necesarias para lograr los objetivos que se habían impuesto.

Pero fue el haber aceptado encontrarse con Cristina Lieger para conocer el tren fantasma, el hecho concluyente de su dejarse llevar por lo más nocivo de una destemplanza sin punto fijo, demasiado íntima y disimulada. La sola mención de ese tren fantasma lo sacaba de quicio, pero más que nada lo preocupó el percatarse de su deseo de encontrarse con Cristina para hablar de Sebastián Lieger, cuando creyó con excesiva seguridad haber dejado atrás ese enmarañado juego de equívocos.

Una tarde, con su primo Santiago incluido, ella lo pasó a buscar en auto para terminar en un descampado de Don Torcuato inspeccionando aquella pieza de museo de viejos parques de diversiones. La construcción era de madera y chapa en perfecto estado, de unos treinta metros de frente por otros treinta de fondo. La recorrió en diálogo deshilvanado con su primo. Adelante iban Cristina y su ex esposo, hombre petiso, de cara y contextura maciza, quien los había esperado en la entrada del predio. El recorrido consistió en obedecer el laberinto de pasajes por donde suelen marchar los carritos. Racimos de calaveras en los rincones, descensos sin aviso contra pozos con brujas y cabezas de animales feroces, telarañas impostadas para acariciar los cabellos, momias mecánicas cayendo encima de la gente, sarcófagos, vampiros de trapo y un espacio central reuniendo toda la mampostería macabra alguna vez inventada.

Más tarde, mientras cenaban en una parrilla de la zona, pudo discernir tres cosas. El ex esposo Arturo, ella le decía Tito, era matemático, pero fundamentalmente un borracho empedernido al primer y simple trago. Simpático, ocurrente, como si hubiese sido otro hombre muy distinto alguna vez y ahora lo recordase oliendo corchos. El segundo hecho, menos expuesto pero evidente, fue la atracción sentida por su primo con respecto a Cristina, esa noche particularmente provocativa, aunque sin perder un fondo de alcurnia contraído de Radio Nacional en sus comparaciones, alegorías y metáforas dedicadas a Verdi, Fausto y Dante. El tercer hecho tuvo lugar en el momento en que Cristina y Santiago se levantaron al unísono para ir al baño y se quedó en la mesa con Arturo fabricando pelotitas de miga. Al hacerle alusión a Sebastián Lieger el ex esposo había rumiado "de ese sujeto ni me hable", de una manera tan tajante que prefirió dar por concluido el tema.

Antes, cuando todavía estaban en el tren fantasma, pudo intercalar un diálogo con Cristina, mientras Arturo le explicaba a Santiago algunos pormenores técnicos de la cabina de comando. En esa breve charla, por supuesto sobre Sebastián, lo tomó desprevenido una suposición de ella. Algo mató a mi hermano, dijo. Al pedirle que aclarase el significado de ese algo, sintió que Cristina no se animaba a avanzar en su fantasía. Movió su cabeza diciendo no saber. Volvió a repetirle que Sebastián había hablado de Ariel Rossi: como si aquel amigo retuviese una clave, como si su hermano hubiese necesitado hablar con él, sin haber hecho nada sin embargo por encontrarlo. Sebastián estaba solo, dijo ella: apenas si se veía con Marcos Lencina. Se mostró sorprendida al escuchar que su hermano había renunciado a la cátedra, pero en ese momento la cercanía de Santiago y Arturo interrumpió la conversación.

Por la mañana, después de hablar con su editor, se comunicó con Guido en Chicago. Su hijo prometió mandarle un fax para mostrarle la creación de sus primeros personajes de historieta. Ese mismo martes llamó a Marcos Lencina. Atendió el teléfono el propio profesor, quien demostró tener presente su nombre y convino recibirlo en su casa a las seis de la tarde. Mientras se afeitaba, sintió anticipadamente el agobio de esa cita. El presagio de un momento poco feliz, como cuando iba al dentista por una pequeña caries y el efímero trámite se transformaba en agujas, anestesia que no termina nunca de dormir y extracción salvaje a la altura del plafond.

A punto de extraviarse por Palermo Viejo, Humberto dedujo que alguien lo seguía. Había girado en falso por varias manzanas sin carteles indicadores de calles, y a lo lejos, a una cuadra de distancia, vio por segunda vez la misma figura detrás de él. Se aproximó a un árbol para disimular su cuerpo: el desconocido permaneció en la esquina. Ahora ya no lo miraba, o así lo creyó. Humberto se detuvo finalmente frente a una casa centenaria, donde le abrió la puerta un joven de traje y corbata.

El profesor Lencina lo esperaba sentado en el sillón del escritorio. Con una afabilidad de otras épocas se disculpó por no levantarse. Discurrieron sobre cátedras, autores y la carrera. En un momento Lencina, bastante avejentado mentalmente, se refirió a cierta idiosincrasia del cuerpo docente de filosofía: entonces Humberto se animó a saltar por encima de la prudencia.

–Profesor, me gustaría saber si alguna vez tuvo conocimiento de cierta confraternidad de profesores vinculada al Instituto.

Lencina sonrió casi imperceptiblemente después de la pregunta. Quiso saber si deseaba más café o si se le había enfriado.

–La carrera es muy antigua, usted bien lo sabe Baraldi, le habrán contado los años que tiene la ingrata. Siempre hubo grupos, complicidades. ¡Afinidades! El doctor Uriarte también las tuvo, sin duda.

–Usted en la facultad se dedicó a Hegel, a su Estética.

–Nunca supe para qué me había recibido, se lo confieso. Siempre trabajé en encuadernación de libros, negocio heredado de mi padre. Sólo por unos pocos años fui docente, desde el 83, cuando volvió la democracia. Y le aclaro, por expresa invitación del doctor Uriarte. Quise ser un filósofo, no un licenciado, y terminé no siendo ni una cosa ni la otra. Soy un lector atento en varios idiomas.

–¿Hasta qué año trabajó en la facultad?

–Renuncié cuando renunció el doctor Uriarte, empezaba a estar muy enfermo. No quise quedarme, y tal vez fue la única vez que lo desobedecí.

–¿Nunca sospechó de alguna hermandad de profesores? Como una napa subterránea manejando los hilos de manera poco visible.

–¿Usted lo cree posible, Baraldi?

Lencina abalanzó su cuerpo hacia adelante con el envión de la pregunta, tal vez de una forma exagerada pero inteligente. Su gesto se congeló en la última palabra de la frase.

–Me interesan esos datos, profesor. Me hablaron de cursos, de seminarios de la carrera dictados fuera de la facultad y de los institutos.

Vislumbró en los gestos del anciano una honesta perplejidad frente a lo que escuchaba. Como si no pudiese, siquiera, entender la índole de la pregunta. Entonces le habló de Sebastián Lieger.

–Lo estimé mucho, créame. Lieger fue un profesor de incuestionable sapiencia, atribulado por la vida y por su propia naturaleza. ¡Quizás más que uno! Bella persona, un poco extraña. Pero una criatura estupenda y con talentos.

–Lieger sufrió un sumario académico, profesor. Renunció a la cátedra, no quiso defenderse.

Lencina se echó hacia atrás en su sillón, como sobresaltado por lo que oía. Le hizo un gesto indiscernible, se acarició la barbilla y suspiró profundo.

–Ese fue un tema de escasa monta. Nunca lo tuve muy en claro, y en ese entonces Uriarte no quiso hablarme mucho de la cuestión. Lieger platicaba conmigo sobre Kierkegaard. ¡Y qué forma erudita de amarlo! Con respecto a su vida, usted debe saber mejor que yo, Baraldi.

Presintió una inmensa rajadura en el piso de la habitación. Una grieta que le mostraba sus garras negras y a la que no quería mirar. Aguardó a que Lencina prosiguiera su frase interrumpida.

—Jamás lo volví a ver en los últimos treinta años, profesor.

Lencina lo miró parsimoniosamente, como si lo imaginase sentado en el patio de la casa vecina.

—El profesor Lieger lo estimaba mucho, Baraldi. Solía comentarme su carta.

—¿Mi carta? ¿Sebastián Lieger comentó una carta mía?

—Por cierto, llegó a leerme, en alguna oportunidad, párrafos de esa carta. Sentía un gran afecto por usted, por lo menos eso me demostró durante los dos años que lo conocí. Me arriesgo a decir que Sebastián Lieger vino a Buenos Aires, en buena medida por sus cartas, sin sospechar lo que dios le tenía asignado.

Se abrió un silencio. Con los ojos, Lencina daba la sensación de volver a recordar lo que recién había dicho. Humberto reconoció lo único que había que reconocer: no podía deslindar la historia de Sebastián de la suya. En algún momento empezaban a pegarse escabrosamente.

—Recuerdo también cuando el doctor Uriarte me leyó una larga carta suya, Baraldi.

Observó minuciosamente el rostro de Lencina. No sabía cómo interpretar lo que había escuchado. Le volvió una vieja imagen, el cuerpo desnudo de Carucha cuando lo sacaron con un guinche del Riachuelo. La Triple A lo había tirado y toda la Unidad Básica lo miraba colgado cabeza abajo.

—Jamás le escribí al doctor Uriarte, profesor.

—Lo recuerdo, sí que lo recuerdo, porque a partir de esa carta decidió, sin la menor vacilación, que usted se incorporase a la nueva cátedra de Estética. El finado Uriarte tomó la resolución después de leer su manifiesto deseo. Y desde luego, también por sus antecedentes.

Humberto encendió otro cigarrillo. Se llevó el café helado a los labios pero igual se lo tragó. No podía darse cuenta si trataba de hacer memoria o sólo miraba la oreja izquierda de Lencina. Finalmente abandonó sus ojos sobre el tintero de bronce del escritorio con el pequeño busto de algún filósofo de las Luces.

—Al profesor Uriarte lo conocí en 1986 cuando él viajó a México para un coloquio sobre arte precolombino. Consiguió mi teléfono a través de un amigo exiliado, de eso estoy seguro, y me llamó a Cuernavaca. Nos encontramos para almorzar en Coyoacán, me comentó que la gente de la facultad le había hablado bien de mi libro y deseaba conocerme.

—Yo no fui.

No supo cómo interpretar esa aseveración de Lencina, pero tampoco le interesaba en ese momento.

—¿Quiénes pudieron hablarle de mí?

El profesor Lencina abrió exageradamente los ojos, sorprendido por aquella pregunta.

—No se me ocurre profesor, siempre pienso, la gente habla de la gente.

—Aquella vez en México sólo me pidió que le enviase mi curriculum. Nada más. El profesor Uriarte era más bien poco demostrativo. Pero le puedo asegurar que yo también siempre fui muy sobrio en ese tipo de temas. Sólo le envié, y bastante tiempo después, mi curriculum. Ninguna carta.

—Para el doctor Uriarte incidió sobre todo su carta, se lo confieso. Una carta más bien efusiva, entusiasta. Inesperada, le diría. Lo recuerdo porque fue motivo de una larga conversación entre los dos. Usted curiosamente parecía coincidir con los temas más amados por Uriarte. Déjeme ver, ahora recuerdo, Baraldi, usted la mandó desde Buenos Aires, cuando estuvo un tiempo por aquí, y antes de volverse a México. ¿No es así?

—Estuve dos semanas por aquí, charlé una vez con Uriarte, y recordé lo del curriculum recién el día antes de emprender el regreso a México. Se lo mandé desde aquí por correo. Pero sin ninguna carta, Lencina. En fin, le puedo asegurar que me molesta enterarme de esto, pero no tiene caso discutir un absurdo. Por otra parte, cuando volví definitivamente al país el doctor Uriarte, ya por entonces muy enfermo, jamás me mencionó esa carta.

–Lo sé, lo sé perfectamente. Él era absoluta discreción. Circunspecto para todo lo que fuese la vida privada y emotiva de las personas. Pero cuando el doctor Uriarte lo llamó a México y le propuso concretamente que regresase al país como titular de la materia, hablaba desde ese teléfono que ve ahí: y con su carta en la mano.

Grabación II (Video/Casa)

Aprovecho la lluvia y grabo. Así pensaba la abuela vasca. Para ella las tormentas abrían mundos de cosas por venir y por hacer. Cuando el aroma de las plantas y la glicina la anunciaban, o caían las primeras gotas fuertes sobre los patios y el jardín, a la abuela se le daba por fundir sus palabras, sus órdenes, su imaginación, con cosas insospechadas para hacer durante las lluvias largas. Limpiar platerías ignoradas tanto por Esteban como por mí, reordenar cajas de fotos, releer viejas cartas de parientes, abrir el gran cajón de abajo del ropero, como si las tormentas trajesen un dulce tiempo de ceremonias olvidadas siempre igual a sí mismo. Ellas llegaban junto con extrañas cosas Pero cuando la abuela Pepa enfermó muy grave, el abuelo muerto regresó a la casa. Volvía por las tardes. Sólo mi primo Esteban y yo conocíamos el secreto, y por supuesto ella. Recuerdo la risa nerviosa de Esteban, el promotor de ese retorno celestial con mi consentimiento. Recuerdo también mi angustia al asistir a esas escenas, y al mismo tiempo el deseo de no perderme ningún detalle. La de la abuela era una enfermedad distinta a las otras. Debe ser la vida eterna, decía Esteban, y en eso, nos dimos cuenta, intervenía el abuelo pastor. Cada tanto llegaban familiares lejanos a morir en la casa. Había un dormitorio con dos camas en el primer piso reservado para ellos. Solían ser parientes de la abuela, vascos del Tigre, isleños con dolencias incurables. El mandato heredado del abuelo consistía en darles albergue y ponerse a disposición del moribundo, tarea cumplida con extraña devoción por ciertas tías, Elena sobre todo, y a veces la ayuda de nuestras primas. Con Esteban, tendríamos ocho o nueve años, aprendimos a calcular las secuencias de aquellas estadías, *tratábamos de adivinar cuánto tiempo de vida le quedaba al visitante por la palidez de su cara, por la profundidad de sus ojeras, por la manera de levantarse de la cama o los gestos de sufrimiento. La orden tal cual la había establecido el abuelo, era alegrarlos, conversar con ellos, leerles la biblia, y sobre todo escuchar sus historias. Mi padre en ocasiones nos llevaba al borde de la cama para sentarnos y oír recuerdos de hombres y lugares absolutamente desconocidos por nosotros. Si íbamos sin mi padre, con alguna prima, Esteban se dedicaba a confundir a los enfermos más viejos con preguntas y datos de otras biografías escuchadas. Pero hasta la enfermedad de la abuela Pepa no se nos reveló el motivo de aquella decisión proveniente del pasado. Al principio los parientes enfermos comían con toda la familia en la mesa grande de la cocina. Después, indefectiblemente, llegaba el tiempo donde ya no salían de la habitación, y el doctor Carliani, también algún pastor joven de la iglesia, se hacían presente con mayor frecuencia. Hasta cierto momento, muy entrada la noche, o algún amanecer, cuando se precipitaba la agonía. Recuerdo a Micaela, una hermosa anciana prima de la abuela, con cáncer en los huesos. A Fermín, un pariente del abuelo, levantándose cadavéricamente en plena madrugada para lavar a los gritos sus medias en la bañera. También los sollozos de una tía de Santiago del Estero, por el suplicio de los bulbos tumefactos en su cuerpo. Algunas mañanas muy precisas, cuando intuía el desenlace, iba a despertar a Esteban y nos mirábamos. Era como si no llegase el aire de los patios a las persianas del dormitorio. Mi madre encendía algunas luces de la casa, no otras. Oíamos el cuchicheo de las tías, también los tíos hablaban en voz más baja, más rápida, y afuera los pasos sonaban demasiado leves, como si la casa fuese parte del sueño todavía. Estábamos seguros, la casa era distinta desde el dormitorio, la noche no terminaba de irse ni el día de llegar. Siempre nos preguntábamos con Esteban si volveríamos a ver la pajarera y a los gatos, pero especialmente por dónde andaría esa mañana el abuelo muerto. Alguien va a llorar, anticipaba Esteban, y nos quedábamos muy quietos, en silencio, sin vestirnos, hasta escuchar el primer llanto anunciando el final. Nos asombraba*

Nicolás Casullo

después, al terminar el desayuno, descubrir la pieza del muerto absolutamente arreglada, sin el mínimo rastro de lo sucedido. Había quedado el alma limpia y pura, sentíamos, con olor a desinfectante. Sólo debíamos esperar el timbre del servicio fúnebre, nadie iba a la escuela, mi hermana y algunas primas nos retenían en la cocina mientras mi madre y las tías preparaban la sala de la planta baja para el velatorio. Al rato nos llevaban a alguna habitación del primer piso, del segundo, o a la pieza de costura pasando el jardín. En esa pieza donde las tías escuchaban radioteatros, mis primas Alicia, Marta, María Elena, Yuyito, con mi hermana, aprovechaban la jornada del muerto para disfrazarse de mujeres antiguas o de mujeres pecadoras frente a los espejos del ropero, con tacos altos, labios pintados, pañuelos bien aprisionados para armarse las tetas, o vestirnos a Esteban y a mí de mujercitas y representar la ceremonia del té de las tardes donde trataban de hablar en inglés. Sin embargo con la enfermedad de la abuela Pepa todo fue distinto. Ella siempre había sido algo difícil de entender. Recuerdo al respecto los cabildeos de infancia con Esteban. Ella era imprescindible para saber las cosas y los momentos de las cosas, y a la vez inexplicable. Si el abuelo había repartido en otro tiempo los dones y misterios a lo largo y a lo ancho de los tres pisos, la abuela, por las cosas escuchadas, había vivido antes en otra casa con el abuelo, el más increíble de los datos. Además la mujer del pastor había sido de un físico sumamente atractivo. Y en la cama, las versiones coincidían, había dormido con el abuelo con aquel físico. ¿Cuándo? ¿Quién los había visto de verdad, si al mismo tiempo las tías contaban que siempre cerraban la puerta del dormitorio? Si mirábamos las viejas fotos no era la abuela, sino otra persona de rodete negro y pechos enormes, sentada al lado de columnas o sillones de esterillas nunca vistos en la casa. De acuerdo a Esteban, nada de eso podía ser pensado en las oraciones dedicadas al abuelo. Por cierto ella era la dueña de los patios, del jardín y hasta de los tatarabuelos de los gatos. Las comidas y las plantas también le pertenecían por lo menos desde las siete y media de la mañana cuando nos ordenaba el padrenuestro con el café con leche antes de ponernos los guardapolvos: cuando empezaba a revisar si había bichos en las macetas y ponía, ante nuestro desconcierto en pleno desayuno, las primeras cacerolas sobre las hornallas para el almuerzo. Pero fue verdad: un día la abuela ya no se levantó de la cama. Mi madre me ordenó cuidarla junto con Esteban, entretenerla por las tardes. Le tronó la cabeza, dijo Esteban. La diabetes es así, me explicó, te truena la cabeza. Recuerdo la impresión al escuchar aquellas deducciones de mi primo. La palabra tronar me deslumbró. La relacioné con un rayo invisible, con una tormenta celeste, con las lluvias grandes como entonábamos en un himno evangélico en la iglesia, con un sonido inaudito en el cerebro de la abuela. La voz de dios desde el trono, llamándola. Durante el último mes de vida la abuela deliraba permanentemente con recuerdos de su juventud. Creía vivir otra vez en las islas del Tigre, veía alimañas a los pies de la cama, nos obligaba a abrir la puerta de su pieza para mirar el río, y una tarde, cuando Esteban le mostró la cruz para salvarla de esas visiones, la abuela se asustó peor: ya no aguantan los endicamientos, gritó, y nos mandó a encerrar las gallinas y a fijarnos si los botes estaban en tierra. Con los días de enfermedad las alucinaciones se transformaron en un juego esperado, calculado, al quedarnos a solas con ella. El abuelo la está llamando, aseguró mi primo Esteban, al comprobar el tremendo poder de aquella cruz en su ánimo. Nos dimos cuenta cómo ella, tal vez por miedo, se resistía a escuchar el alma flotante del abuelo en el dormitorio. Entonces, si ella regresaba a ver las cosas normales, el ropero de la luna gigantesca, la cómoda con el mármol, la mecedora de cuando estaba sana, en ese preciso instante Esteban la volvía a tronar con una frase, a partir de la cual ella permanecía un rato pensativa, para inmediatamente pasar a hablar con el abuelo sobre cualquier cosa. Si bien yo era el encargado de leerle partes del Nuevo Testamento, sobre todo el libro de San Lucas, su preferido, durante los últimos días Esteban se adueñó de esa tarea con el único afán de propiciar ese juego donde a veces llegué a sentir un miedo inaudito, sin romper sin embargo el pacto de silencio con mi primo. Yo únicamente debía quedarme parado y sostener la cruz bien alta, Esteban comenzaba a leer alguna parábola de

Cristo, y de pronto, sin levantar los ojos de la biblia, como si así dijesen los versículos, mi primo recitaba en el mismo tono: el viento está pegando fuerte contra los manzanos, las serpientes entraron al gallinero. Y sucedía el milagro, la abuela a punto de expirar se sentaba en la cama, iba como ingresando en la cruz, y con su largo camisón blanco se levantaba para hablar con el abuelo delante del espejo y decidir los primeros recaudos frente a la sudestada. Los diálogos con el abuelo duraban largo rato. Esteban, como poseído, me apretaba el brazo con sus dedos hasta hacerme doler. Me horrorizaba en esos momentos recordar las palabras del médico sobre la necesidad de un reposo absoluto para la abuela. No obstante, Esteban alguna razón tenía. La abuela podía levantarse como antes, caminar y hasta dar órdenes en su dormitorio con una energía inconcebible. Al tronarle la cabeza la muerte se alejaba de la pieza, de la casa. El abuelo había vuelto para enseñarle cómo empezaba la vida eterna.

10

En la interrogación misma, dedujo Humberto, celaba el secreto de su estado espiritual. Porque la pregunta fue siempre una, inútilmente abarcadora y obsesiva, sin lograr cerrarse ni elegir un sitio entre tantos sitios. ¿Qué era eso? Entonces sentía la estúpida vastedad de las palabras. Sentía que la propia pregunta, siempre inicial y última, borraba las propias huellas que pretendía seguir.

Encendió otro cigarrillo, se recostó a medias sobre la almohada, apoyando la nuca sobre el borde del respaldo. No podía pensar desde otras inquisiciones más concretas, que se sustentasen en alguna muesca de realidad, de sus recuerdos, de todas las malditas palabras. Casualmente eso era parte de su oficio, subrayar en los libros frases que soñaron iluminar el mundo. Sin embargo, la pregunta reptaba por su cama, extinguía los libros en la biblioteca, se estrellaba contra su escritorio abandonado con los mismos papeles inertes, una escena de la cual no lograba salir desde hacía una semana.

La pregunta era la prueba de la imposibilidad de respuesta. Se dijo, todo fue una broma, carecía del mínimo asidero, no pasaba nada, se contestaba sola en el propio absurdo de plantearla. En definitiva, y en eso consistía la trampa, la pregunta no le pertenecía. Y si quiso quebrar la alambrada de púas con otras indagaciones, muy pronto comprendió que todo su andamiaje de lógicas, de argumentos, cesaba de pronto para llevarlo a un punto en blanco más insoportable todavía, a silencios por las tardes, a errancias por las calles, a cafés y cortados en bares inusuales. Si se preguntaba quién le había escrito ciertas cartas a Sebastián Lieger ya no podía pensar la cuestión desde sí mismo.

Santiago fue el único con quien habló sobre su charla con el profesor Lencina. Su primo lo invitó a la casa de su madre, tía Adela, en Ramos Mejía, y ese sábado entre ravioles, ensalada de frutas y viejas fotos de familia, Humberto sintió lo acogedor del paréntesis en el patio con jazmines y una madreselva. Quedó arrobado por la envidiable memoria de su tía al repasar las manías de cada uno de los hijos del abuelo. Adela también se acordó del padre y la madre de Humberto, no quiso detenerse en el accidente en la ruta hacia Mar del Plata, y trajo, para el café, un guindado nunca vuelto a probar desde su infancia. La tía aprovechó para reírse al recordarlo con pantalones cortos corriendo por los patios con Esteban. Después, como Humberto lo suponía, habló de la muerte de Esteban, también la madre de su primo, tía Mercedes, con quien desde 1972 todos los meses para el día 14 iba al cementerio a dejarle una flor.

En el comedor, mientras brotaba otra tanda de fotos desde el bargueño, Adela se mostró contrariada por el noviazgo de Santiago con Celina: una pituca que ni siquiera lo había invitado a la casa de sus padres. Durante el viaje de regreso su primo comentó sobre las indignaciones de su madre, sin dejar de reconocer los problemas que tenía Celina con su propia familia. La madre de ella se oponía terminantemente a la relación de su hija con Santiago, un vago buscavidas, según decía. Nunca quiso recibirlo ni darse por enterada de la elección de su preciosa niña de 24 años, licenciada en Letras y educada para otras ambiciones matrimoniales. No creo que dure mucho con Celina, por eso y por otras cosas, dijo su primo como epílogo a un típico melodrama de clase media suburbana.

Para Santiago no se trataba de divagar de qué color era el carnero, el caso se reducía a encontrar al tipo de las cartas. Un rayado, un aburrido, un paralítico sin nada que hacer en la vida, un hijo de mil putas. Esa fue su enumeración. Le replicó a su primo no darle la cabeza para pensar en dicho detalle: que efectivamente hubiese un autor de las cartas, alguien de carne y hueso. Sintetizando: las cartas nunca habían existido. A los 48 años pasaba a ser obsceno entrar en variantes persecutorias de esa índole. Su intriga empezaba en cambio con otro dato poco claro: el motivo por el cual el viejo Saturnino Hernández, sereno de la vieja casona, no entregó las cartas de Sebastián Lieger a la familia, cuando las recibió diez años atrás. El comportamiento del cuidador podía justificarse como una distracción, un olvido, o por alguna causa diferente, más significativa, y por supuesto ignorada. De acuerdo a Santiago, alguien tuvo que ver con el viejo Saturnino en el asunto de las cartas, mientras cuidó durante treinta años la casa deshabitada. Al día siguiente su primo llamó a varios tíos y tías, preguntándoles por la vida y conducta de Saturnino Hernández. La encuesta resultó pobre: fue un analfabeto honrado, changador del Abasto, con un hijo, Ismael Hernández, que vivía hasta no hace mucho por Mataderos, a quien la familia estaba buscando para que reemplazase a su padre en la vigilancia de la propiedad hasta su cesión legal definitiva.

Ese sábado al atardecer, en uno de los bares de las Galerías Pacífico, con un borracho en la mesa de al lado que se bamboleaba peligrosamente, decidieron ir a dialogar con algunos vecinos de esa cuadra de Almagro. Santiago le contó haber intentado conocer la casa en dos oportunidades, de eso hacía por lo menos un año. En ese tiempo todavía la cuidaba Saturnino. La primera vez pasó de casualidad con el auto prestado por un tachero. Se le ocurrió parar, tocar el timbre, sin recibir respuesta. Poco después andaba cerca de la zona, fue una noche, le parecía que había luz adentro, pero tampoco salió nadie a pesar de los timbrazos. El borracho, más arrimado que antes, se seguía balanceando al compás de un alegre tarareo.

–A lo mejor fue el timbre. No anduvo –dijo Humberto.

–No. Lo toqué y se escuchaba.

–El timbre siempre estuvo en el fondo.

–No sé dónde estuvo el timbre, Humberto. Pero se oía que el timbre sonaba. Y nadie salió a atenderme.

–Me acuerdo que cuando tocaban el timbre, no se oía el timbre.

–Esa segunda noche que fui a la casa, terminé con una cerveza en el bar de la esquina ¿Sabés por qué me acuerdo?

–No es un bar, Santiago, la de la esquina siempre fue una fonda.

–¿Sabés por qué me acuerdo de esa fonda?

Como era previsible, el borracho terminó derrumbándose sobre la mesa de ellos con el consiguiente estrépito de vasos, tacitas y cenicero por el piso, con tal mala fortuna que la copa del desconocido fue a dar contra el cuello de una mujer en otra mesa. Ayudados por el mozo lo transportaron hasta la escalera mecánica.

El domingo a la mañana pusieron en marcha la estratagema de su primo: consistía en que Humberto hiciese tiempo, como vigía, en Bulnes y Lavalle, mientras Santiago, vestido con un uniforme de la compañía de electricidad que nunca devolvió, aduciese un cortocircuito en la casa del abuelo con peligro de dejar sin luz al resto de la cuadra. Lo vio meterse en varias propiedades, conversar con sus moradores en la vereda, señalar hacia arriba imaginarios cables a punto de estallar, para volver a la hora y media a almorzar en la fonda de la esquina.

La información obtenida reflejaba ciertas contradicciones. Saturnino era recordado como un viejo cauto y solitario. Pintaba patios, adicto al Prode, destapaba cañerías, se hacía de *El Gráfico* cuando ganaba Boca, su interlocutor preferido fue un tal don Pedro, peluquero de enfrente. Alguien precisó, en cambio, que su hijo Ismael Hernández vivió durante varios años en la casa en concubinato con una mujer enferma de los ovarios. Otros decían, sobre Ismael, que iba y volvía, como si la casa fuese su aguanta-dero. Para varios, Ismael era un pobre otario sin escolaridad ni suerte, incapaz de grandes delitos. Solamente una vieja, típica espiadora de ventana, le contó de alguna gente por las noches entrando en la casa, pero según Santiago su testimonio era du-doso, por cuanto la anciana comenzó por decirle que era un hotel alojamiento disimulado.

Esa misma noche Humberto llamó a Celina para arreglar cuándo podrían verse y entregarle otro cassette grabado. La sin-tió interesada pero distante en el teléfono. Descubrió que pensar en Celina lo cohibía de su depresión, de su falta de sueño, de sus menudencias personales en la cátedra. Como si lo avergonzara pensar en ella y sentir que las torpes cosas del mundo podían despedir también su imagen por la ventana. Celina llegó a la confitería de Bellas Artes con boina verde oscuro y el mismo co-lor en su bufanda, sobre el pullover negro. Mientras la escuchaba hablar del cine de Godard, tuvo la misma impresión del primer encuentro, era hermosa, casi demasiado para oírla y sustraerse a sus ojos, a su nariz, a su boca.

Cierta fiebre intermitente le recorrió el cuerpo durante la se-mana, con dolores en la nuca y en las piernas, pero sin alcanzar mucha temperatura en el termómetro. Una tarde Ruperto, el por-tero, le dijo que Clara lo había buscado: la mandaría para arriba apenas volviese de las compras. Mientras esperó la llegada de Clara habló con su editor por las pruebas de galera. Una música, llegando desde el corredor, le hizo interrumpir la conversación. Había sido como el vibrar de una guitarra eléctrica, pero con un sonido desmesurado. Pensó en sus vecinos de piso, una pareja de jubilados finlandeses incapaces de hablar en el ascensor. Al colgar recordó aquel sonido y fue por una rápida averiguación hacia el pasillo, aunque al abrir la puerta se encontró con el rostro de Clara en la penumbra. No anda el timbre, dijo ella. Humberto probó. Efectivamente había dejado de funcionar. Eso quería avisar-le, agregó la salteña: esta mañana me di cuenta que tenía el timbre roto. Cuando se le ocurrió preguntarle para qué había tocado el timbre esa mañana, ella bajaba por el ascensor.

Los escalofríos de la gripe le rondaron varios días. Concurrió a la mesa redonda sobre incertidumbre en el fin del milenio, y el clima cerrado del lugar, los muchos cigarrillos de la gente y las tres horas de debate empeoraron su salud, además de la desagradable discusión con Tadeo Cores y su vedetismo tratando de convertir el tema en una receta de cómo pasarlo mejor en una época sin complejos de culpa ni teorías críticas. El miércoles se sintió realmente mal, circunstancia que lo obligó a comunicarse con Joaquina Fernández para que lo reemplazase en la clase. Esa misma noche, como lo esperaba Humberto, su ayudante Gabriela Ceballos se hizo presente en su departamento para vomitar un rosario de acusaciones. Según ella su adjunta no había respetado en el teórico las pautas acordadas.

Cuando Gabriela se marchó pudo reconocer la fiebre en alza. Puso a Mozart muy bajo, pensó primero en Joaquina, después en el finado profesor Federico Uriarte leyendo una carta suya mientras le hablaba por teléfono a México. Recordó aquel día, su escritorio en la casa de Cuernavaca con vista a las montañas, la vendedora de tortillas que pasaba todas las mañanas, la voz firme y segura de Uriarte dándole la noticia, y la alegría de Marisa, su ex mujer, cuando le comunicó la propuesta recibida. Marisa no tuvo necesidad de escuchar nada más, habían concluido las vacilaciones, ella besó a Guido, bailó con su hijo, volvían a la Argentina.

Mozart se había ido. Eligió un concierto de Beethoven. Se sentó frente a la máquina y le escribió a su amigo Michael, en Frankfurt. Las dos carillas fueron un rapto, un impulso cuyo mejor costado residía en no haber pensado lo que estaba prometiendo: viajar a Alemania, una idea postergada en los últimos tres años, para visitar Weimar en el verano de junio, luego el Néckar, Tubingia, la vieja Suabia, quedarse dos meses en total lejanía. Cuarenta y cinco días lo separaban de junio y un pedido de licencia en la carrera. Al cerrar el sobre tuvo la convicción de estar optando con inteligencia.

Algo sentía de manera irrefutable: en ese estrambótico asunto se relacionaba con Sebastián Lieger a partir de su cátedra en Filosofía. Todo se reducía a un determinado período, entre 1983, fecha de las cartas de Sebastián, y 1988, cuando el doctor Uriarte tuvo en sus manos una carta supuestamente suya. El asunto, por más disparatado que sonase, coagulaba en ese lapso, nacía y moría referido a su actual trabajo en la facultad. Sebastián Lieger le escribió confundido, engañado por alguien. Y en sus cartas parecía contarle y al mismo tiempo escamotear información ¿Por qué? Al volverlas a leer por centésima vez percibió esa suerte de recelo en las frases del viejo amigo de juventud, apenas si lo hacía partícipe de sus problemas, pero de una manera escueta, parcial ¿Por qué no fue claro en cuanto a la cátedra, al programa, al nombre de los profesores? ¿Por qué mencionaba como al pasar a Ariel Rossi? Sin duda Sebastián contestaba a una carta recibida, que debió mencionar a Ariel, cosa que lo llevó a comentar que no lo veía desde 1972.

No supo cuándo había concluido Beethoven. se levantó por otras dos aspirinas y decidió su próximo paso. Santiago se había comprometido a ubicar a Ismael Hernández en Mataderos. Él, por su parte, se encargaría de Ariel Rossi, un viejo amigo, un nombre olvidado inconmensurablemente en su memoria desde los tiempos de Almagro, pero no en la de Sebastián Lieger, por lo menos antes de su muerte. Sin tener en cuenta la hora llamó a Cristina Lieger, por si tenía un mínimo dato sobre Ariel. La despertó pero supo perdonarlo. Ella recordó solamente que el hermano menor de Ariel Rossi, unos quince años atrás, había salido en el diario como campeón juvenil de tenis: lo había reconocido por una foto en *La Nación*. Antes de despedirse ella lo invitó a su casa en Valeria del Mar para algún fin de semana. Que también le avisase a Santiago, dijo. Parado en el medio del living intuyó que ni el sopor de la fiebre evitaría el insomnio.

11

Detrás de su erizada barba, Mingo Corrales se sintió satisfecho por la improvisación entre Yolanda y Escudero, un actor joven con voz y presencia fuerte sobre el escenario. Zulema se levantó de la silla en ese sótano de librería mezcla de teatro y cueva de rufianes, para hacer la otra Diotima, la carnal y terrena en los desvaríos del poeta. Al rato se sentaron en círculo y Humberto explicó la idea de su Hiperión transportado a los años de la guerrilla argentina. Le contó que la adaptación tomaba un episodio real en la vida de Hölderlin, ya en plena locura del poeta: cuando en 1801 viajó a Francia y una noche de nieve buscó refugio en un galpón con soldados borrachos, dedicados a la bandolería, que recordaban con cinismo los días radiantes de su líder Robespierre. Con el fin de robarle todo lo que lleva, los malvivientes están a punto de matar a Hölderlin, que en sus alucinaciones esa noche rememora a Diotima y es obligado a fornicar con una sarnosa para salvar la vida. La liberación fracasada de Hiperión, su gran poema, revive en la cabeza del vate, entre esos soldados y prostitutas que también recuerdan la revolución parisina perdida. Convinieron encontrarse a la tarde siguiente a la misma hora para que Humberto les leyese partes de la obra de Hölderlin.

Al llegar al departamento se encontró con un mensaje telefónico de su ex esposa pidiéndole salir de garante para un estudio a punto de alquilar. Se le ocurrió llamar a Joaquina para informarla sobre su interés en hablar personalmente con Ernestina de Queirolo. Para su adjunta la idea era excelente, ayudaría a mejorar las relaciones. Pero cuando se iba a acostar apareció Santiago en el portero eléctrico con dos novedades importantes. Mientras su primo preparaba la ensalada abrió una botella de vino y lo escuchó. En cuanto a Ismael Hernández, el hijo del cuidador, vivía en un conventillo de San Telmo, con pieza ya localizada. Sobre el otro tema, Ariel Rossi, también las intuiciones de su primo fructificaron: días atrás Santiago aventuró la siguiente hipótesis con respecto al hermano menor de Ariel. Después de tantos años un ex campeón juvenil de tenis podía haber terminado como vendedor de autos en una agencia de Olivos, en Wimbledon y por televisión a todo el país, pero no era el caso, borracho en un pub de la Recoleta, o dueño de un paddle con ahorros de su suegro. Santiago apostó a esto último, tenía amigos en dicho deporte, y consiguió las referencias de la familia del ex campeón, direcciones y teléfonos.

Durante la madrugada, Santiago ya se había ido, se propuso continuar su ensayo, sin conseguir el armado de dos o tres oraciones dignas de leerse. Volvió a la última frase escrita un mes atrás. Sus ojos abrazaron una imagen que nada tenía que ver con aquel renglón leído. Alguien, veía sólo su espalda, observaba desde lo alto de un médano la ventana de una casa, a su invisible morador. Humberto pensó en la playa, en una costa. No podía precisar la imagen. Tal vez escribir un cuento lo libraba del desánimo. Le resultaba desolador andar detrás de seres sin ninguna vinculación con su vida actual. Pero lo más desopilante resultaba preguntarse con qué fin se esforzaba por penetrar en un territorio imaginario hecho de cartas que nunca escribió.

Se sirvió otro vaso de vino. Decidió creer por un instante en la hipótesis de que las cartas existían. Eso suponía pensar en papeles escritos, en una firma, en un autor. ¿Quién era esa sombra deslizándose en los últimos años de su vida? Le costaba fantasear sus facciones, su mirada. Lo impúdico era pensarlo cerca suyo en la carrera, escurriéndose por delante o por detrás en los pasillos de la facultad, justo un instante antes, o posterior, a su conciencia. El rostro de aquel hombre le exigía una fantasía atroz, sin lindes en los cuales detenerse. Estaba más allá de las imágenes, de sus enfermizas elucubraciones. Pero lo peor, lo que carecía de todo fundamento, era creer que alguien podía estar tan arteramente dedicado a eso. Le quedaba una única opción: escapar de esa vorágine demencial, reflexionar únicamente desde la lógica.

Santiago lo pasó a buscar a las dos de la tarde. Bajó con el *Hiperión* y unos apuntes para su cita más tarde en los sótanos de la librería, y en su auto emprendieron el viaje rumbo a Saavedra para encontrar a Ariel Rossi.

–En 1983 Sebastián Lieger fraguó cartas con mi firma para conseguir su puesto en la cátedra –dijo Humberto al parar en un semáforo.

–Una supuesta carta tuya donde le decías que se conectase con Uriarte, que vos lo respaldabas. Esa carta se la presentó al profesor Uriarte.

–Posiblemente. Mi carta no la leí nunca.

–¿Por qué tuvo que inventar también contestártelas, a la casa de Almagro?

–No lo sé. Tal vez para convencer a alguien que me conocía, que se trataba de un concreto intercambio epistolar. Tal vez porque poniendo la dirección de la casa de Almagro, no corría peligro de ser descubierto por mí ni por nadie. La habrá pensado absolutamente deshabitada. Sebastián debió ser un personaje sórdido. Algo me insinuó Arturo, el ex marido de su hermana, que parece no andar en pavadas y lo conoció de cerca. No te olvides que Sebastián fue titular en la Universidad de Tucumán, en plena dictadura y represión antiguerrillera.

–¿Qué me decís de la carta tuya que recibió el profesor Uriarte, cinco años después de las de Sebastián?

–Sospecho que tuvo algo que ver con alguno de la cátedra, de los que aparecieron en los archivos del Instituto de Filosofía. Dos hipótesis: alguien de ese grupo ayudó a Sebastián a fraguar mis supuestas cartas, una vez que me señaló como boludo de turno.

–Después esa misma persona chantajea a Sebastián con revelar el fraude. De ahí el sumario y la renuncia.

–Si fraguó mis cartas, bien pudo fraguar cosas más importantes. La otra hipótesis: Sebastián Lieger descubre lo mismo que yo con respecto a esa historia subterránea de la cátedra, y pasa a ser un personaje peligroso.

–Y para salvarse, confiesa que vos también sabés esa historia. ¿Pero de qué historia se trata? Son sólo cursos, seminarios.

–En el momento oportuno, alguno de esos, del Instituto, que conoce perfectamente bien las debilidades y gustos académicos del doctor Uriarte, falsifica una carta supuestamente mía y se la manda. Da resultado, feliz y contento el profesor me propone como titular. Yo lo ignoro y caigo en el juego. Vuelvo al país después de once años. ¿Pero por qué todo eso?

–Te traen, te nombran, te tienen cerca, te vigilan. Durante cuatro años no ven ningún signo de que vos sepas algo. Te dejan en paz, pero con una adjunta de la materia, hija de un finado de esa cátedra, muy cerca. Y con la vieja Ernestina.

–En paz, con la condición de que no me entere.

–Pero para que no te enterases, ¿no era mejor dejarte en México?

–Es cierto: tengo que estar cerca, y no saberlo: esa sería la ecuación. Pero uno de ellos me vio esa noche por la claraboya, en los archivos.

–Y saben que te enteraste. ¿Pero de qué te enteraste? No me convence.

–Escucháme, cretino, no quiero jugar un día más al detective, ni divertirme parodiando géneros. Vivo en Córdoba y Esmeralda, sexto piso, escribo, leo y doy clases. Tengo un auto destartalado, existo pegado a mi escritorio, ceno con poquitos amigos, cojo con más poquitas todavía, y todo siempre igual, dulce rutina amorosa. Lo que pretendo decirte es que ese sorete de Sebastián me metió en esta, y lo que me pasa es su historia, hasta que murió del corazón, de colitis o de sida.

–Preguntaría papá: ¿invertido el hombre?

–Sospecho, desde que éramos pibes. Ahora quiero hablar con Ariel Rossi, después con mi ayudante Ernestina de Queirolo con mucha sutileza, sin que recele un centímetro sobre lo que sé, y por último con Estévez, el decano. Todo eso de aquí al viernes. Y salga como salga se baja el telón. Finiquitada para siempre la biografía de Sebastián Lieger y retorno a mi ensayo en la página 39 pasada a máquina.

El Paddle de los Rossi era en realidad un pequeño shopping instalado a pleno. Por la cartelera se enteraron de la cadena de canchas en todo el norte, hasta Olivos. Un empleado les informó que de los Rossi estaba sólo la anciana señora.

Recordó instantáneamente a la mamá de Ariel, su profesora de piano a los nueve años: le regalaba pastillas Volpi cada vez que terminaban las lecciones.

La madre de Ariel, vestida como para posar en una revista de modas, los recibió de una manera fría, por no decir despreciativa. Dijo no recordarlo de Almagro ni de ninguna otra parte. Sentada en su luminoso despacho fingió desconocerlo. Se sorprendió al advertir que no venían por ningún curso de aprendizaje ni por el fútbol 5, y la notó más reacia y desinteresada todavía cuando le nombró a su hijo.

—Perdón, señor, no entiendo quién es usted.

—Señora Ema, fui amigo de Ariel Rossi. No me diga que no se acuerda.

La mujer hizo un gesto de contrariedad tan altanero y notorio que hasta su empleado, en otro escritorio, levantó sorprendido la cabeza para mirarla.

—Mi hijo Ariel, por si no está enterado, murió hace muchos años. Y no conservo por él ningún tipo especial de sentimiento.

—Perdón señora, no lo sabía. Lo siento.

Ema de Rossi se quitó sus etéreos anteojos, para morder displicentemente una de sus patillas y observarlo, ahora sí, sin disimulo.

—No se preocupe, no me lastima, señor. El día que lo enterré dormí en paz. Murió como lo que fue, una escoria.

—Francamente no sé qué decirle. Ignoraba que Ariel había muerto. ¿Cuándo murió?

—Ariel fue un terrorista. Desde 1976 tiene una sepultura a la que nunca volvimos. Arruinó la vida de su padre, la mía y la de toda la familia. ¿Le queda claro?

Humberto miró de reojo a Santiago y al empleado. Calculó que ese silencio debía ser semejante a la tumba de Ariel Rossi. En ese momento entró a la oficina un tipo en jogging y toalla al cuello. Humberto lo reconoció enseguida como el hermano menor de Ariel, el tenista. Lo vieron hablar con su madre confidencialmente, y después levantar hacia ellos una mirada dura.

—Usted es Humberto Baraldi, finalmente —dijo— claro que lo recuerdo, el amigo de Ariel. Usted es el hijo de puta.

—¿Qué pasa? ¿A quién se refiere?

—¡Y venís a joder como si nada, mal nacido!

—Tranquilícese, viejo.

—Cuidá la boquita —se metió Santiago.

—Usted me está confundiendo con otra persona.

—¡Lo confundo un carajo! ¡Gente como vos, como el pelotudo de mi hermano, arruinaron la vida de mi madre y del país! ¡Y ahora venís a provocarla, hijo de puta!

–¿Por qué no se calma un poco?

–¡A la mierda con la calma!

–Te calmás, viejo, o si querés vamos afuera –contemporizó Santiago.

– ¿A quién le decís eso, taradito?

–¡Calma, calma, y vos también te callás, Santiago! ¿Usted sabe quién soy?

–¿Que si sé quién sos? ¡Mirá si sé quién sos, mirá dónde la tengo! –dijo el tenista y con un ademán descontrolado abrió la caja fuerte para sacar un sobre con papeles, para arrancar algo del sobre.

–¿Qué es eso?

–Es una carta de mi hermano Ariel, en respuesta a una carta tuya ¿entendés? Escrita en 1976, tres días antes de que lo matasen. Me oís bien, tres días antes de que lo matasen. ¡Todos tendrían que haber muerto, también vos, compañerito, a vos también el ejército te tendría que haber bajado a balazos! ¡Diez mil tendrían que haber muerto! –gritó mientras metía otra vez la carta en el sobre.

–¡Terminála, boludo! –dijo Santiago y se puso de pie.

–¡Pero la concha que los parió! –gritó el tenista mientras se abalanzaba sobre su primo, y entraba otro, en pantalones y raqueta, a defender al ex campeón. Humberto sintió un puño cerrado contra el oído, se vio en el suelo, girando con las baldosas, casi sin conciencia. Alcanzó sin embargo a arrojar una patada contra su agresor, después otra desde el piso, en el momento que entraron dos personas más a separar a Santiago, a calmar los ánimos. La madre de Ariel ya no estaba.

–¡Si querés vamos a la policía a hacer la denuncia, comunistas, peronistas, asesinos de mierda! –escucharon desde lejos gritar al hermano menor de Ariel Rossi.

Desde la esquina, poniendo sus dos manos como parlantes alrededor de la boca, Santiago se despidió de esa gente.

–¡Andate a la puta madre que te recontra parió!

Mientras arrancaba el auto comprobaron la reacción frente a la dedicatoria de su primo. Dos de los empleados, tal vez también el hermano de Ariel, subieron precipitadamente a un Ford para lanzarse detrás de ellos.

—¡Para qué carajo te ponés a boludear!

—¡Doblá en la próxima! —gritó Santiago— ¡Metéle a fondo!

Giró en varias bocacalles guiado por el instinto de Santiago, sin tener la menor noción del rumbo que iba eligiendo. El Ford negro venía por detrás como bicho destemplado, cada vez más próximo.

—¡Tienen más auto, Santiago!

—¡Seguí, seguí, agarrá por debajo del puente, por esa salida!

En la curva las ruedas dieron contra el cordón y el auto giró noventa grados. Los vieron venir de frente. A duras penas pudo frenarlo.

—¡Subíte al cantero, qué esperás!

Aceleró para arremeter contra el pasto y seguir por la otra mano. Se internaron por un caserío con calles empedradas. Por el espejo pudo comprobar que ellos calcaban su maniobra.

—¡Por ese baldío! ¡Cortá por ahí! —gritó su primo.

Se detuvieron detrás de una montaña de escombros. Escucharon el chillido del Ford al doblar, lo vieron pasar de largo. Después les llegó la frenada. Corrió detrás de Santiago para refugiarse en un depósito en construcción, al parecer abandonado. Vio a dos de ellos en la entrada del baldío: los habían ubicado. Escuchó las detonaciones, sintió el silbido sobre su cabeza y el chasquido contra el hormigón armado. Se arrojaron al suelo.

—Nos están cagando a balazos —dijo Santiago.

Humberto cerró los ojos. Los volvió a abrir. Se encontró con su muñeca y su reloj. Tendría que estar en la librería charlando de Hölderlin. Recordó escenas del pasado, pero sin conseguir armar ninguna del todo. Acostado en el cemento se preguntó qué estaba pasando. Era otra cosa, no la creía.

—No nos vieron, tiraron al pedo —dijo Santiago. Se levantó y corrió hacia los escombros. Vieron pasar dos patrulleros muy despacio por la calle. Esa podía ser la causa de que los otros ya no estuvieran. Santiago esperó un par de minutos, le pidió las llaves y arrancó el auto para sacarlo del baldío rumbo al centro.

Estacionaron frente a una confitería por Libertador, cerca de Coronel Díaz. En el baño Santiago dejó su ojo amoratado debajo del agua de la canilla. Se sentaron por dos coñacs dobles.

–Joya de tipo el ex campeón –dijo su primo.

–No lo puedo creer, qué querés que te diga. ¿Qué diría esa carta?

–Leéla, a ver qué dice –Santiago le puso el sobre frente a los ojos.

Humberto se echó hacia atrás en la silla, observó detenidamente a su primo. Le dolía el oído y pidió un par de aspirinas. Investigó entre los papeles del sobre y le llamó la atención una serie de direcciones y números, algunas llegadas de barcos desde el Paraguay y otros en Dársena Norte. También cifras en dólares y varias cuentas en un banco de Panamá. La carta de Ariel Rossi estaba en el medio. Cuando quisieron darse cuenta tenían a dos grandotes, de traje, sentados en su mesa. Uno de ellos miró hacia abajo, a la altura del borde del mantel, para que viesen la 38 apuntando. El otro apoyó los dos codos en la mesa, la barbilla entre sus dedos entrecruzados, y habló en voz baja, sin mirarlos, con un tono ronco, gastado, como con vidrios y burbujas en la garganta.

–Qué hacés, papito.

El mozo y su bandeja pasaron muy cerca, sin advertir ningún detalle. El que había hablado miró el ejemplar del *Hiperión* sobre la mesa.

–Olderlín. Estás leyendo al putazo de Olderlín, cosita. Desde ahora te vas a pasar la vida chupándome la pija. Y yo no me baño nunca, papito. Hasta que te zampe uno en la nuca.

En otra mesa, dos muchachas miraban a Santiago como si no les disgustase compartir un trago con él.

–Decíle al Jamaiquino que mañana se arregla todo. ¿Escuchaste papito? Que se deje de joder que mañana al mediodía se arregla todo.

Se levantó con el sobre en la mano, seguido por el otro, y desaparecieron por la puerta.

12

La carta de Ariel Rossi era un hermoso texto. Humberto quedó conmovido por la forma, en escasas páginas a máquina, de resumir una tragedia, el tiempo sombrío del aniquilamiento de las guerrillas, en conjunción con recuerdos más viejos que sólo una conciencia en despedida es capaz de resguardar mientras llovían las balas. Reconoció el temblor en sus manos al regresar a ella una segunda vez, más íntimamente. Pensó en el fondo espectral de cada frase: no eran palabras sobre un tiempo, sino un tiempo ni lejos ni cerca respirando en el encierro, estrangulado en esas hojas. Renglones acariciados por una belleza malsana que no supo si Ariel se había propuesto, o era otro tiempo, un tiempo agrietado en las palabras de esa carta que nunca calculó sobrevivirlo tanto. Sintió que aquellas páginas nada tenían que ver con las dos cartas de Sebastián Lieger, las palabras se hundían en un sopor distinto dentro de sus ojos, llegaban desde abajo de ellas mismas. Eran esas palabras, no las frases, tampoco la escritura de Ariel, las que escondían un paisaje impenetrable, enterrado, las sombras de su maravillosa ruina. Tomó conciencia de que jamás había escrito sobre aquel tiempo, nunca, pero que ahora sus palabras también empezaban a brotar en silencio, se hundían en los agujeros de esas letras para no regresar, para perderse sin sonidos, sin armarse en ninguna parte.

A veces la leyó como si Ariel le hablase hace mucho, desde su tumba, y al mismo tiempo desde un pasado que no pudo contar nunca sus epílogos. Octubre del 76 decía arriba, a la derecha, la carta. Otras veces, las más frecuentes, Humberto retornaba a aquellas frases, pero consternado, con la mente vacía de juicios. Ariel Rossi en realidad le contestaba a un Humberto enmascarado, a un impostor, a alguien que carecía de señas y se hizo pasar por el real. Y Ariel respondía en tres carillas con un dejo de indiscutible amor, de entrañable templanza, como si ese hubiese sido, también, el tono de una carta recibida.

Fueron los días en los cuales Humberto decidió quedarse solo. Descolgó el teléfono, abandonó todas sus actividades, compró algo de comida, cigarrillos y tres botellas de whisky, para evitar cualquier salida. Quedarse solo con la carta. Buscó desmenuzarla pieza por pieza como un orfebre relojero, con el delirante propósito de hacer aparecer la carta apócrifa por debajo de las palabras de ese Ariel que respondía. Soñaba con que esas palabras se fuesen derritiendo y devolviesen visibilidad a las ausentes, a las leídas hace dieciocho años por Ariel Rossi. Quiso imaginar de mil maneras cuál fue la escritura del fantasma. Subdividió los párrafos, estudió las cadencias de ese relato póstumo, interpretó las reiteraciones. Transcribió sobre cartulinas grandes y blancas las oraciones más significativas de Ariel, y colgó las frases murales de los estantes de la biblioteca, para obligarse a leerlas desde su escritorio, desde cualquier lugar, y pensar no en esas sino en las que las habían motivado. Por momentos sentía que no buscaba los invisibles rostros del transgresor, sino, incomprensiblemente, el suyo detrás de una hipotética carta falsa.

Al principio Ariel hablaba de la revolución, "esa paradojal niña muerta con aroma insoportable", así la describía. Nunca había sabido de la militancia de su amigo, pero recordó que en ese tiempo todos estaban enganchados en algo. Sin embargo la frase era extraña, antojadiza para un tiempo duro y de palabras exasperadas, concretas. Ariel hacía referencia a sus charlas sobre política en la adolescencia. Eso era cierto, Ariel fue hijo de un honorable abogado de barrio, balbinista. Vivían en una moderna casa de dos plantas en la esquina de Bulnes y Lavalle, con un pequeño jardín en la entrada. Sin duda con Ariel hablaba de política, aunque a la distancia aquellas charlas le sonasen a ingenuidades.

A continuación Ariel comentaba lo consolador de haberse encontrado con una carta suya "en estos tiempos de vida y de muerte sin línea divisoria". Y agregaba: "las identidades de las personas se nos revelan a veces de manera poco creíble, pero ahora entiendo, igual que vos, que son revelaciones absolutamente posibles" ¿Develar qué identidad, a qué persona se refería? se preguntó Humberto. Consideró que la frase de Ariel contestaba a algo preciso, o resultaba simple divagación, metáfora. ¿Qué escondían esas letras retorcidas, donde sintió que lo pensado por Ariel intentaba coincidir con lo que pensaba el Humberto apócrifo? Probablemente era la forma con que Ariel le informaba que ambos, sin saberlo, estaban comprometidos con la política de la época. ¿O el tema de las identidades hacía referencia a otra cosa? No podía descifrar cómo se había presentado el Humberto impostor. Pero lo cierto es que el falsificador sabía, en 1976, que para ese tiempo no había vuelto a ver a Ariel desde hacía doce años.

Más adelante se presentaba el primer párrafo clave: "También quiero encontrarme con vos, y pienso esto, sobre todo, por ese dejo extraño, casi olvidado, que poseen desde siempre las viejas amistades, tal vez las únicas reales que se tuvieron, precisamente para nada. Muchas veces pensé en vos, Humberto, muchas más de las que te podés imaginar, muchas veces me hubiera gustado, en años que pasaron, hablar de cosas y más cosas como hacíamos en un lejano tiempo sentados contra las rejas de mi casa fumando los negros más baratos que don Juan nos fiaba. Tal vez a lo mejor lo hicimos, sin darnos cuenta. Pero también me pregunté, no te miento ¿encontrarnos para hablar de qué, Humberto?". El falsario en su carta le había propuesto un encuentro. ¿Con qué objetivo? Ariel no lo aclaraba en la carta. ¿Por qué causa el impostor le hacía decir a Humberto su deseo de encontrarse con Ariel Rossi? ¿Por simple nostalgia? ¿Por algo que ni Humberto ni Ariel sabían?

Luego llegaba la parte tal vez más intrincada. Ariel describía en un párrafo: "rememorás cosas que tampoco yo nunca olvidé, y que ahora absurdamente me hacen bien, cuando ya casi, a mi alrededor, todos olvidaron todo. Recuerdo con frecuencia esa casa, tu inefable presencia, la mía también. Como vos decís, fueron cosas importantes, pero ahora lo sabemos, en aquella época nos sobraba demasiado inocencia para desconocernos a nosotros mismos. El drama es el de ahora, Humberto, el de este tiempo, cuando nos asombra reconocernos, pero cuando ya no queda tiempo para pensarlo".

Al final, en otro trozo significativo, se despedía: "Más allá de todo, bienvenida tu carta, querido Humberto, y la idea de encontrarnos entre tanta desesperanza y compañeros que mueren todos los días como si quisieran ayudarnos a anestesiar el alma para lo que falta. Como si me preguntase qué fue aquello. Antes de todo esto. Y me digo, nuestra vida. Siempre soñamos llegar al final, saber de qué se va a tratar. No la revolución, creo, vaya uno a imaginarse en qué consiste esa palabra que ya nadie pronuncia. Hablo de nosotros, sólo nosotros en algún punto increíble. Soñamos con el pueblo, con la fiesta. Hoy sería absurdo concebir que no vamos a estar, que posiblemente no, y esa recóndita dignidad que se tuvo para una historia, se volverá también su otra cara tan verídica, tan insoslayable ahora como injusta, si, injusta. Dirán locura, ¿ésa es la palabra más adecuada? La pérdida de todo rastro que permita reconstruir por ejemplo este día, este minuto, este instante. No te miento, aguardé muchos años, sin ni siquiera decírmelo a mí mismo, encontrarnos. Supe que algún día me lo pedirías. No puedo negarte que mientras escribo esto pienso en Sebastián, también en tu primo Esteban, y sobre todo, lo mismo que vos calculo, en Matías. Hace años le comenté a Matías alguna de estas cosas. ¿Qué diremos al llegar a viejos? A lo mejor que nos equivocamos en varias circunstancias. Sin embargo no me arrepiento, hermanito, de nada: era a vencer o morir. Un himno nuevo, casi roto, tan cierto. Que viva el Che". Entonces venía la firma de Ariel.

Incuestionablemente era una carta política ¿Tendría también ese tono la del impostor, o fue una necesidad de Ariel llevarla a ese terreno? Sus razonamientos aparecían demasiado atravesados por los esperpentos de la muerte, sin embargo en otras zonas de la carta, donde revelaba algo de sus ideas, lo apreciaba fundamentalmente melancólico. Como si el final, más que un sentimiento de Ariel desde su lugar en una organización política armada, fuese apenas la fatalidad de aquellos tiempos sombríos. A pesar de todo la frase menos inteligible correspondía a otro párrafo, aquel rememorante de una casa frecuentada, como "cosa importante". Esta mención sólo se justificaba como respuesta a un tema planteado previamente por el Humberto aparente ¿Por qué el embaucador arriesgaba ese recuerdo, por qué se aventuraba a un dato preciso, sin saber si el Humberto real también lo retenía?

¿Qué casa? ¿Habría sido una referencia ligera del impostor, de la que Ariel se agarró para pactar con su nostalgia? Pero Ariel Rossi confesaba haber esperado la carta del plagiario, la cita, aquel encuentro. Como si ese fantasma urdiese una trama más certera que sus propios recuerdos ¿Habrán llegado a encontrarse? Lo último que le había llamado la atención de la carta, fue ese énfasis "sobre todo en Matías" donde Ariel y el farsante curiosamente coincidían. Se trataba de Matías Gastrelli, otro amigo del barrio. Quizás sensibilizado porque el falso Humberto reapareció "inesperadamente" después de tantos años, Ariel terminaba nombrando en su despedida a todos los de aquel tiempo en Almagro, la barra de juventud. Días después de esas frases, moría.

Salió del encierro, a su pesar, por haber pactado una semana antes la cita con Ernestina de Queirolo. Iba cabizbajo y a la vez sereno a dicho encuentro en la casa de la profesora, bastante enferma en los últimos meses. Como un tifón jamás previsto, la carta de Ariel Rossi disolvió las hipótesis anteriores sobre una enigmática vinculación entre esos textos falsos con su firma, y la carrera de Filosofía. El episodio de Sebastián Lieger, también las charlas con Cristina, se transformaban desde las nuevas perspectivas, en el remate de algo proveniente de otra época. La carta de Ariel, por el contrario y así llegaba a sentirlo, lo eximía aparentemente de delirios inmediatos, de respuestas imperiosas. Era tan atroz imaginar al impostor diecisiete años atrás, que en el fondo ese dato lo serenaba para llenarlo de otra angustia menos expresable, más impotente, y por lo tanto posible de apaciguar. Por otra parte la siniestra experiencia del falsificador adquiría mayor lógica si se la pensaba originariamente en aquel tiempo preciso y lejano: el tiempo político, el de la militancia, cuajado de acontecimientos disparatados, antojadizos, de anonimatos y seres camuflados, de identidades transgredidas y nombres falsos, de dobles personalidades y estrategias simuladoras, de seres aparentes y reales, de caras públicas y clandestinas, de vida y muerte en cada reflexión, como escribía Ariel.

Humberto sintió, camino a la casa de la profesora Queirolo, como si algo diáfano atravesase la noche negra. Si bien lo de Ariel transformaba al apóstata en un espectro más antiguo y fantasma-górico, lo situaba en una encrucijada acorde con ciertos desvaríos, con lo lúgubre de aquella época que la propia carta de Ariel reflejaba en muchas de sus frases. Cuando estacionó el auto a media cuadra de lo que calculaba era la casa de Ernestina de Queirolo, recordó que había corrido detrás de las huellas de Ariel Rossi por ciertas referencias en las cartas de Sebastián Lieger, y por relatos de Cristina, quien oyó ese nombre en los sueños febriles de su hermano poco antes de morir. Durante varios días había fantaseado con una charla frente a frente con Ariel. Delirar siempre implicaba un costo. Pero lo cierto, a esta altura, era que Sebastián Lieger no había plagiado las cartas como supuso. Lo más probable resultaba que durante su extraña agonía debió recordar algo que nunca tuvo que ver con la Facultad ni con el Instituto de Filosofía: algo que sólo incumbía a su relación con Ariel.

Ernestina lo atendió en su cama, apoyada sobre almohadas de puntillas. Su dormitorio en penumbras, acariciado por un velador de luz muy tenue, sosegó la conversación desde un principio. La luna ovalada del ropero duplicó la imagen de la anciana en los ojos de Humberto durante toda la charla. Unas rosas pálidas, perfectas, casi irreales, dormían en el florero de la cómoda. Ella lo convidó con bombones, después conversaron sobre el programa de la materia, sobre su tienda de antigüedades que desde hacía cuatro años no quiso seguir atendiendo. También sobre sus escapadas a Villa General Belgrano, en Córdoba, con dos amigas, cada vez que podían. Humberto se adecuó lo mejor posible a esas menudencias contadas por la vieja profesora, que recién a los 74 años había pedido su primera licencia como docente por enfermedad, mientras algunos amigos del Instituto seguían tramitando el cobro de su jubilación.

–Usted tiene una larga relación con el Instituto, profesora. Años de dictar cursos y seminarios de los que pocas veces se tienen noticias.

–Pobre Instituto. Nunca tuvo fondos ni cerebros que valiesen la pena. Usted sabe cómo es nuestra familia filosófica, sobre todo en la investigación, pero también en otras cosas, personajes lamentables que nunca comprendieron nada de lo que había que comprender ni vieron una sola foto de Madonna desnuda. Tanto tiempo les lleva leer en idioma original o conseguir una beca, que charlar con ellos es menos interesante que escuchar a un locutor. Entonces ella habló del Instituto. Con una astucia digna de un ministro acosado por veinte periodistas, Ernestina sorteó sus preguntas, las transformó en ingenuidades, desplegó su memoria sobre el pasado, y añoró una carrera ya perdida repleta de alumnos, de apasionamientos y debates ligados a la cultura del país.

–Es cierto profesora, por lo que me contaron, en un tiempo se dictaban muchos más seminarios, cursos y conferencias que ahora. Y hasta en mi paso por la carrera recuerdo que algunos solían dictarse fuera de la facultad, en otros lugares.

–La Universidad tiene por todas partes edificios tan inútiles como los que la administran. Yo siempre di clases, fuese el aula que fuese, sin tiza ni borrador, sin calefacción ni aire acondicionado, con escritorio o sin escritorio, con sueldo o sin sueldo.

–Una pregunta, profesora, días pasados discutí con un colega amigo ¿La profesora Lombrozo sigue estando en la facultad, o ya se retiró de las actividades?

Ernestina lo observó con sus ojos bien abiertos, esta vez no tuvo una respuesta rápida ni ocurrente.

–¿La profesora Lombrozo? Tiempo que no la veo ni hablo con ella.

–¿Sigue en el Instituto?

–Debe seguir, supongo. Yo soy la que hace mucho no aparece por ahí. En realidad es mejor que dejemos tranquilo al Instituto.

–¿Por qué profesora?

–Hay que dejar a esa gente trabajar como siempre. Si se va por pura curiosidad, o para ganar unos puntos de sueldo, es mejor no ir.

A las dos horas, con ella un poco más bromista y distendida, caricaturizando la forma de hablar de los nuevos licenciados en Filosofía, Humberto pretextó un compromiso para levantarse, besarla y despedirse, deseándole una rápida mejoría y que obedeciese al médico.

–Usted profesor, cuídese. Yo sé por qué se lo digo.

–No la entiendo.

–Siempre es bueno cuidarse cuando uno es joven todavía.

Al poner primera recordó la última imagen de Ernestina de Queirolo en la cama. No supo si reírse o putearla. En la puerta de su edificio, Ruperto, el portero, le avisó que diez minutos antes acababa de subir alguien preguntando por él, a pesar de avisarle que no estaba. Un hombre, dijo Ruperto, que después entró igual, porque Clara no sabía y lo dejó pasar: lo dejó subir. En el gesto del portero Humberto creyó desentrañar una callada advertencia. Después consideró que Ruperto era incapaz de traslucir semejante dispositivo silencioso en ningún diálogo. Cuando llegó al sexto piso no vio a nadie en el corredor. De todas maneras caminó despacio, silenciosamente, hasta su puerta. La encontró cerrada. Hizo girar muy suavemente la llave, pero no entró. Primero quiso espiar desde afuera, luego revisó la habitación, su escritorio. Regresó al corredor para verlo tan desierto como minutos antes. Inspeccionó todas las piezas. Recién entonces se sentó en el sillón. El llamado de Marisa debió ser en el tercer whisky. Su ex mujer le notó una voz cavernaria en el teléfono. Con esas palabras se lo apuntó. Para Humberto, en cambio, oírla tuvo una resonancia desacostumbrada, un parentesco inasible con sus inveterados monólogos de escritorio, o quizás el eco lejano de otras pesadumbres en remotas tierras aztecas con la voz de Marisa siempre al lado. Le dijo que si quería pasase a buscar ese mismo día la escritura para la garantía, y la tuvo sentada, después de casi ocho meses de no verse, en el sillón del living.

La notó nerviosa al principio, pero al rato como siempre, grandota, exultante, abrigada en exceso, el pelo corto y negro igual a México. Hablaron de Guido en Chicago, a ella ya la había llamado varias veces. Le contó a Marisa sobre sus problemas en la cátedra con tanta disparidad de criterios entre los ayudantes, y del rechazo a integrarse en la materia por parte de Darío Zabala, una actitud reprochable que lo afligía más de lo que podía imaginarse. No seas tan duro con la gente, tan metodista, dijo Marisa, para imitar luego la severidad de su voz y ese dedo acusador siempre clavado sobre alguien. No pudo menos que reírse al verle el gesto y reconocer que seguía siendo insobornable a sus estados del alma. Discutieron bastante sobre las furibundas ganas de coger de ella cuando estaba embarazada, episodios, según Marisa, recordables como lo exactamente opuesto: era su perversión masculina lo sobrehumano de bancar, y sin embargo como mujer de hogar también tuvo tiempo y fuerza para afrontar ese acoso sin denunciarlo nunca en alguna seccional cercana.

Más tarde pudo ver su silueta desnuda contra la luz del baño. Marisa precisaba esconderse en ropas amplias, blusas afuera y polleras largas. Esconder su cuerpo pletórico que entonces aparecía como algo no previsto, como ninfa estilizada abdicando de cualquier sublime misterio por una premeditada sexualidad de cobradora de presa. Como si el anuncio de sus pechos grandes, de sus caderas fuertes, abjuraran de todo artificio para profanarse en una animalidad más infantil que pensada. El ritual era su concha, con la boca, con los dedos y sobre todo con la verga merodeándola, pidiendo un permiso inconcebible, eternamente postergado en sus labios. Como si Marisa rompiese con su propio físico para volver a un juego adolescente, prohibido, ceremonioso. Boca arriba en la cama ella abría las piernas para sentir los ojos intrusos al lado de su sexo, casi adentro. Para que los ojos le llegasen despacio desde abajo y se detuviesen a escudriñar con el mentón, con el borde de la nariz, con la punta de la lengua. Como si desde ahí ella pudiese verlos respirar, acechar sobre aquel sitio escabullido, rozado apenas. Como si Marisa llegase siempre de otra parte, de un tiempo pasado donde sólo el inigualable juego de la paja fuese el recuerdo de un goce que tuvo lugar y coincidió con la hembra sola, sin nadie, con su vagina maravillosamente cierta, dueña de todas las historias y jamás tan fabulosamente condenada. Ella ya dormía abrazada a la almohada, entonces se preparó un pebete de queso, salamín y mayonesa.

Grabación III (Video/Casa)

Recuerdo una Navidad, tenía diez años, Esteban once. Ese día, ahora lo pienso, desentrañé los velos oscuros de la casa, el

*rumor de lo inverosímil apenas atisbado antes. O podría decir,
encontré el subsuelo de las visiones, de las palabras, por debajo
precisamente de la casa. Supe entonces, con la dulzura de ciertos
dolores, con una inexplicable culpa de saberlo: las cosas nunca
fueron tales, sino historias, brumas de ahí abajo, sótanos de
imágenes. Igual a diciembre, no un mes semejante a los meses,
al final del almanaque, sí en cambio los días más queridos, el regreso del jardín, los tiempos distintos del sol en los patios, las
puertas abiertas, los árboles florecidos tapando la calle, el aroma
quieto del verano. Los días largos, el cielo fuerte, los atardeceres
con la mesa grande de la cena en el patio, debajo de la glicina,
empecé a saberlo, no eran tanto cosas aparecidas de pronto, y sí
historias ya sabidas, esperadas, llegando indefectiblemente dentro de aquel nombre diciembre. Sólo historias como la Navidad.
Mi primo Esteban, a quien desprecié y me sedujo de una manera
enfermiza ese día, resultó el artífice, junto con dos primas, de un
juego inconfesable aquella noche navideña. Terminada la cena,
un pastor joven habló en memoria del abuelo. Más tarde los primos nos encerramos en el laboratorio de mi padre, con un ventilador y dos botellas de sidra robadas por Esteban de la heladera.
Esa noche iba notando cómo Esteban se aproximaba a sus estados
más peligrosos. Después del almuerzo había desafiado increíblemente a dos primas a dejarse besar en la boca, con el agregado
de levantarse las polleras y aceptar ser tocadas en las nalgas. Delante de mis ojos extasiados ellas aceptaron, para desaparecer de
inmediato y refugiarse en algún piso de la casa, mientras con Esteban fuimos al galpón de la terraza donde mi primo gritó su decisión
de fornicar con la esposa del pastor. Pero esa noche, en el laboratorio, fue mi prima Alicia quien sacó el tema de las idioteces dichas
momentos antes por el pastor, para dedicarse luego a hablar sobre
la severidad insoportable del abuelo muerto. Las otras la escuchaban, asentían con la cabeza como brujas confabuladas, su-
maban datos inauditos con respecto al fundador de la familia.
Contaron del castigo desmedido contra sus propios hijos, cómo
los encerraba sin luz en esa misma pieza donde estábamos, cuando
todavía no era laboratorio. Decían saber de los lamentos de sus*

respectivos padres o madres, cuando eran niños condenados por el abuelo a la oscuridad y al silencio. Comentaron la orden dictada por el abuelo contra sus hijos, imposibilitados de hablar durante las comidas, de la prohibición a sus hijas de encarar algún estudio universitario para confinarlas en la casa. Por último, de la abuela Pepa a punto de morir durante el primer parto, el diagnóstico del médico de no volver a preñarse si deseaba seguir con vida, y los hijos paridos más tarde cuando el abuelo desistió del dictamen de la ciencia y la embarazó seis veces más en nombre de dios. Pero fue Esteban, esa noche de Navidad, quien hizo referencia a la loca Rosalía, preguntándose los callados motivos por los cuales la familia soportaba cada tanto sus visitas. Esteban, no me lo quiso confesar, había tomado sidra desde la mañana. En un momento de la tarde me llevó a espiar por la cerradura del baño cómo orinaba la mujer del pastor. Yo sólo pude verla sentada, sin embargo mi primo juró haberla visto de otra forma, sentada en el borde de la bañera, riéndose frente al espejo, arrodillada en el suelo y con tres agujeros en las entrepiernas, uno por donde orinó, otro para los hijos de dios, el tercero para el pastor: así dijo Esteban, y propuso, si no lo creía, volver a espiarla la próxima vez. Reconocí la mentira pero me sobrecogió la idea de los tres agujeros. Durante toda la tarde miré a Esteban como si mirase el esqueleto carcomido de un ateo. Esa noche en el laboratorio, mi primo también sacó el tema de la loca Rosalía. Todos conocíamos y temblábamos cuando llegaba Rosalía, una mujer de unos cuarenta años, amiga lejana del abuelo y absolutamente alterada de la cabeza. Cuando las tías y mi madre veían desde el balcón del primer piso a Rosalía tocando el timbre de la puerta de calle, la vida parecía detenerse. Mi madre nos escondía en una pieza, tía Elena escapaba a buscar algún hombre de la familia, se guardaban los cuchillos, tenedores, tijeras, también las sogas de colgar la ropa, los objetos de vidrio y puntiagudos. Encerrados en la pieza, con Esteban y mis primas intentábamos reconstruir las invisibles escenas de la casa invadida por la loca. Mi hermana rezaba el padrenuestro, convencida con eso de alejarla. Alicia se animaba a salir y volver, con deducciones truculentas y contradictorias.

103

María Elena citaba cuentos de mujeres poseídas, con ojos iguales a los de Rosalía. Había algo cierto, Rosalía podía matar o matarse en cualquier momento. Nadie se animaba a despedirla por temor a un ataque de locura violenta. Así lo explicaba mi hermana, locura violenta según ella consistía en lo satánico apoderándose de la órbita de los ojos. Eso nunca sucedió, en realidad Rosalía hablaba sola, pedía el teléfono, marcaba cualquier número, revisaba la alacena, se llevaba las teteras y las pavas del mate acusando a las tías de habérselas robado, y repetía invariablemente estar embarazada, pero sin un médico para explicarle cómo era la criatura adentro de su panza. Recuerdo la excitación de todos esa noche de Navidad adentro del laboratorio. Como si supiéramos, sin decirnos nada, adónde quería llegar Esteban al aludir a Rosalía. Seguíamos tomando sidra de las botellas, creídos, con eso, de la cercanía de un pecado anudándose con el recuerdo de Rosalía. Vivíamos esa atmósfera religiosa pero a la vez irreverente, con algo de fiesta pagana, de las navidades y el verano en la vieja casona. La celebración comenzaba varios días antes, durante el culto religioso de los lunes, donde se invitaba a algunos pastores a la casa para un sermón dedicado a los días de Belén. Continuaba en la iglesia, el día anterior a Nochebuena, cuando con algunas primas y Esteban participábamos en una obra teatral organizada por la congregación metodista, referida al nacimiento del hijo de dios y la amenaza de los romanos. Nos disfrazábamos de niños pastores para el pesebre sagrado, con breves y memorizadas intervenciones durante la trama. Los preparativos antes de salir a escena, los vestuarios improvisados en la iglesia, creaban un tiempo fuera del tiempo donde los mayores se prestaban a cosas no habituales en la vida. A María le pintaban la cara de rosa, José el carpintero era un hijo del obispo con peluca de judío pobre, el organista se vestía de Pilatos con un par de horrorosas cejas pegadas, algunas muchachas, las de los cántaros sobre los hombros, se envolvían el cuerpo con livianas sábanas blancas. Los reyes sin camellos no dejaban de ser nunca viejos de la congregación. Después, al otro día, toda la familia extendía y arreglaba las mesas en los patios, el jardín y también en algunas habitaciones de la casa, para el 25 de diciembre. En esa jornada todos los parientes, hasta los más distantes llegados de Entre Ríos y de Santiago del Estero, viejas amistades del abuelo, entre ellas tres ancianitas elegantemente vestidas para la cita, más de sesenta personas en total, almorzaban y cenaban en la casa en un festejo desde las once de la mañana hasta bien entrada la madrugada. A lo largo de esas horas nos apropiábamos de toda la casa para jugar a las estatuas, al cuarto oscuro, a la silla ciega, mientras algunos tíos preferían dormir la siesta, ciertas tías se levantaban cambiadas de ropa para la hora del té, otras reunían a los menores alrededor del piano para entonar himnos metodistas, en las salas los hombres conversaban, fumaban, escuchaban música clásica o boleros sin dejar de pedir bebidas a las mucamas, y el resto de las mujeres, en una cadena productiva infinita, permanecía en la cocina y sus alrededores preparando pavos, ensaladas, refrescos, galletas y postres, ahora para la cena. Aquella noche, en la sobremesa, el pastor recordó al abuelo, pero con Esteban sólo tuvimos ojos para la blusa, ajustada sobre el cuerpo, de su esposa. También esa noche sentí el aroma de la Navidad en la piel de mis primas, en el perfume de sus cabellos, en los ojos provocadores de algunas de ellas debido quizás a la historia de Rosalía, terminada por Esteban con una pérfida frase sólo posible de prolongar con el silencio. Rosalía fue amante del abuelo, dijo, no su amiga metodista. En los libros de la biblioteca del abuelo, puntualizó, deben estar escondidas las cartas de aquel amor. Pero ese no sería el final de su actuación entre fétida y maravillosa. Algunas primas rieron bajito, Alicia demostró saber cosas más increíbles: Rosalía se volvió loca cuando el abuelo la abandonó, obligado por el obispo. Entonces fue María Elena, alentada por mi hermana: tía María Luisa lo contó y ella es la más vieja y sabe todo, el abuelo antes de ser pastor tuvo una vida disipada. Lo único ignorado esa noche en el laboratorio, era la vastedad de aquella palabra: disipada. Salí consternado de esa pieza y caminé hacia la sala donde algunos integrantes del coro de la iglesia entonaban canciones de Navidad en inglés. El odio por Esteban me latía en las sienes. Anhelé como nunca antes la furia de dios sobre mi primo, le exigí su arrepentimiento, pero lo seguía viendo ahí, feliz, alucinado, describiéndome cómo las tetas de las mujeres locas, tipo Rosalía, irradiaban un extraño sonido al ser mordidas, melodía embaucadora donde el abuelo afilaba sus dientes. También yo sentía la sidra en la cabeza, en la yema de los dedos, en esas imágenes repugnantes imaginadas por Esteban. En un momento se acercó para señalarme a las tres ancianas amigas del abuelo, aposentadas en los sillones y arrobadas por el coro. A ellas también se las cogió el abuelo, y por el culo, me susurró Esteban al oído: fijáte cómo se sientan desde entonces, derechitas, como estaqueadas, nunca más pudieron sentarse como verdaderas cristianas. Vos o yo vamos a heredar la tremenda poronga del abuelo. Miré a Esteban como jamás había mirado a nadie, pero sin imaginar una respuesta. Sólo pude jurarme no hablar con él por el resto de la vida, si no alcanzaba el remordimiento en ese mismo instante. Volvió a acercarse y escuchó mi pedido. Entonces dijo: debemos aceptarlo, lo saben todos, también la mujer del pastor, el promontorio del abuelo no tuvo rivales en la iglesia. Y se alejó despacio acariciándose el sexo sin el mínimo disimulo. Perseguí a mi primo hasta el balcón del primer piso, abrumado por todo lo vivido esa noche. Le exigí un mínimo pacto de olvido sobre lo conversado en el laboratorio, además de reprocharle todas las palabras usadas. Me aferré a su cuello, nos abrazamos, terminé rodando sobre el piso encima de su cuerpo. Nunca pude rememorar mis frases de aquella noche. Únicamente retengo haberle preguntado una y otra vez cuáles eran las causas para insultar al abuelo de las láminas bíblicas. Al escucharme, Esteban sonrió de una manera desagradable. Él tampoco lo sabía, me di cuenta. No pudo decirme nada. Recuerdo, lo empujé contra el cemento de la baranda del balcón. Quería golpearlo. Pero Esteban ni siquiera me miraba. Nos quedamos juntos, sin hablar, contemplando la calle Lavalle.

13

Todo seguía igual, menos lo que le pasaba. Preparó la clase de Friedrich Schlegel sobre poesía y filosofía. Pagó la patente vencida del auto. Tomó café con dos alumnas interesadas en un mismo tema para la monografía. Se compró dos pantalones y los dejó en arreglo: cortos de pierna, anchos de cintura. Le habló su hermana desde Bahía Blanca para decirle que postergaba su viaje a Buenos Aires. Comió con Hilario Galíndez y discutió sobre el país. Recibió un fax de Guido desde Chicago con su nuevo personaje: un monstruo extraterrestre prehistórico con vestimenta de bajo fondo neoyorquino. Hizo arreglar el gas de la cocina. Vio el partido por televisión. Canceló una cuenta retrasada en la librería. Cambió un cheque. Cargó nafta. Y el domingo fue con Santiago a cenar y cumplir con una invitación de Cristina Lieger.

Ojalá que no salga con el tren fantasma, dijo Humberto. No deja de ser interesante ese proyecto, apuntó Santiago. Te interesa la dueña del tren, por algo no venís acompañado de Celina. Delicada Lieger, dijo su primo: modales, *oui*, tenedor cuchillo con este dedo, *yes*, tres copas para el agua, el vino y el pis, *yes* también. Teatro Colón de raso, exposición pintura saco de lino, en casa blusón solera, supongo enagua negra uñas blancas perfume avión, rodete cinta de fuego, *yes*, *yes*: en el diario busca página conferencias y disertaciones, buen vino correcto primo, borracha con compostura, ladina fina, cuarentona hormona, encantadora exacto, pestañas postizas misa, sí, dijo domingo misa, nena me ama, no, ay mi amapola primo, *yes*, toto quiere tantear tres turnos, te regalo Antonio Machado ingrata ¿no? ¿Antonio Machado yo?, me remata ¿Y tú? ¿Tú, qué tú? tus tetitas taimadas trepo, *yes*, *yes*, vibrador importado treinta dólares tres cuotas tarjeta.

Luego de comer bajo el piano de Chopin, Humberto se retiró hacia los sillones del living acompañado por una botella de vino y el vaso. Santiago recordó el episodio con la madre y el hermano de Ariel Rossi, las trompadas recibidas, y Cristina se escandalizó de semejante brutalidad. Humberto habló sobre la familia de Ariel, sobre el padre abogado y furibundo defensor de la Revolución Libertadora. Se sentía sanamente alcoholizado.

–Es una gran ironía –dijo Humberto– como suelen ser las cosas que creemos tan claritas. En ese mes de la carta de Ariel, yo andaba como podía de casa en casa, o con la casa al hombro para salvar el pellejo. Octubre del 76, lo recuerdo, los frentes territoriales de la organización se caían a pedazos, de mi último domicilio tabicado tuve que rajar a retaguardia y por las mías. Todos teníamos un amigo supuestamente nunca metido en nada con el que se pactaba un último refugio. El mío era profesor en el ballet del Colón, lo había conocido en el 68, en París. El responsable de mi ámbito, Gangrena, un gráfico, había caído y quedamos a la intemperie. De esa época lo que más recuerdo es al Franchute. No lo conocía personalmente pero supe que era un tipo formidable, con grado alto en la organización. Después me relacioné con él de una manera increíble. Bueno, yo busqué esa relación. Pero la cosa ardía, nadie sabía dónde ponerse, nos enterábamos que algunos sin esperar órdenes se rajaban hacia el norte, para el Brasil. Una compañera, su nombre de guerra era Lucrecia, quiso reunir las piezas sueltas del ámbito. Al final de todo, las minas tenían como más cojones o conciencia fatídica para soportar esa catástrofe. Ahí fue donde ella me anunció que tenía que bajar el Franchute o la Vaca, para mandarnos a otro destino. Yo quería que fuese el Franchute y se lo dije. En esa época la cuestión era que te bajase un responsable mínimamente melancólico, con algún resto de viejas crisis espirituales en su biografía, no un aparato con tres pistolas al cinto para decirte que íbamos ganando porque en Lugano se recuperó una 38. Por ese tiempo también enganché con una compañera de la zona sur, la Gringa Dos, que andaba desparramada por cualquier parte. Ella era la mujer de uno de arriba, a punto de separarse si no fuera que le tenían prohibido plantearle eso tan depresivo a su marido comandante. ¿Pero de qué te separabas en esos días? De la vida, únicamente, y sin darte mucha cuenta. Tuve que rajar a otro escondrijo, porque sospeché que merodeaban y había quedado colgado veinte minutos en una cita donde no llegó nadie ni pude saber después por qué quedé de araca. Ella, la Gringa, cuando entramos en relación más íntima me dijo su verdadero nombre, ahora no me acuerdo, bueno, la Gringa se había camuflado de enfermera para tapiarse, ella decía tapiarse, en un hospital. También Lucrecia dormía en el taller mecánico de un viejo choto que se la quería coger y la extorsionaba con avisar a la policía. Y el irlandés Tiburcio, que no era ni irlandés ni Tiburcio, con un cajón de armas en el sótano de la casa de sus viejos y sin poder salir de ahí. Sin que sus propios viejos supiesen dónde estaba. Los viejos le hablaban a un teléfono, y otro compañero contestaba haciéndose pasar por el Irlandés, que abajo, en el sótano de su casa, escuchaba a su padre hablando por teléfono supuestamente con él. Esperábamos al Franchute para reagruparnos, pero no bajaba nunca. Por un tiempo mandó cintas grabadas a través de Lucrecia, o de la Gringa, con la que aprovechábamos cualquier resquicio para encamarnos. La Gringa era increíble, entrábamos a un telo, me pasaba los datos mientras se desvestía, nos acoplábamos como llegando de un claro de luna, terminábamos, un faso, se bañaba sin mojarse el pelo, todo en treinta minutos y a mitad de tarifa. La había conocido antes, en el tiempo de las manifestaciones, sin saber nunca en qué frente trabajaba. Se subía a los toldos metálicos, a los árboles, a las columnas, a cualquier lado, y desde allá, como volando en aerosol pintaba Perón donde sea. Así la conocí una tarde cuando todo era tan lindo como en los libros. Lo cierto es que el Franchute no bajó pero empezó a mandar más cintas, era medio loco. Se enteró que yo escribía y en el medio de esos documentos grabados me hablaba de Rimbaud, de Flaubert, de Borges. Al final, al empeorar las cosas un poco más, terminé en la casa de tía Josefa, en una piecita en la terraza donde sólo pasaba por las noches para dormir y no joderle la vida. Durante el día la cuestión era yirar, yirar con diez ojos en la nuca. Después nos enteramos que el Franchute se había refugiado en una escuela de segunda enseñanza o algo así, y desde ahí nos organizaba por larga distancia. Con la Gringa pensamos muchas veces largar todo y abrirnos, yo casi no creía en nada. Era increíble eso de vaciarse por dentro, cronometrar el cuerpo y persistir como un soldadito en la neblina Además nos mandaron a cuatro cuadros descolgados a un café, para aguantarlos: una suerte de ámbito de ejército de salvación sin coro de niños y con una única misión, citarnos alternativamente una vez por día para saber si seguíamos sobre la corteza terrestre. Yo pensaba rajarme con la Gringa, pero ella no admitía largar a su compañero, responsable superior en actividad. Una cuestión de conciencia que le respetaba, pero en el fondo me jodía. Seguí en lo de tía Josefa, con la Luger, una peluca y nada más. También un *Gráfico* que releía por las noches de insomnio y autocustodia, para colmo con un partido donde Vélez le había ganado a Racing. Un día la Gringa se compadeció, y en una cita me trajo otro Gráfico donde Racing le ganaba a Boca. La tía Josefa todas las noches me dejaba la comida en la piecita de la terraza, para cuando llegaba siempre tarde. Esas noches había encontrado en un baúl de la tía tres libros de la vieja biblioteca del abuelo escritos en tano, sobre las muchas versiones de la llegada del milenio. Pero un día la Gringa desaparece, al tiempo recibo una carta suya, por correo, a la casa de mi tía. Ella conocía la dirección, había pasado algunas noches en la piecita de la terraza, pero me pareció un despropósito. Le contesto al remitente del sobre, el hospital donde trabajaba, enfermera Marta pongo, sí, su verdadero nombre, ahora recuerdo, era Marta. Y así nos escribimos varias veces, contándonos los infortunios, las desbandadas, y las ganas de encamarnos otra vez. Hasta que a través de las cartas que le mando a ella, me conecto a la distancia con el Franchute y empiezo a enviarle Informes para ver qué se hace en medio del amasijo. La comunicación funcionó.

Salía todas los días por la mañana y volvía a la madrugada. Con el Franchute, a esa altura, nada de cartas orgánicas, reorganización ni reflujo. Nos escribíamos de autores, de libros, qué le debía Perón a Schopenhauer, Cooke a Hegel, Scalabrini a Chateaubriand, Fanon a Pascal, locuras, un tiempo realmente increíble, de alarma roja total, donde de traje con chaleco y corbata impecable me la pasaba en dos o tres bibliotecas por día escribiendo hasta eso de las nueve de la noche. No dejaba de ser sitio seguro, bastante insospechado. En el intercambio con el Franchute nos quedábamos con el Luckacs joven, peleábamos por Althusser, inventábamos una biografía desconocida de Trotsky, o diálogos entre Martínez Estrada y Rosa Luxemburgo. Ahora pienso que hacía eso para no sentirme muerto antes del balazo, aunque en esos días, creo, debí pensar que volvía después de tanto a lo que más amaba, que me despedía finalmente con lo mío, viendo mi propia letra a página llena. Nada tenía sentido, sobre todo aquello que lo que había tenido, que no era mucho, veinte documentos internos tremendamente aburridos pero enganchados en algún fondo con otros libros y barricadas de la historia. Todo se pulverizaba entre cita y cita donde si por ahí hacías memoria de años anteriores, ya no se hablaba de otra cosa que preguntar por alguien. Todo se agrietaba, no sólo las conversaciones, no sólo las ideas que dejan de gotear, pero nunca te asombra tanto como las otras cosas adentro, estropeadas. Una noche en ese tiempo ceno con mis padres, le digo que estoy mejor que nunca, a punto de conseguir una beca de las Naciones Unidas para dos años en Caracas. Mi padre se la come, sin entender del todo qué voy a hacer a Venezuela, pero es mi madre la que entiende todo y me pasa mil dólares para que me vaya del país mañana mismo. Mientras tanto los informes cruzados con el Franchute·eran la risa loca, parecían la casa incendiada de un alquimista, por donde volvíamos a atar constelaciones de ideas como si las hubiésemos entendido recién entonces. Un día me informan que va a bajar un nuevo responsable cordobés, trasladado desde La Plata. Encuentro establecido conmigo solo al día siguiente. Al rato me llama la Gringa para decirme que la cita se levantó. Después otro acostumbrado silencio de radio por bastante tiempo. A las dos semanas, una tarde, Lucrecia me lo dice: cayó el Franchute. Cayó peleando, dice ella. No sabe los detalles, ninguno. ¿Y qué carajo me importa? Cayó, listo, nada más. Para mí ese día, no otro, las cosas se acabaron. Esa noche lloré. Me dormía y de manera absurda me despertaba llorando a cada rato. No había podido conocerlo personalmente, ni siquiera un café largo en la vida con uno de los tipos que más quise. Esperé a un responsable para discutir mi situación, pero nunca llegó y me escondí en un hotelucho de Palermo con una cédula falsa que mucho tiempo atrás me había pasado alguien de arriba. Todo había terminado. Llamé a mi hermana, en una casa de Once vendí la filmadora, el aparato estéreo, el televisor, todo lo que ella me guardaba. A la semana almorcé con mi madre en una parrilla de Olivos y a la nochecita embarqué para México. Al entrar al avión discutí por una cuestión de asiento y ventanilla con una tipa que me cayó simpática. A la hora de charlar dijo que se llamaba Marisa. Después lo supe: venía escapando de Santa Fe.

Santiago y Cristina lo miraban. Humberto, en cambio, al vaso.

Al otro día, mientras freía una milanesa lo llamó Celina, para preguntarle si Santiago andaba por ahí. La voz de ella lo tomó desprevenido. Presintió en aquel pretexto, en la cordialidad de su tono, en su risa amable al recordar la pelea con el hermano de Ariel Rossi, un avance significativo. Al colgar pensó en Santiago y Celina, no era la primera vez que pensaba en esa pareja a la usanza de los jóvenes de la época, un juego más bien desapasionado y sin embargo cierto, a la manera de ellos.

Tuvo ganas de salir a caminar bien abrigado, con gorra y bufanda. Era el primer día realmente frío del otoño. Por Córdoba llegó a Salguero y ahí dobló hacia Lavalle. Se detuvo en la vereda de enfrente, a contemplar la casa. Oscura y cerrada. Pensó en su padre, Ricardo, había nacido ahí, parido por la abuela en una pieza. Pensó en su madre, leyendo novelas de Moravia, Pratolini y Howard Fast en algún patio. Pensó en la madre de Ariel Rossi con su hijo muerto. El lavado de narcodólares bien valía un olvido. Efectivamente, Ariel había reventado la vida de la antigua profesora de piano. ¿Qué más sano que el odio para el hijo dilecto? Su madre en cambio, muchas veces lo fantaseó, lo hubiese llevado desoladamente en su corazón, sin avisarle a nadie. Ni renegada ni loca en una plaza, porque el dios metodista es discreto, sin íconos, lamentos ni pozos trágicos: es un viejo inglés con barbas blancas que te revienta las tripas por dentro pero evitando distracciones. Miró la casa oscura, supo que ella, ahí petrificada con sus balcones sin plantas, no sabría resolver uno solo de los acertijos. No me arrepiento, decía Ariel al despedirse en la

carta, pero Humberto no podía calcular a qué hacía referencia
Ariel. Tal vez tuvo razón, no diecisiete años atrás, sino dentro de
diecisiete. Recordó las cartas para sus padres desde México, hasta que murieron en la ruta a Mar del Plata una noche de tormenta. Su hermana lo había llamado tres días después, para decirle
que ya no hacía falta venir. Imaginó a su maldito doble enterán-
dose de aquel llamado telefónico, contemplando su rostro, el de
Marisa al lado suyo cuando colgó y se miraron.

Hacía viento, se levantó las solapas de la campera, se anudó
la bufanda al cuello. Trató de imaginarse una carta suya diecisiete años atrás, para Ariel Rossi. El impostor violentaba los cursos, su vida. Escondía su aliento en el cuerpo de los muertos.
¿Habría escrito sus patrañas desde esa vieja casa? El mal nacido
debió ponerle también a Ariel ese remitente. Pensó desde dónde
lo espiaba, desde cuándo lo tenía en la mira. Sin embargo no podía imaginarlo con rasgos inusuales, sombríos, demoníacos, lo
fantaseaba en todo caso hombre prudente, detallista, calculador,
cartesiano en su solitaria orfebrería. Pensó en tantos amigos
abrazados alguna vez, encontrados azarosamente en la vida, rea-
pareciendo en ocasiones de maneras inesperadas para compartir
con algunos de ellos una comida, una sobremesa. Trató de recordar
algunas mujeres seducidas, besadas, llevadas a camas sencillas o
escabrosas, queridas fugazmente o con infinitos cielos tormentosos
¿En qué lugar de todas esas escenas estaba él, y dónde el enmascarado? ¿Cómo acariciar ahora cualquier imagen errabunda, des-
terrando al comediante? ¿Hasta qué punto, como Ariel Rossi, todos
en algún momento no fueron más del falsario que de él mismo?

Caminó hacia la fonda de la esquina. En la puerta escuchó
el sonido atroz, destemplado de la música, pero al entrar no vio
ningún aparato encendido ni nada que se le pareciese. Recorrió
varias veces con la vista el lugar y el silencio. ¿Había sido una
música? Finalmente eran tres cartas, pensó, a Sebastián, a Uriarte, a Ariel, tres extravagancias ni siquiera emparentadas. Tuvo el
presentimiento de que el sendero del impostor no llegaba a ninguna parte. Como si el mundo y sus bienhechoras vanalidades
sirviesen en este caso para rechazarlo. Sebastián hacía referencia

en una de las cartas a haber sido únicamente testigo. ¿Sería ese el principio de una clave? Ariel Rossi hablaba de una casa, pero al pasar. ¿Cómo dedicarse a semejantes pelotudeces?

14

Fue dura la conversación con Gabriela Ceballos. Más concretamente, a cierta altura Humberto se sintió obligado a una severidad de juicios de la cual le hubiese gustado verse absuelto. La encontró en el bar frente a la facultad a la salida de su clase teórica, la vio alterada, pidiéndole ayuda para conseguir el subsidio de una consultora española norteamericana al que aspiraban muchos, según ella, moviéndose sin el mínimo pudor. El trabajo consistía en una investigación sobre teleteatros venezolanos y colombianos, series producidas con capitales hispanos, necesitados de una evaluación de género en el contexto de las pautas massmediáticas para América Latina. El objetivo era reformular los puntos fallidos. Gabriela le informó que encabezaba el proyecto, con el respaldo de dos sociólogos y un experto en encuestas. Pero su desagrado desde un principio no lo motivaban esos datos. A los personajes los conocía de viejas lides en frentes culturales antiimperialistas. Le molestó el hecho de que ella supusiese, con una contagiosa impunidad de época en varios tramos del diálogo, que frente a la cercanía de un tesoro apetecible, la crítica pasaba a ser un despropósito de aguafiesta, un resentimiento de intelectual vetusto, frankfurtiano, o el mal gusto de no haber preferido el silencio.

Le pidió disculpas a Gabriela por el anacronismo de cuestionarle la propuesta desde sus mismas raíces. En todo caso ella ya no estaba en el exilio tratando de ver cómo comía al día siguiente. Con absoluta conciencia de lo que decía, Humberto rondó en el falaz esteticismo ético de hablarle de Walter Benjamin en los fríos hoteluchos de París soñando que su obra sobre los Pasajes revelarían los secretos de la modernidad capitalista, para comparar arbitrariamente las penurias del berlinés con los últimos vendedores de inmobiliaria disfrazados hoy de investigadores en los institutos privados. Le describió a su ayudante, a la manera de personajes de Dickens, cómo podían sufrirse dos años de humillaciones, esperas genuflexas, fiebres intermitentes, impotencia o frigidez y hasta un nuevo tipo de úlcera llamada en el Fernández la del vasallo cientista, con tal de recibir una pila de dólares en cuotas semestrales y juntar datos de lo que venga en la computadora. Gabriela pareció recibir sin mayores defensas los latigazos, pretextó cierta angustia económica y terminó diciendo que tenía razón pero no era para tanto.

Ese sábado y domingo quiso quedarse solo en el departamento con música y sus libros. Por la mañana se había comunicado con Guido a Chicago para reprocharle los escasos mensajes recibidos. Recién al terminar la charla le avisó del giro enviado para algún gasto extra. Le llegó un fax de Michael desde Frankfurt, entusiasmado por la noticia de su viaje a Alemania y la promesa de visitar juntos algunos lugares de Suabia. También atendió al editor de una revista cultural, quería hacerle una entrevista sobre su trayectoria intelectual y algunas de sus obras. Se citaron para el martes en un bar de San Telmo. El domingo a la tarde llamó a Celina para encontrarse y entregarle otro cassette. Ella había hablado con Santiago sobre la carta de Ariel Rossi, y le dijo sentir disparatado todo el asunto. La notó interesada en las historias de la cinta, como si hubiese necesitado escuchar su voz en los recuerdos, para percibirla después, en la confitería, un poco más cerca.

Al regresar a su departamento escuchó el portero eléctrico en la segunda feta de matambre. Nadie le respondió abajo. Se arrepintió de haber abierto, pensó en Yolanda. Aguardó el ruido del ascensor, fue oyendo los pasos en el pasillo, escuchó el timbre y abrió, para encontrarse con una mujer distanciada de la puerta, como habiendo dado un paso atrás para estudiarlo de lejos con una tenue sonrisa en los labios.

—No puede ser —dijo Humberto

Ella cruzó los brazos contra la cintura y ahora su sonrisa fue más franca

—Gringa ¿sos vos?

–A vos te llamaban Hueso ¿no?

–Gringa ¿sos vos? ¡Gringa!

Entonces la abrazó como nunca había abrazado a nadie en los últimos diez años. No quería soltarla ni pensar, sentir sólo el dolor en los brazos, en la espalda, ese escalofrío en la nuca.

–Gringa. Sí, sos la Gringa. Ya me morí.

–Marta.

–¿Marta? Gringa sos la Gringa. Fijáte que la semana pasada, es asombroso, por primera vez conté nuestra historia. Se la conté a un primo.

–¿Y por qué le hablaste de mí, Hueso?

–¿Por qué? No sé, porque te quise.

–Vos querías solamente tu caño recortado. No me hagas acordar de tu dulzura en esa época.

–¡Gringa increíble! ¿De qué piélago profundo de aquel mar de los sargazos aparecés, Gringa? Vení, sentáte. Dejáme que te mire. A vos te gustaba la leche Cindor. No tengo, Gringa ¿Pero quién te dio la dirección?

–De eso hablamos más tarde, no te preocupes. Tiene que ver con Alberto Rossi.

–¿Con Alberto Rossi? ¿Sos amiga de esa bestia nazi?

–Lamentablemente soy la cuñada del nazi.

–¿Cuñada de Alberto Rossi? ¿Qué te pasa, Gringa?

–Sí, Hueso, soy la viuda de Ariel Rossi

Humberto se echó hacia atrás en el sillón. Cerró los ojos. El planeta se iba desprendiendo del sistema solar: podía verlo nítidamente.

–Vos, Gringa, estuviste casada con Ariel Rossi ¿Y cuándo?

–Siempre, que yo sepa, en aquel tiempo.

–Esperá, empecemos de nuevo. Tengo un nubarrón en los ojos y creo que vas a ser la última imagen de mi vida. Sí, no te rías. El alto responsable, aquél del cual te ibas a separar todos los días ¿Aquél era mi viejo amigo Ariel Rossi?

–Hueso, después te cuento todo lo que quieras. Ahora escucháme bien. Mi cuñado te mostró una carta que hace muchos años te escribió Ariel, en respuesta a una carta tuya.

–Nunca le escribí esa carta, Gringa. Nunca. Pero es una larga historia.

–Una historia siniestra, Hueso.

Los ojos de ella se apagaron. Huían hacia atrás para dejar a la vista dos pupilas sin vida. Lo miró fijo desde aquel fondo.

–¿Quién escribió esa carta, Hueso?

–No lo sé. En eso ando últimamente.

–¿Vos no la escribiste?

–No, no la escribí ¿Pero qué te pasa, Gringa?

–Decímelo por lo que más quieras en la vida ¿No la escribiste?

–No.

–Te creo, Hueso. No podrías entender lo que significa para mí creerte. En esa época eras un amoroso hijo de puta. Un cuadro montonero. Pero siempre pensé, no sé por qué, que vos no habías sido.

–¿Y vos qué eras, Gringa, la chica que daba la hora en el Tíbet?

–La carta esa, Hueso, pedía una cita con Ariel.

–Efectivamente. Hace unos días, al volver del té con pralinés que me ofreció tu cuñado, la leí y me enteré de ese dato.

–Hueso, escucháme bien: en aquellos días, un compañero me informa que había llegado una carta al lugar clandestino donde estaba guardado Ariel. Carta mandada por un tal Humberto Baraldi, a quien nadie conocía, excepto yo y Ariel, quien informa que es un amigo suyo de juventud, y a la vez Hueso como cuadro orgánico. Entonces, arriba recelan, creen que es infiltración de los servicios, un chupado al aire. Creen que tu carta es una cita trampa. Yo digo que te conozco, que no es así, que sos Humberto y sos Hueso. Yo sabía tu nombre verdadero ¿te acordás? Pero arriba no me creen, nadie entiende nada. Al contrario, me doy cuenta de que empiezan a sospechar de mí también, cuando te defiendo. Me obligan desde la oficina mayor a no comentarte nada. Tiempo después reciben otra segunda carta, también de Humberto para Ariel. Entonces me exigen que te pase una cita, a la que va a ir Ariel y otros, para encontrarse con vos. Pero es una cita de la organización, no personal. Vos no sabés nada de nada, a todo esto.

–Sí, lo recuerdo. Para mí es una cita con un supuesto nuevo responsable, un cordobés. Después vos, Gringa, me llamás para decirme que no vaya, que la cita se levantó a último momento. Fue tu última llamada. No te volví a ver más.

–Yo te digo que no vayas, porque me entero que Ariel sale a matarte, convencido que la carta tuya es una celada. Entonces te llamo, te cuido Hueso de mierda. Después siempre pensé, ese día iban a morir los dos.

–¿Así que Ariel Rossi creía que yo, Humberto, lo iba a entregar?

–Estaba convencido, como poseído por esa idea, te lo puedo asegurar. Creo que ninguno de ellos entendía eso de que te hubieras transformado en Hueso y Humberto a la vez. Era una época confusa, terrible. Y de pronto vos le escribís como Humberto, y le pedís una cita tan absurda bajo el pretexto de una vieja y entrañable amistad.

–Ariel quería matar a Hueso, y a Humberto. Interesante final de esa amistad.

–Ariel se volvió loco cuando recibió tus cartas firmadas Humberto Baraldi. En realidad te digo algo peor. La última vez que lo vi, en una plaza, fue como si sólo quisiese matarte a vos, no a Hueso.

–Hijo de puta.

–Era otro tiempo, Hueso. Acordáte, vos mismo querías rajarte conmigo, con la mujer de un admirado superior.

–Nunca supe que eras la mujer de Ariel Rossi ¿Él sospechó?

–No, jamás ¿Pero hubiese cambiado tu opinión si lo hubieses sabido?

–Ariel Rossi quería matar al viejo amigo de la infancia, porque suponía que Humberto quería cagarlo a él. Enaltecedora imagen neoclásica. Son terribles las historias cuando son las historias de uno mismo, ¿No te parece, Gringa?

–Ariel nunca fue un mal tipo. Pero en ese último mes estaba desconocido, desesperado. Vos lo estimaste mucho, Hueso. Te diría que lo quisiste más que a mí.

–¿A quién, a Ariel Rossi?

–No, al responsable Ariel Rossi.

–¿Pero quién era Ariel en la organización?

–Vamos, Hueso, ¿me vas a decir que nunca te enteraste?

–¿Enterarme de qué?

–Ariel murió ese día, el de la cita con vos, acribillado a balazos ¿Nadie te lo contó?

–No, me encerré por diez años en Cuernavaca, México, América Central. Montaña, viento, la familia y cuatro amigos literatos. No quise saber nunca más nada.

–Ariel Rossi era el Franchute.

–No. Me. Jodas.

–Tu amado invisible.

Humberto no contestó. Se puso de pie y miró los libros de su biblioteca. En realidad era muy poco lo que podía distinguir en esa penumbra.

–¿Vos fuiste la mujer del Franchute?

–La mujer de Ariel Rossi, alias el Franchute.

Otra vez le puso whisky al vaso. Encendió el velador del escritorio. Se repitió varias veces que era la Gringa esa mujer sentada en el sillón, mirándolo en silencio. La Gringa, alias Marta de Rossi. No alcanzaba a recordarla de ninguna forma. La escena seguía detenida en un mismo punto, ella sentada en el sillón, y atrás sus libros en la biblioteca. Terminó el vaso y volvió a servirse. Ahora ella miraba hacia el balcón.

–Ayer casualmente estaba releyendo la carta de Ariel. Ahora recién la entiendo, Gringa, la hermosa carta emboscada, a control remoto. Debí darme cuenta, o recordarlo, sólo el Franchute escribía así en los informes que nos mandábamos, pero cosas más lindas.

–La carta no la escribió Ariel, tampoco escribió esos informes que intercambiabas con Ariel esos últimos dos meses. Desde que recibieron la primera carta de Humberto Baraldi, todo fue tarea de contrainteligencia, calculando palabra por palabra lo que te mandaban. Un grupo de compañeros, y un especialista, estaban a cargo de esa misión de contestar tus informes locos, literarios, filosóficos y también de escribir esa carta donde Ariel aceptaba encontrarse con vos.

Humberto fue al baño a lavarse la cara y las manos. Mientras se secaba encendió la luz, observó su rostro, pensó en los gestos también avejentados de la Gringa. Cuando apagó la bombita su cara se tiñó de negro en el espejo. Quiso eructar y no pudo. Después fue a la cocina por cubitos. Miró a la mujer canosa delante suyo. Encendió otro cigarrillo. La Gringa, pensó.

–Fue un tiempo desmesurado, Hueso. Y en el medio yo, haciendo el amor con vos, y recibiendo las órdenes de Ariel de no perderte de vista.

–Noble tarea, Gringa.

–No seas jodido, pasaron ya cientos de años. Te quería, te avisé por teléfono que no tenías que ir. Entendé que era muy raro todo lo que hacías, lo que escribías en esos informes. Y después tus cartas como Humberto Baraldi para un viejo amigo efectivamente cierto, a quien de pronto le revelabas tu identidad y la suya, tampoco eso era normal. Sin embargo, sin saber que Ariel moriría ese día, me quedé con vos. Te avisé. Ariel estaba muy acosado, Hueso. Durante ese tiempo se la pasaba encerrado dentro de un aula. Las cartas con tu firma existían. No dejaron de ser cartas de alguien, de un trabajo de inteligencia de algún servicio. Y Ariel sin poder salir de ese lugar.

–Lo recuerdo, Gringa, me contabas que era un instituto de segunda enseñanza, o algo así, donde se daban cursos.

–No sé, no conocí el lugar, no podía ver a Ariel casi nunca, ni saber dónde estaba. Vos me mandabas los informes por correo al hospital donde me había guardado como enfermera. Yo se los entregaba a los compañeros. Después ellos me pasaban los informes de respuesta que elaboraban. Ariel, tu famoso Franchute, ni los leía ni se enteraba. Fue toda una operación, ellos pensaban que vos eras la punta de una infiltración importante que explicaba muchas caídas, y se abocaron a seguir el tren delirante de tus escritos. Cuando me pasaban las repuestas, yo las mandaba a la casa de una tía tuya, creo. Pero lo más sospechoso fueron tus cartas firmadas como Humberto Baraldi: esas le llegaron a Ariel directamente al instituto, sin mi intermediación.

–Extraña habilidad la de ese autor de cartas.

–Por eso no me usaron a mí como correo, para las respuestas de esas cartas tuyas. Y nunca las recibiste, por lo que veo. No sé dónde las mandarían. A los pocos días de la muerte de Ariel, un compañero me da una carta, una de las supuestas respuestas a una carta tuya. Yo se la mando a la madre de Ariel. Como ves, ni vos ni él escribieron ese intercambio de cartas al final.

–Por eso debieron valer la pena.

–Esa es la carta de Ariel que te mostró mi suegra el otro día.

–Bella alma, la madre de Ariel.

–Los compañeros me contaban que ese instituto era un lugar bastante extraño, aunque de todos modos, servía de aguantadero cuando la organización se quebró en esa zona y Ariel quedó colgado del pincel. Me acuerdo que yo tuve que arreglar la cuestión de ese instituto. Me encontré en el Tortoni con una profesora, no sé enganchada por quién, que increíblemente ofrecía para Ariel, un aula arriba, en un piso que no usaban. Los compañeros comprobaron que era un lugar seguro. Un personaje extrañísimo esa señora, la profesora Lombrozo.

–¿Matilde Lombrozo?

–Matilde Lombrozo, sí ¿La conocés?

–Gringa querida, ¿querés un café en la esquina? No me cuentes más nada por hoy.

Bajaron para elegir una de las mesas del rincón, lejos de la gente. El mozo le hizo señas de que ya iba para allá.

–Gringa, yo me enteré dos semanas más tarde que habían matado al Franchute. Me lo avisó Lucrecia. Había sacado con tiempo la visa y a los cinco días estaba en México.

–Con respecto a cómo conseguí la dirección tuya, Hueso, es muy simple. Alberto Rossi, el hermano de Ariel, la tiene. Ellos tienen todo. Vos te llevaste algo, además de la carta, así me dijo.

–Accidentalmente, pero ya lo recuperaron, no te aflijas.

–Cuidáte, Hueso, a ver si otra vez tengo que ponerme en el medio.

–¿Vos qué pensás, Gringa? Digo, el que le escribió las cartas a Ariel ¿Quiso matarme o salvarme? Es bueno que alguna vez te cuenten qué te pasó en la vida.

15

Subió por las escaleras hasta su departamento: supuso que el ascensor se había descompuesto. Sin embargo al llegar al cuarto piso lo encontró estacionado, solitario, con las puertas abiertas en plena madrugada como si alguien lo hubiese dejado así expresamente. No vio a nadie en ese pasillo, iluminado por un plafond mortecino lleno de bichos muertos. Antes de que pudiese presionar el botón del sexto, lo llamaron de arriba. Al pasar por su piso percibió fugazmente la silueta de Clara, con una pañoleta sobre los hombros y del otro lado de las rejas. El ascensor se detuvo en el octavo, donde nadie lo aguardaba. Apretó otra vez el botón del sexto, pero al llegar tampoco estuvo Clara. El pasillo se había quedado sin luz. Tanteó la perilla en la oscuridad, reparó en la puerta entornada de sus vecinos, los finlandeses jubilados. Se quedó con las llaves en la mano por si escuchaba una mínima voz. Después abrió cautelosamente la puerta y entró. Prefirió sentarse en el sillón sin encender la luz para observar la sombra de los libros hasta el techo. Pensó en esas paredes, en ese departamento. Lo había alquilado años atrás después de haber vivido un tiempo pero en el segundo piso. La universidad era la extraña propietaria de dos o tres viviendas en el edificio, destinadas a profesores extranjeros invitados. Varios meses se alojó en una de ellas, le gustó el lugar, el estilo de la construcción antigua, la esquina. Entonces contrató por su cuenta ese tres ambientes en el sexto. Se dio cuenta de que un fugaz recelo, volviéndole de a ratos, se empecinaba en romper la magia de esa vieja arquitectura del novecientos.

Revisó la heladera pero sin hambre. Eligió vino y un *Oratorio* de Liszt. Con los pies sobre el escritorio se preguntó cuál había sido la intención del plagiario de cartas. Acusarlo de enfermo no servía. En todo caso había sido un enfermo brillante que no dejaba lugar para respuestas ocurrentes. Hasta la semana pasada estuvo convencido de que aquella sombra había brotado durante sus años recientes como profesor de la facultad. Ahora debía reconocer una herencia mas larga, diecisiete años atrás. En aquella época más lejana surgía realmente la máscara con sus cartas. El dato tenía sentido en medio de la bruma de su cabeza. Sin duda era algo parecido a una tarea de inteligencia de aquel período tumultuoso, que de manera inexplicable siguió sobreviviendo hasta 1984, diez años atrás, es decir, pérfidamente recompuesta entre dos tiempos.

Durante varios días la historia contada por la Gringa fue como un torno de dentista mojado en diarrea y horadándole el cerebro. El impostor con sus cartas lo había convertido en un traidor, pero también sus propios informes, para el Franchute, se hicieron altamente sospechosos. Escribirle a un responsable sobre Schopenhauer, Chateaubriand, Pascal, fue el alerta para una trama ya demasiado podrida y con olor a muerte, necesitada de extirpar. El que debió morir en aquel entonces, ese día, fue Humberto Baraldi ¿Por qué murió Ariel Rossi? ¿Alguien lo entregó? ¿ O lo estaban esperando desde hacía rato apenas asomara la cabeza de su refugio? La Gringa contó su versión, algo parecido a una maniobra de infiltración, de las muchas que se cruzaron en ese tiempo ambos aparatos de inteligencia. Posiblemente en algún momento los servicios lo detectaron, y uno de los chupados ofertó un dato curioso: una vieja amistad entre Ariel y él, plausible de ser utilizada para desmantelar una unidad de combate. Pretexto, un absurdo encuentro entre dos viejos amigos ¿Pudo llegar a ser creíble esa propuesta del impostor? ¿Con qué argumentos? Lo más seguro es que Ariel y el aparato nunca creyeron en nada. Para ellos Humberto Baraldi era el tapado, el lugar de la mierda afortunadamente salido a la luz ¿Quién fue el autor de esas cartas? Humberto pensó en Matías Gastrelli, el otro viejo amigo de la barra, citado de manera particular por Ariel Rossi en su carta ¿Habría sido Matías el que pasó aquel dato? De Matías no supo nunca más nada desde aquella última vez que se vieron en París en 1968.

Demasiado atrás para que se le ocurriese algo oportuno. Pero el impostor no se circunscribía a esa encrucijada de 1976, reapareció años más tarde con su carta para el profesor Uriarte cuando regresó de México, un hilo nauseabundo que entre 1983 y 1984 reanudó la tarea y le mostró que ahora el conectado también era Sebastián Lieger ¿Con qué fin a esa altura? ¿Podía pensar en la reanudación de una tarea de inteligencia sacada de un estante polvoriento? Esto último le parecía desprovisto de cualquier significado. La hipótesis de una tarea de los servicios se veía entonces bastante lastimada, no así la trayectoria del apóstata. Faltaba saber dónde estuvo aquella sombra, entre un viejo tiempo y su retorno al país años atrás.

Humberto recordó la propuesta de trabajo que le hicieron al poco tiempo de llegar a México, un puesto que le permitió irse a vivir a Cuernavaca con Marisa. El licenciado López Salgado lo invitó a ingresar al Instituto de Estudios Culturales Prospectivos. Me interesan sus antecedentes y su deseo de trabajar: eso repitió varias veces en la primera entrevista. Y al oírlo creyó en una suerte de etéreo reconocimiento por parte del director, en la eficacia de un curriculum de tres páginas escrito minutos antes en una máquina prestada. Ahora pensaba si no fue aquella una circunstancia demasiado parecida a la carta del impostor al profesor Uriarte, cuando ingresó a la Facultad de Filosofía. Recordó sus tres viajes a coloquios en Europa, durante el exilio, donde también dijeron invitarlo por sus antecedentes. Recordó su breve estadía de dos semanas en Buenos Aires en 1984 para un seminario sobre el nuevo conservadurismo cultural. Justo el año que Sebastián Lieger trabajó en la Facultad y en su misma materia ¿Dónde estuvo, dónde no estuvo el impostor en todas esas cosas? Sonrió contra el espejo del dormitorio a la manera de una cuota de misericordia. Se sentó nuevamente en el sillón, no le quedaban cigarrillos. Se dijo que tres cartas absolutamente apócrifas, ignoradas, desparramadas en diecisiete años, eran la cuota mínima de toda vida activa. Quién no las tenía: todos, sin saberlo por supuesto.

Salió por cigarrillos pero se detuvo sorprendido en la planta baja. Distinguió luz en el sótano, en la zona de las bauleras. Se fijó en la hora: una y media de la mañana. La salteña Clara deambulaba por el edificio como una lechuza de la que ninguno de los moradores tenía conciencia: pequeña draculita que salía a beber de noche. Caminó dos cuadras hacia el kiosco, al regresar se le antojó un café en el bar. Vio un auto frente a su departamento con dos personas. No bajaban ni arrancaban. La Gringa le había prevenido tener cuidado con la gente del hermano de Ariel Rossi. Al rato vio salir de su propio edificio a una pelirroja con pantalones de leopardo, un gato. Ella se subió al auto de los desconocidos, que partió muy lentamente sin luces delanteras.

El ascensor había quedado totalmente abierto, ahora en planta baja. Mientras subía, vio a dos hombres esperando en el segundo piso y a otro en el quinto, también haciendo turno. En el reloj eran los dos y veinte, en su pasillo todo seguía como la última vez. Aprovechó para corregir las últimas galeras de su libro de ensayos. Se le ocurrió que quizá Sebastián Lieger había llegado a frecuentar al impostor, tal vez sin advertir nada en un principio. Necesitaba averiguar qué papel jugó Sebastián en los años de la dictadura, para cerciorarse si fue sólo una víctima de la caligrafía de un fabulador de cartas, o formó parte de una telaraña represiva que todavía hilaba en algún rincón oscuro. Sebatián Lieger anduvo desde 1976 por Buenos Aires, Tucumán, Córdoba, habló de Ariel, habló de Humberto, y en 1984 recibe las cartas falsas ¿Quién era en esta historia suspendida, postergada, reanudada? Cristina Lieger debía estar al tanto de otros detalles pero se los reservaba. Por algún motivo preciso Sebastián nombraba o deliraba con Ariel Rossi. Sin duda conocía su muerte violenta años atrás ¿Conocería los pormenores de aquella cita donde muere Ariel? Y en ese lugar del rompecabezas precisamente, emergía la figura de la profesora Matilde Lombrozo, del Instituto de Filosofía, cediendo un refugio a alguien amenazado. Ambos, Ariel en 1976 y Sebastián años más tarde, debieron conocerla. O tal vez los dos ya en aquel entonces. Humberto rememoró el rostro y la mirada penetrante de aquella anciana en el subsuelo del Instituto, el día que revisó los archivos. Como si esa mujer lo reconociese o lo descubriese ¿Fue Matilde Lombrozo con la que se topó aquella tarde? Aunque en el caso

Nicolás Casullo

de Ariel Rossi esa pesadilla daba la sensación de extenderse hasta bordes demenciales ¿Qué fue aquel lugar donde estuvo Ariel Rossi?, ¿un refugio guerrillero? ¿Y qué hacía entonces en ese sitio la Lombrozo, amiga de su ayudante Josefina de Queirolo, registrando en los antecedentes de su materia? La Gringa le había contado que la familia de Ariel recibió su cadáver, lo enterró casi en secreto, luego jamás lo incluyó en ninguna lista, lo denigraron ideológicamente ¿Pero por qué? ¿Fue simple reaccionarismo político la causa de una discreción tan larga, de un rechazo tan inexplicable? Creyó que el ascensor acababa de detenerse en su piso. Prestó atención por si oía pasos. Con mucha cautela espió por la mirilla: no notó nada extraño. La luz del pasillo estaba encendida y efectivamente el ascensor dormía de nuevo en el sexto. Entreabrió la puerta y asomó la cabeza. Se acercó al ascensor y presionó para cerrarlo mejor. Inmediatamente lo vio irse, alguien lo llamaba desde abajo. Calculó que se había detenido en planta baja, pero nadie subió.

Fue por whisky. Podía aceptar que el dato de Matilde Lombrozo era una casualidad, y las historias de Sebastián y de Ariel se conectaban azarosamente con ella. Sin embargo, le resultaba difícil sostener por más de diez segundos que esa presencia repetida en las dos historias era fortuita. Ariel Rossi había muerto acosado, acorralado. La Gringa se lo subrayó varias veces: con un estado de ánimo irreconocible, sobre todo cuando empezó a vivir en ese instituto privado o escuela nocturna vinculado con Matilde Lombrozo, y donde recibió las cartas del Humberto fraudulento. Quizás en aquellos días funestos Ariel estaba conectado de alguna manera con Sebastián, aunque ni se lo insinuaba en su carta. Ariel apenas aludía a Sebastián Lieger, pero especialmente a Matías Gastrelli ¿La carta de Ariel Rossi era una trampa para cazar al sospechoso Humberto Baraldi, o un texto con alguna contraseña para alertarlo, para avisarle de algo? Como si Ariel Rossi hubiese intuido una emboscada, pero sin relacionarla con ningún servicio de inteligencia ¿En qué debió pensar Ariel entonces? ¿Por qué un día salió decidido a matarlo? En ese punto terminaba su fantasía: no podía otra cosa que reconocer que el

Franchute actuó como típico responsable de una organización armada, en total coherencia con sus blasones y convencido de una traición. Esa había sido la única historia cierta. El viernes aceptó la invitación de Cristina Lieger y a eso de las nueve de la noche entró al departamento de la hermana de Sebastián dispuesto a una buena cena. Ella charlaba sobre su tren fantasma con un sujeto de porte y entonación desagradable, traje cruzado, zapatos impecables, corbata búlgara, disciplinado a un yupismo tardío. Acordaban empezar las refacciones la semana siguiente. Con mueca plástica, el atildado Alejandro prometía tener listos los planos para dentro de cuatro días. En un momento, antes de despedirse, el tal Alejandro le comentó a Humberto sobre su oficio en efectos especiales y maquetas para el cine de largometraje, y su deseo de mostrarle la última obra al respecto, destinada a una película cuya filmación nunca se hizo.

Al quedarse con Cristina no hubo cena, sí papas fritas con algunos vasos sobre el sillón, hasta las primeras caricias que después siguieron sin cambio de compact con ella despeinada rumbo al dormitorio. Por la mañana lo esperó en la cocina un desayuno última página en colores de *Vanidades*. Decidió quedarse ese fin de semana en la casa de Cristina, relajarse con un par de comidas excelentes, música algo dulzona, sábanas cambiadas y borracheras intermitentes. El domingo a la noche, después de cenar, ella lo visualizó justo del otro lado de la mesa y decidió vaciar la memoria de una botella de vodka.

Desde chica Cristina había tenido con su madre, viuda, una relación cercana a lo siniestro, y mucho más cuando la progenitora decidió casarla con un imbécil a quien suponía adinerado. La incitaba a complacerlo, a acostarse en la misma casa con el galán de electrodomésticos, aterrándola con contarle al insecto que ella no fue virgen tampoco la primera vez de todas. Cristina, tenía 19 años, se sometió al juego, buscó ayuda en su hermano Sebastián, pero éste le dijo no querer inmiscuirse en temas de confuso origen. Entretanto su prometido, amparado en la complicidad con la madre, amenazaba con desfigurarle la cara si ella rompía o pretextaba jaquecas. Nunca gozó sexualmente con esa relación amorosa a lo chacarero, de entrada por salida, aunque le sirvió para aprender a consolarse sola, cuando el otro partía raudo y sin lavarse en su camioneta IKA. Hasta que una noche el tipo murió del corazón con el velador apagado y encima de su cuerpo. Desde la teoría del eslabón más débil, ella aprovechó el detalle y dejó su casa. Partió en ómnibus para Chivilcoy donde vivía una prima un poco más grande, a la que un día metieron presa acusándola de un robo de dinero de la caja chica de tractores a crédito. Cristina regresó a Buenos Aires para inscribirse en la carrera de Historia del Arte y atender a su madre con un cáncer terminal y repentino. Su hermano Sebastián no soportó ver morir a su autora biológica, y con un bibliotecólogo amigo se mudó a dos ambientes por el viejo y añorado Almagro. Enfermera en su casa, entre parciales y finales sobre manierismo y barroco, Cristina tuvo un segundo novio con quien rehace su erótica, pero con quien rompe al comprobar, por un anillo de iniciales ignotas, que el festejante la sorprendía a cada rato con atenciones provenientes de allanamientos antiguerrilleros. Después, en Villa Gessell, se enamoró de un compañero curador de la carrera, vendedor de panqueques en uno de los balnearios, que al tiempo la dejó esperando para siempre en el hall del cine Luxor, para suicidarse tres meses después con un frasco de pastillas, según *Crónica*. En ese tiempo a su hermano Sebastián le ofrecieron dictar una materia en la Universidad de Tucumán: antes de irse le consiguió un trabajo a Cristina en las oficinas del Mundial de Fútbol. Finalmente, ella abandona la carrera, a través de un vocal de la Asociación Atlética Argentinos Juniors logra un puesto como guía de exposiciones en el museo de Bellas Artes, y al reencontrarse con un viejo amigo de la familia, íntimo de su madre ya muerta, Arturo Bianco, con yate y finca en Valeria del Mar, se casa abruptamente y se separa cuatro años más tarde para seguir solventada por su ex esposo como buenos amigos cada uno en su casa. Ese domingo Cristina se excedió en vasos. La dejó dormida en la cama, con la ropa puesta menos los zapatos, y regresó a su departamento.

El martes por la noche fue a la cita con el editor de la revista cultural. Habían convenido encontrarse en un bar de San Telmo, al cual llegó varios minutos antes de la hora establecida. El lugar estaba absolutamente vacío, ni siquiera detrás del mostrador pudo ubicar a alguien que se dignase a atenderlo. Finalmente, logró distinguir, detrás de unas cortinas gruesas, la figura de un viejo de andar vacilante, a quien le pidió cognac y se lo trajo. Conjeturó sus respuestas durante el reportaje. Algo había escuchado en cuanto a que la publicación era filosófica, pero jamás la había oído mencionar. En realidad no se acordaba si en la conversación telefónica el desconocido le había dicho el nombre de la revista. Lo más seguro es que se trataba de un primer número. Tampoco había retenido el apellido de quien lo había citado. Vio entrar a un hombre canoso con un joven, que estudiaron las mesas vacías para después irse.

Los quince minutos de retraso le resultaban insoportables. Volvió a preguntarse si alguna vez llegaría aquel hombre. Pidió otra medida a los gritos, aunque el viejo ya no estaba tampoco detrás del cortinado. Puso sus manos como bocina y repitió aquella demanda sin respuesta. Tuvo conciencia de cierto descontrol de su parte. Se miró en el espejo para arreglarse el pelo y el cuello del saco. Reflexionó en qué consistiría esa revista cultural, también en la catadura de ese tipo sin aparecer. Divagó con los personajes de su propia familia, Santiago había averiguado profusamente si en esa tela del pasado podía acorazarse un artesano de cartas impostadas, pero su primo le aseguró que los parientes estaban lejos de tomarlo como referencia de algo, y muchos hasta seguían creyendo que todavía estaba en México o en España.

Trató de hacer memoria en cuanto a quién había tenido la idea de encontrarse en ese lugar. Lo había frecuentado un par de veces pero sin retener su nombre. Se fijó en la tarjeta del servilletero y encontró sólo precios tachados. No entendía por qué ese maldito bar no mostraba su nombre ni los precios. Gritó por el viejo y golpeó con el puño un par de veces contra la mesa. Las imágenes de la casa deshabitada de Almagro revolotearon por sus ojos. Sebatián había contestado sus dos cartas a esa dirección. Quizás el remitente de las cartas del impostor la señalaban como un juego desorientador, aunque también pudo haber sido el insólito sitio donde esa cucaracha las escribió. Se levantó para ir al baño pero ignoraba dónde quedaba el baño. Quizás detrás de esas cortinas, se dijo. Prefirió dejarse caer otra vez en la silla. Encendió un cigarrillo, le sintió mal gusto y lo aplastó contra el cenicero. Se dio cuenta de que le faltaba el aire. Abandonó el billete sobre la mesa y salió sin esperar el vuelto. Caminó varias cuadras hasta la avenida Independencia. Tampoco deseaba regresar a su departamento. Desde un teléfono público llamó a Cristina, iba para allá.

GRABACIÓN IV (VIDEO/CASA)

Hubo una época muy particular de la casa, donde sin darnos cuenta comenzaron a deshacerse costumbres y formas de las cuales nadie guardaba registro de nacimiento. Fueron cosas, pero también hábitos, sonidos, aromas yéndose sin aviso como cuando el verano dejaba de existir y el cielo y las nubes pasaban más alto y más lejos por encima de los patios: la llegada de los gigantescos tanques de kerosene para las estufas por ejemplo, los cajones repletos del Abasto para la pieza de las verduras en el fondo, o el vendedor de pavos con sus cuarenta criaturas emplumadas y picoteando en el primer patio, mientras las tías elegían y el buen hombre las desgañitaba. Y junto con eso también las oraciones antes de comer de cuando vivía la abuela, la presencia en los almuerzos de algunos pastores de la iglesia, y hasta Rosalía la loca, desnuda y muerta de frío una noche en la cama, rodeada de objetos sobre la colcha de los cuales ninguna tía nunca quiso hablar: hasta ella fue olvidada sin zozobras ni nostalgias. Como si se perdiese lo jamás atesorado conscientemente, lugares, presencias de la casa, sitios de los silencios, tibiezas de voces antiguas, detalles de la vida arrastrándose desde misteriosos intersticios de otros tiempos. Todo permanecía igual en las habitaciones, los mismos adornos y cuadros en las paredes, idénticos manteles y lozas en los bargueños. No obstante, y eso era impronunciable, los nuevos recuerdos sepultaban a los viejos, y aquí rememoro la frase de un sermón del abuelo: como cuando algunas legiones de ángeles suplantaban a otras sin ninguna explicación de dios. Con Esteban y tío Daniel persistíamos en jugar a la pelota en los patios. Con mis primas, en cambio, optábamos por ciertas cartas cruzadas y secretas, donde mentíamos saberes amorosos y Esteban aventuraba cosas a su medida. Mi hermana prefería contar idilios con actores de cine, Alicia inventaba amantazgos con estudiantes de teología de la iglesia, María Elena anticipaba las confesiones de amor de la princesa Margarita de Inglaterra, yo fantaseé besos y caricias con mi maestra de la escuela dominical metodista, pero era Esteban quien nos dejaba sin aliento en el desván, con sus cartas donde decía conocer los diferentes tipos de relaciones sexuales de las tías con sus respectivos esposos, y de estos últimos con cualquier tía. Sin embargo, hubo un tiempo, en ese entonces, poco previsto por la familia. Lo llamaría el del drama político raspando los sacrosantos rituales de la casa. Elías, el padre de Esteban y hermano de mi padre, había muerto del corazón cuando mi primo tenía un año de edad. Dejó viuda a tía Mercedes, una mujer joven, atractiva, desenvuelta, proveniente del conventillo de enfrente de la casa, donde había vivido con la madre y cinco hermanos más en una pieza. Elías en realidad había cometido un noviazgo, no elegido una mujer. Ni siquiera esa atmósfera evangelista tan escasamente aristocrática inculcada por el abuelo, alcanzó para entender y aprobar su casamiento con una fabriquera del conventillo, si bien linda muchacha, hija natural de un ama de llave de Carmen de Areco. Cuando Elías murió tan pronto y en la cama de dos plazas de su dormitorio quedó sólo el cuerpo en enaguas blancas de la joven viuda, varios en la casona se preguntaron si subsistían motivos para la permanencia de la madre de Esteban en la casona. Fue entonces cuando Mercedes intimó a la familia. Si se iba, Esteban, uno de los dos únicos varones portadores del apellido del abuelo entre tanto ganserío de primas, jamás volvería a ser visto, como tampoco su nuevo y con el tiempo probable padre sustituto. Mi padre terció en los conciliábulos en favor de la cristiana permanencia de Mercedes en la casa, y del apellido en Esteban: y mi padre era lo más cercano disponible a la voz santa del abuelo. Desde chico sentí un especial afecto por tía Mercedes. Pese a todo nunca pude vencer un último fondo de recelo con respecto a ella. Como si su presencia en la casa estuviese por lo general a punto de violentar un armonioso mundo de mujeres de recónditas y calladas abnegaciones. Tía Mercedes, a diferencia de todas las otras tías, trabajaba afuera. En una fábrica textil hacia donde partía muy temprano en las mañanas, para regresar a las dos de la tarde, cinco minutos después de la sirena de la empresa. No se había acomplejado por los estrambóticos escudos de una familia italiana con dinero y solemnes retratos del abuelo. Por el contrario, conservó su carácter altivo, su humor desenfadado, y hasta ideas bastante discutibles. Pero de pronto, y más allá de tía Mercedes y sus ideas, como una ráfaga de los pantanos, sin aviso previo para Esteban y para mí, había entrado en la casa una época de conversaciones en voz baja, de estallidos en la mesa, de cierto miedo en el aire. El peronismo obligó a cerrar con llave la puerta de calle, a cuidar cómo se hablaba por teléfono o con el panadero, a ser muy reservados frente a plomeros y destapadores de cloacas, y hasta sufrir una requisa policial recorriendo los tres pisos, por una denuncia contra mi padre de parte del lechero de la esquina, testigo de su despotricar contra el general y la puta cabaretera. Tía Mercedes en cambio, para mi asombro y a la vez inexplicable fascinación, era peronista. Al principio no entendíamos con Esteban el motivo por el cual, al terminar el culto religioso de los lunes en la casa, dejaron de realizarse las tertulias con café y masitas secas donde se charlaba con los predicadores. Un día Esteban me reveló la causa de aquella suspensión. En el culto se habla de política sin hablar de política, dijo. Y agregó: tu padre tiene miedo, los vecinos pueden confundir la reunión de los lunes con una reunión de antiperonistas. En una cena asistimos a una dura discusión entre tía Mercedes y mi padre, sobre Evita. En la otra pieza Esteban parecía a punto de llorar por cómo trataban a su madre. Yo estaba admirado por la osadía de tía Mercedes, al enfrentarse en una discusión política con mi padre, nada menos, el heredero intelectual del abuelo y de sus libros. Más tarde, en el desván, Esteban tuvo fiebre. También a la noche. Pero fue en el desván donde habló mal de mi padre, maldijo al abuelo, y juró escribir una oración negra. Intenté serenarlo pero fue inútil. Le rogué no escribiese la oración negra, algo prohibido entre los dos aun en las peores circunstancias. Ni dios ni mi padre eran culpables, traté de convencerlo. En todo caso tía Mercedes algunas veces se equivoca, le dije. Fue entonces cuando me miró con un odio inusitado. En ese tiempo, me fui percatando, la casa era un silvestre bastión antiperonista en cuanto a los tíos, acompañados por el mutismo infranqueable de las tías. Hasta mi madre, maestra con título sin haber ejercido nunca, dulce y silenciosa reverenciadora de su esposo, apenas si hablaba bien de Alfredo Palacios y prefería refugiarse en algunas de las veinticinco habitaciones y regresar pasadas las tormentas ideológicas sobre la Fundación Eva Perón o la figura del delegado de fábrica. También cuando éramos mas chicos, ella aparecía antes de dormir desde un ignoto lugar de la casa para improvisarnos larguísimos cuentos de aventuras donde en lugar de acercarnos al sueño nos posesionaba cada vez más de la trama de sus relatos. Pero ese día de la discusión con mi padre, tía Mercedes subió al desván como si hubiese sospechado la congoja de Esteban. Ella se sentó sobre un cajón, por el calor se anudó el pelo atrás sobre la nuca, y nos contó la vida de Evita, la historia de la fábrica textil, la lucha por el aguinaldo cuando cerraron las ventanillas de pago, y cómo la habían elegido delegada de la sección hilandería. Esa vez en el desván, con su blusa azul transpirada, su pollera recogida sobre los muslos, tía Mercedes se veía radiante, mal hablada, chistosa, sabiendo cosas increíbles. Se animó a imaginar a un abuelo seguramente peronista si viviera, casi no pude seguir respirando al escuchar eso, y nos aconsejó no tener miedo por cuanto la casa era un lugar santo para todos, como una iglesia, desde muy antigua data. Ella no era de la casa, pensé ese día. Tampoco del abuelo. Sin embargo, algo tenía del abuelo pastor según me habían contado, aquello tan diferente a mi madre y a las tías. Uno de esos días, Esteban defendió vehementemente a su madre, se puso de rodillas en el desván y clavó la frente contra el piso. En esa postura juró convertir en ruinas la casa, hasta descubrir, debajo de los cimientos, una caverna de

Nicolás Casullo

ratas apestadas con la cara del abuelo. Me fui del desván cuando Esteban empezó a vomitar la comida. Tía Mercedes y Esteban dejaron de asistir al culto, por cuanto, argumentaba ella, era una cueva de cogotudos y contreras. En la cas,a las tías preferían no hablar de nada, cenar con sus respectivos esposos en horarios distintos. Mi padre nos contaba en la sala, a Esteban y a mí, cosas de la historia argentina a partir de las cuales entenderíamos los nefastos días del presente en manos del último fascista. Llegó la Revolución y con algunos tíos fuimos a la terraza a mirar los aviones rumbo al río. Vuelvo a menudo a esa tarde, mi padre Ricardo trabajaba a dos cuadras de Plaza de Mayo y no supimos de él hasta su regreso bien entrada la noche. Recuerdo cómo lo abracé llorando y no podía parar: quise volver a cenar para acompañarlo. Después me llevó a la sala donde puso un concierto de Beethoven y se quedó contemplando las bibliotecas del abuelo. No me animé a preguntarle sobre los aviones y las bombas, nunca en la vida lo había visto tan conmocionado. Todo estaba oscuro en la sala, sólo podía ver la luz del dial en el combinado. Tía Mercedes debía irse de la casa, pensé, era necesario sentí, o nada se salvaría. Una mañana las tías recorrieron los almacenes comprando cosas para todo el año, mientras mi padre y sus hermanos escuchaban en onda corta radios de Córdoba. La casa era un revuelo, las tías llegaban de la calle con chismes de gente quemando fotos de Perón y Evita por toda la redonda. Sólo tía Mercedes planchaba serenamente en la pieza de planchar, mientras escuchaba radios oficiales defensoras del tirano. Pasé casi todo el día junto a mi padre, desesperado por sintonizar extrañas emisoras del interior del país. Mientras tanto en el desván, Esteban escribía una extensa carta al abuelo para enterrarla, me dijo, en su tumba del cementerio británico. Al echarme del desván me había gritado: el esqueleto del abuelo no va a volver a dormir en paz. Por la tarde, sin embargo, tía Mercedes habló con mi madre y resolvió sacarnos de la casa, a los dos. Jamás olvidaré aquel inusitado paseo por Almagro. Tía Mercedes nos agarró de la mano y caminó por calles y calles sin hablarnos. Cuando nos veía cansados, entrábamos en algún salón familia donde tomábamos Bilz o granadina.

En uno de esos bares nos contó cómo Perón y Evita estaban en su corazón y nunca morirían. Recordó cómo llegó en tren desde Carmen de Areco cuando tenía nuestra misma edad, diez años, con su madre y todos sus hermanos, y caminaron desde Retiro a Almagro hasta encontrar una pieza en el conventillo de enfrente recién cuando amanecía. En el alma lo sabía, nos dijo la tía: Perón iba a volver. Después seguimos caminando largo rato hasta regresar a casa con las piernas muertas. Al entrar vimos cómo mi padre y los tíos brindaban con champagne y se abrazaban. Sólo mi madre, en el vestíbulo, besó a tía Mercedes muy suave en la mejilla pero se tomaron en cambio muy fuerte de las manos. Me fui desvistiendo en la cama y las escuché: ellas dos cuchicheaban y se reían encerradas en el baño.

16

Al final apareció. Después de un mes de esperar inútilmente que Ismael Hernández regresase a la pensión de San Telmo, Santiago supo que la familia lo había ubicado para encomendarle el mismo trabajo de cuidador de la casa que ejerciera su padre, Saturnino. Ahí lo encontraron, fungía de vigilante de la propiedad, a sueldo de algunos tíos preocupados por las ocupaciones ilegales de inmuebles en la ciudad.

Su primo lo pasó a buscar, de regreso de un ostracismo de diez días dedicados a roturar calles por la zona bancaria. Fueron juntos a verse con Ismael. Por primera vez en su vida Santiago recorrió junto con él la casa de Almagro: quiso saber detalles, confrontó algunos lugares con los viejos relatos de su padre, preguntó por los moradores de cada habitación, se culpó por no haber llevado a Celina para que tuviese una idea aproximada sobre cómo podrían filmar el video.

Recién al retornar al jardín se sentaron frente al esquivo y taciturno Ismael Hernández, con el mate y una pasta frola que le habían llevado. A Humberto, luego lo comentó con su primo, el tipo le pareció poco creíble, escamoteador de datos, atemorizado a medida que las interpelaciones resultaron más precisas. Lo que sintió fue que el cuidador lo tenía mucho más ubicado que las preguntas con las cuales, al principio, simuló no saber de qué Baraldi se trataba, ni quién había sido su padre. Posteriormente, más avanzada la charla y tal vez a propósito, para alertarlo de una manera ladina, Ismael comentó ciertas cosas con una extraña precisión como para demostrarle a las claras que desde un primer momento sabía perfectamente con quién estaba hablando.

–Nunca me enteré de eso, señor Baraldi, no le podría decir ¿Qué gana uno con hablar de cosas que no sabe? Mi padre, pobrecito, trabajó toda la vida, nunca le regalaron nada.

–Usted dice que su padre, don Saturnino, vivió aquí, siempre solo, sin amigos, sin nadie que lo visitase. Tengo entendido, Ismael, que usted también vivió un tiempo en esta casa, con su mujer.

–Mi padre tenía amigos, pero lejos, en Rosario. A veces le mandaban un lechón, algo de dinero.

–Pero usted vivió un tiempo aquí ¿o me equivoco?

–Iba y volvía, un año creo. Después me volvía. El viejo estaba solo. Por eso debe haber sido

–¿Debe haber sido? ¿Cómo que debe haber sido? ¿Vivió o no vivió aquí?

Ismael miró a Santiago, como pidiendo ayuda en silencio. Empezó a escarbarse la nariz pero desistió pronto de ese gesto. Se cortó una porción fina de pasta frola.

–¿Nunca conoció a amigos de su padre?

–Amigos. ¿Qué amigos?

–Amigos, Ismael ¿De qué estamos hablando? Amigos de su padre, digo, gente que lo apreciaba y venía a visitarlo.

–Pobre el viejo, anduvo enfermo muchos años, como yo ahora. Pero nunca se quejó ni pedía ayuda. Viera usted, como si lo estuviera viendo todavía. Pero qué gana uno con hablar de esas cosas.

–¿La casa estuvo siempre vacía mientras la cuidó Saturnino?

–¿Vacía? Con un frío de mierda en el invierno, no dejaron estufa instalada y el viejo no se animó.

–Le pregunté si nunca vivió temporarariamente otra persona ¿Estuvo vacía, o no?

–Vacía, si usted la esta viendo. Así la ve, vacía, qué le digo ¿Qué gana uno con hablar de lo que no sabe?

–Pongamos que uno siempre gana algo, Ismael –terció Santiago, hasta ese momento mudo–. Las cosas son así, a veces ganamos todos. Y no se ofenda, yo sé que usted anda con demasiados gastos, me le dijo mi madre, Adela.

–La señora Adela es una mujer santa, se lo aseguro, así decía el viejo.

–Usted podría ganar algo, Ismael, para salir del paso.

–Es el riñón de mierda, señor Baraldi, tanto análisis, tantas radiografías. Si tuviese una mutual.

Ismael se guardó los billetes en el bolsillo y fue a calentar un poco más de agua. Al volver entregó algunos datos. Al viejo Saturnino acostumbraba a visitarlo, pero de eso hacía mucho, una anciana distinguida, a veces en compañía de una muchacha. Aunque en el tiempo que Ismael habitó la casa, ellas dejaron de venir. Más tarde su padre le contó que había vuelto, ya no la vieja, debió morir, pero sí la joven con una amiga. Aclaró que estaba haciendo referencia a mucho tiempo atrás.

–¿Y otra gente, además de esa anciana y de esa niña? ¿No recuerda otra gente, Ismael?

–¿Otra gente?

–Algún hombre, digo, de esos que parecen instruidos, que hablan bien, que gustan de los libros, que a lo mejor escriben. Escriben cosas, digo.

Ismael lo miró sin pestañear, haciendo tiempo, asombrado por la descripción de tal persona, como esperando que Humberto siguiese. En ese resquicio de silencio, Humberto se preguntó en cambio qué estaba haciendo: le sonaba ridículo el disfraz de detective que se había puesto para matear con semejante pelotudo iletrado. Ser pesquisa de sí mismo se le antojaba pornográfico, apenas si había perseguido citas y teorías, nunca seres reales solapados.

–No, señor Baraldi, sólo recuerdo esas personas que le dije. Pero a nadie que escribiera cosas. Le digo la verdad, me acordaría de un hombre escribiendo en esta casa vacía, puta si me acordaría. Al despedirse y caminar media cuadra, coincidió con su primo. Ismael Hernández conocía mucho más de lo que dijo, probablemente lo callaba no por malandra, más bien porque serían cosas nunca entendidas. Tiró cualquier verdura, dijo Santiago. Hablaba con cierto miedo. Su primo lo aceptó. Miedo no tanto por las preguntas, sino por lo que iría recordando. O todo es una imbecilidad, concluyó Humberto, y la casa no tiene nada que ver. Sólo que ese impostor hijo de puta anotó esa dirección como remitente en las cartas a Sebastián Lieger.

Entre las salchichas y el puré Santiago estuvo plenamente convencido: ahora se trataba de buscar a Matías, aquel otro viejo amigo nombrado por Ariel Rossi en su carta. En realidad Ariel nombraba a todos: a Sebastián, a Matías Gastrelli, y a su primo Esteban, que había muerto en 1972 de cáncer al hígado. Humberto recordó ese velorio. Entró, abrazó a tía Mercedes y a los pocos minutos se fue, para pararse al otro día en el cementerio británico muy lejos de la familia, de la tumba del abuelo, donde enterraron al joven pastor metodista.

Quedaba Matías Gastrelli, pensó Humberto. No necesitó la deducción de Santiago para advertirlo. Lo venía rumiando desde hacía días, hasta adormecer ese nombre en algún pliegue de la conciencia, entre fiebres reiteradas, dolores espantosos de cabeza y los analgésicos de Cristina cuando pernoctaba en su departamento de la Paternal. En la carta de Ariel aparecían los tres, muertos y vivos, como una suerte de homenaje a la nostalgia. Pero Matías quedaba resaltado por un breve comentario. Su propósito sólo apuntaba a despejar una incógnita: dónde estuvo Matías Gastrelli el año que mataron a Ariel Rossi y el impostor de cartas había surgido en su vida por primera vez. Precisaba extirpar de su cerebro sobre todo aquella incertidumbre que lo deprimía más que cualquier otro dato, cuándo había tenido lugar la aparición del Humberto camuflado. Comprobar si Matías estuvo cerca o intervino en esa trama extravagante, pero básicamente lastimosa, donde quedó involucrado con un oficial de la guerrilla desquiciado, inmerso en su propia ruina mental. Quizás Matías, o el simulador, o el que fuese, sabía todo lo que él mismo ignoraba de su propia biografía. Le informó a Santiago que esa tarde le iba a venir mejor preparar los teóricos finales de la materia sobre el romanticismo, que continuar con esas especulaciones y rastreos sin ningún objetivo preciso. Al quedarse solo eligió varios libros en la biblioteca y los llevó al escritorio.

Matías Gastrelli, hijo de un empleado del Banco Nación y de una médica, fue con el único que se siguió viendo después de mudarse de Almagro, en 1964. Con Matías había viajado a Francia en 1968, esa quimérica, y centenares de veces proyectada, travesía en barcos que harían hacia Europa, tal vez para quedarse allá definitivamente. Y Mayo del 68, en el Quartier, los convulsionó de tal forma a los 23 años de edad, que no tuvieron tiempo de darse cuenta cómo ese tiempo se incrustaba en cada uno con el dibujo de un destino lejano, de infinitas muecas, imposible de prever en aquellos días cuando creyeron comprenderlo todo. Con Matías, poeta desaforado antes del viaje, emergieron, desde esos meses de París, como gurúes sin discípulos, como artistas místicos materialistas, teóricos del deseo, ácratas maoístas, amigos de Le Parc y su tribu para componer la astrología de la liberación, para fundir los cuatro costados del planeta desde nuevas prosas que a Matías le dictaban adivinas y alcahuetas tiracartas, esas que en las sesiones decían comunicarse con Jean Just y Babeuf en los últimos días de su celda. En esos encuentros espiritistas en París, Matías le había asegurado enredarse con Mariano Moreno en alta mar, ver el trinchante del barco, el perfil del secretario de la junta en la proa de la nave, la bufanda agitada, su cabellera al viento, los velámenes de ese último viaje y un maletín con papeles que el patriota corregía imperturbablemente. Matías se quedó en Francia con su sueño del número uno de una revista estético-revolucionaria a publicar y las clases tres veces por semana sobre acoplamientos amorosos a cargo de una cuarentona española. Cuando Humberto volvió a Buenos Aires le escribió un par de veces, pero Matías nunca le contestó. Entonces se dio cuenta de que la pelea había sido más importante de lo que pensaba. Supo al año que Matías se había casado con una marsellesa, sexóloga, para vivir, sin duda, del éxito profesional de su esposa.

A las nueve de la mañana Darío Zabala llegó desde su chacra en Cañuelas por un trámite para su escuelita y pasó por su departamento mientras Humberto enjuagaba sus camisas en el lavadero. Después de escurrir un buzo, y sin hacer referencia al tema de las cartas falsas, le comentó la historia de un responsable guerrillero que en 1976 quiso matarlo en la certeza de que lo estaba traicionando. Esa revelación, aunque se tratase de un hecho lejano, no dejaba de angustiarlo. Como si el pasado se cerrase a la peor manera de un thriller. De paso le detalló las opiniones de la madre de Ariel con respecto a su hijo muerto, otra bajada de telón bastante promiscua.

Camaradas que te matan, madres que reniegan: Darío quedó impresionado por las dos anécdotas. Lo insoportable de ambas, divagó en voz alta, era la ambigüedad de esas historias. Como si lo finalmente cierto fuese siempre una treta del recuerdo que nunca se armaba del todo. Porque las cosas en las palabras son siempre blancas o negras, dijo Darío, virtuosas o nefastas, nunca como fueron de verdad. También el haber formado parte de la lucha armada. Si eso te queda como virtud, sos un cretino. Si lo pensás como vileza, no entendiste nada, sólo te arrepentís. Si te empapás de remordimiento seguís inventándote que en el fondo siempre sos mejor que las historias donde estás. Si recordás lo que nadie menta, sos un narciso que se pone por encima de los significados objetivos. Si te olvidás de lo que realmente fuiste y pensaste, sos un rústico que cambió de biblioteca y con el que ni vale la pena charlar. Pero si sentís todo aquello ambiguamente, como flotando con la luz mortecina, ambivalente de una vela, todo se parece a un aborto impronunciable, concluyó Darío. Por eso nadie volvió a hablar auténticamente sobre quiénes fueron aquellos militantes. Una antropología urbano existencial extrañamente prohibida ¿Quién le mide hoy el cráneo a un ex cuadro revolucionario de Parque Patricios, ese que pitaba el faso en la puerta de una unidad básica cargada de armas cortas y algunas largas?

Humberto terminó de colgar cuatro pares de medias en la soga y momentáneamente recuperó su libertad. Le pidió a Darío que se alejase un poco para extender y doblar entre los dos las sábanas limpias. A veces se me ocurre esto, Darío: peleamos por una vieja idea de justicia, contra la explotación del hombre, contra el capitalismo. La pregunta no es ingenua, ¿eso fue ambiguo? Y otra más, ¿no fue asquerosamente virtuoso más allá de las terribles anécdotas sobre nosotros mismos? Le pidió a Darío que desplegase del todo la sábana verde, pero además Darío retomó el uso de la palabra. Pensálo sin culpa ni jabón, quitále lo santo o el pecado. Imposible, dijo Humberto. Ahí tenés entonces, las tribulaciones del alma vienen siempre después, al escribir el pasado

Humberto retorció los calzoncillos y volvió a ponerlos bajo el chorro. Sólo uno cuenta su propia memoria, dijo, si las palabras te dejan, si no te llevan hacia los precipicios, hacia el corazón maligno del bosque. Por supuesto, Darío le pasó la palangana y el jabón en polvo. Me acuerdo la charla con un viejo vendedor de litografías en Trieste. Me escuchó atentamente la historia de por qué me había exiliado, y se cagó de risa. Me río por el tremendo esfuerzo que hace para contarme la verdad, dijo. Y en realidad su verdad no son sus frases sino las mías. No queda otra cosa, dijo, alguien se encarga siempre de escuchar lo que se le antoja, entonces somos eso, un amasijo de palabras en otra boca. Terminála, dijo Humberto. Darío se fue a la cocina para hablar por teléfono. Colgó en la cuerda los dos calzoncillos y el resto de las medias. Escuchó un lamento lejano, un grito aprisionado en la pared que se distanciaba para regresar de a poco y volverse a retirar. Advirtió que provenía del hueco del incinerador que ya no se utilizaba en el edificio. Cuando abrió la pequeña puerta, pudo escuchar más nítidamente desde el fondo de este tubo un chillido que no parecía humano y sin embargo le trajo la imagen de una playa, una casa entre los pinos y alguien de espaldas, indiscernible. Volvió a oír el lamento, ahora apagado pero al mismo tiempo más bestial. Introdujo como pudo su cabeza en esa abertura de la pared que comunicaba con el sótano. Imaginó que no alcanzaría a distinguir nada en la negrura de aquel agujero para los desperdicios, pero para su asombro descubrió un espejo allá abajo, o un charco de líquido luminoso, petrificado como aquel lamento que ahora no tenía ni principio ni final: era un sonido que llenaba la totalidad del orificio.

De madrugada, con Cristina dormida al lado suyo y otro cigarrillo, reconstruyó el itinerario de los últimos dos días. Había sido complicado rastrear a la familia de Matías Gastrelli, sobre todo desde su precario estado físico y mental. De Almagro, eso le contó un tapicero de Bulnes y Lavalle, se habían alejado veinte años atrás. En la guía contabilizaron por lo menos treinta números, sin dar con el paradero. Una tarde, y por las suyas, Santiago detectó en los folios de la Academia de Medicina a una doctora Josefina Pérez de Gastrelli. Podía ser: la madre de Matías era médica. En 1969 registraba en la planta del Sanatorio Anchorena, todavía con domicilio en Almagro. Fueron al Anchorena y en mesa de entrada le informaron que no había ninguna facultativa con tal apellido. Santiago no aceptó rendirse, especuló con los recuerdos de alguna vieja enfermera del sanatorio. Eligió a una flaca de hermoso celeste en los ojos. Había conocido a la doctora Gastrelli. Una gran dama y magnífica profesional, enfatizó la mujer, como si ahora estuviese rodeada de renacuajos. Increíblemente recordó que se había retirado hacía mucho del Anchorena para tener más tiempo y estudiar psicología en la universidad. Al día siguiente llegaron temprano al edificio de la carrera, aunque en ventanilla no ofrecían ese tipo de datos sin la firma del secretario de administración, de viaje por un mes a Barcelona. Humberto llamó a una prima psicoanalista y quedó en averiguarle si alguien la ubicaba a la psicóloga Josefina. Por la noche su prima había conseguido las señas suficientes: Josefina Pérez de Gastrelli era del gremio psicoanalítico, presidenta del grupo Viena, escindido hacía poco del sector freudiano filosófico.

Su clase teórica terminó con varias preguntas de los alumnos sobre el parcial. Entró un grupo que pidió permiso para hablar sobre la falta de presupuesto universitario, para denunciar una represión policial y llamar a un paro con asamblea. Entre pancartas, gritos y llamados a concentrarse en la planta baja, Humberto se encaminó hacia el bar de enfrente de la facultad para encontrarse con Joaquina Fernández. Su adjunta le había entregado días antes un trabajo escrito, "Sujeto y Filosofía", interesada en conocer su juicio. Lo cierto es que Humberto tenía previsto hablar con ella sobre otro tema más intrincado: el espinel de cátedras anteriores a la suya donde se agazapaba subrepticiamente una crónica viscosa, la presencia en esa neblina curricular del propio padre de Joaquina, y el enigmático personaje de Matilde Lombrozo. Si había postergado tal cuestión fue como medida de sanidad consigo mismo. En plena ofuscación solía sentir las cosas de manera abrumadora. Su sistema reflexivo las reencauzaba luego hacia matrices de cordura. No obstante, con qué asideros podía hablarle a su propia adjunta sobre una caverna siniestra de docentes de filosofía, de la cual, suponía, ella quizás formaba parte.

Fue duro en la crítica al trabajo de Joaquina. Reconoció el esfuerzo de investigación pero le cuestionó su manso respeto a las pautas del menesteroso negocio académico, a su léxico mortecino, más preocupada en la cita a pie de página, en dar cuenta de bibliografías en otro idioma, que en una palabra mínimamente original, de algún riesgo y a partir de un saber propio. A partir de su escrito le recordó que la carrera estaba infectada de propietarios de hectáreas de filosofía, de estancieros de parcelas temáticas, de latifundistas de autores monumentales, en realidad todos kiosqueros concursados que perdían de vista o jamás se aproximaron ni mínimamente al valor de una palabra propia como interpelación del mundo, a la posibilidad de una escritura filosófica como ensayo de recreación del pensamiento, como intento riguroso de iluminar las cosas a contrapelo y escaparle a la ronda catonga alrededor de un mentor sagrado. Se trataba entonces no sólo de esas treinta y seis páginas elaboradas por ella, sino de dos posturas distintas que remitían a valores: salvarse o quedar descerebrado por la carrera de Filosofía, seguir conjeturando los venideros cielos de Grecia o aceptar la operatoria de indavertido vaciamiento mental, posiciones rebeldes o acomodaticias con respecto al pequeño mundo de los pares profesionales, de la normatividad cultural, de las instituciones. O se rompía con eso desde una tarea indeclinable y con otro tipo de apasionamiento por la actualidad, o se pactaban diminutos canjes con las tramas políticas y académicas para no quedar excluido de la caja chica del almacenero.

Joaquina se resintió por aquellas palabras. Su adjunta creía percibir, en relación a otros tiempos de la carrera, un empobrecimiento manifiesto de los estudios, donde a los filósofos se los conocía ahora por el suplemento de espectáculos de los diarios, y no por una misión más auténtica, más callada, discreta, genuinamente gremial, llevada a cabo sin estridencias a lo largo de los años.

–¿De qué me hablás? –interrumpió Humberto– ¿Acaso alguna vez conociste gente de nuestra carrera confabulada en tan nobles ideales?

–Sí, las conozco.

–Yo no, mirá que raro.

–Ese es tu problema. Ya lo creo que lo es.

–¿Qué querés decir?

–Pero claro, Humberto. Por supuesto que la gente a la que me refiero no sale en los diarios, ni en las revistas, ni en ninguna parte. Elige las márgenes que nadie advierte, y no la banalidad

–¿Por qué?

–¿Por qué, qué?

–¿Por qué en los márgenes que nadie advierte? ¿Por qué ese lugar que describís de manera tan ridícula y craquelé? ¿Por qué tan escondidos?

–Yo no diría exactamente que están escondidos. Existen. Algunos pocos sabemos que están ahí.

–Están ahí. Vos decís que están ahí ¿ Desde cuándo sabés que están ahí?

–Siempre lo supe.

–Contáme entonces. Nombráme a alguno. Decíme dónde se reúnen y voy a verlos ¿Son jóvenes? ¿Son viejos? ¿Quiénes son? ¿Están en el Instituto?

–Hay muchos, Humberto, no es cuestión de dar nombres.

–¿Muchos? ¿Dónde? ¿En la carrera, en la facultad? ¡Por favor, Joaquina, no inventes!

–Mejor no hablo con vos de estas cosas. Justo con vos.

–¿Justo conmigo? No entiendo que insinuás ¿Por qué justo conmigo no?

–No quise decir eso, por favor, Humberto, me volvés loca.

Esa noche se levantó de la cama de Cristina, fue primero al living por la botella y después a la cocina por la copa. Pensó en Joaquina, junto con el brandy impregnado de alcohol de quemar. Sentado en el banquito, al lado de la heladera, reconoció que en la conciencia persistía siempre un hilo suelto, hundido en el silencio, como parte de una absoluta vigilia que ni uno mismo advertía. Era como el lugar de la mentira, o de la libertad. Una yegua indómita, calculó Humberto. El hilito podía falsear las cosas, pero no era precisamente espurio. Podía entreverarse con las pestes sin que uno lo supiese, pero no era trauma ni teoría del significante. Podía urdir la sobrevivencia lejos de valores kantianos, y sin embargo ser lógico y verdadero. El hilo es lo que resta, lo único, se dijo Humberto. El impostor de las cartas había vivido también colgado de ese hilo, pero en este caso del suyo. Se había metido como lombriz en el corazón de sus estratagemas, esa región entre Freud y un animador de radio que permitía hacer tiempo, impostarlo, suspenderlo, vencer a los demás sin hablar nunca de ninguna batalla. El impostor sobrevivió con él. Era un extraño aparecido entre tantos desaparecidos.

17

No le quedó claro. De entrada pensó que el portero había sido el culpable de su confusión, pero recién cuando llegó al sexto y vio a los dos tipos. Aunque Ruperto ya no estaba abajo, cuando lo buscó para pedirle alguna aclaración. Por último tampoco eso le iba a amargar la vida, se juró Humberto. Ni esos dos extraños en el departamento de al lado, ni el nauseabundo encuentro con la Gringa. Con la viuda de Ariel Rossi, murmuró otra vez Humberto frente al espejo del baño al apoyar el filo de la maquinita contra la espuma, justo en el borde de la patilla.

Desde hacía una semana había vuelto de la Paternal a su departamento de Córdoba para retomar posesión plena no sólo de los tres ambientes, también de sus antiguas y saludables rutinas. Lo verificado con respecto a Matías Gastrelli, por vía directa de su atenta madre, fue el rayo angélico que recompuso la armonía extraviada dos meses antes. Regresó a sus libros, a sus compacts, a su ensayo y a la escritura de un cuento que muy morosamente se le iba ocurriendo. Se hizo arreglar dos caries, cenó un par de veces con amigos en cantinas predilectas, vagó por librerías de viejos, se encontró con Celina para pasarle otro cassette y caminar juntos por Florida con sol de mayo y alusiones vagas a sus respectivas personalidades coincidentes. Esa tarde ella lo alentó a viajar a Alemania, a despejarse, a no desperdiciar la oportunidad.

Pero, fundamentalmente, a partir de la conversación con Josefina de Gastrelli dejó atrás esa historia de pústulas negras sin importarle ya las cizañosas causas que la motivaron. Sólo lo de la Gringa, en esos días de renacimiento, tuvo el sabor de una arcada de vieja ulcerosa, pero ese era otro tema, no lo incomprensible. Lo de la Gringa no pudo empañar el fax de Michael desde Frankfurt con la invitación a dar tres charlas en aquella facultad, ni su conversación con Estévez, el decano de Filosofía, indicándole cómo pedir un subsidio por viaje académico, y su trámite en Lufthansa en averiguación de vuelos y horarios para junio. Tal vez por el vértigo de todos esos trámites, tuvo un principio de vahído, una baja de presión frente a la empleada de la compañía aérea. No pudo escucharle sus preguntas. El sonido lo aturdió, fue una asonancia áspera, violenta, hasta que se apartó del mostrador para sentarse en uno de los sillones a recuperar fuerzas, para respirar despacio y volver a oír los pequeños ruidos del mundo.

Aunque fue aquella misma tarde, al llegar a su piso, cuando encontró a dos hombres de traje y corbata, quienes dijeron ser los nuevos inquilinos del departamento lindero con el suyo. Tendrían unos cuarenta y cinco años, anteojos negros, pocas palabras y pesas tres veces por semana. Al otro día Ruperto, el portero, le aclaró ciertos detalles pero no los suficientes. Dijo que ese departamento había pertenecido años atrás a la universidad, y ahora seguía siendo así pero no del todo, por eso su hermana Clara se había hecho cargo de la intermediación, luego de la partida para Finlandia de la pareja de jubilados que decidieron morir en su tierra natal. Ruperto sabía poco sobre los nuevos habitantes, mucho menos si eran profesores. El arreglo de la caldera lo tenía esclavizado desde hacía una semana, esa fue la justificación por los escasos datos que portaba. Le dijo solamente que sus flamantes vecinos de piso vendrían a vivir recién al mes siguiente, que hablase con Clara para informarse mejor.

La segunda noche, sin embargo, al apagar el televisor escuchó ruidos muy leves del otro lado de la pared de su dormitorio. Creyó que le llegaba un cuchicheo, voces bajas. Por la mañana tocó el timbre de sus vecinos pensando dar cualquier excusa. No atendió nadie. Cuando volvió a su escritorio recibió la llamada del editor de la revista cultural y la entrevista frustrada, disculpándose por su llegar tarde al bar de San Telmo. Hubo una nueva cita, y también un sobre, por debajo de la puerta, de la Facultad de Humanidades de Mar del Plata, recordándole el coloquio sobre Arte y Medios para el fin de semana siguiente, al cual había aceptado concurrir cuatro meses atrás.

Los nuevos vecinos lo inquietaron, no podía negárselo ni saber bien los motivos. Estaba escasamente dispuesto a empeñar otra vez su ánimo detrás de historias estrambóticas. Pero pese a todo el esfuerzo puesto para tal fin, la pordiosera charla que tuvo con la Gringa eran imágenes flotando todavía sobre su equipo de sonido. Ella lo había llamado días atrás para una cita urgente en las oficinas donde trabajaba. Al llegar a la cita, Humberto se encontró con el rutilante piso de una financiera. Y mientras la esperaba en la recepción pudo hojear un folleto sobre inversiones en la bolsa, distintos servicios de televisión por cable con oferta de 30 canales en cada uno, y varias cadenas de casas de juegos electrónicos desde Vicente López hasta San Fernando.

La Gringa llegó al rato, rápida, expeditiva, con un estilizado impermeable alemán largo, arremangado, y un maletín de cuero fino. Conversaron en su despacho privado pero la sintió distante, económica en palabras, irreconocible mientras la oía. Le explicó sobre algunos problemas en los negocios con firmas competidoras, donde habían notado que cierta información de la compañía se filtraba inadvertidamente. Algunos opinaban que el percance estaba relacionado con el sobre sustraído por Humberto de la caja fuerte de Alberto Rossi en el paddle de Saavedra.

La conversación paulatinamente se fue tensando de una manera desagradable, hasta que Humberto decidió exaltarse.

–¿Cuál problema de jurisdicciones, Gringa? Ya sabés cuál fue la accidental historia de ese sobre, te la conté ¿ Entonces de qué carajo me hablás?

–De negocios. De eso te hablo. Lo que quiero saber, y ahora, es el nombrecito de tu cliente interesado ¿Cámara de diputados? ¿Algún periodista buscando notoriedad? ¿Algún juececito intrépido?

–¿De negocios? ¿Qué negocios? ¿Pero de qué lado del mostrador me estás preguntando todas estas cosas, cretina?

–Humbertito Baraldi, calmáte. No entendiste nada. Vos no estás aquí para levantarle la voz a nadie ¿La vas pescando? O nos decís a quién le fuiste con el cuento de ese sobre, o no la vas a pasar del todo bien.

Humberto la miró. Después no pudo acordarse si había sonreído al mirarla. En la memoria sólo le quedó haberse levantado en silencio, para irse y cerrar la puerta con una suavidad digna de hospital de moribundos. Al abrirse el ascensor se cruzó con Alberto Rossi y dos diputados peronistas conocidos. El ex campeón juvenil de tenis no lo reconoció.

–Hoy no venimos a aburrirnos con vos –le dijo uno de los diputados– afortunadamente tenemos cita con tu esposa.

–¿Con Marta? –dijo Alberto Rossi– preguntále a su secretaria si ya llegó.

Así había sido. Pero no iba a concederle aliento a esas miserias ni a sus vacilaciones frente a los vecinos de piso. Ni la Gringa, ahora alias Marta de Alberto Rossi, ni la salteña, alias Clara intermediaria de alquileres, conseguirían enturbiar la nueva etapa con el balcón abierto al río. Llamó a Santiago y terminaron con mollejas y riñoncitos en la costanera, hablando del abuelo. En todo caso le quedaba ese tipo, contabilizó Humberto, a falta de un hijo lejos. Le quedaba un primo de pelo largo, algunas veces vincha, rompedor de calles, sonrisa franca, y por qué no, extraña sangre de la sangre después de tanta deriva con genio en todos los oficios.

Santiago lo había acompañado a encontrarse con Josefina Pérez de Gastrelli, la madre de Matías. Ella aceptó recibirlos en el lugar donde desarrollaba sus actividades el grupo Viena, una casa de altos, refaccionada, por Boedo. La doctora y psicóloga lo recordó y lo abrazó muy afablemente al llegar. Era una mujer de unos setenta años, jovial, de hablar sereno, sin afectaciones, quien le contó sobre su hijo en Francia desde hacía veinticinco años, últimamente un poco peleado con ella. Con la comunicación interrumpida, dijo eufemísticamente, a partir de la trágica muerte de su nieto Vladimir, el hijo de Matías.

Santiago lo miró de reojo, como si las palabras de Josefina de Gastrelli fuesen una bocanada de oxígeno entre tantas inmersiones en mierda. Matías, que nunca regresó de aquel remoto viaje a Europa en 1968, estaba vivo. Su madre lo había visitado en París infinidad de años, hasta ese infausto y reciente suceso en 1990. Según ella, siempre lo encontró más gordo, barbudo y loco que el encuentro inmediato anterior, con sus proyectos de arte y erótica sagrada: irredimible. Precisamente, la vida bohemia de Matías, después de separarse de su esposa sexóloga quien le dejó a Vladimir como regalo, llevó a Josefina de Gastrelli a persuadirlo para que permitiese al nieto venir a estudiar a Buenos Aires. Varios viajes a París había empeñado la abuela para sustraer a Vladimir de la vida caótica, excéntrica, sin normas ni vigilancia de ningún tipo que llevaba el divorciado Matías. Pero el padre rechazó de manera rotunda la idea de separarse de su hijo. Finalmente cedió, a regañadientes, y Vladimir vino a vivir a la Argentina a los 17 años de edad para inscribirse en Arquitectura. Muy poco después, en ese mismo 1990, el drama jamás calculado. En el incendio de una casita de madera en el Tigre, Vladimir muere carbonizado, y Matías rompe lanzas para siempre con su madre. Ella demoró una semana, de horrorosa incertidumbre, hasta animarse a comunicarle la desgracia a su hijo, en París. Ese fue también otro de sus pecados: no fue a encontrarse con Matías en Europa, ni lo llamó por teléfono. Prefirió la lentitud del correo, escribirle una carta larga y doliente, que Matías nunca le contestó en los últimos tres años. Ella estaba casi segura de que su hijo, sin consuelo, se había mudado a un pueblito al sur de Francia donde siempre soñó vivir. La psicoanalista reconoció que su nieto Vladimir se le había escapado de las manos. En Buenos Aires hizo una vida poco propicia y ella no supo ponerle límites claros, ni siquiera con respecto a su relación con una bailarina de flamenco, la Madonita la llamaban, con la cual solía verse y quizás haya sido su novia. Lo reciente de todos esos sucesos no afectaron el ánimo de Josefina de Gastrelli al contarlos. Como si hubiese tenido la suficiente templanza para elaborar aquella situación fatídica: perder al nieto adorado y sufrir el desaire extremo de su hijo Matías.

Cuando se retiraban, ella le comentó sobre su esposo, ahora un próspero empresario del cual se había divorciado bastante años atrás, en términos maduros, para entablar con él otro tipo de pareja, y reducir aquella vieja relación a arreglos oportunos para ambos. Mientras charlaban, Santiago pidió hablar por teléfono y se alejó hacia la secretaría del Centro Viena. Josefina de Gastrelli conocía los libros de Humberto sobre lo trágico y le propuso dictar un seminario sobre Antígona para un grupo de psicoanalistas. Quedaron en llamarse. En la calle, Santiago le comentó la extraña escena a la que asistió cuando le pidió el teléfono a una de las secretarias. Las dos hablaban simultáneamente, por lo tanto eran dos líneas. Pero cuando pidió el segundo número telefónico para anotarlo en su libreta, se lo negaron en una actitud por demás inexplicable. Intrigado, hizo que se alejaba, pero permaneció en las inmediaciones, y oyó a la secretaria del teléfono negado, comunicarse con alguien para hablar de tumbas y cadáveres.

Humberto se desinteresó de la anécdota. No deseaba agregarle ninguna insensatez a ese tiempo tan poco propicio. Lo escuchado por boca de la madre de Matías era por demás tranquilizador. El hilo de las cartas del impostor afortunadamente se había cortado con una historia distante y ajena, donde ni Sebastián Lieger ni Ariel Rossi ni el Instituto de Filosofía formaban parte de la intriga. Se sintió arribando de a pequeños empujones a la playa del fin de viaje, de un sueño intolerable. Si algo le quedaba en el tintero era la posibilidad de enterarse en qué lugar de Francia vivía Matías Gastrelli, y escribirle sobre esta comedia de enredos padecida. Quizás esa bailadora de flamenco amiga de Vladimir tenía alguna idea de cómo ubicar a Matías en Europa. Santiago se comprometió a consultar con sus amigos conserjes de hoteles de la Avenida de Mayo, por si conocían alguna Madonita bailarina.

Volvieron del almuerzo en la costanera y se sentó en el escritorio durante la tarde para reanudar su ensayo. Leyó la última frase escrita tiempo atrás pero no se le ocurrió nada para continuarlo. Borroneó imágenes inciertas, más bien para un cuento que para un estudio de análisis cultural y el papel del arte en la sociedad massmediática. El decano Raúl Estévez lo llamó para anunciarle que lo propondría en el Consejo para integrar la Comisión de Doctorado. Le dijo que era una reunión cada treinta días y seis mil dólares por mes. Además para gastarle un par de bromas por la derrota de Racing el domingo. De madrugada y casi sin haber escrito nada bajó a cenar en el bodegón de la vuelta, escapando a una propuesta de verse por parte de Cristina, que había pasado de ciertas dosis para sus circunstanciales estados depresivos, a una temporada de todos los días. Cada uno con su bienamado derecho democrático, pensó, y pidió un bife de chorizo con papas *pay*.

Abrió la puerta de calle: percibió luz en el sótano y una radio encendida a todo volumen. Quiso hablar con Clara en relación a sus nuevos vecinos, pero no la vio al llegar abajo. Sólo el noticiero en el aparato y la plancha encendida junto al canasto de ropa. Esperó un rato, desenchufó la plancha, ni rastros de la salteña. Se fue internando hacia los fondos del sótano, hasta una montaña de muebles destartalados. A partir de esa barrera no pudo seguir. La luz casi no llegaba a ese lugar. Regresó a su departamento y encontró grabada una llamada de su primo: que le hablase a la pensión.

Santiago había dado con el paradero de la bailadora de flamenco, en un tablado por Piedras y Moreno. Esa misma noche fueron a verla, era un subsuelo concurrido, donde entre varias copas de brandy pudieron ver a La Madonita bailar en grupo, por fandango, y en una segunda entrada por sevillana, en dúo con otra compañera. El toque estaba a cargo de un viejo que nunca abrió los ojos, y el cante en las de un joven gitano de voz aguda y fabulosamente alcoholizada. Humberto le confesó a su primo haber pensado que esas noches andaluzas por Buenos Aires ya no existían. Al rato la Madonita salió con otras seis para un solea por bulerías, donde al final se alzaron las palmas y los olé de los parroquianos. Al terminar el espectáculo se aproximó con Santiago a los camarines para preguntar por La Madonita. De cerca fue una bella y estilizada muchacha, excesivamente recelosa de tomar un café a esa hora. Cuando Humberto le habló de su amistad con Matías, pareció asombrada y a la vez un poco más tranquila. En el bar de la esquina les preguntó varias veces quiénes eran, que querían, como si no terminara de convencerse sobre el real motivo de estar sentada con dos desconocidos. Humberto la observó detenidamente durante la charla. La joven era de una belleza extraña, difícil de inscribir en un muestrario común y silvestre. No los miraba al hablar, tampoco dejó de estar abrazada a su cartera. Le dio la sensación de que ella se escondía detrás de su voz, y con cada palabra se la tragaba más y más la mesa, el ruido de la calle, la tierra pensó. Humberto desconfió de cada uno de sus gestos y respuestas, pero admitiendo que no tenía ningún motivo preciso. Sencillamente, lo desconcertaba verla ahí como actuando una mezcla de temor y cálculo.

En un momento les habló de Vladimir, también de Matías Gastrelli. A Humberto le gustó su forma de echarse el pelo hacia atrás, el movimiento de su cabeza, rápido, altanero, como si siguiese bailando en el tablao. Dijo llamarse Rocío, haber nacido en Francia donde conoció a Vladimir, y convivir con gitanos varios años en Triana donde aprendió el cachondeo. La reacción de la bailarina cuando iban hacia la casa de ella, a cinco cuadras de distancia, los dejó sin defensa. Repentinamente saltó dentro de un taxi, cerró la puerta, y la vieron alejarse sin el mínimo saludo.

Esa noche, en su departamento, Humberto no escuchó nada desde la casa vecina. Pero a la siguiente, después de un día de mucha lectura y preparación de dos clases teóricas sobre los cielos culturales en Winckelmann, pudo oír, sin la mínima duda, dos voces diferentes, un diálogo sigiloso y una respiración agitada que tardó en apagarse. En el reloj vio las doce y cuarto. Igual salió al pasillo y tocó el timbre. Pediría imbécilmente un poco de sal para la ensalada. No abrieron la puerta. Apoyó la oreja en la madera y no intuyó a nadie del otro lado.

Al tercer whisky recordó el gesto hierático de la Gringa en su despacho de la financiera. La prefería un 20 de Junio, dos décadas atrás, subida al árbol y agitando una bandera argentina. En todo caso que gerenciase los negocios del narco hasta el último día del mundo: no era peor que un ministro de relaciones exteriores. Sin embargo hacía quince días ella estuvo en esa pieza, en ese sillón con una larga historia, en realidad examinando a un presunto espía de su empresa. Todo ese asunto, también los ruidos en el departamento de al lado, olían a mierda. Observó los libros en la biblioteca, los estantes hasta el techo, el tono de la luz abajo y la penumbra allá arriba, contra los lomos.

Volvió a llenarse el vaso. Quizá Sebastián Lieger se enteró del negocio de lavado de dólares de los Rossi y por eso habló de Ariel tiempo antes de morir, como contaba Cristina ¿Qué descubrió Sebastián en aquel entonces? ¿La vieja carta de Ariel Rossi era una patraña para despistarlo cuando llegó al paddle de Saavedra? ¿Lo habrían estado esperando con todo el teatro armado? ¿Pero cómo apostar a que Santiago se robaría ese sobre? Ya debieron tener el dato de su conexión con la hermana de Sebastián y entonces lo esperaron con una puesta en escena y varias trompadas de mampostería. El último trago le exterminó la garganta. Y el relato de la Gringa, actual esposa del tenista nazi Alberto Rossi, remató la obra desorientadora. Pero la historia del final de Ariel Rossi, en un aula conseguida por la profesora Lombrozo, era tan fantástica, tan descomunal, que no podía resultar falsa. Cuando se inventaba para tapar algo no se inventaban boludeces increíbles, no aquel jeroglífico. Eso, al menos, lo tranquilizó:

el hijo de puta de Ariel Rossi tratando de matarlo hacía veinte años, armaba su vida con una armonía en cierta medida mucho más conocida que la historia de una financiera pantalla. A la una de la mañana lo llamó Santiago. Había regresado al subsuelo flamenco y consiguió hablar con La Madonita. Lo llamaba para pasarle la dirección de la bailarina. A punto de caerse contra la biblioteca por la borrachera, se vistió sentado en el piso con lo que tenía a mano y en un taxi se trasladó a la buhardilla de La Madonita, quien lo primero que hizo al verlo fue disculparse por su fuga en la madrugada.

Rocío se puso el sombrero cordobés de ala chata, se miró en el inmenso espejo y habló de Matías Gastrelli, de cosas que Vladimir le había contado sobre su padre. Humberto quiso preguntarle por el paradero de Matías en Francia, sin embargo se recostó en el piso de madera con un almohadón debajo de la nuca. Pidió que le acercasen la botella y mientras escuchaba a la bailarina escudriñó el ambiente, los cuadros, los objetos, los posters: un rincón del sur de España trasladado a cinco por cuatro. Se preguntó por qué estaba en esa habitación y no en Andalucía con Celina. Allá empezaba el verano y Celina tendría la piel transpirada, una mezcla de calor y umbroso perfume. Al fin y al cabo se sentía bien, el cuerpo se le desmembraba, las imágenes fluían junto con las musas de la fuente, siempre le habían gustado las hembras que bailaban. Pensó en viejas novias, en Silvia, en Mónica, en los ensayos frente a los espejos, ellas tenían otro cuerpo dentro del cuerpo como la Madonita, brazos dentro de los brazos, caderas ocultas, hombros invisibles adentro de los hombros. Con el pico de la botella entre los labios pensó que gracias a dios los perros de caza de la familia Rossi eran orangutanes palpables, pedórreos en el departamento de al lado, matarifes a sueldo, no sombras en la sombra como el impostor. A eso de las tres de la mañana Rocío y Santiago descorcharon otra botella. Entonces Humberto, despabilado, habló de Matías.

—Fue por el 66 cuando empezamos a hablar del viaje a París. Con otra gente sacábamos una revista literaria, hasta que vino el golpe y el grupo se desbandó de pura melancolía pavesiana.

Éramos jóvenes, clásicos en los berretines culturales, y pasase lo que pasase andábamos kantianamente con el pito parado por las puertas de las facultades, alertas al espíritu de las tetas mayores. Al tiempo Matías me propuso la idea de irnos a Francia para no volver jamás a este país de soretes. Esa fue la apuesta manoseada en muchas charlas de café. Por esa época yo vivía una complicada relación de amor con Susana, que después sería mi primera esposa legal con boda de blanco. Un día Susana decidió romper, no quiso saber nada con el viaje que invertía la mala ocurrencia de los abuelos, ni con la idea de vivir en Europa. A todo esto, Matías se carteaba con Juan Bardini, un argentino profesor y crítico de literatura residente en París desde hacía años, entusiasmado con los poemas de Matías y con algunos cuentos míos. Nos había conseguido a ambos becas por dos años, aprovechando nuestro buen francés y sus influencias. Ese fue el dato que me decidió, a pesar de la impertérrita negativa de Susana que ni fue a despedirme al puerto. Zarpamos rumbo a Le Havre, yo bastante compungido por el idilio trunco pero encandilado por la aventura. Cuando llegamos a París, Juan Bardini ni nos quiso recibir. Después nos enteramos de que era un personaje muy especial, mitómano, controvertido y hasta odiado por varios. Sobrevivimos al principio en un hotelucho del Barrio Latino, sexto piso sin ascensor, escasa letrina para ocho cuartos y nada por delante, apenas la gloria de un destierro que nadie había registrado. Un día, como de la galera, estallan las barricadas. Rápidamente nos confabulamos con otros de América Latina para desplegar una red de información y lucha. En ese racimo de vanguardias por venir andaba el hijo de un general de la nación, la corresponsal de *Primera Plana*, un escultor de Barracas, dos plásticas cordobesas y hasta un viejo tanguero que conocía la ciudad como la palma de su mano y se hacía sobar la verga por una marsellesa de lengua forrada en látex. Una tarde enganchamos a gente de Debray preso en Bolivia, a Godard filmando las pedradas y las corridas, a André Gorz en una charla, y Ernest Mandel en una clase pública que terminó en el quinto piso de un profesor griego con dos botellas de ron cubano. La idea entonces fue sacar una revista de arte revolucionario que sería la anunciación de lo bello de las nuevas barricadas. Con algunos alemanes, dos uruguayos, un yanqui y varios brasileños exiliados instalamos una imprenta con boletines de apoyo para todos los países en lucha desde una erótica política de la liberación violenta. La policía nos empezó a seguir de cerca, los correos, según dos francesitas amigas, iban y volvían alrededor nuestro, se mencionaba a la CIA, el FBI, la KGB, los sabuesos franquistas, todos tomando café en los bulevares mesa por medio, o a un par de cuadras del Odeón. Con algunos hasta nos hicimos amigos. Al mes de la revuelta y cuando parecían incendiarse las carreteras francas fundamos un centro de arte anarquista, nos citábamos en cambiantes estaciones de metro para despistar a los sérpicos, nos encontrábamos por las tardes en los debates del Quartier, en los patios de la Universidad. Señas, contraseñas, apodos, pero básicamente escribir, discutir, pintar, fotografiar, teatralizar, posar, grabar, poetizar. El arte iba a hacer que el Sena, el Plata, el Amazonas, el Mississipi y el Rhin se desbordasen. Así se llamaría la gran revista cuando se consiguieran los fondos: "Ríos Desbordados". Según Matías Gastrelli había que crear formas, lenguajes, métodos, estrategias, experiencias, puestas, escrituras, códigos, exposiciones anticapitalistas y antiburocráticas. Se necesitaba revivir al surrealismo, los documentos dadaístas, los escritos del tío Ho, y para Matías también los secretos eróticos del expresionismo, con lecturas abiertas de Marx y Lautréamont, el pop art y el arte total de la vieja entreguerra, ahora con el rostro del Che y de Mao en las montañas campesinas del mundo y en las viejas ciudades amamantadas por los enigmáticos frontispicios de La Habana. Me acuerdo del editorial del primer número de la futura revista, garabateado toda una noche con Matías. El primer párrafo decía: "es la época la que nos llama, la que nos encuentra, la que nos designa a nosotros para emprender el camino de todas las revoluciones que hacen falta". Matías no dormía, no comía, llegó a citarse dos veces con Sartre en La Coupole mientras desorientábamos a las redadas, nos refugiábamos en el taller de Le Parc, juntábamos guita para el papel del mimeógrafo, visitábamos algunas noche las puertas tomadas de la Renault. Hasta que un día eso se fue acabando, arribaron las manifestaciones gaullistas, el centro de París fue tomado, atragantado por los autos del filisteo burgués, llegó el verano sin un franco, sin universidad, sin alumnos. Se consiguieron algunas changas, trabajos de traducción, serenos en garajes por Champs Elysées, la mano dura, extranjeros a la frontera y un estado de depresión anímica y económica con cartas de las francesitas desde la costa española del sol en un ardiente agosto invitándonos a vender *baguettes* por las playas. Pero la idea de la revista seguía en pie como el último mástil de una goleta en el naufragio. Hasta que un día, sin aviso, de puro amor, Susana arriba a París para verme por veintiocho días. Reencuentro erótico en mi solitario camastro alquilado, proyecto de volver y dar las tres materias para terminar la carrera, inmensas ganas mías de llevar todo aquello a la Argentina y feas discusiones, a las puteadas, con Matías, para quien el país era una momia durmiendo su sueño eterno. La última noche casi no hubo palabras ni frases hirientes: sólo le dejé mi largo artículo para el primer número de *Ríos Desbordados*. En noviembre del 68 regreso en avión con ella y Matías no va a volver a dar señales de vida. Curiosa historia, a fines del 69 me invitan a un encuentro de escritores en La Habana, y en una de las mesas un cubano hace referencia elogiosa a mi artículo. Ahí me entero con alegría que la revista había salido finalmente. Durante más de dos horas se debate desde posiciones encontradas mi artículo que nadie tenía, que no estaba en el temario pero sí bien presente en mi cabeza. Debido a eso me hacen una entrevista en una revista cubana y al volver a Buenos Aires me entero que los servicios también la leyeron emocionados por el aporte conceptual que logro en tan pocas páginas: me allanan el departamento, paso dos días preso con varios golpes y bofetadas, y elijo definitivamente mi pasaje a la política. Terminan invitándome a Chile después del casamiento con Susana, hacia donde voy solo, me quedo un mes, entro en amor furibundo con Sonia, una chilena arrebatada y gran madre de la alcoba, lo que me lleva una vez por mes a cruzar en tren la cordillera para embeberme en sus pechos turgentes. Me separo de mi esposa Susana, trascartón Sonia me propone un buen trabajo y también ir a vivir al Santiago de la Unidad Popular. Después, de golpe, ella se enfría, deja de llamarme y yo termino la carrera y entro de lleno a militar políticamente. Fin de la matinée helado caramelos chocolatines.

Entonces la bailarina lloró desconsoladamente: por alcoholizada, por aburrida, o por alguna otra historia más íntima que debió atravesarla mientras lo escuchaba. Cuando Santiago a duras penas logró calmar a Rocío, ella armó como pudo una frase. Me lo callé por miedo, dijo: tengo una carta de Matías para Humberto Baraldi, la trajo Vladimir de Francia.

18

Le volvió la carta de Matías. Su cabeza a pesar del vodka, a pesar de la refriega con Cristina ahora dormida, seguía registrando aquella caligrafía despareja, esos renglones que ardían. Las palabras habían sido una yerra en el cuerpo, humeaban todavía en cada pozo oscuro de su piel. Por eso no quiso pensar otra vez en aquellas páginas.

Celina lo había llamado, vino a su departamento a retirar otra cinta grabada. Celina se la llevó, pero antes se atrevió a hablar de Santiago. La percibió alicaída, envuelta en una tristeza para nada circunstancial mientras le contaba de la relación con su primo a punto de expirar. Pretendió sólo escucharla: se estaba enamorando de Celina. Para aliviarse un poco ella cambió de conversación, le habló de los dos libros que traía y dejó sobre su escritorio. Uno de Deleuze, otro de Derrida. Celina los estaba leyendo sin mucho entusiasmo.

Pero la carta de Matías quemó de nuevo sus ojos en la oscuridad del dormitorio de Cristina, justo cuando ella, dormida, se dio vuelta en la cama para darle la espalda. Humberto tenía la sensación de que el físico fornido de Cristina, esa esbeltez de sus huesos grandes, de sus hombros anchos, se extendía en la cama más allá de la conciencia de ella, de su propia sensualidad. Como si un resto de su cuerpo, un contorno apenas visible, escapara de su control, fuese algo escindido y en pos de otra contienda, de un éxtasis jamás calculado. Un cuerpo dormido, pensó Humberto, pero un cuerpo fabulosamente indecente para ella misma y que despertaba sin avisarle. Cristina era casi una dama reticente en sus ternuras previas, en su desnudez inicial, en sus ojos apretados como no queriendo ver nada, en su piel tensa y sorprendida de cada caricia, pero también en las piernas apenas separadas, o en el recatado abandono de su sexo cuando lo cedía realmente en un momento que parecía no ser ningún momento y sin embargo había acontecido. Entonces Cristina no dejaba de ser esa rapidez de su temblor, de sus mordeduras casi inmediatas, no dejaba de ser aquel otro cuerpo gestándose de a poco, su otra extensión soñándose perdida y lanzada a un ruedo en el que se hundía para ser abrazada, para ocultarse. Como si esa otra Cristina de palabras impúdicas y tan lejos ya de sí misma, enancada sobre su cuerpo, escenificando una exacerbada prostitución, atesorase enigmas impostados, baratos, mitológicos, pero enigmas al fin en la espera del hombre algún día, de alguien con la misión tal vez de develar los secretos de su actuación, de arrebatar sus dos almas, de hacerse cargo de Cristina y lidiar sin saber cuándo era una y cuándo era otra.

A las cuatro de la mañana se despertó como si nunca hubiese dormido. Fue un latigazo seco en la nuca. Humberto caminó hacia el living. Se detuvo junto a la mesa vestida, se sentó bajo la luz del velador y leyó nuevamente la carta de Matías Gastrelli. La escritura a mano resultaba ardua de seguir, pero no dejaba de ser legible. Otra vez sus ojos se posaron sobre el final, la carta se interrumpía de pronto y sin aviso en un punto y aparte, no llevaba despedida ni firma. Pero se trataba de la inconfundible letra de Matías. Y también en su contenido, en los arrebatos, portaba la identidad de su autor. Humberto no podía dejar de pensar en lo inconcluso de esa carta fechada en París, abril de 1990. Y junto a ese dato, otro: el sobre no mostraba dirección, sólo su nombre, Humberto, con la letra de Matías.

Lo anonadaba la agresividad de su viejo amigo desde los renglones iniciales. Humberto dos puntos, así, como un árbol podado en otoño, Matías situaba el blanco para su metralla. "No sé por dónde vivirás ahora, pasaron unos cuantos años, tal vez en la vieja casona de Lavalle donde tan inopinadamente regresaste veinte años atrás". Humberto dedujo que en esa inicial referencia, sin ninguna ambigüedad, comenzaba a desplegarse la sombra del impostor escribiéndole a Matías Gastrelli para poner como remitente la casa de su infancia en Almagro.

Desde el comienzo advirtió que la carta pasaba a ser una respuesta hastiada, también en parte amenazante, a muchas cartas recibidas y firmadas por el farsante, en su nombre. "Tal vez haya llegado el tiempo de ponernos frente a frente, después de tanto soportar tus escabrosas mendacidades, tus medias palabras, tus entrelíneas vacunadas de morbo". Esa oración de Matías se asemejaba a un resumen, a un balance, del cual al parecer, con esa respuesta, decidió de alguna manera terminar todo. Luego venía un ramalazo de letras tipo recuento, que retrocedía a "tu genuflexión parisina en el 68, por no decirte algo todavía más patético, Humberto". Matías también aludía a "tu posterior divorcio, según me enteraste, de aquella imbécil que tuviste a bien elegir por esposa, Susanita concha registradora". Ese último dato nunca se lo comunicó a Matías. Sus auténticas cartas a Francia para su viejo amigo fueron dos, y en el año 69, lo recordaba perfectamente. Y de Susana se divorció en el 70. Desde esa línea, en la visión de Matías, empezaban a confundirse de manera tragicómica sus dos cartas legítimas con otras enviadas por el falsario.

"Nunca quise regresar al país, nunca tuve nostalgia, nunca se me cayó un moco escuchando un tango. De eso, mi gran pelotudo, te diste siempre por no enterado, a pesar de las muchas conversaciones anteriores al viaje donde vaticiné mi fabuloso desapego por la patria. Yo sí, me había ido para no volver, algo que curiosamente olvidaste en tus cartas. Primero tentándome con el tiempo de la liberación y las puebladas, con los comandos guerrilleros repartiendo cuajada y tapioca en las villas. Después con el regreso desde Madrid de ese gran hijo de puta, más tarde no sé cuántas cosas más. ¡Ah, me olvidaba!, después con la ilusión de la democracia participativa del otro gran hijo de puta".

Nuevamente en ese párrafo, Matías fundía sus dos cartas auténticas con otras del enmascarado. En efecto, en el año 69 le había escrito a París hablándole de la revolución en ciernes, del compromiso de una generación con la política, y lo invitó a regresar y sumarse. Con respecto a las tentaciones posteriores, incitándolo a regresar a la Argentina, esas pertenecían sin duda a las cartas del embaucador. "Nunca se me pasó por la cabeza, ¡nunca!, retornar a ese país de cretinos", así concluía Matías aquel párrafo: una contestación retenida posiblemente por muchos años.

Posteriormente llegaba la parte de la carta que lo llenaba de estupor. Aparecían esas frases encrespadas, desmedidas, por las cuales se levantó como un autómata de la cama de Cristina para proseguir su lectura en un sillón del living. A partir de un punto y seguido, Matías señalaba: "En 1969 fue una sospecha íntima, como si te rascases debajo de las bolas, buscando la llaguita, y así se lo relaté por carta a tu finado primo Esteban, porque a él sí que le escribía. A principios de 1971 le mandé también, por la misma urticaria escrotal, otro largo rollo de interpretaciones hechas con ayuda de mi ex mujer. Delirantes, sí, para pasmar a cualquiera, sí, para creer en un Matías enchufado para siempre en un chaleco de fuerza, sí. Pero pudiendo confirmar, ahora, hoy, aquellas deducciones de veinte años atrás, por estrambóticas y prodigiosas que hayan sido en su oportunidad. Entonces te digo: hoy estoy seguro de aquella verdad escrita. También de tu acostumbrada hipocresía, de tu poca envergadura en tantas cartas, de tu silencio en las cartas, y por supuesto, del asfixiado motivo por el cual me escribías. ¡Son las cartas del querido Humberto!, me decía sin sacarme la cofia matinal y bailando en puntas de pie con mis 110 quilos, ¡son las misivas de mi dulce Humbertito! le avisaba a todos tirándome pequeños pedos mientras saltaba etéreamente entre las flores, desde aquellas dos primeras recibidas y que tardé tanto tiempo en contestar. Pero lo hice, a los pocos meses lo hice: desde aquellas primeras dos, cuando tenías el buen gusto de escribir a mano y no por medio de las anónimas letras de una maquina". Recordó Humberto pasando de hoja: esas cartas de Matías nunca las había recibido ni leído.

La violencia de aquellas frases eran sello indeleble del conocido espíritu de Matías. El párrafo terminaba con una oración: "¡No parecían cartas tuyas, y sin embargo sí! ¡Fueron tus cartas, renacuajo, las cartas del bienamado Humberto Baraldi!" La sospecha de otro Humberto, de dos Humbertos al menos, en la reflexión de Matías, volvía a resonar en su cabeza en cada relectura de esas hojas. Se dio cuenta de que era sobre todo por aquel párrafo donde Matías parecía dudar del autor de las cartas, que volvía a leerla una y otra vez. A diferencia de Sebastián Lieger, de Ariel Rossi, el instinto o el mayor conocimiento de su estilo por parte de Matías lo llevaban a imaginar o a sentir que no eran cartas suyas, aunque llevasen su firma al final. Como si Matías olfatease, estremecido, al impostor. Como si escuchase su arañar en la oscuridad de las letras de una máquina de escribir. Como si tantease un orificio sin fondo que tocaba el centro de la tierra: antes en Matías, ahora en su propia cabeza al leer la carta descontrolada de su amigo.

Junto a esa sensación de vacío en el estómago que sentía Humberto, que también imaginaba en las tripas de su amigo años atrás intuyendo una carta suya que no era una carta suya, Matías agregaba sin embargo un último convencimiento demoledor: "todas fueron cartas tuyas, Humberto, las más claras y las más enrarecidas". Para Matías todas habían sido una única historia, una única letra, deducción que se deslizaba por los huesos de Humberto como una mancha gelatinosa arrastrándolo a un abismo. "Uno nunca sabe, en definitiva, lo que en realidad le tocó vivir, a qué se aproxima, qué regiones ocupó que no le pertenecían. Uno tampoco lo va a saber después, delicias de la vida ilustrada, ni podrá concebir llegado el momento que ya forma parte de otra cosa, de lo verdadero. Pero de lo verdadero cuando toma el rostro de una inmensa alimaña agazapada detrás de tu inodoro cuando te sentás a cagar indefenso y confiado, disimulada en el segundo cajón de la mesita, en ese libro de la biblioteca que si hubieses abierto una noche, probabilidad imposible, hubiese estallado tu vida y el mundo".

¿A qué se refería Matías Gastrelli? ¿De qué cosas se carteó con el impostor? ¿También sobre ese tema indescifrable, con ese estilo críptico, le habría escrito las cartas a su primo Esteban? O a lo mejor estaba escribiendo desde un sueño de opio y mímesis con sus queridos y manoseados Baudelaire y Lautréamont. A renglón seguido, otro mensaje oscuro pero también insultante: "no sé dónde vas a guardar esta carta, si como me escribiste hace poco, en ese misógino lugar de tu propia miseria, donde en la infancia ocultabas tus obscenidades, tu epilepsia intelectual disimulada. Por mí, ésta que escribo, metétela en el orto".

Matías retornaba más tarde a sus peores momentos de irritación, a un enojo que Humberto presintió no tenía que ver ya con nada, tampoco con ciertos episodios que los distanciaron en el 68. Regresaba a la blasfemia, al vituperio y a una suerte de delirio cuya significación se le escapaba: "En todo caso fuiste vos, Humberto, con tu limpia conciencia inmaculada, con tus ojos juzgadores de espiador de cloacas, de acariciador de mierda detrás de las cortinas. Fuiste vos, no fue Esteban. Pero qué ibas a saber que desde ese instante se abría en un barrio mugriento de tanos fruteros, el foso fantasmal que nos deglute, la hendidura femenina que nunca termina, la menstruación primera cuya hipotética escena imaginaria nos paraliza de por vida. Te diría, para ser sincero, que muy pocas veces sucede tal cosa. Y vos lo sabés tanto como yo, de eso me hablaste en las cartas, pero solapadamente, asquerosamente, leprosariamente ¿Qué quisiste saber? ¿Lo que ya sabías? ¿No sos vos el que volviste a vivir por allá? ¿Y por qué? ¿No sos vos el que te cagaste en la aventura de París? Y aquí desconozco a cuáles de todos tus Humbertos se lo pregunto ahora. Pero no es tan así, te lo aseguro, en todo caso yo sé con cuál Humberto, por eso no hablo. Presentí lo sucedido aquel día inusual, lo intuí al poco tiempo, lo pensé junto con otros, lo perseguí en literaturas escasamente ortodoxas, lo divagué, lo exploré cauteloso, arrebatado, con la misma delicia y tensión con que se recorren y abren pausadamente los muslos de una mujer de perfumes apenas alumbrados. Te diría, lo tuve entre mis manos como una flor embarazada".

Este último párrafo retorcido, exasperante, tan retórico como ininteligible, se hermanaba con la más antigua obsesión de Matías, la cópula, la hembra, los acoplamientos sagrados. Cuestiones que habían inspirado sus primeros poemas, temas a los cuales estudió empedernidamente, y tal vez exacerbó de manera maníaca con los años, con su ex mujer sexóloga, con sus mediums y videntes de París. Recordó la cara de la madre de Matías cuando le explicaba su empeño a cualquier costo por traerse a su nieto Vladimir a Buenos Aires: cuando le comentó sobre Matías a quien en cada viaje fue notando cada vez más loco. Seguramente fue una discreción de madre acongojada, pero que por oficio sabía más que nadie el momento en el cual una psiquis entraba en su ruina. La carta de Matías tenía el desagradable don de exaltarlo, de acelerarle el ritmo cardíaco, aún sabiendo la catarata de dislates y de pavadas que contenía, pero era como si ese compendio de sinsentido y violencia gramatical se impusiese por sí mismo y de manera mortificante. No entendía absolutamente nada pero sentía que por adentro de esas oraciones respiraba algo demasiado imbécil y por eso mismo atroz, abyecto, aunque no tuviese la mínima idea de qué se trataba. Reconoció la diferencia entre esa caligrafía desmadrada de Matías y la serena sobriedad de las cartas de Sebastián contestándole al impostor, o el buen estilo de Ariel en las mismas circunstancias, y tuvo como una suerte de pequeña melancolía al pensar en aquellas otras.

Lo cierto es que de tales cosas, inextricables, había indagado el farsante en coincidencias con las alucinaciones de Matías Gastrelli, aunque al parecer Matías no le había contestado nunca al impostor hasta esa carta de 1990. Sintió que el living de Cristina Lieger se tornaba extraño, tan impropio de sus gustos y de su vida como aquellas páginas. Trató de concebir las otras cartas del plagiario que se despeñaban por debajo de la respuesta de Matías. Sin embargo esas otras no estaban. Nunca estuvieron, no existían. Sólo eran aquellas cinco hojas escritas a birome y tirándolo hacia atrás en los años, demasiado hacia atrás ¿Qué buscaba el intruso ahora, en ese living con sillones cubiertos con fundas? ¿Seguiría buscando algo? ¿De qué se trataba toda esa demencia? Le dolía el estómago, tuvo la sensación de una arcada potencial en su garganta. Precisamente ese sujeto espurio, increíble todavía para su conciencia, retenía el sentido último de su vida. Había anclado en sus silencios, en lo que siempre le pasó desapercibido, en sus espacios impensables. Como si de pronto descubriese en el falsario, no el azar, lo antojadizo, sino un extenso y macerado trazo dibujándose desde hacía mucho. Como si se hubiese reído siempre de cada una de sus astucias, de sus atajos, de sus esquives, de sus más íntimos estilos. No entendía nada, pero intuía que el impostor, demencialmente, parecía entenderlo: a Humberto Baraldi. Si se preguntaba marmotamente qué buscó Humberto en la vida, se daba cuenta de que esa pregunta cada vez más le pertenecía al plagiario. La carta de Matías le hablaba a los dos sin la menor sospecha de que eran dos, aunque en realidad dejaba afuera al verdadero Humberto. Miró su propio cuerpo desnudo, también su reloj: eran las cinco de la mañana. Se dijo que él era él, pero en caída libre por un orificio sin punto final. El farsante tenía una idea de Humberto inconmensurable, en comparación a la suya.

Grabación V (Video/Casa)

Llegaron años diferentes para la vieja casona con sus patios de mármoles y mosaicos italianos, con la palta gigantesca y el frondoso jardín de enero. Hubo algunas peleas no muy graves entre hijos del abuelo, varios se mudaron a casas más modernas, a departamentos, mientras mi padre iba amando cada vez más el silencio de aquellas habitaciones y la música romántica alemana en la sala de persianas cerradas. A veces con mi hermana, o con Esteban y alguna prima, nos sentábamos a escucharle contar historias de su vida, ese tiempo detrás suyo donde con los años descubrió el infinito mientras leía también gruesos libros sobre el origen y la expansión del universo, sobre las diferentes teodiceas primigenias que contaban los mitos, verdades donde terminó depositando ya no su mente, sino más bien su corazón cristiano. Esteban tenía 13, yo 12 años. También la época del desván y la correspondencia secreta con las primas había llegado a su fin. Ellas eran vigiladas en su castidad y para eso no hacía falta ninguna pieza de castigo. Con sus nuevos talles de corpiños, con sus días de dolores de cabeza y la

Liga de Jóvenes de la iglesia, el abuelo volvió de su tumba a ben-
decirlas y sellar sus bajovientres. Nadie lo dijo, precisamente nadie
habló y fuimos entendiendo: de eso no se hablaba como se habla-
ba antes en el laboratorio cuando ellas pensaban a menudo en esas
cosas con el brillo de sus ojos. Ahora comentaban educadamente
sobre novios imaginarios, sobre héroes intangibles, sobre roces de
algún beso, pero sus fantasías, de tan sublimes y solitarias, de tan
etéreas y metodistamente sufridas en su belleza incorpórea, no alu-
dían tanto a los encuentros idílicos en algún granero por ejemplo,
como a las infaustas y virginales separaciones amorosas en un puen-
te anglicano y londinense con neblina, en plena guerra. Con Es-
teban, durante un tiempo, queríamos cojernos a una de nuestras
primas, no mucho más grande: iniciarnos con una protestante y
no con cualquier católica o judía que la miserable vida nos podía
deparar, según mi primo. Las metodistas no tenían después ni
confesión ni cura, fantaseaba fríamente Esteban, y en las oraciones
dios en la puta vida contestaba algo. Para Esteban, ella también
lo sabía y estaba al caer. Por eso ni siquiera nos dirigía la palabra
y hasta nos despreciaba por las noches camino a los dormitorios.
Pero tales obsesiones se olvidaron cuando nos permitieron posesio-
narnos del escritorio del pastor muerto, revisar los papeles y libros
del abuelo, quedarnos en esa habitación horas y horas. Entonces
subíamos cada tanto al desván y sólo como pretexto, por la cerca-
nía con el cuarto de Fidelina, la mucama. Una litoraleña, correnti-
na más precisamente, de cuerpo exuberante, ganada por el pietismo
evangélico de algunas tías. Ella era siempre un cuerpo insorteable
con poca ropa encima. Nos consolaba espiar por la cerradura de su
pieza cómo se cambiaba con una parsimonia inimitable: un enig-
mático tiempo largo de dios, según Esteban, en este caso a favor
nuestro. Meses después, una noche de increíble resonancia en mi
recuerdo, el desván recobró su antigua importancia. Con mi primo
empezamos a incursionar de lleno en la biblioteca del abuelo, a
leer a Tolstoi, a Gogol, también a Dostoievsky cuando mi padre
no estaba, pero sobre todo buscábamos en los cajones del escritorio
y en sus archivos, con excesiva ingenuidad, no tanto sus ideas ni su
visión religiosa, sino huellas concretas, testimonios de su vida

privada. Algo revelador de sus secretos cuando todavía no era pastor. Esteban creía fervientemente en un hallazgo de ese tipo, a partir del cual desmontaríamos una supuesta loza de silencio, misterio y reverencial homenaje incrustada en la casa. Discutí bastante con mi primo, con escasos argumentos de mi parte para disuadirlo de aquella ocurrencia de un abuelo con un pasado por alguna razón desconocido y mansillado. En una de las exploraciones por las cajoneras de la biblioteca, di una vez con una carpeta y varias obras de teatro escritas por el pastor. La trama de una de ellas representó, para mi comprensión, una tortura indescriptible. Jamás olvidaré mi perturbación al leer esos tres actos pasados prolijamente a máquina. Un hombre, cristiano fervoroso, acuciado por deudas contraídas por un hermano suyo y sin poder alimentar a sus hijos, cede al acreedor lo mas amado en la vida: a su esposa, una mujer espiritualmente pura y abnegada. Ella, como última salida, acepta entregarse a la voracidad sexual del prestamista, quien desespera no sólo por ser dueño de su cuerpo, sino auténticamente querido por el alma de la muchacha. El marido sufre el tormento de imaginarla en otros brazos y trata, desde su fe religiosa, de hacerla desistir de lo que él mismo había pactado. El amante, desesperado ante la ausencia de un auténtico afecto por parte de ella, busca llegar tercamente a su corazón cuando en un principio era sólo cuestión de apetito carnal. La mujer desconsolada, aturdida, sin saber a qué atenerse, enferma gravemente, hasta el punto que en el segundo acto inauditamente queda paralítica y ciega. Los dos hombres entonces, desolados, se juntan durante años y años con la tullida, intentan hacerla caminar, iluminar sus ojos otra vez, pero todo es inútil, ambos quedan arruinados de por vida y los hijos muertos de hambre. Con una prima nunca pudimos reprimir las lágrimas cuando releíamos ciertos pasajes de esa obra, los peores. Para Esteban, tan conmovido como yo por la trama, la culpable era ella, un ser inútil, angélico, siempre igual, la gran vencedora que había llevado a todos a la bancarrota. Alguno de los dos hombres, decía, debió matarla cuando no quiso reponerse ni soltar la silla de ruedas. Esa absurda interpretación de mi primo desquiciaba aún más mi cerebro, convencido como estaba de reconocer en el marido al único autor, por debilidad cristiana, de aquella fatalidad que terminaba hundiendo a toda la familia. Pero en esos años percibía en Esteban una enfermiza tendencia a deleitarse con los sentimientos dudosos, con la creencia en la mentira siempre detrás de una verdad, con la intuición de algo oscuro rondando la claridad de cualquier cosa digna de ser tratada. Varios elementos concurrieron finalmente para alentar una suerte de desatino en Esteban, con respecto a la pesquisa sobre el pasado del abuelo. Uno fue el culto metodista de los lunes, el segundo fue el barrio, el último, un busto de Eva Perón. Con respecto al culto religioso celebrado en la casa desde hacía treinta años, el asunto al principio no pasó de ser una simple charla con mi primo, con ulterioridades recién años después. Esteban no creía en la inocencia de esas reuniones cristianas a las cuales varios tíos habían dejado de asistir, ni en la sinceridad de algunos de sus infaltables concurrentes, pastores incluidos.

Para Esteban esas reuniones donde se escuchaba a los predicadores y se cantaban himnos con una tía al piano, atravesaban la historia de la casa con una intencionalidad subterránea, y necesitaban ser contrarrestadas a partir de otra disposición del alma y de nuevos asistentes. Algo así era su argumento. Al mismo tiempo, con mi primo abandonábamos por las tardes ciertos libros, él La Divina Comedia, yo la biografía de próceres argentinos, y comenzamos a frecuentar la calle, amistades del barrio, conocidos de casas y conventillos cercanos, cierta barra formándose en la lechería de la esquina de Lavalle y Salguero, la formación de un equipo de fútbol para un campeonato que jugado en los baldíos detrás de la Algodonera. Inmediatamente reconocimos, y nos confesamos, la dificultad de hacer partícipe a esas nuevas y entrañables amistades de la crónica de la familia, de la casa, de lo vivido en ella bajo el manto teológico ritual fundado por el abuelo. Con respecto a mí, tal imposibilidad representaba algo molesto pero en el fondo un signo de alcurnia: me acostumbré a callar todo aquello, a disimularlo y retenerlo para mí solo. Para Esteban también el legado de la casona, ahora lo descubría, otorgaba cierta superioridad de espíritu, pero con un agregado. Para mi primo eso significó un estigma tan innegociable como dramático. Algo impo-sible de renunciar, de callar, pero también imposible de compartir con los amigos de la cuadra y alrededores. Un día me lo dijo a su manera: si es tan difícil de explicar, de compartir, entonces no solamente está dios. Solía ocurrir: nos sentíamos bien en ambos lados, adentro y afuera de la casa, pero nunca cuando deseábamos reunir ambas orillas. Eso fue un dato insoportable para Esteban, una cifra perdida en el camino, y la condena de descifrar desde dón-de, desde qué pasado llegaban realmente las imágenes que habían poblado la casona de tres pisos. Recuerdo un domingo de Pascua, con toda la familia congregada nuevamente para festejar el día. Esteban no asistió al sermón de la mañana en la iglesia, tampo-co almorzó en la gran mesa tendida en el comedor. Lo encontré desgreñado, mal dormido, peor vestido, en el galpón de la terra-za, hacia donde fueron confluyendo las primas, intrigadas por su ausencia y más tarde por su lamentable figura. Esa tarde nos hizo conocer, según sus propias palabras de un descomunal atrevimien-to, el Sermón de la Tercera Pierna de Cristo. Se puso payasesca-mente un sombrero de ala ancha, nos mostró un palo de escoba como su cayado, nos hizo ver la cruz en los postes cruzados de la terraza para los alambres de tender la ropa, y después habló como si hubiese memorizado a la perfección cada palabra. Al principio las incautas primas se rieron de su catarata de interrogantes. Pe-ro yo pude vislumbrarlo: un sol negro se le encendía en la mira-da. Esteban fue diciendo: se preguntaron por un abuelo genovés de pura cepa pero curiosamente pastor metodista. Por un furibundo anarquista, y atildado juez de paz años más tarde. Por un evan-gelista fundador de iglesias en barriadas humildes y presidente al mismo tiempo de centros policiales para combatir el crimen. Por un puestero del mercado durante el día y por las noches autor de ensayos sobre la predestinación bíblica. Se preguntaron por el dueño de una flota naviera importadora de naranjas, y sin em-bargo escritor de insoportables obras de teatro condenando las re-laciones carnales. Por un activo concejal de Almagro, redactando en doscientas páginas los motivos de la traición de Judas. Por una familia con el puntual té británico de las tardes y el fideo con estofado del Ligure, formada entre cachos de bananas al por mayor y parientes obispos pagados en Massachusetts, soñando con hijos para manejar chatas o estudiar teología en Nueva York, una mezcla de la celeste música del himnario con entrañables amigos de la mafia calabresa en el mercado, juntando historias de abortos de muchachas levantadoras de naranjas en Corrientes, con sinfonías de Schubert y visita de alemanes luteranos de quienes nadie sabe nada. Pero recién después surgió lo importante de la actuación de Esteban en la terraza: cuando desaparecieron las risas de las primas. Hasta la respiración se les acabó a las amadas muchachas de flequillos y pelos lacios. Esteban desgranó su credo, describió la línea de rameras de la familia, les puso nombres a los hijos naturales del abuelo y tíos, contó de un cementerio de cadáveres de hermanitos ilegítimos debajo del jardín, pero no para condenar tal estado de cosas, sino para celebrarlo: para que podamos arder todos, dijo, en el dulce fuego de los granujas y bañados en nuestra sangre envenenada. Se tiró hacia atrás, contra la improvisada cruz, con los brazos abiertos y sonriendo. Gritó hacerlo por todos mientras desaparecía de la terraza para caer acostado en una saliente del muro cincuenta centímetros más abajo. Fue un alarido largo, inoportuno, varias primas salieron corriendo cuando no lo vieron más, cuando lo imaginaron aplastado abajo contra los adoquines de la calle. Otras primas al asomarse y verlo tan cerca con los ojos cerrados, lo ayudaron, le frotaron las piernas, le besaban los lóbulos de las orejas para ver si reaccionaba. Yo ni me moví de la baranda. Trataba de acordarme de algunas palabras hermosas del sermón, sonándome todavía. Lo supuse muerto por un instante, lo vi después sobre las baldosas rojas simulando un desmayo. Lo imaginé en ese amontono de magdalenas por salvarlo, intentando espiarle el nacimiento de las pequeñas tetas a la prima de siempre. Pocos meses después llegaría una noche lluviosa de agosto. La niebla dormitaba de manera espectral en los patios aquella madrugada, cuando la madre de Esteban, tía Mercedes, entró sigilosamente con dos obreros de la fábrica portando un gigantesco cajón atado con alambre. Tía Elena, la única soltera, la más querida por nosotros, fungía de conductora de

*ese callado cortejo hacia el desván. Mi madre vigilaba, desde el za-
guancito de la planta baja, si los tíos seguían durmiendo, mientras
con extraños gestos solicitaba no se hiciese el mínimo ruido para
no despertar a mi padre, quien se despertó pese a todo el sigilo
puesto en la operación, pero demasiado tarde para impedirla.
Mi madre, de vigía en los patios, mojada por la tenue llovizna,
le mintió sobre el origen de los pasos escuchados por mi padre.
Entonces no alcanzó a ver las sombras de esas dos mujeres y
aquellos hombres en la oscuridad, ni los mudos relámpagos en
el cielo le permitieron vislumbrar esas presencias sólo acompañadas por los ojos de mi madre. Los dos obreros textiles fueron
trepando las escaleras hasta llegar al desván y depositar en el piso el inmenso cajón y su contenido: un busto de Evita, su rostro
en mármol blanco de más de un metro de altura. Cuando mi padre
preguntó por los cuchicheos arriba, fue tía Elena, muy suelta de
cuerpo, quien le dijo la plena verdad del acontecimiento. Los
dos textiles ya habían fugado sin pisar las baldosas. Luego llegó
el fuego de las voces. Tío Daniel surgió en pijama y fue directo
al mate y a la azucarera. Papá citó a tía Mercedes a la cocina, la
condenó al averno. Tía Elena hizo tostadas. Tía Perla de puro
nerviosa puso la radio. Mi madre se sentó en la punta de la mesa y empezó a jugar con una tijera larga cuyos extremos extrañamente apuntaban al corazón de papá. Tía Mercedes miraba la
lluvia en la glicina sin hojas, pero sin contestar. Mi padre golpeó
reiteradamente la mesa al compás de sus palabras. Entonces tía
Mercedes lo explicó: los gorilas habían descubierto el busto, escondido dos años atrás en un sótano de la fábrica, y habían
anunciado pulverizarlo a martillazos al día siguiente. La información se había filtrado y las mujeres del gremio daban crédito a
la amenaza. Mi padre insultó gratuitamente a la virgen y al Papa.
Mi madre le ofreció un té con gotas de vino a tía Mercedes. Tío
Juan, sordo desde hacía años, pasó hacia el baño como si supuestamente no se hubiese enterado de nada. Algunas primas lloraban
pero en silencio. Fue en el desván, mientras tanto, donde Esteban,
muy sereno, muy reconcentrado, me confesó sentir la bienhechora
peste en la sangre, aquella convocada meses atrás en la terraza.*

Se abrazó al busto de Evita. La zarza arde, Humberto, dijo: se abrió el cráter sellado. Recién cuando me señaló el rincón del desván pude entenderlo. El busto había golpeado contra una pila de cajones. Estos cajones guardaban, en su superficie, trozos de caños cloacales, tejas rotas, canillas viejas. Pero al desmoronarse, desde abajo aparecieron infinitos papeles con la letra del abuelo. Hacia el amanecer ya estábamos seguros, eran los sermones y seminarios teológicos dados por el abuelo a lo largo de su vida. Lo inhallable.

19

Una tarde Humberto dejó su departamento de Córdoba y Esmeralda. El viejo cielo nublado persistía. Antes, desde el balcón del sexto piso contempló la procesión de nubes blancas y grises contra las azoteas. También vio entrar un fax de su hijo con un dibujo de playa brasileña, palmeras y criaturas deformes con ropas medievales. Lo guardó en la valija entre las camisas y los pantalones. Se sentó en el sillón. Volvió a recorrer con los ojos las cosas sobre el escritorio como si necesitase revivir la sensación de la noche anterior, al entrar y encender la lámpara: alguien había estado en ese lugar.

No fue un presentimiento, tampoco tuvo pruebas fehacientes de aquella presencia anónima. Pero en algún detalle de sus papeles, del lapicero, en ciertos libros superpuestos, en el cajón entreabierto, en el lugar del cenicero, en cada una de esas partes respiraba todavía el invasor y su deseo calculado de esparcir las huellas. Pensó en Clara: en el tiempo que la salteña limpiaba la casa nunca le dio las llaves, pero bien pudo sacar una copia sin que se enterase. También anoche había oído, otra vez, voces amortiguadas en el departamento vecino, y al espiar por la mirilla vio pasar a la pelirroja, el gato, la misma que tiempo atrás subiera a un auto sin luces con dos tipos adentro. Sólo atisbó su cuerpo ondulante, apurado, deslizándose hacia la escalera, sin detenerse a esperar el ascensor. Calculó que ella habitaba el edificio, pero no sabía en cuál departamento ¿Qué tenía que ver ese gato con los nuevos vecinos que jamás se hacían ver?

Santiago lo esperaba en la vereda y condujo el coche hasta su pensión en Villa Crespo. Prefirió mudarse a la pieza de su primo, a pesar de la insistencia de Cristina Lieger para que eligiese su casa y proyectasen juntos ideas con respecto a la remodelación del tren fantasma. Dos noches atrás había escuchado en un restaurante de la Recoleta, el largo y sorprendente monólogo del arquitecto Alejandro Herrera, compinche de Cristina en la imbecilidad del tren fantasma. Desde el departamento de ella el arquitecto lo acercó al centro en su Mercedes Benz. Durante el viaje, sin duda lo tenía programado, Herrera dijo que deseaba hablarle particularmente de dos asuntos y eso bien valía una cena. Todo le molestaba de aquel individuo, su ropa sport de marca, el tono afectado de viejo cajetilla, su Movicom, su fanático catolicismo como le advirtió apenas se sentaron, antes de elegir un vino francés que era su sueldo en la carrera, y para remate, sus inversiones más fructíferas en los últimos años: socio financiero en una editorial de libros de autoayuda.

Seductor de cuna, por demás instruido, con el primer plato Alejandro Herrera descargó, y descargó mal, la primera andanada. Según sus palabras, la complacía a Cristina en la tontería del tren fantasma por temor a la salud emocional de esa mujer llegada ciertas circunstancias: ya la habían internado un par de veces por intentos de suicidio después de acostarse con cualquiera. Interrumpió las reflexiones de Alejandro Herrera para aclararle su absoluto desinterés en seguir escuchando ese tipo de indiscreciones. Con tono sarcástico, aunque educado, el viejo amigo de la familia Lieger le preguntó si deseaba darle una lección moral de exiliado mexicano, aclarándole su buena disposición para arrobarse frente a un profesor de la querida Universidad de Buenos Aires. Al tercer vaso de vino, Humberto comprendió la extrema necesidad de aquel hombre por vomitar recuerdos. Entonces empezó otra historia junto con la fuente de ostras.

Desde 1978, y con Sebastián Lieger, habían trabajado de enlaces en una pequeña organización de derechos humanos, esquivando los mandobles de la dictadura. Pedido de habeas corpus, legalización de detenidos, búsqueda de secuestrados, y sobre todo operativos para que muchos perseguidos fugasen por la frontera misionera hacia el Brasil. El riesgoso trabajo de Sebastián en la Universidad de Tucumán tuvo que ver básicamente con ese último propósito: sacar gente. Se ofreció y camufló de profesor versado en Santo Tomás, no sólo en la facultad sino también con algunos cursos para infradotados en los cuarteles antisubversivos. Sebastián solía escribirle en esa época que por primera vez la filosofía, como careta en cuotas, conseguía hermanarse con los rezos a dios y a pesar de la propia Curia. Pero fue el asiduo descontrol emocional de la hermana de Sebastián uno de los peligros que rondaban contra esta delicada tarea. Por eso Sebastián nunca se la reveló a Cristina. Sebastián se disfrazaba de tomista frente a la tropa en fajina, y de solitario neurasténico frente a su hermana, quien lo suponía en un bulín de Almagro con su amante bibliotecólogo. Este último fue efectivamente pareja de Sebastián, pero los dos metidos en idéntica misión por el norte argentino, mientras Alejandro Herrera actuaba de contacto en Buenos Aires. En 1983, paradojalmente meses antes del retorno a la democracia, en Tucumán sospechan del verdadero papel jugado por Sebastián a lo largo de esos años, razón por la cual éste decide tomar precautoria distancia, regresar a la capital y buscar un puesto en la Universidad. Junto con Sebastián, también Amalia Ferro escapó de Tucumán, una monja después amiga suya, que lo empezó a ayudar en la producción de efectos especiales para el cine. Ya aquí, y a su regreso, es cuando Sebastián se enferma pero sobre todo cuando comienza un dramático proceso de deterioro espiritual, donde Alejandro supone, le reaparece como pesadilla ese mundo de imágenes terribles del que fue testigo durante sus años tucumanos de doble identidad contra la represión. Se volvió un tipo cabizbajo, saturnino, extrañamente entró con mal pie en la cátedra de la carrera de Filosofía. Durante esa época el propio Alejandro Herrera, y también Amalia Ferro, la monja, lo cobijaron. Lo acompañaron a visitar tumbas, la de Ariel Rossi en la Chacarita, donde se quedó más de dos horas frente al nombre de su viejo amigo grabado en el mármol. Pero también buscó en el cementerio Británico, hasta toparse con la lápida de Esteban Baraldi. Para ese tiempo el bibliotecólogo había muerto y el propio Alejandro perdió el rastro de Sebastián Lieger. Por esa época su hermana Cristina entró en escena.

Le preguntó a Herrera si en algún momento había conocido a la profesora Matilde Lombrozo del Instituto de Filosofía, o Sebastián la mencionó. Hizo tiempo para el recuerdo, para esperar el café y pasarle la tarjeta al mozo. También para la segunda parte de su relato. No, nunca escuché de ella, dijo.

Herrera había conocido a Cristina Lieger de adolescente, cuando solía visitar su casa por una antigua amistad con su madre en la parroquia de Betania. Siendo muy joven, apenas 17 años, Cristina tuvo una enfermiza relación con un hombre, quien la doblaba en edad, viajante de perfumes, de escasos valores y poca escolaridad. Ella lo despreciaba hasta humillarlo, sin embargo por las noches se encerraba con él en su dormitorio en estruendosas sesiones eróticas que atormentaban a su madre y a Sebastián, por las procacidades del lenguaje de ella, escuchándose por encima del sonido del televisor en la galería cubierta. Sebastián decidió darla por muerta, no volver a dirigirle la palabra. Un día, el Don Juan de los perfumes no sólo no apareció más, sino que se llevó el auto de la familia. Cristina corrió detrás suyo a Pergamino, donde se enteró de que había sido campeón zonal de pelota-paleta con esposa y cuatro hijos. Lo mismo decidió quedarse allá, ser su amante, protegerlo en algunas fechorías hasta terminar los dos en la cárcel, ella sólo por algunos meses, milagrosamente acusada de cómplice menor. A su regreso a Buenos Aires entró en la carrera de Historia del Arte seducida por un muchacho pianista, pero sólo dio mal tres materias libres, mientras arrastraba una nueva relación, también de Pergamino, con un subcomisario que la visitaba los fines de semana y una noche por celos intentó asesinar al estudiante dejándolo en estado lamentable. Por esa fecha, Sebastián se había ido a ejercer docencia a Tucumán. Ella consiguió un puesto en las oficinas del Mundial de Fútbol, beneficio de la relación con un joven aeronáutico cordobés con quien hizo un largo viaje por ocho meses a Europa a todo trapo, tal vez publicitando el evento deportivo, pero con hoteles cinco estrellas y guías particulares para museos y galerías, hasta volver sola, abortar un hijo y establecerse con un negocio de artículos de segunda mano en Villa Urquiza atendido por muchachas de dudoso oficio, empresa que muchos decían era una pantalla para damas de compañía. Al tiempo se casa con Arturo, antiguo amante de su madre enviudada joven, y al final solitario enfermero de esa mujer mientras agonizaba de cáncer y Cristina persistía en tratarla con un médico sin título, en realidad curandero pentecostés, con quien pasaba las noches después de las transfusiones de sangre.

Se divorciaron pronto, pero Arturo la quería desde siempre y trató de cuidarla. Desde hacía tres años se dedicaba a espiar las relaciones amorosas de su ex esposa, un fino arte de vigía terapéutico desde que Cristina dos veces había intentado matarse inmediatamente después de ese tipo de placer con sujetos circunstanciales. Arturo fingía partir del departamento de ella, para regresar subrepticiamente, acurrucarse junto a la puerta del dormitorio, aguardar así hasta unos quince minutos después del coito de ella con algún extraño. Entonces recién se iba de verdad, pero ya más tranquilo. Arturo nunca supo cómo Cristina terminó dueña del tren fantasma, pero era cierto: el propio Alejandro vio la escritura que la nombraba heredera. El arquitecto encendió el cigarrito holandés y se guardó la caja de fósforos en el bolsillo de la campera. La estimo, dijo, no me entienda mal. Si bien reconozco que es un poco atolondrada.

–¿Usted qué piensa en realidad, Herrera?

–¿Quiere saber si la condeno? No, mi viejo, en absoluto. Los santos protegen raro, a veces ¿Acaso usted pidió limosna en México? ¿Se dejó cojer por un cabo michoacano para poder comer? Hace un rato me contaba que después de una historia con tantos héroes y tiros en la patria, vendió su licenciatura en Cuernavaca a un burócrata mexicano de la peor calaña para investigar los nuevos síntomas epocales nada menos: y con vista a los Alpes latinoamericanos ¿Síntomas epocales, y qué carajo fue ese invento? Se parece bastante a una verga que no duele ¿Acaso me condenaría por editar libros de autoayuda y no una edición bilingüe de Macbeth? Sería un papelón imperdonable de su parte, Baraldi, semejante cretinismo. Pero fíjese, creo que usted tampoco la condena a Cristina después de oír lo que oyó.

–¿Qué piensa que siento?

–Caray, me anda pidiendo mucha interpretación. Le voy a traer algunos libros que edito, para cincuentones.

En la pensión de su primo, después de saludar a dos paraguayos, compañeros rompeveredas, Humberto le explicó más serenamente los motivos por los cuales había decidido alejarse temporariamente de su departamento. Le habló de los nuevos vecinos, de ciertas actitudes de la hermana del portero, aunque por lógica terminó especulando alrededor de la carta de Matías Gastrelli, de lo desvinculada que estaban esas páginas en relación a los vericuetos de la carrera de Filosofía, y de lo críptico de ese mensaje en su conjunto. Datos reconocibles, muy pocos: Matías lo ataba, a partir de algo que se le escapaba, con su primo Esteban ¿A partir de qué? En esa instancia parecía acusarlo terminantemente, mientras absolvía al primo muerto. No hablaba de Sebastián Lieger ni de Ariel Rossi. Le comentó ciertos datos sobre Sebastián, obtenidos en la cena con el pituco de Alejandro Herrera. La posible y misteriosa enajenación del hermano de Cristina, sus visitas a la tumba de Ariel Rossi en la Chacarita ¿Cómo se enteró del lugar de esa tumba? ¿Se lo dijo la propia familia de Ariel Rossi? Improbable ¿Había asistido al entierro de Ariel? Posiblemente. Sin duda se había seguido viendo de alguna manera con el guerrillero Ariel. Pero entonces Sebastián pudo llegar a saber la extraña historia que unió a Humberto Baraldi con el final de la vida de Ariel Rossi. No, lo más seguro era que la ignorase. O sí, conocía ese desenlace y por eso Sebastián lo buscaba en su agonía, por eso fue al cementerio Británico a ver la tumba de Esteban Baraldi. Algo unía Sebastián Lieger de todas esas historias, de esos datos, pedazos, trozos que a él por el contrario se le desintegraban sin ningún significado. Todo eso era una locura

–Pienso en Matías Gastrelli –dijo Santiago, y se acostó en su cama debajo del retrato del abuelo.

—¿Qué cosa?

—En su carta sin terminar, digo. Sin firma. Como si finalmente hubiese decidido no enviártela.

—No me la mandó a mí. Andá a saber a quién. Aunque sí, me la mandó a mí.

—La mandó por intermedio de su hijo Vladimir ¿Pero por qué sin terminar? —se preguntó Santiago.

—Pensá en otra: quiso decirme lo que está en la carta, pero personalmente. No se mandan cartas inconclusas.

—Vos mismo acabás de decir que Matías es un rayado.

—Entonces, pensá en lo que acabo de decirte boludón.

Su primo reaccionó de pronto, como si sus ojos sobre el despertador de la mesita de luz lo hubiesen conectado con un alfabeto ignoto.

—¡Él trajo la carta! ¡Está claro, Matías la trajo! Esa carta llegó a Buenos Aires porque vino con Matías Gastrelli. Aquí la iba a terminar.

—No suena tan absurdo después de todo. La abandonó, la olvidó, ya no le servía. La trajo, se volvió a Francia, se la dejó al hijo. Algo le pasó con esa carta.

—Y la madre de Matías mintió.

—No lo creo, Santiago. Suponete que ella no supo nunca que Matías vino a Buenos Aires, si es que efectivamente vino. Y si vino, ¿por qué no me vio personalmente? Tampoco sé por qué estoy diciendo esto.

—Entonces la que miente es la bailarina. Rocío no nos contó todo lo que sabe. Ella debió verse con Matías. Pero creo que nos tiene miedo

—Creo que ella miente casi todo y desde el principio, Santiago.

—Matías hizo un viaje a Buenos Aires, no te encontró, y se volvió a Francia, pero dejó el encargo de la carta.

—¿No me encontró? Me pregunto si hizo algo para encontrarme hace tres años.

Suspendió sus dos cursos privados y fue en compañía de Santiago al instituto Viena a conversar con Josefina de Gastrelli. Su primo prefirió esperarlo afuera, en el auto, para que pudiese disimular su visita con la excusa del posible curso sobre lo trágico griego a dictar en la institución. Durante el diálogo confirmó que la psicoanalista no tenía la menor idea de un viaje de Matías a Buenos Aires. Por el contrario, se disgustó de sólo escuchar aquella sospecha sobre su hijo regresado a la tierra natal sin su conocimiento. Cuando bajó, Santiago no estaba en el auto, tampoco por los alrededores. Lo vio salir de la otra entrada de la casa, la de la planta baja. Había logrado averiguar sobre una empresa de nuevos cementerios privados en las afueras de Buenos Aires, funcionando en los bajos del Instituto Viena. El dueño era Juan Gastrelli, esposo de Matilde, quien gerenciaba cuatro camposantos, Parque de la Bienaventuranza, Tierras Elíseas, Jardines de las Hespérides y Rosedales Edénicos. Una mujer lo había atendido con suma cortesía, lo proveyó de folletos de envidiables diseños, y en un momento, llamada por el intercomunicador, desapareció de la recepción, lo cual había sido aprovechado por Santiago para aproximarse al primer patio cubierto, y toparse con una pila de ataúdes. Para su primo, el instituto psicoanalítico ocultaba el negocio de cementerios, y este último a su vez debía ser una fachada de otra cosa invisible y pesada.

Humberto le pidió encarecidamente que abandonase ese tipo de divagaciones. Precisaban conectarse nuevamente con Rocío en el tablao y obtener información verídica sobre Matías. Al entrar al sótano flamenco, su primo le confesó haber venido otras veces durante la última semana para encontrarse con La Madonita. Acordaron entonces que Santiago, por su mayor confianza, manejase la charla. Ella no quiso hablar en el tablao, sino afuera, en su casa, donde abrieron la botella de whisky antes de poner cierta música adecuada. Después de ciertos rodeos y respuestas distraídas, Rocío reconoció que Matías Gastrelli había viajado a Buenos Aires en 1990, tres semanas después de la llegada a Ezeiza de su hijo. Pero no se vio con su familia, sólo con Vladimir. Mucho más no sabía.

Santiago le contestó no creerle una sola palabra, pero estar dispuesto a escuchar la verdad de lo sucedido si ella perdía sus recelos. Al rato La Madonita contó. Matías estuvo quince días en Buenos Aires. Sólo Vladimir supo con quién se vio y qué lugares frecuentó. Su padre Matías se había conectado con una amiga de Francia, con la que a veces se citaba. Una tarde Matías se encontró con varias personas, lo habían invitado a dar una conferencia sobre arte. Vladimir fue testigo accidental de eso, acompañó a su padre hasta las cercanías del lugar donde iba a dar la charla, pero Matías repentinamente quiso seguir solo. Se despidieron. Jamás volvió a ver a su padre desde ese día. Vladimir no se acordó nunca con precisión del lugar, la zona o el barrio donde se despidió de Matías, había vivido muy poco en Buenos Aires para fijar el sitio en la memoria. Con los días se dio cuenta de que lo seguían, por eso se fue a vivir con Rocío. Estaba aterrorizado, empezó a volverse loco, quiso encontrar a su padre y al mismo tiempo escapar. Decía que Matías no veía bien, estaba casi ciego, eso era cierto, y además, por lo general, con mucho alcohol encima. Vladimir nunca supo qué le había pasado. Decidió esconderse en el Tigre, con un amigo sueco, ahí murió al incendiarse la casilla, posiblemente borracho. Ella misma había ido a buscar el cadáver carbonizado y se encargó del trámite policial y del cajón, hasta que llegó su abuela.

Cuando no quedó nada en la botella, hacía tiempo que ninguno de los tres hablaba. Santiago y Rocío se durmieron uno muy cerca del otro, sobre los almohadones del suelo. Delante suyo Humberto percibió el espejo donde seguramente la bailarina ensayaba giros del cantejondo. Vislumbró su propio rostro, su cuerpo sentado en el piso. Se convenció de que nunca hubo otro en el brillo de esa superficie. Él era único, imbécilmente, patéticamente único. El intruso de las cartas resultaba indiscernible porque precisamente no fue su doble, porque jamás quiso ser su imagen en el espejo, sus mismos rasgos. En 1984 Sebastián Lieger se había sentado, en cambio, delante de la lápida de Ariel Rossi, también en la tumba de Esteban Baraldi, mientras él, en México, estudiaba los nuevos signos epocales de Occidente. Y no obstante, debía ser una única historia contenida en una misma frase que alguien dijo, o seguía diciendo.

Eran ellos tres, brotados del magma, Sebastián y Ariel muertos. Después Matías. Pero también Matías Gastrelli se le borraba de a poco. El intruso había tomado su nombre y apellido para martirizarlos a los tres ¿Quién era, dónde supo de su vida, qué pretendía? Sin embargo ese hombre no significaba su repetición, el espejo no era el lugar de su historia, no lo esperaba detrás de los reflejos, no constituía su réplica ni habitaba en las antípodas. Curiosamente nunca había dejado de ser algo distinto, alguien con quien jamás hubiese pactado un acertijo. En todo caso ese espejo lo tranquilizaba, le devolvía sus ojos, sus gestos, la memoria incompartible de sí mismo.

20

Fue un relámpago, una grieta en la cabeza: Humberto sintió que esas palabras, sin aviso, lo transportaban a otras. A otras en los bordes, a los costados de sus frases escritas. Estaba ordenando apuntes para el teórico de la materia en la pieza de Santiago. Pero en realidad, eso lo descubrió cuando las palabras se deslizaron hacia un fondo negro, cuando no pensaba en el romanticismo alemán sino en Cristina Lieger. Pero tampoco del todo en ella. Se le cruzaron dos, tres frases cortas, precisas, o a lo mejor no fueron frases, palabras, sino una imagen ya vista, reaparecida de un destierro íntimo de imágenes. Un cuento, eran palabras de un cuento pensado no hacía mucho: alguien en una casa de la playa. Alguien también en esa playa inmensa, sin saber que era visto por una tercera persona. Alguien encerrado en esa casa, despavorido.

Fue por esa hendija de un cuento, por aquel dibujo de letras nunca escritas todavía, y al imaginarse la melancolía del poeta de Jena escribiéndole a Schiller, o por esa mustia playa con tres criaturas, también por Arturo espiando por la ranura de la puerta los gemidos amorosos de su esposa Cristina. Fue por ahí por donde recordó un dolor sin nombre ni sitio: "visiones lacerantes", eso había dicho su cabeza, una enunciación sin rumbo que raspó el borde de otra memoria, que se hundió en las hojas de sus apuntes de clases. Como si las uñas de aquella pequeña frase de dos palabras pronunciada en silencio, visiones lacerantes, se hubiese clavado en las otras caligrafías. Presintió que las imágenes, como una *terra incognita*, se aproximaban otra vez y sin embargo todavía no le llegaba ninguna. Trató de serenarse, esas dos palabras habían visto algo que a él se le escapaba, algo apenas arañado: visiones lacerantes. Un esperpento en la penumbra. Recordó la carta de Matías Gastrelli, la sacó de la valija, buscó el párrafo: "no sé dónde vas a guardar esta carta, si como me escribiste hace poco, en ese misógino lugar de tu propia miseria, donde ocultabas tus obscenidades".

Releyó la oración. Matías Gastrelli no metaforizaba en ese párrafo como había creído hasta ese momento. Matías hacía referencia a algo concreto, a un recuerdo preciso aludido por el impostor de cartas: un lugar miserable, obsceno, lacerante pensó Humberto, donde el plagiario guardaba las cartas. Pero se trataba de un sitio preciso, o de un recurso simbólico. El desván de su casa de infancia, pensó Humberto: las cartas prohibidas que solían esconder con Esteban y sus primas en un juego perverso ¿Sabría el apóstata de las cartas de aquellos juegos remotos? ¿Habrían quedado aquellas cartas de adolescentes en el desván de la casa de Almagro después de la mudanza? ¿Las descubrió el plagiario, cómo supo de ellas? No esperó a Santiago, trabajando con una cuadrilla en Mataderos por un escape de gas. El taxi lo dejó en la puerta de la casa de Lavalle, apenas si saludó a Ismael Hernández y a una mujer en la cocina, quien lo miró pasar como un bólido disparado hacia el desván. En los estantes polvorientos, protegidos por telas de araña, encontró revistas viejas, algunos ejemplares de *Leoplán*, *Vea y Lea*, *Mundo Argentino*, libros de contabilidad de la empresa naviera, sus carpetas de física de la secundaria, *Goles*, candelabros oxidados. No se dio por vencido, revisó cosa por cosa, cajas con dados, restos del juego de la Oca, recortes de *Mecánica Popular*, tres cabezas de Mariquita Pérez, revisó los rincones, tanteó en las estanterías superiores, abajo contra el piso entre ruedas de bicicleta, hasta dar con un sobre de papel madera donde finalmente encontró una carta. De Matías Gastrelli y que jamás había llegado a sus manos. Fechada en 1970.

Le pareció que la carta contestaba indiscriminadamente una carta suya, auténtica, a la cual dificultosamente recordaba, y sin duda otras recibidas del impostor. De sus páginas brotaba un resentimiento a flor de piel, una inocultable desilusión a partir de la cual Matías daba cuenta del fin de una amistad. La carta de Matías estaba sólo a dos años de distancia de aquel 1968 cuando los dos viajaron a Francia. Humberto sintió que el corazón le palpitaba y a la vez que lentamente parecía agonizar. Respiró hondo. Cerró los ojos. Contempló el techo bajo del desván. Se preguntó si aquellas manchas de viejas humedades estaban en aquel entonces. El impostor había recibido esa carta veinticinco años atrás. Tuvo miedo. Le hubiese gustado saber por qué estaba ahí sentado en la buhardilla. Dos párrafos al principio sorprendieron a Humberto, hasta el punto de sentir el temblor de sus manos junto a la ventanita del desván. En uno de ellos afirmaba Matías: "destrozaste siniestramente ese sueño tantas veces acariciado y compartido de vivir becados dos años en París. Tu inconcebible carta al profesor Juan Bardini, agresiva, irrespetuosa, insultante, nada menos que a nuestro gran padrino que nos había conseguido las becas, no tiene explicación posible. Hace unos meses me encontré con el profesor, con aquel profesor que no nos quiso recibir dos años atrás, y me reveló el motivo de su actitud con enorme discreción ¿Qué te propusiste con esa carta agraviante contra el hombre que nos daba la gran oportunidad de nuestras vidas? ¿Cómo escribir semejante insulto intelectual un mes antes de nuestra partida hacia París? Era tu letra, era tu psicótico sistema nervioso, tu patología llevada en andas".

El profesor y crítico Juan Bardini había sido contacto y amistad personal de Matías, a través de un largo intercambio epistolar. Humberto recordó haberle escrito a Bardini, antes del viaje a París, una pequeña carta acompañando su libro de cuentos recién editado. Eso Matías nunca lo supo, ni se animó a decírselo. Fue una minúscula utilización de un contacto ajeno, a espaldas suyas. Pero aquella había sido una carta prudente, delicada, típica de un autor primerizo a un maestro. La inaudita y miserable carta a la cual hacía referencia Matías Gastrelli y que ofendió a Bardini, no fue obra suya, aunque llevase su letra y su firma.

El otro párrafo incomprensible en esas primeras páginas fue un entramado de frases pesadillescas que humedecieron con un sudor frío la frente de Humberto. Tenían que ver con un episodio lejano en su vida: "Igualmente de baja estofa fueron tus artimañas para hacer venir a tu noviecita Susana a París, a esa inimputable a la cual necesitabas para rajarte de Francia de un día para el otro, agarrado a sus meadas bombachas. Sobre este episodio también me enteré, de tu carta a Dora, la amiga de Susana, en la cual eructabas desde París tu amor por Susanita, le rogabas a Dora que intercediese con ella, que le comunicase tu amor irredento a la distancia. Le pediste a la pobre Dora que hablase con Susana, que la incitase a viajar y buscarte en París, pero que jurara al mismo tiempo no revelar tu carta maricona. Dora cumplió al pie de la letra, sin saber si reír o llorar por la misión que le encomendabas. Ella misma me lo contó cuando el pasado enero llegó a París de vacaciones. Y efectivamente, todo salió natural y espontáneo, mi gran sorete, el deprimido Humberto se encontró en París con la higiénica Susanita Promesa y regresaron felices a comer perdices chagásicas".

Por cierto, su haber optado por el regreso nada tuvo que ver con esa carta falsa a Dora. Indudablemente la sorpresa de la llegada de Susana, comer con ella en las fondas del Quartier, los repentinos días de amor enturbiaron su relación con Matías, quien nunca creyó en su íntima decisión intelectual y política de volver al país y conectarse con la CGT de los Argentinos. Humberto se sentó en el piso del desván, le costaba reencontrar aire en la boca, una respiración más armoniosa. Pero fue un párrafo casi al final de la carta el que paralizó sus ojos, su lectura, sus manos agarrotadas. Se dio cuenta de que no lo volvía a leer, que lo estaba leyendo siempre, una única vez, sin saber cuándo lo había empezado ni cuándo lo terminaría.

Matías Gastrelli mencionaba el artículo que le dejó para el primer número de la tan soñada revista *Ríos Desbordados*, un día antes de volverse a la Argentina junto con Susana. "Es como si te hubiese conocido del todo en un solo gesto de rata. Pero te aviso, no publiqué ese articulito tan equilibrado, poético, armadito, con tantas citas bellas, sobre la misión del arte frente a las necesidades revolucionarias de la política. Ese que me dejaste en propias manos, y de despedida, debió terminar en un cordón lluvioso de París el día que me mudé. En el primer número de la revista publiqué en cambio la sorprendente y ensayística carta que me mandaste meses después, tu verdadero artículo epistolar. Tu obra maestra del oportunismo político, de lo ideológico esquemático, debo confesártelo, de lo provocador, de lo casi escolar, de la peor inocencia metodista, casi stalinista en su remanida, cautelosa y hedionda defensa de los países socialistas y de la URSS a un año de la invasión de Checoslovaquia, engendro prolijo y manualístico que me imaginé era tu forma repentina de congraciarte con los aparatos del Kremlin en aquella América Latina a la que volvías tan utópico y con tu pegajosa pija parada de alegría".

El impostor había escrito esa carta que Matías transformó y publicó como su artículo. Ese texto degradante, según lo que confesaba Matías, había sido el que discutieron y elogiaron tanto en aquel Encuentro de Intelectuales de La Habana, para terminar rebotando, por lo que supo en ese entonces, también en Perú y Chile. Durante varios años Humberto había defendido y citado, en cambio, el que jamás conoció nadie, el que Matías no le publicó. Nunca tuvo en sus manos ninguno de esos 500 escuálidos ejemplares de la revista. Sólo se quedó con la copia de su trabajo inédito. Recordó a Sonia, la chilena de las tetas carnívoras, cuando presentó su charla en la Universidad de Santiago y rememoró el brillante texto de la revista. ¿Cuál texto? Por la descripción que hacía Matías en su carta, fue un delito más que una escritura lo que tejió el impostor. Recordó el tiempo que la chilena Sonia dejó de llamarlo, que desapareció para siempre cuando estaba a punto de viajar y radicarse en Chile para vivir con ella: Humberto se preguntó cuál habrá sido la carta recibida por Sonia aquella vez. Increíble, mugrienta, digna de un truhán inaudito que cancelaba el proyecto.

No calculaba si el agobio dentro suyo eran ganas de llorar, de refregarse las manos contra la pared de cemento hasta sentirlas ardiendo. Por cierto hubiese querido llorar, gritar hasta perder la voz. Después de la firma de Matías Gastrelli aparecía una posdata, respondiendo sin duda a una inquietud del plagiario. Matías escribía: "Todo lo que pensé sobre lo que insistentemente te preocupa, se lo comunique y lo discutí por carta con tu primo Esteban. Reconciliáte y hablálo con él".

Aquel sobre con tres estampillas francesas databa de 24 años atrás, un tiempo que ni siquiera conseguía hilvanar fielmente en su memoria, una época de nombres remotos, de caras olvidadas, de palabras y gestos extraviados para siempre, de miles de conversaciones irrecuperables. Su propio rostro, el tono de su voz, sus pensamientos de aquel entonces eran imágenes vacías, espacios informes, ecos enmudecidos en el recuerdo, infinidad de cosas y de hechos que jamás volvería a recordar en la vida. De aquella ciénaga pretérita recibía esa carta, la leía, tomaba nota. Entonces era como si todo retornase de pronto sin la mínima clemencia a través de la letra de Matías, desde cartas espurias de las cuales nunca tuvo conciencia. Pero en realidad nada conseguía retornar. Por más esfuerzo que hiciera no podía creer en esa carta de Matías fechada un cuarto de siglo atrás, adormecida en un estante de un viejo desván, contando cosas cercanas al horror, viajando demencialmente hacia sus manos a lo largo del tiempo ¿Verdaderamente le pertenecían esas hojas, esos párrafos, esas historias? Efectivamente, las leía, las releía, reconocía los nuevos datos, las nuevas referencias que explicaban lo que le estaba sucediendo. Y sin embargo el sobre francés, las hojas de la carta de Matías, eran papeles amarillentos, viejos. No podía imaginar quién tramaba todo eso ni desde dónde. El abogado Conti le entregó dos cartas de Sebastián Lieger cuando fue a firmar el juicio sucesorio. Alberto Rossi sacó de un sobre una carta de su finado hermano Ariel. La bailarina de flamenco se quedó con una carta de Matías. Ahora esta otra, en el desván. Floreciendo todas en tres meses y medio. Respuestas al impostor. Acostado boca abajo en el piso del desván, no tuvo conciencia de si se había dormido ni cuándo, o si cerró apenas los ojos y era el mismo momento de antes, de siempre.

Se revolvió en la cama sin poder cerrar los ojos. Y si los cerraba era peor. A las tres de la mañana arrojó la almohada contra el placard y se sentó sobre el escritorio oscuro. Cuando apenas amanecía llamó a su hermana a Bahía Blanca para pedirle el número de Dora, la amiga de su primera esposa. Al hablar con Dora, después de veinte años de no verse, confirmó el dato de la carta de Matías Gastrelli. Su supuesta carta desde París pidiéndole ayuda para que intermediara con Susana, había existido. Según Dora, la carta con su firma se la llevó un muchacho sin estampillas de correo, como si alguien la hubiese traído en mano desde París. Dora la dio por cierta y recordó haber obedecido la misión encomendada, su trabajo de Celestina sobre Susana sin mencionar jamás esa carta como él mismo lo pedía. También rememoró su esfuerzo en aquel entonces por convencerla, en ese tiempo ella estaba enamorada de un médico de doble apellido, sin grandes deseos de retomar la relación. Humberto había ignorado todo eso, durante los ocho meses de casado su esposa jamás se lo comentó. Después, cuando regresó de México años más tarde, Susana ya se había radicado definitivamente en Boston con un marido gerente de marketing.

El martes fue a reservar un pasaje Buenos Aires-Frankfurt-Buenos Aires. Pasó por decanato y la secretaria de Estévez le informó sobre la buena marcha del trámite para subsidiar el viaje. Por la tarde llamó a su editor, quien le anunció con optimismo que en dos semanas su libro de ensayos estaba en la calle, y a eso de las ocho menos cuarto salió de la pensión de Santiago hacia una librería de libros viejos por Talcahuano donde participaría en una mesa redonda sobre Andrei Tarkovski. Antes se encontró con Celina para entregarle la cinta final de sus recuerdos. La sintió sumamente complacida en acompañarlo y escuchar distintas apreciaciones sobre el director ruso, uno de sus preferidos. Mientras caminaban hacia la librería, escuchó atentamente las reflexiones de Celina con respecto a "El Sacrificio", un análisis original, con citas de buena bibliografía y excelentemente fundamentado.

Al día siguiente arregló con Santiago que lo pasase a buscar en auto por la facultad. Por la tarde había asistido a uno de los ensayos de su adaptación del *Hiperión*, ante el indignado reclamo de Mingo Corrales. Llegó tarde al sótano de la librería, pudo presenciar el segundo de los dos actos, con casi todos los actores en escena. Aparecían las dos Diotimas, actuadas por Yolanda y por Zulema, quienes le recuerdan al poeta la peligrosa pureza de sus sueños, el riesgo de asistir a las bodas del cordero de dios para que los nuevos cielos reemplacen a los cielos envilecidos. En un descanso le leyó a los actores varias cartas de Hölderlin a su madre, a su hermano menor, a ciertos amigos. Les habló de las sutiles pero a la vez aterrorizantes formas con las cuales el poeta va deslizando en ellas sus estados psíquicos, melancolías, soledades, agresividad, arrebatos, culpa insoportable, como si con esas frases sueltas en su correspondencia se pudiese armar una carta única, la de la sublime demencia del mensajero.

Un grupo de invasores de casas deshabitadas de Buenos Aires interrumpió su teórico para explicar las justas causas que motivaron esas ocupaciones. Varios alumnos prometieron asistir a un acto a celebrarse en el patio central de la facultad, con la presencia de las familias sin casa. A la salida, su ayudante Raúl Cortés le pidió unos minutos para hablar en el bar de enfrente. Vio pasar a Joaquina, su adjunta, quien se sentó en otra mesa. Humberto pidió un cognac y se dispuso a escuchar. Raúl Cortés le informó haber recibido una propuesta para comentar libros en un micro por televisión, dentro de un programa ómnibus dedicado a sorteos, loterías, y bloques de humor con vedettes de moda. Debía aparecer con una actriz joven y bromista de los títulos tratados.

Le contestó a su ayudante que ese asunto no le concernía. Frente a la frivolidad no se me ocurre nada, dijo Humberto. En todo caso arrastraba otros lastres, pero no el de disfrazarse de animador de casamientos. En cuanto a cómo podía terminar después de esa experiencia sartreana a las que era invitado, le comentó que no muy diferente a como la había aceptado el día de empezar. Le avisó que el cinismo ya estaba pasado de moda en la falacia argentina, donde en realidad se empezaba por mamar cínicamente la teta, contradiciendo el refrán sumerio, en cuanto a que el cínico es el viejo, después de saber algo. No obstante le reconoció a su ayudante que lo trivial massmediático siempre está mejor hecho por el ilustrado, por el que aprendió algunas cosas de verdad, que por un locutor que nunca pudo terminar de leer un best-seller. En todo caso vestirse de cualquier cosa en cualquier momento era una de las pocas mierdas que todavía no pasaban por la universidad.

Raúl Cortés se levantó de la silla del bar, pidiendo que no se la tomase tan a la tremenda, y con la promesa de pensarlo. En ese momento vio entrar a Santiago al café, pero no con Celina, sino con Rocío, tan gitana y exótica como siempre. Su primo iba cambiando de pareja. Le pidió a Santiago que lo esperase unos minutos, tenía que arreglar un par de cosas en otra mesa con Joaquina Fernández.

–¿Joaquina Fernández? –repitió Rocío– ese es el nombre de la mujer con quien se vio Matías en Buenos Aires: su amiga de Francia. Con ella se citó varios días, antes de desaparecer.

Los ojos de Humberto se posaron en la mesa del rincón del bar: su adjunta, solitariamente, corregía los parciales.

–Mejor vamos –dijo– la llamo mañana.

21

–¡Exacto, reivindico la poética de Stalin, añoro los versos de la KGB! ¡Soy uno de los tantos que están hartos de la mierda socialdemócrata disfrazada de tolerancia, de consenso, de cosmética cultural, de Benjamín, de Habermas, Foucault, Weber, Le Corbusier y los estudios culturales!

Mario Ferrari escuchó el murmullo de los estudiantes en las gradas. Entonces se calló, satisfecho, con su melena blanca hasta los hombros y sus anteojos decimonónicos. Humberto, en el otro extremo de la mesa, sobre el escenario, pidió la palabra. La coordinadora le pasó el micrófono.

–Me pregunto por qué Ferrari no habrá hablado de Stalin, de Lenin, de Guevara, a su debido tiempo. Cuando al gritar esas cosas iban en juego posibilidades de la historia, no como ahora, sólo histrionismos de mercado. El planteo o el show de Ferrari no podría sostenerse más de cinco minutos, si todos abandonásemos este enorme esfuerzo por oxigenar una razón maltrecha, por recobrar una memoria casi dinamitada, memoria que pareciera que la cultura no necesita más. Ferrari, para seguir hablando, precisa más de nuestra discreción que de sus ideas.

Humberto escuchó muy pocos aplausos dispersos entre los estudiantes marplatenses. Miró a Celina en la segunda fila de plateas, y a Cristina Lieger al lado suyo. Ahora hablaba un profesor uruguayo. La gente, unas cien personas, buscaban a los cafeteros o las ventanas abiertas. Mario Ferrari solicitó el micrófono.

–El izquierdista nunca dejó de ser una figura obscena. Un reloj siempre en hora, siempre en época, como los modistos. La misma gimnasia de la prostituta, que trabaja puntual con su tiempo, en la paz o en la guerra. El mismo maquillaje para arropar su narciso. ¡La misma actualización de recursos personales, de diseñador publicitario de ideologías, para pertenecer antes a una célula armada o hablar de la revolución, para tener ahora una columna rosa y democrática en los diarios!

Surgieron aplausos y silbidos. Celina miraba la mesa de expositores como sin verla. Abstraída tal vez por el murmullo y las reacciones dispersas de la concurrencia. Humberto quiso contestar.

–Si hay algo que siempre está legitimado en la Argentina, en cualquier tiempo, es la fácil impunidad para atacar al intelectual. En nuestra cultura ese desprecio es tan consustancial como la bandera de las barrancas del Paraná. Con apoyo de bayonetas, o con citas de autores misóginos, o con la colaboración de los celebrantes de cualquier tipo de rusticidad. Extraño oficio este de golpear sarcásticamente contra una figura intelectual generalmente derrotada, marginal, con público escaso. Mario Ferrari es portavoz cómodo de la inmensa y siempre mayoritaria moral fascista del sentido común nativo: el izquierdista sería siempre una impostura, un injerto espurio, el producto de artificiosos libros, en el curso heroico, genuino y natural de las restantes cosas de la vida y de la historia. Esa máscara de maldito cazateóricos tiene un aroma que nos acompaña desde la infancia: la de los casinos de oficiales. Un aplauso indeciso y corto se ató a la intervención de Humberto. Cristina sonreía, también Santiago desde el pasillo, en entrecortado diálogo con una rubia que sacaba fotos. Mario Ferrari quiso responder.

–¡No dejen de aplaudir! Casualmente Humberto Baraldi no puede hablar si no hace alumnos, discípulos, adeptos. Ya ni piensa cómo seducir, porque todo su palabrerío lúcido, claro, descriptivo, explicativo, es un aparato seductor que lo contiene, como el rouge en los labios de las rameras. No puede hablar si no fabrica humanoides, eso que sin duda va a llamar el sueño de la imprescindible masa crítica. Jamás podría confesar que vino porque le pagaron el pasaje y Mar del Plata es linda en invierno. ¡Déjenme hablar, por favor! Los guerrilleros de los 60, los de Dios, Lenin y Hogar, también tuvieron casinos de oficiales cuando la lógica del espíritu pasaba por los parques de armas. ¡Un momento nada más, después hablan ustedes mis queridos alumnos! Yo no estoy en contra de aquello, ni de los balazos disparados, no se confundan. Al contrario. Lo que denuncio en cambio es que siempre es un mismo y único proselitismo, ahora en clave de derechos humanos. La famosa talla intelectual equivale en realidad a un pelotudo cambio de bibliografía ¿Acaso alguna vez hubo derechos humanos? Digo, o se sigue pidiendo que aparezcan con vida, hasta que increíblemente aparezcan con vida, o se reivindican sus muertes para siempre, como epígrafe de cada artículo que se escribe. Lo siniestro es descubrir, al final del camino, la bondad burguesa del Palacio de Tribunales, la nueva epopeya del periodismo a sueldo, la belleza de la filosofía kantiana.

Algunos aprovecharon para levantarse y fugar por el fondo. Santiago se acercó al escenario, como para ver mejor dónde le pegaría la piña a Ferrari. La coordinadora de la mesa miró a Humberto, indecisa en cuanto a pasarle el micrófono, o dejar hablar por lo menos una vez a la profesora que había intervenido con una ponencia sobre los nuevos actores sociales y la autonomía de los movimientos culturales. Humberto pidió la palabra.

–Efectivamente, el mundo ha quedado hecho una porquería. Y además perfumado por boludos al trote que ahora descubren cuántas cosas había, cuántos discursos, minorías y diferentes había además de la política y de una vieja idea de revolución que iba a cambiar la vida de todos. Entre traumatizados, cínicos, nostalgiosos, terceristas desconcertados y un autismo de pequeños autores buscando su foto en los diarios, se reparte un tiempo de la historia que afortunadamente no va a dejar registro de su mediocridad insalvable. El país, como siempre, es un fétido termómetro de la actual condición humana ¿Qué hacer, entonces?, se preguntan los gatos de albañal que no notan diferencia alguna en el baldío ni leyeron a Lenin. Digo: seguir pensando. Deslindándose. Tensando con lo que se pueda. Regresar a las fuentes dignas que produjo lo humano. Criticar, sabiendo que en nuestro inodoro también hay caca fresca. Dejar registro de otra cosa.

Se dio cuenta de que dos gordas, en la primera fila, asentían con la cabeza, entusiasmadas por su intervención. Celina miraba el techo, Cristina a un espejito para ver cómo andaba de cutis por la mañana. Mario Ferrari habló sin micrófono a esa altura.

–¡No reivindico ni me regodeo del mundo muerto! ¡Está como estuvo siempre! Precisamente critico las almas bellas. Esas que siempre, en algún momento, sienten la revelación de Pablo: afortunadamente ahora me doy cuenta de todo. Cristo murió sintiéndose dios. ¡Nunca, yo soy mierda en el tiempo! Y esto no es cinismo, pesimismo, nihilismo, ni figuración en carteleras. No hay intenciones rescatables, valiosas, si se dicen o escriben creyéndose tales. ¡Señores, soy un Pablo sin Damasco! Lo único que tengo para ustedes es inmundicia.

Habían viajado a Mar del Plata por el fin de semana en el auto de Cristina. Al principio lo calculó como una prudente medida de salud hacia sí mismo para escaparle a las palpitaciones que lo despertaban a medianoche, a sus diarreas y a la pieza de la pensión. Las imprevistas presencias de Celina y Santiago, a último momento, lo llevaron durante las horas de ruta a otros tipos de conjeturas. En el hotel se separaron en dos habitaciones, por parejas establecidas, aunque después de la mesa redonda y el almuerzo en la Rambla, caminó con Celina hacia la playa, previendo lo que sería el humor de Cristina más tarde.

En Buenos Aires había mandado un fax a Frankfurt, adelantándole a Michael la probabilidad de quedarse en Alemania tres o cuatro meses más, con algo de dinero ahorrado y algunas changas sobre literatura argentina, Borges, Cortázar, a conseguir en los departamentos de románicas de las universidades. Por lo menos pondría a prueba sus tres años de estudio de alemán. Se lo comentó a Celina, para quien su proyecto de tomar distancia con un viaje largo resultaba la mejor alternativa: alejarse de los estúpidos incordios de los últimos meses. Pero fue al rato, en el segundo café, cuando se lo propuso. Como si hubiese querido decirlo y después pensarlo: que ella se fuese con él a recorrer los antiguos ríos de la filosofía, el Rhin, el Danubio, las ciudades de una historia perdida para siempre. Al principio Celina no pudo creerlo, repitió varias veces irnos juntos tratando de fijar esa idea repentina, hasta reconocer que podría ser lo más hermoso de la vida. Al levantarse ella se tiró contra su cuerpo y lo besó fugazmente en los labios. Aunque fue él, al ver ese entusiasmo, quien recién se dio cuenta de que tenía ganas de hacer ese viaje con ella más allá de cualquier otra cosa. Mientras volvían hacia el hotel hablaron de temas sueltos, de Macedonio Fernández, de Roberto Arlt, de Scorsese, de sus cintas grabadas, sin querer enunciar las únicas imágenes que los atravesaban.

No encontró a Cristina en la habitación ni la vio regresar en toda la tarde. Se había resistido a que ella lo trajese a la costa en su auto, y hasta debió devolver el pasaje en avión, mandado un día antes por la universidad. Pero la insufrible insistencia de ella fue superior a su deseo de estar solo dos días y contemplar la espuma del mar como en una canción barata. Sin escapatoria, así se sentía. No encontraba la puerta de atrás para salir disimuladamente como otras veces: la carta de Matías Gastrelli lo desoló con escasas opciones de retorno. Pero algo más que eso. Si cada vez entendía menos todo, y ya estaba cansado de ese estúpido juego de pensar en sí mismo como única variable de existencia, no podía seguir diciéndose que todo eso en verdad no le pasaba. Que no tenía lógica, secuencias, que parecía el guión de una película B metido en su espina dorsal. Un bestiario impostado licuándosele en las venas. Y si tal cosa sonaba ridícula, absurda, casualmente era lo de menos.

Sebastián Lieger había sido finalmente un kamikaze recubierto de envergadura y arrojo, salvando gente en plena dictadura. A través de eso, podía deducir o imaginar que se relacionaba con algo de su propia vida política antes del exilio. Y también con la de Ariel Rossi, supuestamente muerto en acción. Matías Gastrelli no tocaba esas historias ni de cerca, estuvo siempre en París, según su santa y freudiana madre. Pero Matías daba la podrida sensación de saber más que todos ellos, no lo que fueron aparentemente las cosas, sino lo que en realidad habían sido. Matías y sus cartas al impostor enviaban todo ese paquete inexplicable más hacia atrás. Como si arrojasen su cuerpo a tiempos propios ya cerrados para siempre: su proyecto de viaje a Francia, su estadía en París, acontecimientos tan distantes y sanamente archivados que ahora le exigía más imaginación que recuerdos. Para qué mentirse a esa altura y pensar que Matías seguía vivo en algún lado. Pero Matías Gastrelli se conectó, se vio con su adjunta Joaquina Fernández en Buenos Aires, y en ese sonambulesco punto se reunía con Sebastián y la cátedra, con Ariel y la profesora Lombrozo: con la carrera de Filosofía como zona de encuentro de hilos invisibles. Con una licenciatura ya casi sin alumnos y cubierta de piadoso musgo. En fin, con ese sitio de calmo trabajo falazmente remunerado. Y su primo Esteban muerto allá lejos y hace tiempo, en 1972, en los días dorados de las vocaciones, su primo Esteban que según Matías estuvo al tanto de algo o de todo. Se dio cuenta de la necesidad de irse a Alemania por varios meses: por más de lo convenido inicialmente. No entrar en el sótano oscuro del castillo abandonado. Las cartas del impostor y las fantasiosas especulaciones de Matías con respecto a su vida, esparcían una mancha nauseabunda tan verídica como sin asideros.

Antes de caer la tarde salió con Celina a caminar por la playa. Humberto aprovechó para aclararle lo accidental de su relación con Cristina Lieger, y su desagrado por una situación que podía confundirla. Le explicó que había estado saliendo con Cristina, relaciones sexuales incluidas, como un encuentro pasajero que careció de declaraciones de amor y de peleas. Celina pareció no precisar esas explicaciones. Ella se levantó para sentarse más cerca del mar. Se recogió el pelo. Así posó en silencio para Humberto.

Se había enamorado de esa muchacha. Lo sintió mientras la observaba, y quizás por nada excepcional, ni siquiera por la belleza de su rostro, de su cuerpo. Tal vez por lo que portaba de clásico para su propio gusto: clase media, egresada de humanidades, cómplice en la devoción por ciertos autores y directores de cine, algo así como el sencillo prototipo porteño seduciéndolo desde hacía treinta años mientras soñaba con la mulata de Baudelaire embriagada en mezcalina.

Más tarde se alejaron por la playa, hablaron de una próxima visita a la casa de Almagro para estudiar algunas tomas de la filmación del video. Entonces la besó, presintiendo que Celina lo había esperado. La acarició dándose cuenta de que no sabía qué hacer con ella. No deseaba abrazarla muy fuerte ni poseerla en ese instante aunque hubiese podido. De pronto Celina se alejó unos pasos, fue un corte repentino con la pequeña emoción de ese roce de los cuerpos. Atardecía, ella ya descalza jugaba a sortear la espuma de las olas, cuando Humberto vio a esas tres figuras en la playa, una o dos cuadras más adelante. Eran tres siluetas oscuras, no pudo distinguir cómo estaban vestidas ni que hacían allá, paradas, estáticas, curiosamente distantes una de otra pero sin embargo juntas, formando un dibujo antojadizo, aguardando. Celina no se dio cuenta de aquellas presencias, tampoco debía escuchar ese fragor, un viento extraño, como si la playa se cubriese imprevistamente de un sonido de voces por aparecer. Si las miraba fijo, a la distancia, las tres figuras parecían no tener movimientos, no tener vida. Como si no fuesen tocadas por la furia de un viento brotado sin ningún anuncio previo.

Humberto no quiso seguir caminando. Le temblaba el cuerpo cuando tomó la mano de Celina para emprender el regreso.

La lluvia torrencial los obligó a cenar en el restaurante del hotel, con Santiago entusiasmado por ir al puerto de pescadores, pero sobre todo los tres soportando a Cristina y sus provocaciones fertilizadas a vasos de whisky. Le desagradó la escena de celos, a pesar de la serenidad de Celina, un poco más allá de las embestidas verbales de su agresora con aquel exagerado escote de su vestido de noche.

Su primo encontró amigos para un póker, mientras Humberto le pidió a Celina que lo esperase cinco minutos en la barra mientras acompañaba a Cristina a la habitación. No imaginó cómo ni dónde pero estaba seguro de que esa noche haría el amor con Celina. Hacía años que su corazón no armonizaba tanto con cualquier imagen repentina de una misma mujer, como si buscase descubrirla en algún gesto, en alguna pose, en cualquier palabra que quebrase el hechizo, para fracasar en cada uno de esos intentos. Ella semejante a una ninfa sin fuente ni lugar en el frescor de sus ojos, ella protagonizando sin saberlo del todo un retrato perdido, una pintura de tonos fugaces, el sitio de la amorosa belleza. Como si pudiese ver a Celina en la penumbra de su propia piel, en una escena anunciada y oculta con sus labios entreabiertos sobre la almohada y pronunciando algo demasiado en silencio, algo que no alcanzaba a oír y debía entonces tantear, buscar, descubrir en su cuerpo. Sentía que la amaba, que la deseaba, que la precisaba desde hacía infinitos días.

Con bastante vino blanco en la cabeza Humberto llegó a la habitación del segundo piso, sosteniendo a Cristina absolutamente borracha, aplastada contra sus costillas. No podía predecir si a punto de llorar o estrellarle una lámpara en la cabeza. Le quitó la botella de las manos y la recostó sobre la cama para desvestirla y que durmiese, procurando no escuchar los desvaríos de su boca. Se le había corrido el rouge y la pintura de los ojos de tanto refregarse contra su hombro para no caer desmayada. Sin embargo cuando la observó estirada transversalmente, apenas con su slip y su corpiño, fue como si dejase de oír la catarata de sandeces que decía. Ella levantó un brazo, le rodeó el cuello, quiso besarlo.

—Vení mi chiquito filósofo, mi vendedor de cosméticos en cuotas.

—Ya Cristina.

Ella volvió a reírse destempladamente y le mordió la oreja.

—Vos sos mi vendedor de cosméticos ¿Sabés quién me desfloró un día a las cuatro de la tarde? Un vendedor de cosméticos. Trató de desprenderse del abrazo, del perfume saturante de su cuello, aunque no resultaba fácil la tarea. Cristina le agarró una mano y se la arrastró hacia sus piernas.

—Refregáme la concha, meteme los deditos, pensá que la conchita también tiene hipo de tan hirviendo que la tengo, tiene hipo. Le pareció espantosa la imagen, también la voz.

—Pensá que es la conchita de Celina, con talquito.

—Por favor Cristina, por favor

—¿Sabés lo que sos vos, Humberto? Un lindo hijo de puta. Ella se tiró hacia atrás, boca arriba en la cama, y lo arrojó encima de su cuerpo. Después sus piernas largas, fuertes, le anudaron la cintura.

—¿Querés cogerte a Celina, no? ¿Querés meter esa pijita adentro de Celina? Sí mierdita, yo sé que querés eso.

Iba sintiendo un profundo asco al oír aquel nombre en su boca, y a la vez le atraía esa voz arrastrada, resentida. Como si le hablase desde una caverna de labios entreabiertos y sonrisa forzada.

—Vení, besáme, quiero que pensés en Celinita y me dés esa pija asquerosa.

—Terminála, no ensucies todo.

Hizo un esfuerzo y pudo sentarse en la cama, trayéndose a Cristina a la rastra con su corpiño corrido y los pezones duros, oscuros. Pensó en Celina, abajo, esperándolo

—Cogéme, no importa en quien pensés, cogéme.

—No jodas.

—Hacéme acabar, hacéme acabar, no puedo más, me calientan los mal nacidos, te lo pido, te lo pido Humberto.

Ahora había empezado a llorar. Humberto se puso de pie como pudo, ella también, abrazada a su cuello. Necesitaba desprenderse, tranquilizarla, bajar al bar, mañana hablarían. Lo angustiaba reconocer el motivo de esa bestial degradación de una Cristina alcoholizada, y al mismo tiempo le fastidiaba que ella pensase en su predisposición a seguir con ese juego torturante. La miró desde muy cerca. Con una mano retuvo la cara de Cristina, quiso que ella también lo viese. Desenterraba en las lágrimas un resentimiento difícil de soportar. Se sintió acongojado, una mezcla de piedad y de miedo lo paralizaba. Ella hizo un gesto de náusea, como si fuese a vomitar sus whiskies, pero frenéticamente empezó a desprenderle el pantalón, a arrancárselo.

—Basta, Cristina.

—Dámela, dámela perrito sucio, dásela a Cristina, dámela carajo.

—Dormí Cristina, mañana hablamos.

—Así profesorcito, así quería agarrártela, así, te doy asco pero la tenés parada y chorreando como nunca, boludito.

Ella se dio vuelta, de un envión le dio la espalda y aplastó las nalgas contra su sexo, para empezar a refregarlas y terminar encorvada con sus manos sobre el colchón. Pensó que ya habían pasado más de quince minutos.

—¡Dame esa pija, ensartámela fuerte! ¡Así, así hijo de puta, así quería! ¡Te gusta la conchita de Cristina! ¡Así machito, así, así muy bien!

A Humberto le fue temblando el cuerpo, sintió una corriente umbrosa en las rodillas, un río tibio donde se sumergía violentamente hasta quedar envuelto en cenizas. De pronto no existieron imágenes afuera, sólo Cristina, ese camino incesante hacia ella como tiempos suyos sin rostros que le tragaban el vientre, las piernas, el pecho, las manos aferradas a la cintura de ella, también eso sin nombre adentro que esbozó una forma fugitiva, maravillosa, casi imposible de contener. Se durmió adentro de ella sin sacársela.

Grabación VI (Video/Casa)

Durante los últimos años, desde principios de los sesenta en adelante, sólo mi familia, junto con tía Mercedes y Esteban, vivimos en la casa. Hasta tío Jonathan, el menor de los hijos del abuelo, se había casado y se fue a Vicente López. Tía Elena había muerto, y mi hermana preparaba su viaje a Estados Unidos para un posgrado en Psicología, con ganas en realidad de quedarse allá para siempre. En una de las piezas del segundo piso pasó a dormir sólo la mucama Fidelina, el primero quedó casi deshabitado a excepción del inmenso salón de juegos con ping pong, metegol y mesa de ajedrez, y en la planta baja nos instalamos los sobrevivientes de aquella diáspora. En el epílogo la historia de la casa se iba disolviendo pausadamente, la memoria quedaba sólo en las paredes, en las baldosas, en los arabescos del cielo raso del comedor, no en las palabras ni en los deseos. Los tiempos acumulados desde 1896, cuando el abuelo levantó los tres pisos, aparecían inscriptos únicamente en los planos del edificio, un dato frío, inerte, casi sin pertenecerle a nadie. Hubo refacciones modernizadoras, se cerró uno de los patios con grandes ventanales y calefacción, se resguardaron galerías con vidrio. Las primas partieron a otros barrios, con sus primeros novios y estudios universitarios a cuestas. Marta, la mayor, celebró compromiso con un joven de la iglesia a quien años atrás solíamos espiar en la sala los días de visita: con Esteban habíamos llegado a contabilizar catorce juegos de manos del pretendiente permitidos por ella, y seis nunca aceptados ni siquiera de despedida. Pero las huellas se habían retirado y a partir de mi ingreso a la Facultad de Filosofía, sumado a las andanzas con amigos del barrio y los entrenamientos de un equipo de fútbol, me fui ausentando de la casa gran parte del día. No así Esteban. Si bien mi primo pertenecía a la barra y no era mal zaguero, persistió, ya sin mi compañía en sus solitarios encierros en el escritorio del abuelo, y en otras aventuras por el segundo piso, territorio de Fidelina, tan poco edificantes como para evitar preguntarle al respecto. Durante más de un año lo había acompañado en la lectura de los sermones y seminarios del abuelo, a los cuales después de descubrirlos en el desván los fuimos ordenando por etapas y contenidos. Abandoné, cuando llegó la hora de las carpetas con sus seis Seminarios Teológicos Fundamentales, así los denominó, dictados para un grupo de pastores en una iglesita de Ciudadela. Mi deserción tuvo varios motivos. El principal fue el progresivo distanciamiento con Esteban, ratificado años después con una pelea definitiva: cuando dejó la casa nunca más volví a verlo. No compartí en ningún momento las intenciones de mi primo en cuanto a la manera de abordar los trabajos del abuelo. Desde un principio lo atormentó el hecho del ocultamiento durante tantos años de tales escritos en el desván. Ese dato, ya hubiese sido por decisión del abuelo o quizás obra de otras manos, signó toda la conducta posterior de mi primo. Dicho acontecimiento, no encontrarlos en el lugar genuino, su biblioteca, sino debajo de pedazos de caños y azulejos, para Esteban le otorgaban a los sermones y seminarios una aureola de enigma, a la vez de revelación, cuando no de delito. Trinidad nunca aceptada por mí. Los seis Seminarios apenas los hojeé. Le pedí a mi primo me recomendase los más valiosos, una vez investigados con su exasperante meticulosidad. Uno trataba sobre versiones, todavía sin estudio, de la interpretación de la teodicea judeocristiana. Había un segundo sobre su tema más dilecto, la doctrina de las predestinaciones desde el siglo V al IX, en las distintas versiones herejes de los discípulos de San Agustín. El tercero, si no me equivoco, examinaba el agnosticismo de los apologéticos y alejandrinos y su influencia posterior en la Reforma protestante. El cuarto consistía en un cuerpo de conjeturas sobre fuentes bibliográficas no tenidas en cuenta en los estudios sobre Pascal. El quinto consistía en una incursión meticulosa en las principales encrucijadas del Viejo y Nuevo testamento sobre la cuestión del Mal y las jerarquías y tiempos de lo angélico caído. El sexto se me pierde en la memoria, no alcancé ni siquiera a hojearlo, pero había un sexto. En realidad los Seminarios del abuelo resultaban lecturas fatigosas por su letra minúscula, por sus párrafos llenos de agregados, de llamadas remitiendo a otras páginas, de acotaciones en los márgenes y largas y desprolijas flechas relacionando frases de arriba, del medio y de abajo.

A los 17 años preferí la biblioteca programada con mi hermana, o meterme por las librerías de Viamonte detrás de Sartre, Thomas Mann, Borges, Henry Miller y Kafka, junto a Marechal y Joyce y un primer noviazgo tímido en la facultad con una chica de Núñez. Algunas tardes conversaba con Esteban sobre estos autores, sin dejar de sentir una lejanía cada vez más irreversible entre su actitud patibularia y sombría entre los trabajos del abuelo y mis deseos de incursionar por lugares ajenos a las telarañas de la casa. Preferí el grupo de estudios armado para las Introducciones, los bailes agendados por la barra los sábados a la noche, salir de levante por Santa Fe, vagar por pizzerías, andanzas donde muy de vez en cuando Esteban participaba. Los dos habíamos dejado de asistir a la iglesia, no así al culto de los lunes en casa. En cuanto a mí, dicha presencia sólo estaba dictada por respeto a mi padre, el único hijo del abuelo, incólume testigo y escucha de los predicadores, junto a mi madre, a tía Mercedes, a la abuela de Esteban, la abuela María, aquella llegando un día cuarenta años atrás al conventillo de enfrente, y ahora habitante de la casa para jugar a las cartas con nosotros hasta las madrugadas. Pero fue curiosamente a partir de ciertos hilos invisibles movidos por Esteban con respecto al culto, preocupación de mi primo coincidente con sus encierros de todo el día en el escritorio del abuelo, fue en el cruce de ambas cosas donde advertí el profundo desencuentro con mi primo. Como si esa edad de hacernos grandes, como si ese tiempo alejado de pronto por un hachazo de los inigualables años de infancia en la casona, nos anunciase cómo sería la verdad de la vida pero ya no en lo conocido, en esos viejos mundos imprescindibles de dejar atrás, sino en el corazón turbulento de cada uno, turbia juvenilia, donde nada todavía tenía nombre. Al culto ya no asistía la gran familia como antes, apenas si se acercaban un par de tías, y mi hermana fue entonces la encargada de los himnos en el piano. El resto de la concurrencia estaba compuesta por una galería poco entusiasmante de personajes afables, creyentes en dios, pero sustrayéndole a esa reunión el sentido de otros tiempos. Un día mi madre me comentó sobre los nuevos asistentes, casi todos invitados por Esteban a la casa. Me habló *de un catalán Villagines, con su obesa hermana casi ciega y sus embarazos psicológicos de hasta seis meses todos los años. Del viejo Mazuccelli, un pan de dios, pero emperrado en llegar con su hermano violinista vestido de capitán de barco, para hablar de la bancarrota de los puertos. También Silvana, una modista, pero en realidad empedernida levantadora de quiniela y vigilada de cerca por la Novena cuando contaba salir por las noches a darle carne picada a los gatos de la Escuela Industrial. Empezó a caer un alemán con alma de pedagogo, Egon se llamaba, no recuerdo el apellido, en compañía de su esposa Salka, mucho más joven que el teutón. Vivían a unas cuadras de casa, y varias veces con Esteban y alguno de la barra lo fuimos a visitar, sobre todo por sus hijas, Eugenia la mayor, de quien se enamoró Esteban, para terminar siendo novia mía por un tiempo. Pero tal vez el más estrambótico de los concurrentes al culto, también invitado por Esteban, fue el nieto de un danés cuyo abuelo había sido amigo del nuestro. Personaje huidizo, receloso, de potente voz para los himnos donde perdía sus inhibiciones, con un parche negro en el ojo derecho y dueño de una casa de música donde se reunían inventores de toda la ciudad y, según decían, pasaban cosas por demás extrañas. Humms se llamaba el viejo danés, y muchas veces al terminar el culto mi primo lo hacía pasar al escritorio para largas conversaciones reservadas. En una ocasión le comenté a Esteban mi impresión personal sobre esa gente, y pude confirmar el dato anticipado por mi madre. Mi primo se sintió agredido, violado en su privacidad, como si tocase un tema muy caro a sus sentimientos, por lo cual decidí cambiar rápidamente de conversación. No deseaba inmiscuirme en sus asuntos ni soportar sus malhumores. Nos reencontrábamos cada tanto en la sala, acompañando a mi padre con fondo suave de Mahler. En esas citas por lo general mi primo, para beneplácito de papá, aludía a los Seminarios del abuelo y charlábamos los tres sobre las concepciones religiosas del pastor. En el resto de mi vida Esteban ya casi no intervenía, a excepción de cuando decidía reaparecer y verse con Horacio, Ariel, Juan Antonio, Matías, Sebastián, Jorge y Guillermo, en El Cóndor de Corrientes y Medrano, para jugar al billar, ir al fútbol, terminar en un cine o asaltando la heladera de algunas de las amigas pelo batido. Por esa época ya se hablaba de vender la gran casona. Sólo mi padre quería conservarla. Para eso se reunía con sus hermanos a discutir el tema, cuando las relaciones entre ellos se hicieron más tensas, cuando mi madre y tía Mercedes presionaban para mudarse, hartas de baldear patios con Fidelina sólo para siete deshilachados residentes. Hubo un episodio con mi primo, mejor dicho, una larga, penosa conversación que mantuve con Esteban, en la cual terminó definitivamente nuestra amistad. Muchas veces rememoré aquel diálogo de un 24 de diciembre: el estado de mi espíritu durante su transcurso, el remordimiento ante dios por haberlo protagonizado. Dolor, desasosiego, desesperanza, esa noche, siempre creí, de alguna forma los dos nos inmolamos. Nos comimos y vomitamos la casa, las caminatas por los patios de un abuelo, por sus sueños febriles, cuando todavía ninguno de sus nietos había nacido. Cada tanto me vuelve aquella última Navidad en la casa, sin fiesta ni luces encendidas en los patios ni nadie en las habitaciones. Me vuelven las mismas preguntas, ¿éramos dos? ¿éramos tres? ¿éramos uno? Meses antes de ese día Fidelina me confesó llorando las vejaciones sufridas de parte de mi primo. Esteban la había descubierto conviviendo desde hacía dos semanas en el segundo piso de la casa con Vicente, el ayudante del carnicero, buscado por un robo de poca monta. En la casa nadie se había enterado de la presencia de Vicente, y mi primo pactó su silencio, si ella aceptaba un tiempo indeterminado de confesión, manejado desde las intenciones y los especiales interrogatorios del testigo evangélico de su caída. Por las palabras confusas y avergonzadas de Fidelina, sospeché una conducta miserable asumida por Esteban, disfrazada de supuesta atmósfera religiosa, y donde se aprovechaba de la educación metodista inculcada por algunas tías en el alma de la correntina. Ella me rogó se lo avisase a mi padre, no podía perder el trabajo ni seguir acosada por las visitas inquisitorias de mi primo por las noches a su alcoba. Prometí denunciarlo, aclarar la situación, pero nunca comenté nada de esto con la familia. Según Esteban, irritado al verse descubierto, la historia no era exactamente así como la contaba Fidelina, por cuanto las citas fueron pedidas por ella, atormentada por su viejo pietismo hecho añicos. Esteban admitió sin embargo sentir un deseo perverso por hacerla hablar, reconoció cierto goce angustiado al humillarla en su falta, pero con el objetivo supremo de saber hasta dónde podía llegar a ser la correntina algo distinto de ella misma. Tiempo después, esa noche del 24 de diciembre, volví tarde a casa, me bañé y fui a la terraza. Toda la familia ya había partido hacia la casa de tío Juan para celebrar la Nochebuena. Quise estar solo unos minutos, mirar un cielo brutalmente estrellado, serenarme: la imagen de Esteban, sus razonamientos con respecto a las vejaciones padecidas por Fidelina, y otras cosas, arrasaban mi cabeza. Mi primo llegó más tarde todavía, casi a las doce, cuando ya sonaban los petardos y volaban las cañitas por toda la redonda. Lo sentí abrumado, con una extraña agitación, huidizo en su mirada. Y fue esa noche, precisamente, la elegida por Esteban para decirme su buena nueva. Mi primo, interrumpió de pronto la conversación en su pieza y me anunció su decisión de entrar en la carrera de Teología para un futuro pastorado metodista. Traté de demostrarle sus 19 años de locura, el estado de desequilibrio de su conciencia, su descreimiento en el fondo de todo lo que fuese fe religiosa, su enfermiza y aberrante manera a veces de relacionarse con los amados temas del abuelo, la arrogancia de desafiar a dios con ese voto irreverente y anticristiano, pero esa noche comprendí finalmente la interminable perversión de su juego conmigo. Quise saber desde cuándo se odiaba tanto. Me miró largo rato antes de contestarme. Amarse, imbécil, debe ser lo imperdonable, dijo. Me preguntó dónde había estado todo ese tiempo sin darme cuenta de nada ¿Darme cuenta de qué? le pregunté absolutamente seguro ya de su demencia. Sus ojos brillaban de manera desmesurada. Su rostro no era el suyo. Lo bañaba una palidez enfermiza. ¿Cuál tiempo? le pregunté ¿Esa noche? ¿Muchas noches? No logré entenderlo. El tiempo, todo, dijo, como pensó el abuelo. Sentí lástima, desprecio, también misericordia. Recordé un día, muy chicos, su cara en la penumbra del laboratorio. Al ver amanecer me levanté y salí de su pieza después de varias horas de estar juntos sin dirigirnos la palabra. Él se mudó de la casa veinte días más tarde con tía Mercedes y la abuela María. Nosotros debíamos abandonarla en febrero. En esas últimas semanas escribí largas cartas a mi hermana en Ohio.*

22

Humberto sintió las manos pesadas sobre sus hombros aplastándolo contra el colchón. Al abrir los ojos vio el gesto de Santiago, escuchó brumosamente la pregunta sobre si acostumbraba dormir a los gritos después de una borrachera. Pero de ese sueño no pudo retener ninguna secuencia. Presentía correr ciertas visiones inatrapables de la pesadilla por algún río subterráneo de su cuerpo. Se sentó en el escritorio y leyó las últimas páginas del cuaderno, su ensayo abandonado cuatro meses atrás. Sospechó que los sonidos del sueño, los alaridos y las frases perdidas al despertarse, las de los renglones todavía en blanco, se le arremolinaban como estelas nocturnas, como hijas bastardas para morir justo antes de su conciencia. Imaginó que esos trazos de imágenes sin palabras, de palabras sin imágenes, formaban parte del principio o del final de una novela que en algún sitio había empezado a garabatear en hojas sueltas, invisibles, cubiertas de musgo, o más bien de gelatina amarilla, o de mermelada de naranja. En la heladera encontró dulce de batata. En su mano el pedazo de batata se fue deshaciendo despacio, y comió solamente los restos que escapaban entre sus dedos. El resto lo tiró al tacho de basura para lamerse muy despacio la palma, la muñeca, el jugo deslizándose por el brazo. Se dio cuenta de que eso no eran palabras, frases, sonidos, no tenían nada que ver con ninguna escritura soñada, tampoco inventada, tampoco con otros recuerdos literarios. Debía escribir una novela sobre el mundo, sobre esas cosas mudas que flotaban por detrás del tiempo, delante de los lugares, cosas que nunca habían existido todavía. Cerró el cuaderno y abrió el diario.

Había vuelto a vivir a su departamento de Córdoba en compañía de Santiago, pero sin la valija con su ropa. Sólo un bolso y dos camisas, el resto, no sabía por qué, lo dejó en la pensión de su primo. Tuvo una reunión de cátedra donde les anunció a todos su viaje a Alemania al terminar el cuatrimestre. Lo mismo hizo por carta con su hijo Guido, y con Marisa. Su ex mujer no comprendió del todo ese paréntesis de tantos meses por Europa. Le faltaba la respuesta de Celina. Con ella no quiso insistir, sólo recordarle la propuesta de una tarde en una confitería de Mar del Plata. Si algo le afligió de aquel fin de semana en la costa no había sido lo que le pasó con Cristina Lieger. No todos los días se cruzaba una buena borracha deslenguada y culona para cogérsela y dormir después bien distendido. Sí en cambio lo perturbó haber dejado esperando a Celina, bajar a las cuatro de la mañana al bar del hotel, para que Santiago todavía en plena partida de póker le informase que ella había salido a caminar sola por la ciudad. Le dolió en todo caso que Celina pensase que con Cristina había algo más que eso que pasó. Y si le mintió, si le dijo a Celina que sólo había dormido con ella, sintió que quizás Celina también necesitaba de un enorme esfuerzo de conciencia para creer que las cosas habían sido así.

Santiago dedujo la conveniencia de ir a conversar con la mujer de Ismael Hernández a la casa de Almagro. A lo mejor la compañera del cuidador estaba más dispuesta a hablar que el hijo del viejo Saturnino, o al menos referirles si supo de alguien escondiendo cartas en el desván. Humberto se convenció en cuanto a lo propicio a esa altura, y en ese marco de incertidumbres, de pedir una entrevista con Raúl Estévez, el decano de la facultad, para comentarle sus recelos sobre aquella red evanescente de profesores en los bajos fondos del Instituto de Filosofía, y también para averiguar, con la mayor sobriedad posible, si el decano tenía algún tipo de información especial sobre la profesora Matilde Lombrozo y sobre su adjunta Joaquina. Cuando consultó en el Departamento de Profesores, le dijeron que la Lombrozo no trabajaba en el Instituto desde hacía un año y no se acostumbraba a dar domicilio ni teléfonos particulares de los docentes. En la guía no figuraba.

Si había retrasado la charla con el decano Estévez fue sencillamente por el tremendo temor a aparecer como el máximo ridículo en los anales de los claustros. Hacer referencia a una malla invisible de seres destilando las gotas tenebrosas de una historia finalmente universitaria, era una desmesura no de esa historia inconstatable, más bien del cerebelo que la profería. Pero no quedaba otra, los datos obligaban: esa patraña que lo envolvía con cartas de las que nunca supo, fue mostrando un foco de irradiación que las tragaba en un sitio. Sebastián, Ariel, Matías, y no casualmente, tuvieron que ver, llegado el momento, con algo, con alguien, enquistado en la carrera y en el Instituto de Filosofía. Pero existía otro motivo para postergar esa cita, que si bien Humberto no aceptaba reconocer de inmediato, lo perturbaba por debajo de sus vacilaciones. Reconoció que su cavilar sobre las cosas tenían siempre relación con un dato supuestamente menor entumecido por debajo de todos sus monólogos. Ahí dormía, en el fondo de los argumentos, pero sabiendo, el propio dato hundido y no tanto Humberto, que en definitiva pasaría a estar por encima del resto de las causas. Y ese pasaje desde abajo de todo a la cúspide suprema no consistía en una postergación inconsciente, en un olvido, en una forma torpe de negación sino todo lo contrario. Yacía tapiado y subalterno en sus pliegues mentales sin perder nunca en su conciencia una suerte de supremo significado, hasta que finalmente decidía subir a escena. Era una memoria cabría que esperaba en silencio sin desaparecer nunca. Como si recordase la escena de una encamada con su madre a los tres años de edad y retuviese la imagen de su progenitora a horcajadas encima de él poniéndole el preservativo a su pequeño pito parado. Ahí estaba el dato: inmenso, inútil, mudo, conteniendo la plenitud de sus detalles. La supuesta trascendencia de albergarlo contrastaba con un regulado adormecimiento de su parte, convirtiéndolo, en lo posible, en un simple dato anodino. Darío Zavala había llegado sin aviso desde su chacra en Cañuelas y compartió dos noches la cama de su departamento. Tenía la costumbre de irse a dormir pertrechado con un termo de mate cocido bien caliente para acompañar su insomnio, y lo tomaba de a sorbitos previo encender la luz de la mesita y ofrecerle a veces un poco cacheteándole la espalda para despertarlo.

–Está bien, dame otro poco.

–Agradecé por lo menos.

–Son las tres de la mañana, Darío, si querés bajo a buscar churros.

–¿Vos tampoco podés apoliyar? Te noto preocupado

–Estaba durmiendo.

–Roncabas, que no es lo mismo ¿Está calentito, no?

–No se puede tomar, boludo. Es larva volcánica.

–Es por cuestiones de la carrera, me imagino ¿Te quemaste?

–Qué sé yo si me quemé.

–Soplálo.

–¿Soplálo? ¿ Por qué tengo que andar soplando algo a la tres de la mañana?

–Contá, ahora estás más despierto que yo.

–Asuntos de la cátedra, Darío. Es muy complicado todo.

–No te entiendo, Humberto ¿Acaso alguna vez nos interesó la carrera académica, esos profesores que se quedan sin nadie apenas empieza la clase? A veces pienso que te descerebraste.

–No te creas que me interesa mucho. Pero es como una vieja historia, una historia enterrada que siempre nos promete despertar. De ahí venimos, de ese lugar egresamos

–Egresamos. ¡Qué verbazo! Me suena como la mierda.

–Pero es así, te suene como te suene, ahí empezamos a pensar las cosas.

–Eso no existió nunca, Humberto. Lo que sucede es que ahora estamos muertos, eso es todo ¿Ya se enfrió? Tomálo de una vez. Estamos muertos, decente, honesta y arrepentidamente muertos. Somos muchos peores que antes, porque ahora encima somos pelotudos. El sobreviviente es un pensante pelotudo. Por eso te preocupa ahora la carrera, la morgue, las florcitas en los cementerios, los concursos, las evaluaciones, los seminarios de posgrado. No recuerdo haber hablado nunca en serio de ese mostrador de Kant y Hegel cuando pensábamos que lo que importaba era

LA CÁTEDRA

el mundo, conocer al mango todas sus mierdas para romperlo en mil pedazos y empezar otra cosa.

–Está bien, eso pasó. Valoro muchas cosas de aquel tiempo pero no las añoro. Sin embargo la carrera permaneció, persiste, hay gente joven que elige ese lugar ¿Por qué? Ella nos prometió, nosotros le prometemos. En medio de toda la cagada hay como una historia que siempre empieza aunque no se cumpla. O que se cumple y no nos damos cuenta hasta mucho después. Como si llamase a algunos, como si dejase huellas inadvertidas ¿Te acordás cuando nos juntábamos hasta las seis o siete de la mañana? El mito en Schelling, la Antígona en Hegel, el Zaratustra, Heidegger y la poesía.

–¿En qué aula pasó eso? En ninguna. Eso fue en el bar del Acuariano en Floresta, en la terraza de Vidoglio, en el banco del farol en la plaza, en el galpón del Polaco, en la cama camera de Eulalia a la que te querías coger con todos los cielos estrellados de Kant

–Vos te la querías garchar ¿De qué me hablás?

–¿Yo? ¿Qué yo me la quería garchar? Me había olvidado. Pero a ella le gustaba el Polaco, y eso que un día le batí que usaba dentadura postiza arriba y abajo y no podía morder los hombros de las minas con lo lindo que era eso. Creo que a ella le excitó imaginarse que terminaba barajando la dentadura entre las tetas.

–Eulalia amaba a Schopenhauer. Nunca más la volví a ver.

–Ahora está más tibiecito, ¿querés otra taza? Pero no, no metás el dedo adentro boludo, si te digo que ya no quema no quema.

–Bueno, puse el dedo nada más

–¿Y si tenés sida? Escuchame, Humberto, abrite de la facultad, vendé medias de nylon, lapiceras fuentes, cualquier cosa, casáte con una cincuentona judía y con guita que ame las tesis de filosofía de Benjamin. Estas cosas son itinerarios reales.

Cuando Santiago lo pasó a buscar para ir a encontrarse con la mujer de Ismael Hernández, acababa de recibir una invitación para presentar un libro en una librería de Belgrano, escrito por un viejo conocido suyo: Enrique Bazán, desde hacía años profesor en la Universidad San Diego. Le alegró la idea de poder hacerlo,

Nicolás Casullo

la obra de Enrique Bazán sobre estética fílmica representaba un excelente esfuerzo teórico y sentía un enorme deseo de reencontrarlo personalmente. Cuando llegaron a la casa de Almagro, la mujer de Ismael atendió el timbre, para informarles que su marido no estaba en ese momento. Elvira se llamaba. Mientras ella calentó la pava su primo hizo tostadas y pidió manteca y azúcar. Elvira demostró desde el principio un carácter amable, para aparecer al rato como bastante mal hablada y con tendencia a los dobles sentidos. Conocía la casa de Almagro desde mucho tiempo atrás, al finado Saturnino Hernández de ida y de vuelta, según dijo, y a varias amistades del viejo, visitantes asiduos para sus choriceadas.

–Elvira, a ver si usted me ayuda: alguien escribió cartas simulando mi nombre, y puso como remitente la dirección de esta casa. No sé quién fue.

–A ver qué me anda diciendo Baraldi y parecía tan sobrio.

–Estoy sobrio, Elvira, no se preocupe ¿Usted cree que algún amigo del viejo Saturnino, o de su marido Ismael, pudo hacer esto?

–¿Quién iba a hacer cosa semejante? Digo, gastar pólvora en chimango. Usted es usted y los otros son los otros.

–La cuestión es que encontré una carta en el desván de esta casa, de un amigo desprevenido que la mandó aquí por correo, en 1970. Y alguien la recibió aquí y la escondió arriba ¿Quién pudo ser, Elvira? A ver, piense

–Ni pie ni cabeza el hijo de su mala madre, señor Baraldi, cada vez pasan cosas peores en este mundo.

Santiago ya había untado las tostadas y les arrimó el plato. Aprovechó para mirarlo de reojo por si tenía que intervenir.

–Lo que pienso, Elvira, es que deben haber llegado otras cartas a esta casa. El abogado Conti me dio dos, hace unos meses. Esas no estaban escondidas en el desván. Las guardaba Saturnino al morir. O no, a lo mejor no las guardaba el viejo, porque se las hubiese dado a alguna de mis tías en oportunidad de recibirlas. Entonces me gustaría saber cómo llegaron las cartas a esta casa ¿O las escondió Saturnino?

–Ni me asombro don Baraldi, Y usted tampoco se extrañe. Siempre con la mano en coño ajeno el pobre viejo.

–¿Usted llegó a conocer a una anciana, con una muchacha, que según su marido visitaban a Saturnino hace años?

–Párese un poco, párese. Como le decía a un pretendiente siempre con el pito caído en el momento justo: empecemos de nuevo. Con paciencia. A ver, don Humberto.

–¿Se acuerda de alguien?

–Había un joven que acostumbraba a escribir en la sala del primer piso. Siempre lo veía sentado en una silla, con su mesita en el medio de la pieza vacía. Ahora debe andar por su edad, señor Baraldi. Y era instruido el santo, con señas de haber leído, digo.

–¿Quién era ese hombre, Elvira? ¿Y qué escribía?

–¡Ah, eso no le podría! Sé leer, don Humberto, pero nunca quise. Como si me hubiesen enseñado al pedo. Ese hombre escribía en una máquina, y se paseaba por la pieza largos ratos. Se imagina, Saturnino era amigo de gente. Pero a ese joven le hacia preferencia, que le digo. Tanto, que a Ismael, de celoso nomás, le hizo sospechar si no sería hijo al viento de su padre. Como si lo estuviese viendo. Se llamaba José Luis, pero dejó de venir. José Luis Casinelli, ese era el nombre. El santiagueño José Luis, no, no, era salteño.

Mientras tomaban un par de cañas en un bar de Córdoba y Salguero no podía disimular la conmoción que lo embargaba después de la charla con la mujer de Ismael Hernández. Las fechas que le dio Elvira con respecto a ese tal Casinelli, coincidían. Desde 1970 a 1980 el tipo había frecuentado la casa, y en algunas temporadas vivió ahí. Humberto creyó deslizarse por una zona de buen augurio, atrapar la punta de un hilo envenenado. El misterioso personaje era un hombre de su edad, instruido, gustaba escribir, mostraba un especial afecto por la casa de Lavalle, registraba como amigo preferido de Saturnino Hernández. De carácter reservado, de opiniones extravagantes, las puntualizaciones de Elvira aproximaban la figura fantasmal del impostor. José Luis Casinelli ¿Quién carajo era ese sujeto? El apellido le vibraba en la memoria, como si alguna vez, en su infancia, lo hubiese escuchado en boca de sus padres o de alguna tía.

Se separó de su primo para ir a encontrarse con el arquitecto Alejandro Herrera en su viejo palacete del Botánico. Le aceptó la invitación no tanto por lo que prometió mostrarle de sus efectos especiales para el cine, sino para hablar con esa devota criatura de la Acción Católica, y con la monja Amalia Ferro si podía, en relación a Sebastián Lieger. Ellos dos habían estado muy cerca suyo durante el último año de su vida. El decadente petit hotel de dos pisos se asemejaba a un silencioso museo iconográfico. Lo recorrió mientras Alejandro se lo explicaba: estatuas, relieves, imágenes sagradas, pinturas, trozo de murales, cruces del martirio, objetos santos que obligaban, a lo largo de los dos pisos de la casa, a pensar en la experiencia de la cripta oscura de una iglesia. En sus muchos viajes a Oriente, a Rusia y Europa, Alejandro Herrera había logrado coleccionar íconos de un valor incalculable, escenas de Jesús, de los Apóstoles, del Arcángel San Miguel, el sacrificio de Abraham, la Visitación, la Degollación de los Inocentes, San Jorge derribando al demonio, las Vírgenes desplegadas en cada recoveco de las paredes. Y también inestimables Iluminación de Manuscritos, otra obsesión del arquitecto, donde pudo apreciar caligrafías celtas, árabes y latinas de textos sagrados que se remontaban a un fragmento del Génesis elaborado en el siglo V.

La sorpresa mayor se la reservó el arquitecto sin embargo en el último piso, una amplia edificación moderna con una sala de proyección de cine en 35 milímetros donde la monja Amalia Ferro y un muchacho estaban viendo una película. Pero a continuación de esa pieza de proyección se topó con un vasto ambiente, de unos quince metros de frente por veinte metros de fondo, donde Alejandro había realizado en maqueta, como se lo detalló minuciosamente, la Buenos Aires de los años sesenta, calle por calle, frente por frente, esquina por esquina, en un perímetro que iba desde el puerto a la avenida Pueyrredón, y desde Santa Fe a Avenida de Mayo. Se lo habían pedido como un trabajo muy bien pagado ocho años atrás para un film que nunca se rodó y donde la ciudad terminaba pulverizada por una lluvia cósmica imperialista. Entonces Herrara lo tomó como juego obsesionante, continuó reconstruyendo Buenos Aires en todas sus referencias. Caminaron por un andarivel, a un metro y medio de altura, desde donde pudo ver la ciudad moderna tal cual había sido. En un momento Alejandro apagó las luces para iluminar sólo las calles y las vidrieras de esa maqueta que lo dejaba sin aliento. Reconoció El Moderno, el Coto de la calle Viamonte, el Chambery, el bar Florida, las librerías Verbum, Letras, Galatea, el Chez Tatave en la calle Tres Sargentos, y por Corrientes vio La Comedia, el viejo Ramos, El Ciervo antiguo, el Lorraine, el Colombiano, y más al centro pudo distinguir Costa Azul, la pizzería Rey, Desireé, el cine Novedades, el Rotary, el Astor, el Eclair, Gath y Chaves, Albion House, La Mondiale. El arquitecto había sumado a esa visión inconcebible, perfecta, distintas músicas empotradas, vientos tempestuosos que asolaban las calles, lloviznas artificiales que las desdibujaban, algunos recorridos de tranvías, empedrados y dobles manos que hacía mucho habían dejado de existir.

Cuando regresaron a una de las crepusculares salas del primer piso para compartir un cognac sentados en sillones duros de respaldos altos, Humberto se preguntó qué le estaba pasando en la vida. Quién era ese hombre delante suyo. Y más que nada, a quién decirle sobre sus cosas. Pero fue Alejandro el que habló: de su soledad, de su perderle el rastro a los amores que alguna vez lo atribularon, de un tiempo inútil y como sobrante en su existencia, y de algunas encrucijadas claves que hubieran tal vez cambiado los rumbos de su vida para que no fuese exactamente igual que ahora.

Le dijo que en una única oportunidad había amado a una mujer con verdadera integridad y devoción. A la distancia, la única forma tal vez de enaltecerla hasta lo celestial, sin que ese sentimiento, indisimulablemente místico, lo privase del deseo, de imaginar no sólo su cuerpo, sino también su posesión sexual ilimitada, más allá del tiempo que anuncia la muerte, por encima de cualquier espacio que indicase que había un lugar acorde a lo sublime de su sensualidad. Lucrecia fue una pampeana, amiga de su hermana, de quien en 1967 conoció dos libros de poemas de una belleza difícil de igualar, y entre ambos libros unas pocas y breves cartas que hicieron surgir entre ellos la efervescencia sagrada, santa y física al mismo tiempo, donde por primera y última vez tanteó el secreto luminoso de lo femenino en su alma, como una imaginación de recovecos, senderos luminosos, zonas míticas de la hembra y hasta imágenes de su prehistoria en reencarnaciones de otros cuerpos con ardores apagados que aquellas poesías cortas sugerían. Nunca se conocieron personalmente, ella después viajó a Grecia en 1969, y en algún lugar del mundo debió recalar, perderse o morir como un alma bella incomparable. No regresó: ella debió comprender, dijo Alejandro, lo demoledor que sería conocerse cara a cara, dar cuenta de ese amor con tan pocas palabras escritas, con contados poemas, sin bordes entonces con qué contenerlo y hacerlo más humano cuando empiezan a tallar las groseras manos, las sábanas humedecidas, las salivas incontrolables y alguna meada indisimulable en el inodoro. La huida de Lucrecia lo hundió por muchos años en un sufrimiento atroz, en un martirio sin silicio del cual pudo salir gracias a las infinitas plegarias a la Virgen y a una edad poética íntima que solamente la hermana de Alejandro conoció y comprendió, a través de la cual aquella mujer amada, la conectada con las musas, ya no tuvo rostro, edad ni voz en sus versos como la divinidad salomónica. Su imagen eclesial, la que Alejandro se hizo católicamente de ella, lo acompañó en los peores momentos de la dictadura, durante los rastrillajes del ejército por Botánico, cuando en su casa escondía los datos de las víctimas militantes a salvar, los itinerarios secretos diagramados hasta Misiones y las fechas en que debían atravesar la frontera. Fue ella, la nunca vista barda, mezclada angélicamente en sus rezos, palpable en su rosario, quien lo protegió de la angurria de tantos grupos de tarea como tétricos sabuesos de piso en piso.

–Ya lo ve, mi viejo y querido Baraldi. Por el contrario, ahora paso los días con esta buena de Amalia Ferro, hermana de las Carmelitas Descalzas, valerosa monja por lo que hizo allá en Tucumán y en la frontera junto con Sebastián Lieger salvando combatientes, pero anodina, insulsa y terrestre como tía barredora de patios. Sospecho que habiendo confundido en su vida a Cristo con Marx, a la Virgen con Eva Perón, despropósitos de los que, intuyo, se avergüenza y no me habla, pero incapaz la pobre de escribir no digo poemas, ni siquiera un mensaje de dos líneas cuando me llaman por teléfono y no estoy.

Esa noche convino verse con su primo en la puerta del tablao, para esperar la salida de Rocío. Llegó una hora antes, se sentó en una mesa alejada del escenario y vio bailar a La Madonita con varias compañeras, primero una rumba, luego un tango. El tercer vaso de vodka aumentó su encandilamiento cuando vio a Rocío con su parada flamenca, también torear el aire, conservar la firmeza del ceño, las cejas levantadas, y aquella postura agresiva en el taconeo, el repiqueteo y el redoble con un último vuelo de su falda y el aplauso cerrado de la gente.

Durante el intervalo pensó en José Luis Casinelli. Después de todo también lo más increíble alcanzaba a suceder: alguien tenía que ser el impostor de las cartas ¿Quién era ese hombre? Sentía que llegaba al final de un ridículo camino, de un paréntesis impresentable en su vida que ya duraba más de cuatro meses. Pidió otro trago para rehacer con un poco más de gracia el delirio de esa historia. Lo incomodó, excesivamente tal vez, pensar durante la tarde una posible relación entre el salteño Casinelli y la salteña Clara. Era absurdo concebirlo pero no era para nada absurdo, como todo lo que le sucedía. En un comienzo de las divagaciones sintió inverosímil ese enlace. En cualquier bar hay un mozo salteño. Pero después de hablar con el portero rememoró la figura inasible de Clara rondando su vida, su intimidad más escabrosa, el departamento vecino, intermediando con los nunca llegados nuevos ocupantes. Para colmo esa misma tarde Ruperto reconoció que ella no era su hermana ni había sido jamás maestra, sino conocida de unos primos que vivían en Salta. Cuando lo abandonó su esposa, unos amigos de Tartagal le ofrecieron a Clara como reemplazo y la trajo para hacerla pasar por familiar directo por un asunto de sortear aportes jubilatorios y el CUIT ¿Pero quién se la había ofrecido? ¿Y por qué? Ruperto se lo quedó mirando fijo cuando escuchó esas dos preguntas, como si se volviese bizco tratando de entenderlas. Clara es una trampa, dijo el portero, tratando de hacerla más sencilla, pero a mí y a ustedes nos viene al pelo porque limpia como lo que es, como una loca.

Hasta qué punto ese José Luis Casinelli era el lugar de la araña tejiendo su vida. Se imaginó que de serlo, jamás lo encontraría.

Un demente, un tipo del barrio, un amigo de la vieja familia: un estudiante en ese entonces de la Facultad de Filosofía y Letras. Recordó el mate cocido en la cama con Darío Zavala. Un poco de todo eso. Humberto advirtió que empezaba a transpirar, una sensación de vacío, de súbita bajada de presión lo hizo aferrarse a la mesa. Precisaba salir de ese subsuelo, respirar aire fresco en la calle, pero ya era tarde, tenía miedo de rodar entre las mesas. Se le cruzó en los ojos cerrados la imagen de Matías Gastrelli. Pero después, cuando se puso de pie con un esfuerzo sobrehumano, fue descubriendo su propia mirada turbia, el contorno de las mesas y la gente, un murmullo que no dejaba de girar y girar ¿Cuándo le había nacido el canallesco oficio al impostor? Pregunta insólita, sin embargo la sintió como la única digna de ser formulada y con un súbito gusto ácido en la garganta que subía desde las tripas. Se dijo que en el fondo no existían cartas ni impostores ni Casinelli. En la vereda se apoyó contra el árbol, buscó provocarse una arcada. Pensó en la Academia de Florencia y creyó ver como una última imagen el perfil de Marsilio Ficino comentando el banquete de Platón. Después reconoció el latido en las sienes, dos adolescentes en minifalda que lo miraban arrodillado junto al árbol y cómo lentamente regresaban las cosas a un sosiego, a sus lugares respectivos. Al ponerse de pie vio salir del tablao a Santiago y Rocío, trató de disimular el trance, les propuso ir de copas a un lugar cercano. En el pub, cuando la bailarina se alejó hacia el baño, le preguntó a su primo si se encamaba con Rocío. Santiago le juró que no.

—Estuve averiguando la cuestión de la empresa de cementerios que funciona debajo del Instituto Viena.

—¡Dejáme de romper las bolas! —gritó Humberto, y varios se dieron vuelta para mirar qué pasaba—. Haceme el favor Santiago, ¿a vos te parece que tengo tela para enganchar otra historia todavía? Me conformo con lo mío ¿Querés que te cuente que estaba haciendo recién abrazado al árbol?

—Estoy obsesionado, Humberto, no sé lo que me pasa. Sé que te importa un carajo, pero escuchá. Me mandé a fondo con la recepcionista de la empresa de cementerios, diciéndole que soy íntimo de Fito Páez, del equipo productivo y necesitábamos una secretaria ejecutiva. Cayó la linda, tomamos un café y la niña me contó todo. Adiviná: el negocio del señor Gastrelli es también comprar cadáveres que nadie busca en las morgues, para enterrar en su cadena de flamantes cementerios privados. Los entierra en los predios más costosos, cerca de la entrada, bajo la sombra de los pocos árboles que suele haber con banquitos de plaza para que los deudos se sienten. Con esos cadáveres, registrados legalmente con toda la documentación municipal del caso, inaugura cementerios y levanta la cotización frente a los futuros clientes. De esa manera siempre quedan muy pocas tumbas de las más caras, y los clientes se apresuran a comprar las que todavía están libres. Así trasladan los cajones de cementerio a cementerio, a medida que los inaugura. Los fiambres son propiedad del viejo Gastrelli, y puede hacer con ellos los que se le canta el ojete. Está en combineta con tres altos funcionarios peronistas de la Municipalidad y del Ministerio de Acción Social. Buen negocio.

A las seis de la tarde en punto Humberto volvió a pensar en Josefina Pérez de Gastrelli. Justo cuando Marta, la secretaria del decano, le pidió que esperase unos minutos: ella le avisaría cuándo entrar al despacho. Humberto ordenó una vez más en su cabeza las argumentaciones preparadas para la charla con el antropólogo Raúl Estévez. El decano lo estimaba, aunque no quería poner excesivamente a prueba esa amistad. El poco tiempo disponible de Estévez aceleró las secuencias de la entrevista, llevándola casi de inmediato al tema central. Luego de tomar nota de los nombres de las profesoras Matilde Lombrozo y Ernestina de Queirolo, el decano le pidió a su secretaria que buscase las respectivas carpetas de antecedentes. Cuando le contaba a Estévez su futuro itinerario por Alemania, Marta regresó con lo solicitado.

–La profesora Lombrozo pidió licencia sin goce de sueldo hace un año –dijo Estévez después de hojear rápidamente su legajo.

–No me queda claro Raúl, hace poco más de tres meses creo que la vi en los subsuelos del Instituto de Filosofía ¿Qué más dice? El legajo, digo.

–Antecedentes, antecedentes, veamos. En realidad, con total precisión: hay hojas en blanco ¿Qué me mirás?

–¿Y la carpeta de Ernestina de Queirolo?

–Con respecto a doña Ernestina, tenemos lo siguiente: hojas en blanco, más hojas en blanco, eso es todo. Es un sistema que estoy implantando para hacer todo más rápido. No consta nada de nadie. La verdad que no entiendo, Humberto

–Ellas dos nunca registraron en el área docente, eso es lo que calculo. Hace cincuenta años que están disimuladas en el Instituto, junto con otros profesores.

–Eso es imposible, Humberto. Aquí constan todos los expedientes académicos, todos los legajos de nombramientos, concursos y bajas de lo que mierda sea.

–Ernestina está en mi cátedra. La Lombrozo en el Instituto. Por lo que averigüé, se mantienen amparadas por una Resolución, la 1200, en realidad cancelada hace medio siglo, pero que siguió operando legalmente, en forma paralela a otra Resolución, la oficial, que en 1942 la reemplazó aparentemente. La burocracia universitaria no se dio por enterada.

–Vos decís que transfirieron todos los trámites de la 1200 al Instituto, y ahí se atrincheraron desde hace mucho sin dar señales de vida: con sueldos y subsidios.

–La cuestión es la siguiente, Raúl, y tomálo como quieras: sospecho de una lóbrega conspiración en Filosofía, una conjura solapada reptando desde hace cinco décadas por los alcantarillados del Instituto. Se trata de una madeja musgosa de profesores, de cursos encubiertos, de seminarios clandestinos que en realidad ocultan una crónica de misteriosas intenciones. Trabajan en edificios ignorados, se acurrucan en las medias luces, son investigadores que podrían estar vinculados hasta con muertes, con homicidios, criaturas agazapadas que heredan sibilinas potestades con extrañas resonancias en la vida de ciertas personas vinculadas con esa dantesca cofradía.

–Me lo sospechaba.

–No estoy loco, Raúl.

–No, para nada. Digo, sospechaba todo eso desde hace tiempo. Hay veces que pienso que controlo casi todo, pero hay cosas que se me escapan. Una de ellas, creo, es algo que tiene que ver con lo que vos me contás. Hace años que el Instituto de Filosofía no tiene director. Hubo impugnaciones, politiquería, maniobras burocráticas, pero sobre todo, hubo licenciados en Filosofía pensando en sus planillas, puntos, preferidos y discípulos leales. Fijáte en los tres números de esta revista. *Skias* se llama. Sombras en griego. No sé quiénes la sacan ni desde cuándo, ni a qué carajo apuntan. Van por el número 64, pero sale de acá, de la facultad, de un nunca registrado turno en nuestra imprenta. Sale de algún maldito agujero de la facultad. Loco, me vuelvo loco. Leéla y hablamos, a ver si se emparentan los enigmas. Te nombro asesor del caso, pero *ad honorem*, no tengo puntos.

23

El último lugar, le escuchó decir a la vieja, la dueña de la librería, cuando la luz amarilla se enredó con las palabras. La luz no flotaba arriba, en el techo de guirnaldas. La luz de la lamparita se escondía en los anteojos de la anciana para relampaguear cada tanto en la fragancia de los libros antiguos. Calado por el agua, Humberto volvió a escuchar la voz de esa mujer de unos 75 años que señalaba el cuadro metido entre los estantes. Miró con más detenimiento la pintura: la vieja se había aproximado a la tela para posar un dedo sobre un lugar impreciso. El último lugar, dijo ella otra vez.

En la frustrada presentación del libro sobre teoría fílmica, de lo único que se enteró, la vieja se lo dijo, fue que Enrique Bazán no iba a estar presente: residía en Berlín sin la mínima idea de esa cita en una decrépita librería de Belgrano. A pesar de haber escuchado esa tarde en el grabador de su teléfono desde una voz gangosa, exasperante, que el evento se suspendía sin nueva fecha, había decidido asistir por lo menos para averiguar el domicilio de Bazán en Buenos Aires, con la intención de hacerle saber después de tantos años de no verlo que había incluido su obra en la bibliografía obligatoria de la materia. Pero Bazán nunca estuvo en Buenos Aires por esos días, y su visita a la librería resultó absolutamente inútil.

Había caminado tres cuadras bajo la lluvia. Después, mientras permanecía frente a ese cuadro entre los estantes, sintió en el cuerpo la humedad del impermeable. La escena de la pintura representaba un dormitorio en la penumbra, y tres caballeros sentados elegantemente, con vestimentas españolas del siglo XVIII. Los personajes contemplaban un hecho que la tela sustraía: en primer plano se apreciaba apenas el borde posterior de una cama con sus herrajes labrados. Pero lo que acontecía sobre el lecho se perdía más acá del cuadro.

La vieja acarició con su dedo carnoso, con su uña larga y roja, el fondo borroso de la pintura, su dedo se deslizó por detrás de los estáticos caballeros. La anciana tenía un rostro desagradable pero llamativo, excesivamente deformado por los muchos años o por alguna cirugía en su cutis blanco y empolvado. Las cejas, por encima de sus lentes casi oscuros, eran dos curvas renegridas pintadas sobre la piel. Ella lo invitó a aproximarse para percibir el detalle del cuadro. Pero fueron otras imágenes, difusas al principio, las que se congestionaron detrás de los ojos de Humberto. Empezaba a merodear muy cerca de algo parecido a una memoria, que la luz amarilla tapiaba y al mismo tiempo transmitía con alaridos silenciosos. Cualquier palabra que se le ocurriese rebotaba contra la invisible figura del recuerdo ¿Dónde había visto aquel cuadro? La pregunta era lo único que podía balbucear con cierta coherencia debajo del chillido de los caireles contra las solapas de su impermeable.

–Observe con cuidado esta zona oscura de la tela –dijo la vieja–, fije la vista aquí en el fondo de la escena y entrecierre un poco los ojos. Como si tuviese que encontrar algo, no como si lo encontrase.

A sus espaldas escuchó cómo se abría y se cerraba varias veces la puerta de la librería. En ese sitio negro de la pintura donde la anciana ya había retirado su dedo, comenzó a distinguir los bordes de un bulto, un fragmento inadvertido, los hombros y hasta las mangas de un traje oscuro que esbozaban una silueta borrosa contra el fondo de la tela. Finalmente alcanzó a percibir la mancha de un rostro extinguido, dos ojos repentinos que no pudo retener y volvieron a perderse, tragados por el cuadro.

–El último lugar, así bauticé al cuadro desde que descubrí, después de muchos años de tenerlo colgado, esa figura disuelta en la penumbra.

Pero no era la voz de ella lo que escuchaba Humberto, sino el silencio de otra persona detrás suyo. Estaba seguro de una presencia muda a sus espaldas, que lo observaba, que recorría su cuerpo, su nuca, su pelo enredado por la lluvia. Sintió que su cuerpo flotaba en la librería debajo de la luz amarillenta. Se abrió la puerta y de reojo, a través de la vidriera, percibió que alguien se deslizaba hacia la calle. De pronto fue una fisura en su cabeza, abriéndose desde algún curso sin origen: sus oídos se precipitaron hacia un tiempo de voces lejanas, inaudibles, hasta que todo dentro de él regresó a un súbito silencio. Ese cuadro lo había visto colgado en alguna pared. La vieja apoyó la mano en su hombro justo cuando había decidido darse vuelta y conocer el rostro de esa criatura callada detrás suyo. Otra vez los ojos de Humberto se posaron sobre la pintura.

–El cuadro es de Fernando de Nájera, un pintor del Río de la Plata.

–¿Fernando de Nájera? –ni siquiera supo el motivo de su propia pregunta.

–Un vulgar retratista, un imitador de Rembrandt. Se supone que su fuerte no fue la pintura, que en realidad escribió un cuadro. Nadie sabe qué están mirando esos hombres sobre la cama. Se los ve absortos, hieráticos, sin gestos que los delaten. Entonces lo más importante es la escena ausente ¿Acompañan a un moribundo? ¿Contemplan a una madre con su hijo recién nacido? ¿Miran a una mujer desnuda, modelo del pintor? ¿Están en una casa de cita y de juerga y contemplan un acoplamiento entre macho y hembra? ¿Observan un cuerpo asesinado sobre la cama? Es imposible saber lo que miran, todo se vuelve incatalogable. Como si no pudiésemos conocer la catadura de esos testigos. La escena ausente permite pensar todo, más allá de la moral de una época. Uno podría decir en ese sentido de la inmoralidad de la obra: lo que no se ve es como un falso presente infinito, en nuestros ojos. Se sintió oprimido por el impermeable, por el soliloquio de la anciana, por el tono monocorde de aquella voz. Giró de pronto la cabeza para descubrir quién estaba a sus espaldas, pero no encontró a nadie. El local estaba desierto. Caminó hacia la parte trasera de la librería, un segundo cuarto con libros en antiguas vitrinas y dos mesas con ofertas.

Anhelaba salir a la calle pero se dio cuenta de que había caminado en sentido inverso a ese deseo. Al observar la tapa de varios libros en la mesa descubrió que eran títulos valiosos, publicaciones agotadas. También en otra fila descubrió varias ediciones antiguas de las cuales alguna vez le habían hablado. Afuera ya no llovía, sin embargo advirtió lo lejos que estaba de aquella puerta de vidrio, del árbol en la vereda. Levantó un libro de ensayo y leyó su año de confección, 1925, lo tentó el índice, los títulos de los temas que se iban desgranando desde el primer capítulo. Pero su cabeza iba penetrando en una galería de aullidos sordos, gritos sin bocas, lenguas que ululaban o decían algo incomprensible. En el fondo de ese segundo cuarto vio una pequeña puerta abierta, sin ninguna luz que revelase hacia dónde conducía. No podía desprenderse del libro. Se dijo que de todas maneras ya no lo iba a comprar. Algo le anudaba el cuello, lo asfixiaba: un ruido estremecedor, como si su cuerpo se fuese desvaneciendo en un dolor que sin embargo no llegaba a incrustársele en los huesos ni en la piel. Sólo pensaba en esa puerta del fondo, trataba de imaginarse si más allá seguía la librería. Pero tenía conciencia de que ese deseo insoportable era absurdo ¿Qué le importaba esa puerta, esa librería? ¿Por qué había caminado hacia el fondo en vez de irse? Quiso gritar, se dio cuenta de que el libro estaba en el suelo, junto a su zapato. Después corrió, abrió la puerta, sintió la llovizna en la cara, y recién en la esquina un llanto entrecortado, sin extenuarse nunca, le devolvió la respiración.

Con dos pastillas durmió casi todo un día, para despertarse a las cinco de la tarde y ver los ojos de José Luis Casinelli en la mesita de luz, entre la radio y el paquete de cigarrillos, también en la pared y sobre el respaldo de la cama. En el teléfono se le habían acumulado varios llamados, entre ellos el de Cristina Lieger, quien deseaba hablarle sobre un trabajo muy bien pago dentro del proyecto de reciclaje del tren fantasma. Después, el de su ex mujer preguntándole cómo se diferenciaba el pago en pesos y en dólares en la tarjeta de crédito. También el de Santiago avisando estar en las mismas de siempre con respecto a Casinelli: sin ubicarlo. Por último el de Celina, compungida todavía y con el mismo tono de dos días atrás, por la rotunda negativa de su madre a que viajase con un tipo que la doblaba en edad y divorciado dos veces, ya no a Alemania, ni siquiera al Rosedal. Hubo una segunda grabación de Celina, muy breve, donde admitía ser una niña anticuada, una cobarde sin perdón de dios, interrumpido por su propio llanto.

Lo inesperado fue esa otra voz, también grabada, de parte de un amigo de Alberto Rossi. El hermano de Ariel quería concertar una cita en términos perentorios. Es mejor que sea así, decía la voz grabada: que te estés quieto, cerca, y sin viajes a Alemania por ahora.

Lo comentó con su primo en la cocina mientras preparaban algo para cenar. Los del narco no se daban por vencidos, y eso ya resultaba desmesurado. Denunciarlos a la policía, como opinó Santiago, le parecía un incordio difícil de resistir y de prever en sus consecuencias. Al fin y al cabo los nuevos y enigmáticos vecinos, que estaban pero no estaban, y que podían vincularse al llamado del amigo de Alberto Rossi, eran la exacta caricatura de dos sabuesos retirados de alguna seccional de la provincia.

Dejó que Santiago preparase la ensalada y puso *Cinco piezas para Orquesta*, de Schömberg. Decidió dejarse llevar por cualquier cosa, ya no ofrecería resistencia. Todo era una boludez descabellada que le exigía un temple de ánimo del que carecía. Volvió a su cuaderno con el ensayo interrumpido pero al rato desertó del intento. Seleccionó algunas carpetas con clases viejas para preparar sus nuevos téoricos, aunque no tenía ánimo ni para transcribir una cita de diez palabras. Volvió a hojear los tres números de la revista *Skias* que le había pasado Raúl Estévez en la facultad. Números dispersos de 1972, 1976 y 1978. Los había estudiado minuciosamente y no aportaban la menor pista. Recordó que en los últimos días habían rastreado, también sin mayor fortuna, las señas de José Luis Casinelli. Desconocían la profesión del salteño, si es que tenía alguna. En el campo de la cultura dieron solamente con un plástico rosarino, pero su nombre fue Luis Antonio. Las pisadas de Casinelli se esfumaron de todos los llamados hechos a través de la guía. Consultaron con un detective privado, antiguo policía amigo de Arturo, pero el propio ex esposo de Cristina no dio mayor crédito sobre su eficacia. Había llamado un par de veces para informar que continuaba detrás de alguna huella y que se había comunicado con una Repartición policial en la capital salteña.

Con los días, varias cosas se le hicieron más diáfanas y desconsoladoras. Perseguir a Casinelli, al probable impostor, considerar que lo podía tener a tiro, significaba por último una cacería inútil, hija más bien de un despecho tardío que de una idea restauradora de ciertos sentidos de su existencia. El solo hecho de aceptar lo que las cartas le habían transmitido, algo parecido a datos violadores de su vida, lo enfrentaban a una historia propia, íntima, de por sí acontecida, acabada. Si el impostor había actuado, si existió realmente, si clavó sus garras en los momentos precisos, todo eso había sido. Era finalmente su precaria biografía, que no registraba en ninguna otra parte más que en sus recuerdos, o en la de unos pocos conocidos que tal vez la tuviesen presente ¿Pero qué significaba todo, qué le diría a Casinelli de encontrarlo alguna vez debajo de una mesa? ¿De qué podría acusarlo, de lo que le pasó en la vida algunas veces? ¿De lo que le pasó a quién? Y sin embargo, una vez que se había enterado, que había leído esas cartas de respuestas ¿cómo ignorarlas? ¿Quién humanamente podría desconsiderarlas como si le hubiesen informado del precio de un par de zapatos?

Por lo tanto, no alcanzaba a decirse qué estaba persiguiendo. Una simple defensa del derecho privado agredido. O un renegar de su propia historia, al saberla manoseada vilmente por otro. Pero esto último carecía de toda lógica, rayaba en la demencia.

No alcanzaba a quedar registrado como un secreto inviolable ni en su propia cabeza. Buscaba afanosamente a Casinelli, se dormía cada vez más tarde con ese nombre en los labios, se despertaba en cualquier momento de la noche gritando aquel maldito apellido, como si al pronunciarlo fuese arrojado sin compasión otra vez a la vigilia para pensar en ese hombre como lo último que le quedaba. Pero si llegase a enfrentarlo cara a cara un día, no tendría nada que decirle. No podría endilgarle supuestas verdades y mentiras en su vida. No podría acusarlo de los propios recuerdos que portaba, de las ideas que sustentaba, de los sentimientos que lo habían afligido interiormente, de ese inmenso laberinto de recuerdos que había aprendido a domar, a conducir, a sortear, a sufrir, a esconder, a soltar por atajos insobornables dentro de él: su vida. No había demanda contra la sórdida locura del salteño Casinelli, y sin embargo tenía que encontrarlo. Pedirle cuenta sobre datos flagrantes ¿Cuáles? Lo había usurpado. Quizás eso, únicamente, era lo intolerable.

Al abrir en cualquier página su cuaderno con el ensayo marchito volvió a pensar en una novela, al menos empezarla. Escribir sobre lo que quedaba siempre afuera de las palabras escritas, afuera de lo ingenioso de una historia, escribir más allá de las propias emociones literarias, inventar los agujeros ocultos de las frases, escribir lo mudo, lo absoluto, las ideas en desuso, las que no sirven, todas, siempre había una herida pequeña, inmensa, que era el mundo verdadero, uno en el mundo, el mundo pertinaz y metafísico, un mundo a cada instante jamás dicho todavía. Pero de qué carajo estoy hablando se preguntó, cuando en realidad no hablaba con nadie. Acabó de programar los tres últimos teóricos sobre lo sublime en Kant y su influencia en las ideas románticas, y emprendió la caminata hacia el Botánico cavilando por quién se habría enterado el narcofascista Alberto Rossi de su ya casi cancelado viaje a Alemania. Con Alejandro Herrera se sentó en otra de las salas de la planta baja de su petit hotel. A la monja Amalia Ferro, con quien en realidad tenía deseos de conversar, la vio pasar silenciosamente dos o tres veces por las cercanías, pero sin intervenir ni para ofrecer un café. Lo cohibía el amueblado de esas habitaciones, las oscuras telas con motivos religiosos, los marcos vetustos de aquellos cuadros gigantescos llegando hasta el techo, ese mismo estar sentado con los pies en alfombras interminables y tan artificiosamente separado del arquitecto, en otro sillón enfrente suyo.

Le comentó a Alejandro sus andanzas detrás de Casinelli, sabiendo que estaba al tanto de toda la historia por boca de Cristina Lieger. Se sirvió un poco más de cognac, pensó que iba a contestar sus comentarios, pero el arquitecto concluyó mirando el vitral sin luz de la claraboya del techo. Al rato dijo:

–Usted Baraldi, perdóneme, o es la cumbre del Narciso, o un psicópata padre que amenaza a la ciudad y todo el conurbano. Y dicho fraternalmente.

–Lo sé, lo sé. No se crea que no lo pensé. Es decir, sé que me expongo a eso, y por eso casi no hablo del tema. Cómo decirle, siempre creí en el dominio de uno mismo, a partir de ser mínimamente una persona con dos dedos de frente. Ahora en cambio es como si se me hubiese abierto un hoyo entre el zapato derecho y el izquierdo, un precipicio que no conduce a nada pero por donde de muchas maneras voy cayendo.

–¿Sabe lo que siento, mi viejo? Que usted efectivamente se percata de un vértigo inusual en su vida, una suerte de caída sin fin y sin paréntesis. O así lo siente, me imagino. Pero desgraciadamente todo eso se le transforma también en una lógica ¿Cómo decirle? En un problema a dejar atrás lo más pronto posible. En una normalidad brutal que empieza a encajar perfectamente con el resto, como antes. Como si tampoco le sirviese para pensar en profundidad, para suspender la acción, para encontrar el espacio en blanco y quedarse con ese viejo vicio del espíritu que indaga. Sería como irse del cine en la mitad de una película de suspenso que nos tiene agarrados de las pelotas, o como continuar leyendo una novela en las páginas donde no pasa nada. Esas cosas las tenemos prohibidas por las últimas grandes terapias culturales, y usted, con su inigualable bochinche, hace lo mismo. Desesperadamente normaliza todo, no sé si por miedo o por incapaz ¿No pensó en la droga fuerte, en el suicidio?

–No estaba preparado para esas cartas miserables. Uno esta preparado para ciertas cosas, para leer novelas con asuntos que le pasan a otros.

–Querido Baraldi, usted es el otro, para mí. Eso es lo que le cuesta sentir. Piense que más o menos me interesa. Usted digo, aunque tampoco mucho. En definitiva ese manojo de cartas sin dueño ni explicaciones, que remiten a otras cartas perdidas, desconocidas, lo arraigan de manera insondable a algo ¿Me equivoco? No sabría decirle a qué lo acercan: a algo más real y más fuerte que la precaria realidad de su propia vida. Desde una ficción siniestra, supuestas cartas falsas, le muestran el infinito desarraigo de cuando todo era como siempre y uno era de uno mismo. Le muestra cierta pobreza existencial de cuando no existían esas cartas en su conciencia, a diferencia de ahora. Y eso subyuga, Baraldi.

–Los beneficios que deduce se los obsequio, Alejandro. No tiene en cuenta el pequeño detalle de que a los 49 años pensaba en otra cosa. Para hacer, digo. Y no en lo que estoy haciendo. Mis padres murieron, mi hermana vive lejos, hace un año me separé de mi mujer, amigos contados, parientes no veo, sólo extraño un hijo circunstancialmente lejos. Es un momento propicio para uno. Casi calculado para uno, pero para otro tipo de andanzas.

–Lo entiendo, por supuesto que lo entiendo, Baraldi. En síntesis, sólo podría juzgarlo por ingenuo. Su último pacto, sin azufre, fue no querer experimentar, ni conocer ni poder ya más nada. Regreso al hogar. Ninguna virginal Margarita: la maravillosa aceptación de un mundo de novedades agotadas, sin nada por delante, sólo la especulación de la pluma. Lo cierto es que cuando firmó ese luciferiano pergamino, se olvidó del pasado, lo único que en realidad nos sucede, Humbertito.

Contrito y maltrecho esa noche oyó a Santiago en la cocina de su departamento silbando lo que tenía sintonizado en el walkman: esa maldita costumbre. Había empezado a leer las primeras páginas de la novela de un conocido, cuando su primo entró al living con la sartén de papas fritas en la mano. Dijo haber oído a alguien que se sonaba la nariz en el departamento vecino. Así se lo avisó, sin otro comentario. No podía ser. El portero le ratificó que aún no estaba ocupado. Ya en la cocina, permanecieron en silencio y les llegó otra sonada de nariz. Se dio cuenta, además, de que Santiago no había estado escuchando su walkman como supuso. Se disculpó mentalmente con su primo. Les llegó un tarareo imperceptible. Es un vals, dijo Santiago. Al escuchar que se abría la puerta del departamento vecino, se aproximó a espiar por la mirilla.

—Son una mujer y un hombre —informó Santiago—. Esperan por el ascensor.

Humberto inspeccionó: era Clara, la salteña, y uno de los nuevos vecinos visto una mañana en ese mismo corredor. Bajaron por el ascensor. Cuando no oyeron otro sonido que sus propias respiraciones, salieron al pasillo. Su primo se aproximó a la puerta de al lado. Propuso abrir la cerradura, si estaba de acuerdo. Le dio la venia. Santiago trabajó en la ranura con su tarjeta de supermercado. Después alzó sus ojos de victoria: la puerta estaba abierta y adentro oscuro. Pero les llegaba un ronquido acatarrado, gripal.

—El resfriado —dijo su primo.

—Yéndonos —le contestó muy bajo.

Pero Santiago avanzó en puntas de pie en medio de una calefacción exasperante que inundaba todo el departamento. Su primo espió en la pieza con luz y se quedó mirando algo largo tiempo, pero mirando como si no hubiese nadie, o fuese un muerto con mocos. Cuando Humberto pudo observar de qué se trataba, se encontró con el vasto cuerpo de una pelirroja desnuda, con un pañuelo apretado en la mano derecha. Era el gato.

Dormía de perfil sobre la cama de dos plazas, casi un moisés de recién nacido debajo de ese magno cuerpo extendiéndose como una escultura en el silencio. Asistieron a su ronquido leve, de afiebrada. Santiago lo codeó para señalarle con los ojos las dos exorbitantes nalgas en primer plano. Calculó cuarenta centímetros por cada una, pétreas, avasallantes, intimidatorias, y en cuanto a los muslos, unos veinticinco de diámetro, le susurró su primo. Ella se puso boca arriba, profundamente dormida, y tosió un par de veces. Entonces asistieron a la emergencia de sus pechos, a las mayúsculas sombras de esos acantilados contra la pared, que interrumpían la luz del velador para dibujar sobre el muro las siluetas de volcanes en engañosa inmovilidad. Diámetro también demencial, le deslizó Santiago achicando los ojos para medir más ajustadamente a esa distancia. Aureola de los pezones, como cristos en las cimas de los bordes del mundo de seis a siete centímetros aventuró su primo al estirar su brazo y poner dos dedos como mirilla proyectiva. Pezones erectos, de tres a tres y medio en verano, en contacto con copa helada de champagne, argumentó su primo por lo bajo. Le pidió por favor que se callase. La respiración congestionada de la infinita muchacha hizo de pronto ondular sus tetas en el agujero negro del universo. Sintieron como un viento de ángeles maléficos resoplando desde los confines de la tierra conocida. El pelo largo y rojo le caía desprolijamente como lluvia de brazas sobre el rostro, también por sus hombros descomunales que apenas si dejaban entrever las almohadas por debajo. El escaso slip verde, fue lo único que dijo Humberto y se lo cuchicheó a su primo en la oreja, corona la presencia de este cuerpo como algunos árboles milenarios lo hacen con la grandiosidad de los bosques andinos.

Al salir al pasillo notaron que el ascensor estaba otra vez estacionado en el sexto y con las puertas abiertas. Se miraron sin poder discernir lo que ocurría. En el corredor no había nadie. Sólo la puerta de su departamento, entreabierta. Yo la dejé cerrada, dijo Santiago. En ese momento Clara, desde atrás de las rejas del hueco del ascensor, saltó encima suyo revoleando un escobillón que fue a dar contra sus riñones. Intentó quitárselo pero recibió otro palazo en el estómago que lo hizo doblar en dos y caer de rodillas sobre las baldosas.

–Cálmese señora, cálmese –pidió Santiago, retrocediendo.

–¿Quién la mandó, su amigo Casinelli? –preguntó Humberto, alerta a otro posible golpe de la salteña y buscando ponerse de pie lo más rápido posible

–Calma, calma, no pasa nada –repitió su primo.

–¿Qué cree por qué lo hacía? –bramó Clara, mirándolo fijo, desorbitada, para ensayar otro biandún con el escobillón pero esta vez a la altura de su cara.

–Vamos, doña, termínela –se ilusionaba Santiago.

–¿Qué cree por qué lo hacía? –volvió a bramar la salteña, ahora más bajo, más ronca y moviendo muy despacito el escobillón en un pequeño círculo que no permitía anticipar por dónde saldría su mandoble

–Quieta, quieta, ya pasó, ya pasó, quietita.

–¿Qué cree por qué lo hacía con usted, málchico?

–¿Málchico? –preguntó Santiago

–No sabe lo que le espera –dijo Clara y corrió por las escaleras hacia abajo.

24

Miró su auto estacionado en la calle Querandí. Hacía dos días lo había dejado descompuesto en ese sitio a unas cincuenta cuadras de su casa. Una vez falló el auxilio, después no tuvo tiempo de llamar a otro mecánico. Ahora fue simplemente a verlo, a comprobar si esa noche seguía estacionado en el mismo lugar.

Pensó en su primo Esteban. En realidad no pensó, dijo su nombre en el silencio de esa cuadra. Como si todavía le sobrase un resto antes de pensar en Esteban. Como si todavía pudiese seguir un poco más en el sopor de las cobijas de la cama sabiendo lo minúsculo de la postergación antes de levantarse para ser acribillado por el frío. Apoyó los codos en el techo de su auto. Esteban estaría cerca del final de esa historia, pero no solamente ahí, en el final. Estuvo siempre, y eso lo supo Humberto. Estuvo desde el momento inicial de esa repentina historia, desde aquella primera carta de Sebastián Lieger contestándole al impostor y que leyó en un bar mientras desayunaba. Ese día, esa mañana pensó en Esteban. Pero también antes, desde su visita con Yolanda a la casa de Almagro. Aunque por un tiempo lo pudo aplastar en un precinto de la memoria, lo arrojó a las bestias feroces del recuerdo, esas que corren delante con la orden de comerse todo, para que cuando uno llegue al claro no encuentre rastros de sangre ni de nada

A su primo Esteban lo había dejado de ver un día de enero de 1964 treinta años atrás, cuando se fue con su madre de la casa del abuelo, poco antes de que su propia familia también se mudara. Por eso el rastro de Esteban había quedado allá, perdido para siempre. No tuvo otros espejos, no tuvo otros tiempos ni andares en la vida. En el cementerio Británico, en 1972, comprendió que desde ese mediodía de sol tibio y tías de negro, podía volver a amarlo nuevamente, hacerlo renacer cuando se lo antojase en la inutilidad de cada una de sus fábulas, llamarlo cualquier noche como cuando era chico y los ojos de Esteban seguían abiertos en la oscuridad de la pieza, reales o imaginarios. Esteban murió a los 25 años, casi antes de todo. En un lugar donde a veces las historias muestran como nunca las máscaras absurdas. El joven pastor metodista, el hijo de tía Mercedes, fue entonces sólo niño, sólo adolescente, sólo jovenzuelo en la vieja casona de tres plantas: Esteban fue solamente ahí, y ahí fue nada más que suyo. No pudo ser en otra parte, lejos, sino allá, en la casa. Después, desde 1964, nunca se volvieron a hablar ni a nombrar. Primo brillante, primo despavorido, palabra de sus palabras, piel indistinta, habitaciones sin luces, escondites secretos, voces de las hembras tías, láminas prohibidas, miedos a los patios grandes y negros, fabulaciones infinitas de cómo serían las mujeres desnudas y calientes, refulgencia de dios en los retratos del abuelo creador de las tierras y los mares, y más atrás todavía en imágenes borrosas, fragmentos de tonos, de caras, y siempre Esteban un poco más atrás hasta el primer principio. Su primo estaba también en esa historia, en todas las historias, aunque fuesen viejas, improbables, irrecuperables. Se alejó del auto, le echó una última mirada desde la esquina. Comprendió que entre otras cosas, empezaba el tiempo de Esteban.

Iría a hablar con tía Mercedes. Cuando volvió a la pensión de Santiago se encontró con una muchacha que lo esperaba. Simpática, locuaz, y a los pocos minutos habiendo entrado en plena confianza: Patricia era periodista de la revista cultural que venía a hacerle la entrevista sobre su trayectoria intelectual, en reemplazo del director de la publicación. Habló cuatro horas

Nicolás Casullo

frente a ella y al micrófono del grabador, dividió su vida en tres
etapas, la literaria, la política y la crítica ensayística. A la madrugada se les dio por cerveza, empanadas y quedarse en una de las
mesas de la pizzería. Según Patricia, por la buena música.

–¿Y ahora qué hace?

–Leo libros, escucho música, preparo clases.

–¿No extraña el tiempo donde hacía cosas?

–¿Hacer qué cosa, por ejemplo?

–Yo vengo de un largo viaje, profesor. Por Tijuana, San Diego,
Ciudad Juárez, El Paso, la frontera caliente. Dos años estuve
por allá entre chicanos, mayas, hispanos, dominicanos, portorri-
queños, yanquis, cubanos de izquierda y de derecha, salvadoreños.
Aquello mata, profesor. Rituales milenaristas, camino de las yer-
bas, viajes al hongo, revueltas. En lugar de comer uno se da un
toque, y en vez de hacer la siesta, lo mismo, y desde las seis antes de los tragos sigue en la segunda línea. Es como la sociedad
cibernética con danzas al dios sol y japoneses, vietnamitas, po-
lacos, árabes, homosexuales, lesbianas, anarquistas y fascistas.
Nadie sabe quién es, pero todos saben quiénes son entre narcotraficantes, revendedores, mafia, inmigrantes y sombreros mariachis
con la publicidad de Pepsi. No sé cómo explicarle, es como si todo
quemase, como si todo desapareciese para renacer al otro día, el
gospel de los negros, el soul, el Goth rock de los postpunk, o el
grindcore que espera los nuevos reinos, el heavy metal, o el rapeo
del hip hop, o los festejos de la salsa. En cualquier bocacalle se
está incendiando el mundo.

–Oí de algunas de esas cosas.

–Ellos dicen, para tocar el fuego hay que tocarlo todo. Mez-
clarse, rozarse, buscar un idioma entre todos los idiomas.

–Pero estamos aquí, Patricia, al sur. Bastante lejos ¿no? Esas
cosas que contás nos pasaron a nosotros pero hace cien años, en
otro fin de siglo. Cruces y mezclas, desterrados y destetados, algo
tan inmemorial como la torre de Babel.

–Buenos Aires está muerta, profesor.

–También son bellas las ciudades muertas.

–No, no es verdad. No sé dónde lo leí pero no es verdad.

Santiago lo despertó por la mañana con una bandeja de mate cocido y masas vienesas que había comprado uno de los paraguayos para festejarse a sí mismo el cumpleaños. Su primo reconoció que andaba despistado y sin saber qué hacer con todo ese berenjenal en la pieza y en su vida. Finalmente José Luis Casinelli no aparecía y todo se enredaba de una manera extraña. Le dibujó a Santiago, en la parte en blanco de la publicidad del diario, las líneas divisorias de lo que le pasaba. No era lo mismo lo de Ariel Rossi que una salteña corriéndolo a escobazos. Entonces, lo primero, antes de tirarse del sexto al corazón de la manzana, consistía en sacarle los yuyos al ligustro. Santiago le preguntó si alguna vez tuvo una quinta. Por una parte una primera llave grande, la llave madre, la de las cartas del impostor. En la subllave uno, estaban Sebastián Lieger y Ariel Rossi, los más antiguos, los desgraciadamente muertos por motivos no muy claros todavía. Sebastián, obligado a renunciar en una cátedra antecesora a la suya. La causa real de esa renuncia no la tenían. Pero Sebastián había pasado de ser un oscuro profesor en Tucumán, zona antiguerrillera durante la dictadura, a convertirse en ariete central de un engranaje de los derechos humanos y salvataje de condenados. Por otra parte Ariel Rossi, muerto en combate y buscado por Sebastián años después, como si algo los uniese. Y la profesora Matilde Lombrozo en una y otra historia.

Subllave dos, divisoria de temas: el Instituto de Filosofía, la cátedra debajo del agua concursada en 1942, donde Matilde Lombrozo, ahora con un legajo en blanco, surgía como la más inquieta y movediza de un grupo de profesores que ya no trabajaban en la carrera, o sí, se refugiaban en algún sitio de la ciudad, de los subsuelos, que ni el propio decano sabía. Ignoraban si la Lombrozo actuaba por las suyas, o por mandato.

Subllave tres: Matías Gastrelli, fugitivo loco en Buenos Aires o en cualquier parte, con un hijo Vladimir que muere en un incendio, y una novia bailarina sobreviviente. Pero también Matías Gastrelli, flecha, que se une a la Lombrozo a través de su adjunta Joaquina Fernández, hija de un antiguo profesor de la cátedra misteriosa, legajo 1200, donde también estuvo, o sigue estando, su otra ayudante, la vieja Ernestina de Queirolo, viuda del profesor Queirolo, primer titular en 1942 de ese cuerpo docente investigador fantasmal.

–Con respecto a Matías Gastrelli, están las referencias de sus cartas a nuestro primo Esteban Baraldi.

–Si, ya sé.

–Te habías olvidado.

–No me olvidé, boludo, lo iba a poner ahora.

–Ahora, ahora, pero no lo pusiste.

–Cuarta subllave, la principal y que reúne al conjunto: José Luis Casinelli, visitante de la casa de Almagro deshabitada, a lo largo de diez años. Preferido del viejo Saturnino. Personaje que recorre la casa, que recibe un afecto o trato especial, que posiblemente haya conocido a una anciana distinguida y a una muchacha que solían visitar al viejo. Pero sobre todo un Casinelli, salteño, que se la pasa escribiendo cosas ¿Cartas? casi seguro ¿Cómo se liga Casinelli con todo el resto? ¿ Por qué el impostor reúne a tales personajes? Fin de la primera gran llave madre. Abro segunda llave grande. En esta tenemos una primera subllave: la familia Rossi narcotraficante, al mando de Alberto Rossi, o posiblemente de la madre de Ariel, mi antigua profesora de piano, Ema de Rossi. Ellos, acosándome por un sobre robado que suponen le pasamos a otro grupo de lavadores, acaudillado por un Jamaiquino. Simultáneamente, nuevos vecinos en el piso de mi departamento, lugar donde no viven pero pasan a veces, a deleitarse con un gato, la pelirroja, pero en realidad a marcarme de cerca, ficharme, revisarme el departamento y tener al día la información sobre Humberto Baraldi. Segunda subllave: la hermana falsa del portero, la salteña Clara Bermúdez, que da la casualidad que desde hace unos meses se vino del norte, tuvo conmigo una relación indescifrable, y sirvió de intermediaria para los gorilas del departamento de al lado. Tercera subllave: el arquitecto Alejandro Herrera, ligado al cine argentino, Acción Católica, coleccionista de envergadura, que jugó un papel importante contra la represión junto con Sebastián Lieger y una monja, Amalia Ferro, quien debió conocer de cerca a Sebastián, tanto en la frontera como en su último año en Buenos Aires cuando Sebastián trabajó en la Carrera de Filosofía de la UBA o en el Instituto ¿Qué mirás, belinún, hay algún error?

–Es impresionante.

–Tan impresionante como gansa. Y debe ser eso, la gansada Santiago arrancó la hoja del diario, la dobló, y se la guardó en la campera.

–¿Qué hacés? ¿Te la creíste? Es todo un invento mío.

–Ponele, pero vos no la necesitás.

–¿Sabés qué necesito? Hablar a solas con Amalia Ferro, la monja. Todavía no pude. Alejandro no sale de su casa nunca.

–¿Cuál es el número del arquitecto?

Santiago discó en el teléfono, tosió para aclararse la garganta, y tomó aire y tono.

–¿Arquitecto Herrera? ¡Por fin lo ubico, arquitecto! Le habla Arnoldo García, soy el responsable de Aduana de encomiendas portuarias. Aquí tenemos desde hace meses una encomienda embalada a nombre suyo ¿Cómo? Sí, a su nombre arquitecto. Viene de Florencia, Italia. Mire, la hemos abierto ¿Abierto cómo? La abrimos arquitecto porque sospechábamos ¿De qué? Al no ubicarlo, y por nueva reglamentación, debemos abrirla. Esta sana y salva, arquitecto, es una estatua. Si, le aseguro, intacta. Pero hoy a la tarde la damos de baja, vuelve a Florencia. Si, ya venció. Si, véngase, mire ahora no estamos en el lugar de siempre, sino en el fondo de todo, pasando la zona de containers. En un cartel que dice Obras de Artes ¿Cómo dice? Sí, es nuevo el despacho, y el cartel no está, alguien lo sacó, pero usted busque, si arquitecto, faltaba más, lo espero esta tarde a las cuatro arquitecto, encantado, adiós arquitecto.

De viaje hacia el Botánico, en el taxi, pensó en Santiago con sus astucias y sus impunidades, su alegre desaprensión por mundos y valores instituidos, con orfebrerías y picarescas que no hacía falta explicar, se daban, igual que la flor silvestre, remitían a un itinerario donde ya no cabían pesares pero tampoco esperanzas: finalmente nada era cierto, ni uno mismo. Ni siquiera esto que le estaba sucediendo parecía tener otro trámite que el resolverlo de la manera más rápida posible: aclararlo, de eso se trataba, y con respecto a tal cosa valían lo mismo sus noches insomnes que las ocurrentes huevadas de Santiago. En la casa de Herrera lo recibió una mucama contrariada, o a la que se le debían varios meses de sueldo. Ella apenas le informó que Amalia Ferro estaba por arriba y desapareció del otro lado de una puerta.

Fue subiendo despacio las suntuosas pero bastante abandonadas escaleras de la casa hasta el segundo piso. Vio a Amalia, con su mismo hábito gris de siempre, despatarrada sobre una de las butacas de la sala de proyección, y en otra fila, más atrás, al joven ayudante del arquitecto. Miraban una película erótica. Ella lo descubrió recién al rato, pero no pareció sorprenderse.

–¿Qué hace usted aquí, señor Baraldi?

–¿Qué hace usted aquí, hermana de las Carmelitas?

Se sentó cerca de ella y esperó que terminase la proyección. El muchacho se presentó, dijo llamarse José, para desaparecer casi inmediatamente. Advirtió que ella estaba al tanto de todo. La fue llevando con la conversación hacia la época en la cual conoció a Sebastián Lieger. Descubrió un rictus de desagrado en la cara de la hermana, también un leve chasquido de lengua con respecto a esos recuerdos.

–No sé por qué en un tiempo acompañé a Sebastián a la Chacarita, y también al cementerio Británico a buscar tumbas de viejos amigos. Lo veía cayéndose a pedazos. La verdad: hecho un plomo.

–¿Pero qué pensaba de la dolorosa turbación de Sebastián?

–Fue un puto insufrible.

Lo sorprendió lo sintética respuesta, que en lo inmediato lo dejaba muy lejos del hilo argumental imaginado.

–¿Le pareció eso? –preguntó Humberto acostado en la lona esperando la cuenta. Miró los ojos de Amalia como para volver en sí.

–¿Si me pareció? Por favor, mejor que no hable, era un invertido insoportable, sobre todo en la intimidad. Un pedante, un frívolo, un cargoso. Al enfermarse se aterrorizó.

–Tal vez porque había muerto su pareja, el bibliotecólogo.

–¿Qué bibliotecólogo? La única pareja de Sebastián fue Alejandro Herrera, que yo sepa. ¡Ay, el día que yo hable, Baraldi, dios santo! Estoy harta de toda esta pajería.

–¿Pareja de Alejandro?

–¿Y qué pensaba de Alejandro? Ve a las mujeres como íconos de la catedral de Moscú ¿O no?

–Claro, por supuesto, en eso venía pensando.

–¿Qué quiere saber de Sebastián Lieger? ¿Si me habló de usted? Sí, por supuesto, me habló de usted. De una carta que recibió de usted para que se conectase con una profesora de la facultad.

–Matilde Lombrozo, supongo que ese es el nombre de la profesora.

–Creo que se llamaba así. Me quedó en la memoria el viejo que acompañaba a esa señora Lombrozo.

–¿Un viejo? ¿Se acuerda de su nombre?

–No, no me acuerdo. Vivía silbando tangos. Además, el putito de Sebastián era muy reservado en sus cosas. Alejandro no estaba metido en nada, pero se creía todo lo que Sebastián le contaba. Amorosos los dos tarados. Y yo que me las tuve que bancar todas, ni se imagina.

–¿Sebastián le habló de Ariel Rossi?

–Me habló hasta cansarme. Me hablaba sobre cómo murió Ariel.

–Iba a una cita a encontrarse conmigo, Amalia. Ese día lo mataron en plena calle.

–No, para nada. Murió quince días después de aquel día.

Humberto le hizo señas con la mano para que se callase. Encendió un cigarrillo. Se preguntó si en realidad deseaba seguir ahí, delante de aquella mujer trajeada de santa. Se sintió de golpe cansado. Con ganas de tomar una cerveza con su padre, si viviese.

–Siga, Amalia, por favor.

–Así me contó las cosas Sebastián: que el día que tiene la cita con usted, Ariel Rossi va hacia su casa en un auto, con varias personas más.

–¿A mi casa, dice usted, Amalia? ¿ Donde yo vivía? No, eso es falso. Fue en un lugar establecido. Ninguno de ellos sabía dónde estaba escondido.

–Decidieron que era mejor que las cosas pasasen en su casa. Una chica les pasó su domicilio.

–¿La Gringa?

–Creo que sí ¿Era la esposa de Ariel, no es cierto? Pero me parece que la obligaron ¿Ella no lo llamó a usted para decirle que se levantaba la cita, que no fuese? Esa llamada fue para que usted no se moviese de ahí. Según Sebastián Lieger, iban a llegar por la mañana, antes de que usted saliese de su casa. Eso lo decidió la madre.

–La madre, claro. Eso lo decidió la madre ¿La madre de quién, Hermana? Perdone la curiosidad.

–La madre de Ariel Rossi. Y esa profesora, Lombrozo.

Humberto se levantó de la butaca. Antes de tirar el pucho encendió otro cigarrillo. La madre de Ariel Rossi, había dicho la monja. Ema de Rossi, su vieja profesora de piano. Ariel, el Franchute, alto responsable de la Organización, conversando con su madre, seguro con facturas y algunos mates. Ariel tramando las cosas con la que ahora parodiaba ser una supuesta renegada de su hijo terrorista y comunista. Ariel platicando con su mamá para ver cómo iban a la casa de su tía Josefa, donde estaba refugiado en la terraza. Lógico ¿Cómo no se le había ocurrido antes? Y la Gringa que levantó la cita para que lo encontrasen en pijamas mirando las begonias de la azotea.

–Y entonces, hermana.

–Todo esto es lo que me contó Sebastián, ya le digo. Él se veía con la profesora Lombrozo. Usted, con su carta, lo había conectado con ella. Cuando aquella mañana Ariel Rossi va con otro dos en un auto hacia su casa, abre la puerta de golpe, se tira del auto en la luz roja de un semáforo, y escapa corriendo por la calle. Entonces ese viaje, o ese operativo, se desarma.

–Usted dice que Ariel escapa ¿De quién, de la mamá?

–Se escapa, no creo que de la madre. Supongo que ella no iba en ese auto. Sebatián me contó que se escapa y se esconde por un par de semanas.

—¿Le dijo Sebastián quiénes iban en ese auto, hermana?

—Dos más.

—¿Le dijo Sebastián por qué Ariel Rossi se escapa del auto?

—No. Lo que me dijo es que Ariel se escapa y se esconde en la casa de un compañero, que después resulta que estaba cantada. Pero se entiende que no quiere ir a esa cita, que lo obligan. Dos semanas más tarde cae, lo matan. Sebastián no me dijo por qué Ariel se escapa del auto ese día. Sólo me dijo que Ariel Rossi había visto algo.

—¿Algo? ¿Dónde, hermana, si no es mucho pedirle?

—No sé, no me lo dijo. Pero creo que Sebastián necesitaba saber lo que había visto Ariel. Por eso lo buscaba a usted. Y creo que Sebastián lo buscaba a usted no precisamente para hacerle un regalo. Usted había puesto un domicilio falso en la carta que le escribió a Sebastián, el domicilio de una casa donde nunca lo encontró ¿La casa de su abuelo, no? Al que puteaba cada dos por tres era a usted ¿Quiere que le diga lo que yo creo, Baraldi?

—No sabe cómo se lo agradecería, Hermana.

—Para mí Sebastián sospechaba, eso nunca me lo dijo, que usted era un chupado que ya jugaba para el otro bando, y había pasado información sobre Ariel Rossi, cuando lo mataron, y también, años después, sobre la tarea secreta de Sebastián en Tucumán. Eso era lo que Sebastián pensaba. Y además que también Ariel supo que usted era un chupado. Eso fue lo que descubrió Ariel, lo que vio Ariel. Al final el putito se enteró que usted estaba en México, pero ahí dejé de verlo a Sebastián, no supe más de él, tampoco Alejandro. Eso es lo que yo creo, Baraldi.

No entendió cuál era la convicción de la monja: si creía que Sebastián pensaba esas cosas, o Amalia Ferro creía en esa historia pordiosera sobre Humberto Baraldi. En fin, era un detalle menor de una charla rutinaria.

—¿Y en Tucumán, en Misiones, en la frontera con el Brasil o en Buenos Aires, Sebastián Lieger le habló alguna vez de José Luis Casinelli?

–Casinelli. No, nunca me hizo referencia a tal persona. Pero le advierto, Baraldi: jamás pisé Misiones. Y Tucumán, sólo dos días y en el mejor hotel frente a la plaza. Todo esa otra menesunda de yo heroína en Tucumán se la cree únicamente Alejandro Herrera.

No tan inmediatamente pero casi, con una botella de agua sin gas de por medio que bebía desganada y de a sorbitos con la comisura izquierda de sus labios, Amalia Ferro le contó que nunca había sido monja ni elegido realmente los hábitos. Pero esa fue la forma que encontró para vivir junto a Alejandro el resto de sus días. Ella en realidad era Lucrecia, la poeta pampeana, la mujer de los dos libros de versos a través de los cuales, con unas cuantas cartas más, se conectó azarosamente con Alejandro como el vuelo de una alondra tiritando y extraviada. Llegó a amarlo enloquecidamente, pero tuvo terror de ese afecto tan sublimado, sin haberse visto nunca frente a frente. Se dio cuenta, por las cartas, de que Alejandro la tenía idealizada y ella en cambio era una mujer simple. Le salían poemas cuando se sentía muy mal, porque cuando estaba bien, feliz, con buenas digestiones, no se le ocurría un solo verso. Entonces ella inventó un viaje a Grecia porque él le escribía sobre Corinto, pero en realidad en 1969 se fue a vivir a Córdoba donde militó gremialmente y se casó con un abogado laboralista del PJ, una bestia celosa que matemáticamente la molía a palos dos veces por semana, la violaba hasta indispuesta cuando se le ocurría, y cada dos por tres le ponía las valijas en la calle sin el menor motivo. Hasta que matan a su esposo en una refriega policial. Al ir a buscar su cadáver en la morgue, la detienen, y en la comisaría todos los días la despierta un morocho desencajado encima suyo, que abusó de ella durante una semana, hasta que un pariente con vinculaciones la rescata de los buenos días y el miembro al aire del Principal turno mañana. Se vuelve a La Pampa para refugiarse desde 1976 en un campito cerca de Santa Rosa, propiedad de un tío coronel retirado donde vive durante siete años en una soledad jamás interferida por nadie, despreocupada absolutamente de lo que pasaba o dejaba de pasar en el país, demitificando toda ideología de izquierda o de derecha, y ocupada en ordeñar vacas, limpiar el chiquero, carnear puercos y quemar yuyos secos a la tardecita a los costados de la tranquera. En esa larga convalescencia de su femineidad, recuperó de manera inconmensurable el dolor de aquel amor extremo por Alejandro Herrera, para volcarlo en versos insensatos donde llegó a conocer el desvarío de su propio corazón sangrante.

Un domingo vendiendo pollos al costado de la ruta, se reencontró con la hermana de Alejandro, quien paró con su auto por dos sandías en el puesto de al lado y le contó la agonía de amor de su hermano Alejandro, aquel antiguo novio invisible, del imperecedero recuerdo que Alejandro tenía de ella, trasmutado a una religiosidad de corte irreversible. Tres horas charlaron en la banquina a pesar del viento. Lucrecia se dio cuenta: ya no había esperanzas para esa relación que los había consumido en la distancia, ni podía aparecer como cuerpo viviente frente a ese hombre, quien según la hermana imaginaba a Lucrecia cerca de la inmemorial Alejandría, medio helénica, medio paulina, convertida, o diluyéndose en una última Venus junto al mar. Con la hermana de Alejandro, mágicamente aparecida esa tarde en un Buick, convinieron que la figura de una monja era la única posible de intentar para estar juntos alguna vez y que él nunca supiese quién había sido ella antes en su vida, su verdadera identidad. La hermana de Alejandro se comunicó con Sebastián Lieger en Tucumán, en 1983, y él aceptó, dijo porque le resultaba divertido, formar parte de esa mentira de amor con que Amalia se ofrendaba. En el hotel de Tucumán Sebastián le reveló que había andado varios años con Alejandro, eso a Lucrecia le cayó prácticamente como el culo, pero ya era tarde: ni loca volvía al campo en Santa Rosa a cuidar al tío con gota, y Sebastián, además, le juró que lo de ellos estaba terminado desde hacía más de un año. La hizo pasar como una monja que trabajó con él en Misiones colaborando en la fuga de perseguidos: él mismo imaginó toda la historia y sus detalles loco de contento, historia que en Buenos Aires deslumbró al piadoso Alejandro Herrera. Desde entonces ella y el arquitecto se hicieron amigos, cómplices, maquetistas, siempre juntos, mansamente felices. Él, contándole cada tanto y de manera aburrida su historia con Lucrecia años atrás, pero sin el menor deseo físico por una santa politizada en los rigores de la selva y la frontera, a diferencia de ella que a veces se desvanecía de pasión y buscaba adormecerla con películas doble x.

25

Preparó el esquema del Seminario sobre Primer Romanticismo en la pieza de la pensión, usufructuando de la soledad de todo un día: Santiago trepanaba adoquines cerca del Congreso, junto con los dos paraguayos y el resto de la cuadrilla. Para el segundo cuatrimestre de la cátedra decidió que todo el equipo daría clases teóricas. Dibujó el esquema y abrió cinco llaves temáticas. El Seminario lo inauguraría él mismo con lo prerromántico: Rousseau, Macpherson; el Sturm und Drang, Hamann, Herder, Goethe, Schiller, Moser y Lenz, en Estrasburgo, Stuttgart, Francfort y Darmstadt. En el segundo acápite, Gabriela Ceballos con Kant, la Crítica del Juicio, lo bello y lo sublime. Tercer ítem, Joaquina Fernández, con Jena, los hermanos Schlegel y Novalis. Cuarto capítulo, Ernestina de Queirolo, con Hölderlin, Jean Paul y algo de Schelling. Quinto y último tramo, Raúl Cortez, con Inglaterra, Wordsworth, Carlyle y Blake.

Releyó el esbozo del Seminario, dedujo que a partir de ese cuadro sinóptico los alumnos tendrían una idea adecuada de cómo fue la historia. Le faltaba organizar una bibliografía oportuna, tanto obligatoria como recomendada. Abrió la ventana para despejar el humo. Percibió de pronto que las obras que iba conjeturando su cabeza no tenían título, cerró los ojos, eran libros sin palabras en sus lomos ni en las tapas: o letras que no alcanzaba a pronunciar. Apoyó la cabeza contra la pared, sintió como un principio de desvanecimiento: los libros permanecían amontonados en el rincón de una pieza oscura, alguien los miraba desde lejos, sentado sobre el piso. Y afuera una playa. Cerró los ojos, pero tampoco así lograba distinguir los nombres. Escribió números del uno al diez varias veces. Se preguntó por qué lo habían buscado Sebastián Lieger y Ariel Rossi, y también Matías Gastrelli con una carta inconclusa. Pensó en lo que le había sucedido en una librería de Belgrano una noche de la semana pasada: qué nombre ponerle a esos libros en oferta sobre una mesa, qué nombre ponerle al rostro de la vieja, al cuadro que le había mostrado. Quiso escribir, cosas, no sabía qué, en un papel, pero nada relacionado con las clases teóricas, pero las imágenes eran demasiado inclementes para atraparlas con palabras.

Se sentó en la silla y miró el esquema que había hecho en el cuaderno. Abrió otra vez los ojos. Ariel Rossi, el Franchute, había estado con su madre durante los días que preparaba la cita supuestamente para matarlo. En un instituto sin calle conocida. Y también estuvo con Matilde Lombrozo. Pensaron encontrarlo en la terraza de su tía Josefa: el cuartito de techo de zinc donde leía viejos triunfos de Racing en *El Gráfico*. Pero Ariel se escapó, se arrojó del auto, como si a último momento fugase desesperado de aquella misión. Y su madre, Ema de Rossi, la que había degradado la memoria de Ariel, estaba sin embargo con su hijo en esos días trágicos, finales, en 1976. Quizás Ema de Rossi teatralizó su desprecio por Ariel, por su hijo muerto, 17 años después. Quizás esa mujer trató de alejarlo de esa historia con su actitud agresiva, sorprendente, cuando fue a verla al paddle: alejarlo de esa carta en una caja fuerte que después llegó a sus manos. O no.

Buscó la carta de Ariel en su carpeta de la cátedra. El Franchute, nunca conocido personalmente en aquel entonces, no escribió esa carta. Eso decía la Gringa. O sí. Tal vez la escribió, tal vez tecleó la máquina con sus propios dedos y la versión de la Gringa, que pasó arteramente su escondite en la terraza tabicado para todos, menos para ella, tal vez su versión era la falsa. Otro invento, para que desconsiderara definitivamente las páginas de esa carta. Ariel Rossi se despedía en esa carta escribiendo Viva el Che. Ese no fue nunca un saludo de combate peronista. Probablemente deslizó un error ex profeso, la ranura de un aviso, para que desconfiase de esas hojas donde no aparecía Perón o muerte sino el guerrillero de Camiri. Tal vez Ariel buscó alertarlo sin imaginar que jamás la recibiría. Pero todo, en aquel tiempo, en esa historia, en cualquier historia de ese país, era lo que no era, era como si fuese, no era lo que parecía ser ¿Se hubiera dado cuenta de esa despedida equívoca, de ese pequeño dato de alerta, de haber recibido aquella carta en su momento preciso, de haberla leído los días anteriores a la cita? ¿Quién quiso matarlo?

Algo vio Ariel sin embargo: así se lo contó después Sebastián Lieger a una monja de ocasión. Vio a alguien, o vio algo, la diferencia entre una y otra palabra le sonó terrible ¿Qué quería decir "algo"? Ya no se lo podía contar aquel Sebastián taciturno, profesor renunciante, camuflado como contrainteligencia, alegre gay en Tucumán, amante de Alejandro, enfermo sombrío en Buenos Aires, y también al final de su vida detrás de Humberto Baraldi: igual que Ariel Rossi. Sebastián Lieger sospechó que Baraldi había delatado compañeros y tareas: que Humberto Baraldi portaba un disfraz, que era otro. Se sintió como encajado en un médano maloliente de historias de vidas, también la suya: en una suerte de artesanía de lo biográfico que le sacaba hasta el último centímetro cúbico de aire en los pulmones. Era hora de escapar de ese torbellino fétido, de tanta automemoria pestilente, o por lo menos de tanto oído biográfico. Vaya a saber si también, con esfuerzo, de una estética. Las cosas no habían sido así. Miró el esquema de las clases teóricas en el papel: nombres, lugares subrayados, líneas divisorias. En la vida había querido como mínimo ser un buen tipo, nunca un boludo anonadado, y mal que mal lo había conseguido hasta hacía cuatro meses. Hasta que empezó a caminar, sin saberlo, hacia José Luis Casinelli.

Se sintió aturdido, alguien martillaba clavos contra sus tímpanos, pero desde adentro. No le quedaban mayores dudas, el impostor se concentraba en esa encrucijada donde tuvo lugar el desastre de una política militante, el desbarajuste y la huida por Misiones, por Ezeiza, por cualquier parte, al comprobarse la debacle. Y en ese pozo, los compañeros de la liberación se habían convertido fatalmente en máscaras, como él mismo. En ese momento fantasmagórico el impostor dejó los diez dedos de sus manos.

Pasó por su departamento de Córdoba y encontró un fax de su hijo con el dibujo del estallido de una central de computación en las afueras de Buenos Aires: volaban las pantallas hacia remotas galaxias. Le contestó con una carta de tres páginas y se la envió por la misma vía. Escuchó la voz de Celina registrada en el contestador: dos días atrás se había encontrado fortuitamente con ella a la salida de su clase teórica, después de una semana de no verse ni llamarse. Ella iba a leer una ponencia sobre imagen, palabra y ciudad en un Coloquio de la carrera de Letras. La fue a escuchar en el piso de abajo de la facultad. Celina eligió al director de cine japonés Ozu para su exposición. Al terminar quedaron en encontrarse para visitar la casa de Almagro y pensar en su video, en las primeras tomas de prueba. La vio alejarse con dos compañeros y sintió el mismo desasosiego de los tiempos jóvenes. Escuchó la voz grabada de Santiago, sin noticias sobre Casinelli, y a continuación, el tono pesado, lento, del intermediario de Alberto Rossi:

–Sabemos que te quedaste con un datito. No hay problema. Queremos solamente el verso y la música, y todo queda en paz. Y un consejo: lejito del Jamaiquino.

Fue a charlar con su tía Mercedes, la madre de Esteban, con la tía peronista del 73 parada en las escalinatas de la Catedral el 25 de mayo, saludándolo con su chal cuando él pasaba como custodia de una de las columnas. Al rato de estar con ella confirmó una presunción originaria: las viejas tías guardan todos los mundos que uno desperdició. Mercedes, después de tantos años, fue una anciana que lo abrazó llorando muy suave, y no dejó de lagrimear, con su pañuelo lila, sin perder por eso una suerte de jovialidad en la tristeza ni aquella altivez provocadora del pasado. No había fronteras entre ella ni aquella otra, entre los vestigios de un rostro ya perdido en su rostro, entre aquella otra mujer del 55 encerrándolos en el desván para contar la historia de Evita y esta anciana encorvada. No había distancias en la extraña forma de un alma que persiste sin lindes. Humberto sintió que tía Mercedes guardaba el tañir de las cosas existidas, de los gestos que se usaban antes, de los modos, de las marcas de la vieja casona ya ausente dentro de él, pero no dentro de ella: como pisadas silenciosas de lo que uno hubiese tenido que ser en la vida. Recorrió la casa de tía Mercedes, la galería con plantas, el vitral de la rosa azul, el cuarto donde murió su primo. La tía recordó el perpetuo mutismo de Esteban cuando ella le hablaba de su distanciamiento con Humberto, ni siquiera quebrado en sus últimos días de vida. Nadie había vuelto a hacer referencia a esa pelea entre los dos, y tampoco tía Mercedes se atrevió a violentar ese pacto. Vos no sé por qué provincia andabas en ese tiempo, dijo tía Mercedes, ni tu madre sabía dónde estabas. En el comedor, ella sonrió malignamente, como feliz, cuando le recordó sus años de peronista en la fábrica textil. Mientras servía el té, ella le dijo haberse dado cuenta de cómo todo terminó con la muerte de Perón. Ese fue el secreto de octubre según la tía, que los pobres y valientes muchachos de la guerrilla jamás entendieron. Aquel día no fue como la muerte Evita, donde estuvo más de veinticuatro horas haciendo cola para verla en el cajón. Con el general ya estaba demasiado vieja, sólo le llevó una flor y la dejó en algún lado para dar por cerrada la historia. Él había sido toda la historia, no ella, dijo Mercedes. Cuando el pobre murió supe que vendría el largo tiempo de los atorrantes, basuras y ladrones.

Cuando le preguntó por los libros y los papeles de Esteban, la tía le dijo haber cedido toda su biblioteca a la Facultad de Teología, para quedarse sin nada. Apenas un resto de cosas sobrantes en los cajones del armario de la antecocina. Revisó el lugar, pero únicamente encontró recuerdos del viaje de Esteban a Alemania, en 1969, y una carta de Matías Gastrelli, que pidió permiso a la tía para llevársela. Al irse, caminando, rememoró un día de 1972. Estaba en Rosario, en una reunión de frentes de juventud en la universidad, y llamó a su madre para saber cómo andaba la familia. Esteban murió esta mañana, dijo ella. Tomó un avioncito y esa misma noche entró al velatorio recordando las payasadas de Esteban en la terraza de la casona y el susto de las primas.

En la pieza de la pensión, Santiago lo puso al tanto de la infructuosa búsqueda de Casinelli. Patricia, la periodista del reportaje, llegó sin anunciárselo para mostrarle cómo había redactado la nota y dijo conocer a un Casinelli en un estudio de abogados por Tribunales. Santiago tomó nota y la invitó al tablao donde esa noche bailaba Rocío. Cuando se fueron, llamó Cristina Lieger con la insistente propuesta de que pasase por su casa para hablar de una participación suya en el proyecto del tren fantasma. Le contestó faltarle el ánimo.

La carta de Matías Gastrelli a Esteban, fechada en París en febrero de 1969, era un texto a medias reposado, a medias extravagante, con aire de crónica y otro tanto de intriga. Sin duda, parte del intercambio epistolar entre los dos. Matías recordaba haber recibido dos cartas consecutivas de Humberto Baraldi hacia finales de 1968, con remitente "en la vieja casa paterna de Lavalle, a la cual tanto vos, Esteban, como tu descorazonante primo, tengo entendido que nunca volvieron, por lo menos a vivir". En esos renglones ya brotaba el plagiario. Pero en esos renglones, también, Matías callaba toda mención a sus muy recientes desencuentros parisinos con él. No obstante, no dejaba de ser Humberto el asunto de la carta de Matías. Las primeras preguntas anunciaban todo el resto. "¿Por qué Humberto me escribió dos cartas sobre algo jamás conversado antes, ni en Buenos Aires ni en París donde convivimos hasta hace algunos meses? ¿Por qué me pregunta tan puntillosamente sobre ciertas cosas, como queriendo desatar un mundo que ya no interesa a nadie? Vos, Esteban, me asegurás que la carta que también recibiste pelotudamente de ese escarabajo de tu primo al que hace cinco años que no ves, en realidad no es una carta de Humberto, cosa que me generó al principio la mayor de las zozobras ¿Ah no? ¿Y de quién es la carta de Humberto que Humberto escribe? ¿De la cerrada argolla de la santa virgen? Entonces te refuto: Humberto, cara de ángel, puede hacer esto y otras varias cosas tan poco claras como dichas cartas: como cuando reprobaba tu escabrosa relación con aquella sirvientita de culo sofacama que tenían, mientras vos sabías, y Humberto sabía que vos sabías, que él los espiaba todos los días por la rendija de la cortina de la ventana cómo te zarpabas con la sirvienta. Hasta la mucamita, arrepentida de haber garchado tupido con ese dependiente de carnicería o de almacén que no fue Sarmiento, estaba enterada de que Humberto los espiaba. Y eso, según vos Esteban, era lo que más la irritaba ¿Por qué no pensar que nuestro querido bolas de amianto Humberto, el mismo que anduvo por París hasta hace apenas unos meses, inopinadamente y no sé con qué objetivos, regresa a nuestras peripatéticas o pajeras andanzas en la casa de Egon Stromberg y pretende abrir una caja meliflua de amores, fascinaciones y fechorías varias, del tipo vaciarle la heladera con algunos de nosotros de campana en la puerta de la cocina, birlarle libros de la biblioteca que el germano nunca notaba, y 'otras cosas'?"

Luego de ese prólogo, donde aludía a dos cartas del Humberto falso a las cuales tomaba por verdaderas, y a otra también del plagiario pero recibida por Esteban, Matías continuaba hablando de la casa de la familia de Egon Stromberg. Mencionaba, sin el menor prólogo y como si Esteban ya estuviese en antecedentes, "el día sin ninguno", y cerraba el párrafo con una remanida interpretación, según la cual "en realidad nosotros no nos posesionamos de esa cordial casa de teutones y/o vieneses hospitalarios, sino que tal familia, tanto a vos como a mí, a Juan Antonio, a Horacio, Ariel, Sebastián, Guillermo y al lungo Jorge, nos poseyó, nos envolvió con distintos tarros de un misterioso almíbar en los estantes más altos de la despensa". Trascartón, Matías le reprochaba a Esteban haber creído que invitando a la familia de Egon a "ese sempiterno culto metodista casero que heredaron del abuelo pastor", podía neutralizar ciertas irisaciones de la familia Stromberg, "cuando lo que sucedió fue lo contrario. Vos, Esteban, caíste arrobado frente a la suegra de Egon, la retorcida abuela poeta Katia Hans, en larguísimas conversaciones hasta la madrugada donde hasta debió mostrarte sus calzones fin de siglo. Humberto, embaucado en su descubrimiento de la filosofía griega y medieval en boca de Egon, a veces en compañía de Juan Antonio y Horacio. Y todos nosotros, en especial Ariel y yo, casi comparsa en erección por el cuerpo de Salka, esposa de Egon, con sus tetonas soleras, o por los primorosos 17 años de su hija mayor Eugenia o con los 15 añitos de la atribulada y autista, pero no por eso menos atractiva, hija menor Olga Stromberg".

Esa página de la carta de Matías Gastrelli finalizaba aseverando: "Te digo que no me asombra que sea el sotretismo de Humberto, con sus cartas a vos y a mí, el que regrese insólitamente a esa historia, que a mí también, pasados cinco años, me suena como algo pedestre y a la vez, no entiendo por qué, ridícula y adolescentemente espectral. Cuando ustedes dos como dulces primitos se pelearon a fines de 1963, cuando después se fueron de la casona y del barrio, y también Ariel y Sebastián piantaron con sus familias a Palermo y al Norte, la barra entró en colapso repentino, en coma uno en sólo dos meses, para perderse en el aire como pedo sordo de vieja raquítica".

Pero la parte más sorpresiva de la carta, la más impiadosa para los ojos de Humberto, venía abarrotada en las últimas dos páginas, esas que simulaban tener el inefable y melancólico fondo de las historias que pasaron pero vuelven con extrañas reverberaciones. El prólogo a ese último tramo de la carta, era otra embestida grosera de Matías: "Con los meses me di cuenta que este asunto iba en serio, que el tema de las cartas de Humberto no eran ocurrencia insana, que había algo por abajo, amontonado, algo que guardás sin saberlo. Como cuando arreglás tu mesita de luz después de años de tirarle cosas adentro, y te encontrás con un forro usado y seco, polvo de leche ¿Nunca te pasó? Un posible hijo muerto y pegado, pero no a la foto de su inubicable madre, sino a una tarjeta del arreglador de cortinas". ¿Quién unió en secreto esos dos mundos?" Y se preguntaba Matías: "¿A que vienen esas cartas otarias de nuestro común Humberto? ¿A qué vienen, hablando de eso? Entonces pensé la pregunta, pero desde el dorso. Precisamente no deben tener nada de otarias, Esteban. Están pegadas a algo".

A partir de ahí, Matías recordaba: "Ahora, hace poquito lo confirmé, cuando me fui de luna de miel por veinte días a Argelia con Jeanne, mi flamante mujer sexóloga. También por un trabajo a largo plazo que iniciamos en el Magreb. Inauditamente me encuentro, en un distinguido hotel, con Ariel Rossi. Hace dos meses de esto, diciembre del 68. Ariel misterioso, reservado, enigmático al principio, sin pasarme bola, hasta que a la semana, una noche, se ablanda, se afloja, le cae gracioso que le haya dicho que parece un franchute por la pilcha y por los modales, repite varias veces que no se le había ocurrido pero no esta mal lo de franchute, y a las tres de la mañana, en la barra del bar del hotel argelino, me bate que viene de Madrid, de Puerta de Hierro, y ahora está en sala de espera hasta recibir el visto bueno desde Trípoli, y negociar allá varios cajones de metralletas, porque en la Argentina el nuevo peronismo está velando lo que aún no tenía: armas. Desde esa noche Ariel volvió a ser el de siempre en su amistad, pero infinitamente diferente en sus proyectos. Me acuerdo una tarde de Argel, nos quedamos los dos divagando que en esas mismas costas había estado el anciano Marx casi al final de su historia recordando a su esposa y a una de sus hijas muertas. El portentoso viejo loco de la humanidad con los pies por fin pisando el tercer mundo: como si se estuviese mojando las patas en Costanera Sur. Esa tarde a Ariel le refulgían los ojos y la voz, soñaba con lo que empezaría a pasar en la Argentina. Te imaginás mi respuesta. Le dije que en la Argentina pasaba el agua por la canilla y soretes por el Liceo Militar. Por supuesto discutimos, yo sobre todo para escucharle su entusiasmo. Te juro que Ariel era otro, le sobraba vida, convicciones, teorías. Lo miraba mirar el Mediterráneo, pero de este lado, del nuestro. Me imaginé su cara pero 15 años antes, esa misma cara en tierras lejanas, extranjeras, pensando en Europa y en la revolución en América, leyendo en algún hotel no a Fanon, a Guevara, sino a Rousseau, a Voltaire. Le critiqué idea por idea, lo vi encresparse como si guardase las tablas de Moisés. Pero fue otro día, también en el hotel, cuando Ariel me contó haber recibido, meses atrás, dos absurdas cartas casi consecutivas de Humberto Baraldi, sin remitentes y sobre un mismo tema. Pero Ariel sabía otras cosas, antiguas. Por su madre, dijo, por doña Ema. No le quise preguntar qué carajo tenía que ver su madre en eso, porque no le vi ganas de meterla en el asunto. Pero descubrí una extraña preocupación en la mirada de Ariel, un malestar muy singular, muy hondo, impropio de un tipo a punto de negociar en Libia un cargamento de Usis recauchutadas. Me dijo: ahí pasó algo inconcebible, pero se me escapa.

Hablaba de la casa de Egon Stromberg en Francisco Acuña y Cabrera. Entonces después, ya de regreso en París, solitario, empecé a atar cabos. Volví a pensar en las cartas de Humberto, en su regreso a la Argentina, le escribí a Buenos Aires a mi santa madre médica, y ella averiguó este dato: Egon Stromberg ya no estaba en el país, sino otra vez en Alemania ¿Qué pasó, Esteban? No te hagás el dobolu como tu primo, vos sabés lo que está pasando. Y el pejerto de Humberto, creo que más que nadie". En la posdata de la carta, Matías agregaba: "Me decís que te venís para Alemania en abril próximo ¿A qué venís a Alemania, Estebancito? Si no pasás por Francia avisame, me corro donde vas a estar. París, febrero de 1969".

Salió de la pieza y fue a la cocina de la pensión, los dos paraguayos miraban el noticiero de cierre. Un boliviano se hacía una ensalada y en el patio tres peruanas muy jóvenes, no dejaban de reírse. En la pantalla mostraban una manifestación de estudiantes contra el bajo presupuesto en educación, y varios diputados despotricaban contra el plan de ajuste. Ya en la calle Humberto caminó varias cuadras por Villa Crespo, un barrio que había frecuentado muy poco. Pero la ciudad era igual en todas partes, una caja vacía con muchos carteles de picacordones y plomeros clavados en los postes de alumbrado.

Todas aquellas hojas amarillentas estaban atravesadas por el impostor. Se imaginó a José Luis Casinelli estampando su firma al terminar cada una de ellas en la sala de su casa de infancia. De manera sorprendente, a diferencia de Matías, su primo Esteban había descubierto al Humberto postizo, no cayó en la trampa, y mucho menos con respecto a esa historia con la familia de Egon Stromberg, hacia donde ridículamente tendía sus tentáculos el embaucador. Recordó la intrascendencia de aquellos días, durante su último año en Almagro, cuando algunas veces, en pleno ingreso a la Facultad de Filosofía y Letras, visitaba la casa de Egon con el supino intento de cortejar a su hija, Eugenia, una de las tantas pibas de barrio bien dotadas de pectorales con la que ni llegó a noviazgo. Eso lo sabía Esteban al recibir las cartas del farsante, porque su primo había frecuentado durante más tiempo aquella casa de Egon en Francisco Acuña y Cabrera, a cuatro cuadras de donde vivían. Pensó en Casinelli. No había entendido aquello de "el día de ninguno", al que hacía referencia Matías Gastrelli. Posiblemente tuviese razón en algo que había olvidado: lo motivadora que fueron para su elección universitaria muchas charlas que tuvo con Egon, la vocación del germano por ciertos temas de la filosofía.

Chistó un colectivo para el centro y se sentó en un individual casi atrás de todo. Pero más allá de las especulaciones, al terminar de leer la carta de Matías había sentido miedo. Nunca le pasó antes con respecto a ese juego tartamudeante de cartas a la vista y otras cartas eternamente ausentes que lo venía persiguiendo. No un miedo repentino, fugaz, que hubiese entrado y salido por la ventana de la pieza. No, era idéntico a un miedo de vieja data del que no se dio cuenta y recién le avisaba, una vez que hizo el nido y bordó sin pausas su baba. Como un arrugado huésped que se desentumecía y por algún lugar de las letras venía caminando, pero ahora con ruido. Presumió, estaba seguro, que en esos renglones de la carta de Matías empezaban a acabarse las bromas, las travesuras y ocurrencias de Santiago, las tetas de la pelirroja gato, los mastodontes del departamento vecino, las cataratas de historia. Quedaba su historia. Y el impostor ¿Pero le quedaba una historia? Esa noche había empezado otra cosa que sin embargo no lograba definir ¿Realmente había empezado esa noche? Su vida era mucho más del impostor que suya, no sólo porque la había violentado cada tanto, sino porque tampoco ese canalla se la había contado nunca, compartido al menos.

Se bajó del colectivo en Corrientes y Callao para meterse por algunas librerías. Ariel Rossi ya recibía cartas del falsario desde 1968, o desde antes, quien le escribía cosas que Ariel no parecía desconocer. Cosas que habían pasado le dijo Ariel a Matías en Argel, hacía más de veinticinco años ¿Cuándo empezaban las cosas, con la vida o con las palabras? Cuando Ariel, el responsable militar acorralado, recibe en 1976 las cartas del impostor, hace ocho años por lo menos que conoce algo, ocho años en los cuales, tal vez, había recibido cartas de Humberto Baraldi. Y posiblemente en 1976 Ariel se angustia, como una tarde remota en un hotel de Argel charlando con Matías. Había visto algo, le dijo Ariel a alguien, y Sebastián Lieger lo supo. Algo pasó, le dijo Ariel a Matías Gastrelli. Pero de esa hipotética conversación, en un bar de Argelia, hacía mucho, demasiado. Sin embargo se lo estaban diciendo recién ahora. Quizás nunca antes, pero sí ahora. Nadie nombraba a Casinelli, sólo la mujer de Ismael Hernández. Parecía muy pequeño Casinelli, muy poca cosa, en comparación con el rostro de Ariel una tarde sobre el Mediterráneo hablando de Humberto Baraldi, de sus supuestas cartas ¿Qué era todo eso? Necesitaba pellizcarse para sentir que no soñaba ¿Quién estaba buscando a quién? ¿Y si hubiese roto sin leerlas las cartas de Sebastián que le dio el abogado Conti? ¿Si no hubiese sabido que otra carta lo esperaba en el desván, o en el cajón del aparador de tía Mercedes? Si no las hubiese buscado, si no hubiese sabido de ninguna de ellas ¿estaría en ese mismo bar de Corrientes pidiendo otra medida de vodka? ¿ No sería todo igual?

Volvió a la pensión, Santiago todavía no había regresado. La de Matías resultaba una carta demasiado vieja, distante. Le costaba trabajo regresar a todos aquellos personajes nunca vueltos a encontrar ni a necesitar. Releyó las hojas, y fue al leer otra vez el párrafo sobre la abuela Katia Hans, la suegra de Egon Stromberg, cuando recordó los legajos de las cátedras de la carrera, robados una noche en los archivos del Instituto de Filosofía. Revolvió los papeles de su valija, y en uno de ellos encontró ese nombre: K. Hans, sin antecedentes, sin datos de ninguna naturaleza, concursada en 1942, en la materia "Gramática, Retórica y Dialéctica", el origen más remoto de su cátedra de Estética. Y también vio aquel otro apellido, la profesora arquitecta Erna Stromberg, posiblemente parienta de Egon.

Permaneció varios minutos inmóvil en la silla. Ni siquiera se atrevía a quitarse los anteojos, a manotear el paquete de cigarrillos. Se le partía la cabeza en miles de fragmentos. Le volvió esa vieja librería de Belgrano. Por primera vez el impostor se reunía, en la carta de Matías, con aquel otro enjambre de abejas filósofas trabajando en la nocturnidad de la carrera. Creyó ver las manos de Casinelli tecleando en una máquina, para enredar una casa en Francisco Acuña, con la sonrisa hipócrita de su adjunta Joaquina Fernández, y su ayudante Ernestina de Queirolo. Pero era mucho más que eso. Perseguía a Casinelli allá adelante, utópicamente, pero alguien corría con él hacia atrás, siempre hacia atrás. Una brisa de la ventana hizo crepitar las hojas de la carpeta de su materia.

26

Se despertó con fiebre. La misma fiebre y cansancio que a la noche lo voltearon sobre el sillón con la boca pastosa y dolor en los huesos. Había vuelto a su departamento de Córdoba y Esmeralda en forma definitiva. También uno de los paraguayos se ofreció a conseguirle un mecánico para revisar su auto abandonado la semana pasada en la calle Querandí. A la salida de la ducha mordió tres aspirinas como si masticase uno de los pulgares del impostor. Pensó primero en el disgusto, luego en un sentimiento desagradable, sin embargo su estado de ánimo pasaba por otros lares: estaba irritado, poseído por neuronas encrespadas sin blanco fijo. Lo llamó Yolanda para anunciarle un ensayo general de su adaptación de Hölderlin para el jueves a la noche. Le contestó que probablemente no fuese. Sonó otra vez el teléfono y fue Cristina Lieger: su ex esposo Arturo estaba dispuesto a pagarle cinco mil dólares por diez semblanzas literarias, de veinticinco líneas cada una, sobre grandes autores literarios que hubiesen escrito sobre el terror, el pánico, el pavor en los seres humanos, para colgar en las paredes de la nueva *discotheque* El Tren Fantasma. La mandó a la mierda.

Al abrir la puerta del departamento vislumbró la tarjeta blanca sobre el piso: alguien la había deslizado mientras dormía. La leyó: "Quiero hablar con usted. No me caen los fisgones, intrusos y sanguijuelas. Clara Bermúdez". Ella había dejado ese mensaje. Sintió la furia a punto de cercenarle la garganta. Estrujó la tarjeta y bajó a los saltos por la escalera hasta llegar a planta baja ¿Dónde está esa cretina?, le preguntó a Ruperto, sin esperar la respuesta: escuchó la radio encendida en el sótano y se lanzó por la mugrienta escalerita, perseguido por el portero. La tomó del cuello sin saber qué le gritaba, con Ruperto colgado de su espalda y separándolo de la salteña.

—¡Usted se lo contó, bruja hija de puta!

—¡Animal, le dije lo que vi! ¡Lo que hizo usted es ilegal, tendría que estar preso por eso! No se entra a un departamento ajeno y se espía a una mujer durmiendo.

Se abalanzó nuevamente sobre Clara, pero en esta ocasión Ruperto estaba preparado y le retuvo el cuerpo, lo abrazó hasta inmovilizarlo, para llevárselo hacia arriba y pedirle que se calme. Al volver a su departamento, mientras cerraba la puerta, escuchó la voz en el grabador del teléfono.

—¡Oye, chico, yo sé que tú te la traes con los Rossi! ¡Y qué vaina amorcito tú tienes! Pero qué va, el Jamaiquino no es de esos que bueno, tú sabes. El Jamaiquino, chico, y tú eres buen chico, ¿no chico? El Jamaiquino quiere saber tantito cómo se llama la salsa, el nombre completo, y dónde se va a bailar ¿Que tú lo entiendes, chico? Eso solito, mi amor, que ya te adoro.

Corrió hacia el teléfono, pero cuando llegó había cortado. Cerró los ojos y golpeó los puños contra el escritorio. Contempló los libros apilados de la bibliografía del Seminario, los arrojó contra la biblioteca, contra la pared, también la carpeta de la materia, para dejarse caer en el sillón y abandonar los ojos sobre la máquina de escribir. No se sentía paranoico y sin embargo no podía contra todos. El sopor lo fue invadiendo, era como agua de moco en la cabeza. Las imágenes se le partían infinitamente adentro, y también las palabras, tragadas por aquellos trozos descompuestos de imágenes. Lo despertó el teléfono y la voz de Santiago, recordándole su charla esa noche en el Instituto Psicoanalítico Viena. En su reloj faltaba media hora para las siete de la noche. Quedaron en encontrarse en la puerta del Instituto.

Durante el viaje en taxi pensó en Ariel Rossi, en esa historia lejana de bordes vaporosos, en sus incursiones de adolescente a la macilenta casa de una familia alemana en Francisco Acuña de

Figueroa, con su palmera en el jardincito que daba a la calle y un banco de plaza pintado de rojo. Ya se había hecho de noche y el taxi iba demasiado rápido para su gusto. Sin embargo José Luis Casinelli sabía de aquella historia menuda ¿Quién le contó esas cosas?

Al abrir los ojos sobre la ventanilla tuvo la sensación de estar yendo hacia un lugar que no conseguía descifrar, pero estaba cada vez más próximo. Cerró los ojos pero no pudo atrapar cuáles eran las calles que debería estar viendo. No reconocía ningún lugar, tampoco el barrio, hasta que comprobó que era otro itinerario. Escudriñó varias esquinas tratando de reencontrar una orientación, pero sentía que el auto, demasiado rápido, no iba a cualquier parte, se aproximaba a un sitio sin señas ni datos, sólo presentido. Escuchó un sonido interminable, opaco. Provenía de afuera, o de la nuca del taxista. Le gritó hacia dónde iban, vio únicamente el perfil del conductor y su gesto de no haber entendido la pregunta. ¡Soy nuevo en el taxi!, se excusó, sin reducir la velocidad. ¡Este no es el camino!, el grito de Humberto no pareció convencerlo. El taxista pidió disculpas por el error, prometió descontarle la tarifa pero sin aminorar la velocidad. ¡Frene, frene carajo!, Humberto repitió el alarido, cuando empezaba a aturdirlo un acorde de voces desparejas, como si una radio invisible tronase dentro del auto, que giró en una bocacalle sin disminuir su velocidad. Se agazapó en el asiento trasero, se tapó los oídos, apenas lograba ver la calle por el borde inferior de la ventanilla, sin reconocer ningún detalle. ¡Pare, pare hijo de puta! gritó varias veces hasta sentir la frenada en el semáforo que lo lanzó contra el respaldo del taxista. Aulló por el dolor en la espalda, buscó enderezarse, abrió la puerta y se arrojó contra el asfalto hasta que el cordón lo detuvo. Corrió en dirección contraria un par de cuadras, sin parar, para detenerse en la entrada de una confitería. Le preguntó al diariero: estaba a tres cuadras del Instituto Viena.

Llegó al lugar con quince minutos de anticipación, casi junto con Santiago. Frente a la insistencia de su primo, esta vez prefirió no negarse: todavía estaba aturdido por el golpe de su mandíbula contra el cordón de la vereda Accedió a visitar la empresa de cementerios privados del señor Gastrelli, en la planta baja del Instituto. La recepcionista recibió a Santiago con un beso, para averiguar inmediatamente si avanzaba con buen curso la promesa de un trabajo en el equipo de producción de Fito Páez. Ella también le permitió a Santiago revisar el fichero de la firma. Con cierta excitación su primo le mostró unas planillas confirmatorias de sus sospechas. Varios nombres, en realidad cadáveres en sus respectivos ataúdes, se repetían con distintas fechas en varios cementerios. Los pasan de un camposanto a otro, dijo Santiago, son fiambres nunca reclamados por nadie.

En un exceso de confianza, su primo se introdujo en el primer patio, para volver a la recepción a los pocos minutos, como descontrolado y pidiéndole a Humberto que lo acompañase. La secretaria levantó los hombros, parecía darle lo mismo cualquier cosa. Santiago le señaló la pila de ataúdes. Pudo leer en el segundo de ellos, empezando desde el suelo, su propio nombre y apellido. Humberto Baraldi - H.B. El cajón tenía su nombre y sus iniciales. Acarició esa plaquita de bronce con las letras grabadas. Se la quedó mirando. La tapó con su mano y la volvió a destapar. La acarició con uno de sus dedos despaciosamente como queriéndola borrar. Su nombre seguía ahí. Se sentó sobre las baldosas, sintió los sopapos de Santiago para que reaccionase, pero no lograba darse cuenta dónde estaba. Se fue dejando caer hacia atrás, hasta acostarse en el patio. Se dio cuenta de que no le venía mal el frío repentino de aquel piso. Le gustaba la humedad de las baldosas. Después, con la ayuda de su primo se levantó y caminó hacia la recepción, donde apenas tuvo idea de que apoyaba la espalda en el borde de algo. Contempló la diluida silueta de Santiago, enfrascado otra vez en el archivo. En una nueva planilla que le mostró, vio otra vez su nombre: Humberto Baraldi, Octubre 1990, Abril 1991, Mayo 1992. Se acostó en el sillón de tres cuerpos de aquel vestíbulo, sin apartar los ojos de la hoja. La recepcionista fue a buscar un vaso de agua, Santiago trató de reconfortarlo con una serie de bromas, mientras lo subía por las escaleras del Instituto Viena.

Sentado junto al pequeño escritorio, con un cenicero, una jarra y un vaso, Humberto alzó la vista y recorrió lentamente las caras de unos cuarenta psicoanalistas, veinte quizás, o ninguno, calculó, mientras Josefina de Gastrelli hacía su presentación de la charla sobre la Antígona de Sófocles. Sintió el recorrido de la fiebre por sus brazos y un sudor helado en el cuello. Tenía que empezar.

–Hablar de Antígona es hablar de uno de los mitos trágicos fundamentales de nuestra cultura grecolatina occidental. Para Hegel, el filósofo de la modernidad como conflicto, aquella Antígona de Sófocles tratando de dar sepultura a su primo muerto, qué digo, a su hermano muerto, representaba el litigio entre la ley y el deseo, el soberano y los dioses, lo desconciliado dramáticamente. Un gran ensayista de la actualidad, con un libro sobre las Antígonas, me refiero a George Leger, no, a George, a Sebastián George, perdón.

Interrumpió sus palabras, sintió que las luces se apagaban, que los oyentes por alguna razón se habían ido y el vaso con agua caía desde la mesita al piso. El cuerpo se le empezó a envolver como una soga grasienta, empetrolada, mientras lo cubría una envidiable nube de sueño.

Tuvo conciencia de varios brazos transportándolo hacia un taxi. Lo agarraban de los hombros y de los pies, y así, horizontal, le pareció que querían encajarlo por la puerta trasera, pero sus dos zapatos terminaban siempre por arriba del techo, sin entrar. Démoslo vuelta, escuchó a alguien: de cabeza y boca abajo se acabó el problema. Era la misma voz. Finalmente oyó a su primo y lo alegró saberlo cerca: ¡Yo me lo llevo, no se preocupen, dije que yo me lo llevo, carajo!, gritó Santiago como hablándole a muchos.

El taxi se detuvo frente a un bar. Con dos medidas de cognac, en absoluto silencio, restableció la circulación de su sangre.

–¿Cómo habrá ido a parar tu nombre al jonca?

Humberto miró a su primo de reojo, sin contestarle, de mala manera, sin ganas ni siquiera de girar un poco el cuello.

–Tu nombre en ese jonca, digo, cosa rara ¿no?

Humberto se acarició el borde del bigote pero ahora mirándolo fijo.

–Qué me mirás.

–¿Cuál era la primera fecha de la planilla, Santiago?

–Decía que te enterraron en octubre de 1990.

–Acabala pelotudo, no hay chiste.

Notó que le dolían todas las articulaciones, pero no tenía fiebre. Pidió otra medida doble.

–Octubre del 90, así registraba –dijo su primo.

–¿No se te ocurre quién puede estar en ese cajón?

Santiago lo observó sin pestañear. Se refregó la nariz nerviosamente.

–Matías Gastrelli ¿Te das cuenta, Santiago?

–¿Matías Gastrelli? ¿Pero cómo?

–Matías llegó en septiembre de 1990 a Buenos Aires, y al muy poco tiempo desapareció: así contó Rocío, la puta bailarina. Por otro lado, la que fue a buscar el cajón de su hijo Vladimir, carbonizado en el Tigre, fue la madre de Matías. Demasiados muertos, me parece. Pero la desaparición de Matías Gastrelli, y la fecha del cajón con mi nombre y con mi entierro, curiosamente se aproximan, coinciden: octubre de 1990.

En un taxi estuvieron en menos de media hora en Avenida de Mayo, golpeando la puerta del departamento de Rocío. Al entrar, vieron que la bailarina estaba con Patricia, la periodista. Humberto no tuvo protocolos, miramientos ni consideraciones. La arrastró desde la mesa al sillón y la empujó violentamente para dejarla sentada con los ojos abiertos. Le contó brevemente lo sucedido en la empresa de cementerios. Como única respuesta la bailarina se echó a llorar.

–Ahora lo vas a contar todo la puta madre que te parió.

–¡Fue Vladimir, fue Vladimir, él quiso que las cosas fuesen así!

–¿Qué cosas, pelotuda al marsala? ¿Por qué no dijiste que Matías estaba muerto, enterrado, y con mi nombre en el féretro?

El llanto de la Madonita arreció, hasta terminar desvanecida, desparramada por el parquet. La levantaron mientras

Patricia iba por un vaso de agua. No muy recuperada del todo, estuvo nuevamente sentada en el sillón.

–Vladimir tuvo miedo, mucho miedo. Matías nunca le dijo dónde paraba en Buenos Aires. Le pidió que nunca comentase nada sobre él con nadie. Aquellos días fueron espantosos, terribles. Y después aparecieron ustedes dos, por arte de magia, a remover esa historia insoportable.

–A ver si nos entendemos, retardada: lo que quiero es la verdad –dijo Humberto

–Vladimir perdió el rastro de su padre, no lo volvió a encontrar en ninguna parte de Buenos Aires. Fue a buscarlo a varias morgues, hospitales, hasta que un día, finalmente, lo encuentra en una morgue: es un cadáver sin identificación. Le cuentan que Matías había muerto atropellado por un auto que ni siquiera paró. Matías veía muy poco y andaba por lo general borracho.

–¿Y los que llevaron el cuerpo al hospital?

–Los testigos del accidente habían desaparecido. Desde ese día Vladimir estuvo seguro que a él también lo perseguían y entró en pánico.

–¿Y los padres de Matías?

–Vladimir no quiso informarles. Había entrado en una suerte de delirio, de demencia. Su padre le había prohibido decirle a sus abuelos de su llegada a Buenos Aires, para protegerlos. No sabíamos de qué, pero así dijo Matías: había que resguardarlos.

–¿Y cómo carajo aparezco yo, digo, mi nombre, en ese cajón?

–Todo eso fue nauseabundo. Matías había muerto sin documentación encima, pero en la morgue Vladimir no quiso revelar su nombre ni el de su padre. Estaba la carta para Humberto Baraldi, lo único que trajo Matías de Francia. Para Vladimir, el tuyo era un nombre cualquiera, no te conocía. Con quinientos dólares arregló en la morgue poner tu nombre sin necesidad de presentar documentación. Después, soy yo la que hablo con su abuelo, con el padre de Matías. Vladimir ya estaba loco, perdido. El abuelo tiene una empresa de cementerios y negocia a cajón cerrado y sellado, siempre que todo ya esté legalizado. Nunca supo que era su hijo lo que compraba. A los tres días me llama para decirme que arregló el traspaso del cajón con Matías, sin pagar una coima muy cara.

–¿Y lo del Tigre, el incendio, el cuerpo carbonizado?

La bailarina volvió a lanzar un llanto agudo, un chillido descontrolado. Patricia le trajo otro vaso de agua y se lo fue echando en la cabeza, despacito.

–Yo me escapo al Tigre con Vladimir, nos escondemos en una casa apartada. Me doy cuenta que Vladimir no vuelve a entrar en razón. Está loco, piensa en su padre, piensa en su propia muerte. Y muere carbonizado un día que yo viajo a la capital. Creo que él mismo incendió esa casa, y se mató. O no se dio cuenta que algo se estaba incendiando. Yo hago todos los trámites con la policía, y le entrego el cajón con algo de sus restos a la abuela de Vladimir.

Se hizo el silencio. Humberto tomó whisky directamente de la botella.

–El viejo de Matías no sabe que hace tres años juega al ping pong con el fiambre de su hijo –comentó Santiago.

Matías está muerto, pensó Humberto. Y junto con el miedo sintió cierta tranquilidad. Lo serenaba más la coherencia de una historia, el persistir de una lógica enigmática, que su propio pellejo macerado por la incertidumbre. Patricia lo miraba, tal vez aguardando alguna opinión.

–Ubiqué a un abogado José Luis Casinelli, un salteño –dijo ella –tiene un estudio por Santa Fe y Montevideo.

Rocío parecía haber recuperado la serenidad y el equilibrio para ponerse de pie. Se despidieron de las dos mujeres y le pidió a Santiago que lo acompañase al departamento, por si rondaba el gato con los dos orangutanes de traje y corbata. Lo de Casinelli barrió, a la manera de una máquina fumigadora, con todo lo anterior. Eran las nueve menos cinco: fueron al supermercado a comprar lo que hacía falta. La heladera carecía hasta de una botella con agua. Santiago fue por los lácteos y él por los vinos. Después su primo se dirigió hacia las verduras y la carne y él por aceite y sal. Cuando llegaron, Ruperto los ayudó con las bolsas hasta el ascensor, mientras le comentaba sobre un gordo, medio desaforado, que lo anduvo esperando por la tarde, con el dedo pegado al botón del portero sin resignarse a no encontrarlo. Al final se fue, parecía del Borda, dijo Ruperto.

Al entrar con las bolsas en su departamento, y antes de tantear con el codo el botón de la luz, recibió una trompada en la boca del estómago, y el canto de una mano contra la nuca que lo hizo aterrizar de cabeza junto al balcón en el otro extremo del living, con Santiago encima suyo. Pero su primo dormido. Abrió los ojos y distinguió en la penumbra cuatro cuerpos sentados, sin caras. Los tipos se cubrían con pasamontañas negros, y dos de ellos portaban el brillo de fusiles ametralladoras, sujetos entre las piernas. Mientras se iba acostumbrando a la oscuridad, comprobó el estado de su biblioteca arrasada, los estantes vacíos, y pilas de libros por todas partes como montañas enanas. Cerró los ojos otra vez. Prefirió pensar, al menos por unos segundos, que era uno de los clásicos días de su vida. Lo amenazaba un gato que debía hacérsela renacer hasta al Nuncio Apostólico, lo apretó el Jamaiquino, sin duda dueño de media cámara de diputados, se encontró con su féretro de tres años atrás, terminó olisqueando la moquette debajo de su mesa de conferencia, y ahora tenía dentro del living parte de la comandancia en el destierro de Sendero Luminoso. Pudo comprobar que ninguno de los cuatro se movía ni insinuaba ningún gesto: los miraban, eso sí, tirados en el suelo entre libros y hojas sueltas. Santiago entreabrió los ojos, un hilo de sangre le bajaba desde los labios.

–No sé con quién tengo el gusto de hablar –dijo Humberto en voz pausada– pero les aseguro que no estoy al tanto de ningún detalle de la familia Rossi ni de las actividades de sus empresas. Tampoco conozco ni nunca tuve relación con el Jamaiquino. Tal vez este sea el momento más oportuno para aclarar estas cosas de una manera definitiva y tolerante.

Un mutismo casi ofensivo fue la respuesta, prolongándose más allá de toda lógica. De los cuatro, sólo divisaba sus ojos: piedras sin luz clavadas contra su cara.

–Con respecto a una señorita, que no sé si vive o no vive al lado de mi departamento, quiero decir que no tengo nada en contra suya, y precisamente mañana pensaba tener una charla con ella para despejar todo malentendido. No sé si me explico, digo que si ustedes son gente de Salta amigos de Clara, que por alguna razón, que entiendo, no quieren darse a conocer, considero que todo puede aclararse sin llegar a mayores. Ahora bien, si se trata de nuestra tonta incursión por las oficinas de una empresa de cementerios, reconozco nuestro error, nuestro atolondramiento, y desde ya pido disculpas.

Permanecieron callados como antes. Pero tuvo la sensación, quizás se equivocaba, que un poco más molestos que antes. Se preguntó si no serían los últimos montoneros de los 70 por una vieja venganza. O amigos de José Luis Casinelli. O parientes de la salteña Clara, o acólitos del cantejondo, enterados de cómo había maltratado a la bailarina esa tarde.

–¿Quién es usted? –la voz tuvo la diáfana vibración de un balazo en la soledad del valle. Como si partiese la historia en dos. El pasamontañas que estaba más cerca había hablado.

–Humberto Baraldi.

El cachetazo le impidió cerrar la boca nuevamente. Algo se le había desacomodado.

–Le pregunto por su verdadero nombre. Ahorre tretas.

Prefirió no contestar. Santiago se había despabilado del todo. El pasamontañas le sostuvo la mirada, esperando.

–¿Qué hace usted? –preguntó, desde la misma distancia. Las tres palabras fueron como un gorgoteo seco, corto, de fusil.

–Profesor de la universidad de Buenos Aires.

El sopapo esta vez fue en la cabeza. Casi no lo vio venir. Los desconocidos se miraron entre ellos, pero sin moverse. El que estaba sentado en el sillón de su escritorio hizo una seña.

–No le recomiendo la estrategia que eligió –dijo, sin dejar de juguetear con el portarretrato de Marisa y Guido en Puerto Vallarta.

–¿Dónde esta la Bestia? –preguntó el de antes.

Se miró con Santiago, que trataba de sentarse, de apoyar la espalda contra la puerta del balcón.

–No sé –dijo Humberto y cerró los ojos.

Esta vez no llegó ningún golpe. Supuso que le estaba tomando la mano al asunto.

–La Bestia infiel debe ser extirpada.

Sintió los ojos de Santiago, compadeciéndose de que lo hubiesen elegido para el primer interrogatorio

–Lo ordenó el Viejo de la Montaña. Los rasules han dicho su palabra. Soñaron que Occidente perecería con las llamas del cielo.

–Occidente –repitió muy bajo Santiago, como atando cabos.

–Morirán todos.

Empezó a comprender que por lo menos quedaban incluidos en algo. Por primera vez había abierto la boca el que estaba más cerca de la cocina. Que hubiese hablado no dejaba de ser un dato, trató de convencerse Humberto. Maldijo a Ruperto, jactándose de no haber dejado entrar al gordo del Borda como precaución, y sin la menor idea de esta tormenta del desierto en el ascensor

–¿Dónde esta el hijo de la sangre negra? El profanador de las huríes.

Se dio cuenta de que no aceptarían ningún tipo de silencio, ni una respuesta equivocada. Menos que menos una mentira. Pero tampoco la verdad.

–¿Quién dijo? –apareció Santiago, y mal. Pero milagrosamente no hubo culatazo del fusil.

–Usted lo conoce muy bien –ahora fue el del escritorio. El más cercano, en cambio, chasqueó la lengua como con cierta bronca.

–Usted conoce a la Bestia. Tiene infinitos nombres, en cada ciudad se esconde con uno nuevo, no tiene edad ni sitio, sobrevuela la historia, atraviesa las paredes, dice conocer todos los idiomas, sabe los misterios de los grisgris, su poderoso tálamo enajena a las mujeres, en cualquier metrópoli se siente su presencia o su ausencia, pudo ver la Piedra Negra, tocó la estatua de ágata, se metamorfosea en sombra, recorrió los Cuatro Ríos, hace años que los fedauríes más sagaces lo acosan sin que podamos atraparlo. Es un exiliado argentino.

Las palabras habían rebotado contra las paredes, semejante a saetas de ballesta. En la penumbra del living las cosas fueron tomando una coloración rojiza mientras aquella boca hablaba. Pensó decirle que él no era esa clase de argentino, pero intuyó que terminaría en otra sopapeada.

–Quisiera que me crean: no lo conozco –deslizó Humberto, ya sin saliva.

–Él busca a Jacobo Klinger, desde hace años. Es lo único que sabemos con certeza.

Descubrió cierto pesar en los ojos del pasamontañas –No sé qué decirle. Quisiera no preocuparlo más –se animó Humberto.

–¿Usted conoce a Jacobo Klinger?

–La verdad, no.

–Jacobo Klinger es judío.

–Probablemente.

–¿Usted tiene amigos judíos?

–Algunos.

–Demasiados, quizás.

–Creo que sí, demasiados.

–¿Quién es Jacobo Klinger? ¿Por qué la Bestia lo busca?

El del escritorio se puso de pie, y los otros tres lo imitaron. Fue un como viento ardiente alzándose en la pieza. Después hizo un gesto con un dedo, y dos de ellos empezaron a atarlos de pies y manos con gruesas sogas, para dejarlos boca abajo con poderosas telas adhesivas incrustadas en las bocas. Sin ninguna otra palabra abandonaron el departamento, dejándolos entre las crestas de los libros. Con esfuerzo, raspando su cara contra el borde inferior de la biblioteca, Santiago se liberó de la mordaza, y apoyó la frente contra el piso. Esperó como un minuto para mirarlo: los dos a ras del suelo.

–¿No los tenías en tu esquema? ¿En ninguna llave o subllave?

27

La oficina de Casinelli no era para sacarle fotos ni llevársela en el recuerdo. Menos aún su secretaria, una sesentona demacrada, cosida al teléfono y a los llamados permanentes. Cuando eligió el sillón de la sala de espera se sintió inusualmente aliviado, con una flojera en las piernas similar a tres pitadas de marihuana. Solía pasarle, desde los exámenes de marzo en la secundaria. Santiago se había estacionado preventivamente en planta baja, hojeando el diario, y los dos paraguayos por la vereda, alertas a cualquier señal de su primo.

Dio un nombre falso para la cita, y en eso consistía, cuando pasase al despacho de José Luis Casinelli, el tema inicial a plantear delante del salteño: revelarle al abogado quién tenía enfrente. Había releído minuciosamente las cartas de Sebastián, de Ariel y de Matías, hasta casi memorizar los párrafos que ahora cobraban un sentido especial para ese encuentro. Sebastián había escrito, como deslindándose de algo, "que fueron cosas de las que en realidad no supe mucho, sino como testigo leal". Esa debió ser respuesta a una inquietud puntual del impostor. Ariel, en cambio, decía "rememorar la casa", para acotar que "fueron cosas importantes esas", aunque con respecto a Ariel, después lo supo, su respuesta esquivó el bulto tirado por el embaucador. Ariel lavó precautoriamente sus palabras, por astucia, por miedo, porque estaba en ese entonces con dramas mayores en su vida, o por los tres motivos juntos.

De Matías le quedó una frase: "uno no sabe a qué se aproxima", que la ligó intuitivamente a la descripción que hacía de la casa de Egon Stromberg en su otra carta, y en donde también creyó sentir, de parte de su viejo amigo, una elíptica respuesta a las preocupaciones del falsario y sus mensajes. Al abrir los ojos reconoció a un tipo que había entrado para hablar con la secretaria y después lo saludó de lejos. Era Pereyra, empleado de un juzgado de Tribunales, conocido en la época de militancia universitaria: un cargoso de mal aliento que no pudo llegar a abogado. Sin darse cuenta se había adormecido en la silla. Las imágenes de los encapuchados rondaron por el sueño pero esta vez en alegre camaradería por una calle tan diáfana de sol como desconocida. La secretaria lo miró de reojo, le sonrió tal vez agradeciéndole el fin de algún ronquido. No pudo saber si había roncado, pero la mueca amable de ella indicaba cierto alivio. En la fugaz pesadilla descubrió detalles más acogedores y gratos que los realmente vividos.

Nunca le había pasado. Sentía que la invasión de los fedayines había colmado los límites, fue un equívoco, una historia ajena, se equivocaron de piso. Después de la conversación con Casinelli y más allá de lo que sucediese con el abogado estaba decidido a abandonar todo ese entramado de estupideces. Se lo había jurado: volver a su vida de siempre, a sus libros, a su música, a las clases. Casinelli era un hombre de su edad, de escasa estatura, delgado, con cierta amenaza de calvicie. Se levantó del escritorio para recibirlo sin quitarse los anteojos, abrochándose de manera mecánica el traje cruzado. Un llamado telefónico le permitió estudiarlo más detenidamente antes de iniciar el diálogo. El tono de la voz era firme pero amable. Parecía bañado por una personalidad distendida. Después de colgar ensayó una correcta sonrisa profesional de bienvenida.

—No vine a verlo por ningún asunto que ataña a su profesión, doctor. Quería conocerlo personalmente. Pienso que en algún lugar se vinculan nuestras historias.

El abogado agrandó los ojos esperando más datos. Hizo un gesto con las dos manos, indicándole estar abierto a sus deseos.

—Me llamo Humberto Baraldi. ¿Le suena?

—Aparentó pensar en ese nombre y apellido, sin la menor alteración de su rostro.

—Me resulta lejanamente conocido, efectivamente. Pero a usted no lo conozco.

—¿Realmente nunca oyó hablar de mí, doctor? Juraría que sí.

El hombre se acomodó mejor en su sillón con una primera sonrisa dura, forzada.

—Me pone en una posición ingrata. ¿Nos conocimos en alguna ocasión?

—No, creo que no. Pero sé que usted frecuentaba, hace unos años, mi casa de infancia ¿Conoció a Saturnino Hernández?

El abogado se echó hacia atrás, en el sillón, sin poder disimular el gesto de perplejidad. Trató de recobrar el aplomo. Apoyó los codos en el escritorio y acopló los diez dedos de su manos.

—Sí, conocí a ese hombre. Ahora recuerdo de dónde me sonaba su apellido...

–¿Recién ahora lo recuerda?

–No comprendo ¿A qué ha venido?

–¿Qué hizo usted tantos años en una casa deshabitada, la de mi familia, al cuidado de un viejo que al parecer se tomó sus licencias? Casinelli lo miró sin encontrar una respuesta rápida. Con las manos paralizadas sobre el escritorio.

–¿Habló usted con algún integrante de mi familia, doctor, para ponerlo al tanto, avisarle digo, de sus frecuentes estadías en esa casa?

–¿Qué quiere usted? ¿A qué ha venido?

No fue difícil apreciar el cambio de su estado de ánimo, ni el remolino que le debía anegar la cabeza. El absurdo recurso a la propiedad privada, le permitía ganar un primer round. Lo sintió ofendido, o atemorizado.

–Quiero que me conteste esa pregunta, doctor Casinelli.

–Sospecho que usted sabe lo que yo hacía en esa casa.

–¿Por qué debo saberlo? Explíquese.

–Sé quién es usted, señor Baraldi.

–Hace un minuto lo ignoraba, doctor.

–Aquel fue un tiempo difícil. Estudiaba en la facultad, no tenía dónde caerme muerto. Mi familia es del interior, de Salta, y Saturnino fue generoso cuando me vio solo y sin un peso. Me invitaba a matear.

–Me gustaría saber cómo llegó usted a esa casa, vigilada por un viejo peón del Abasto.

Casinelli ensayó un gesto de contrariedad. Humberto no supo si por la pregunta o por el recuerdo evocado. El doctor se quitó los anteojos para pasarse dos dedos por los párpados. Se los montó nuevamente.

–En ese tiempo vivía en una pensión, a unas cuadras de aquella casa. Una anciana amiga de Saturnino Hernández, me llevó un día a visitarlo. Nos caímos bien con el viejo y comencé a frecuentarlo, para despejarme después de siete, ocho horas de estudio. No tenía otros amigos.

–¿Cómo se llamaba esa mujer?

–¿La vieja? No sé, no lo recuerdo ahora.

–¿Katia Hans?

–Sí, ese era el nombre.

–¿Y cómo conoció a Katia Hans, doctor?

Se dio cuenta de que el abogado estaba absolutamente entregado. Sospechó que Casinelli no era el impostor de las cartas.

–La conocí accidentalmente. Éramos medio vecinos. Un día chocaron dos autos en la esquina, y en la rueda de curiosos empecé a hablar con ella. La señora Katia escribía poesía.

Humberto se preguntó para qué había hecho entrar a esa anciana en la historia. Casinelli hubiese podido tranquilamente escamoteársela.

–¿Ella le habló de mí, doctor Casinelli? ¿O fue por Saturnino que escuchó mi nombre en aquel tiempo?

–Creo que ella fue la que me habló de usted.

–¿Cree? ¿Alguna otra gente le habló de mí?

–No, fue ella la que me habló de usted.

–¿Por qué no dice de entrada las cosas como son, doctor?

El abogado había perdido la irritación de un momento antes. Un gesto de pesadumbre envolvió su rostro, mientras pensaba qué decir.

–Usted escribía en aquella casa, Casinelli.

–Nada que valiese la pena. Esa era mi amargura. Precisamente Katia Hans me hablaba de usted. ¿Usted escribe, no es cierto, Baraldi?

–¿Le habló mucho de mi vida?

–Algunas cosas. Era una mujer extraña. Nunca me cayó del todo. Usted la conoció.

–¿Ella le hablaba de Sebastián Lieger, de Ariel Rossi, de Matías Gastrelli?

Parecieron abrumarlo tantos nombres seguidos. Tuvo la sensación que ninguno de los mencionados le resultaban ajenos a su memoria.

–No me gusta hablar de ese tiempo. Y quizás uno de los motivos sea ella.

–Recién no se acordaba, señor Casinelli, y ahora me dice que fue con ella con quien tuvo algún conflicto.

–Dije que no me acordaba de su nombre, señor Baraldi.

–Perdón, doctor, ¿usted sabe a qué he venido? ¿No es cierto que lo sabe?

–Se lo juro que no. Créame.

–Usted escribió cartas, haciéndose pasar por mí.

–¡Usted está loco! ¡No le permito! Por favor, ya somos grandes. Lamento no haber sido claro de entrada. ¡Pero nunca hice algo semejante en la vida! Por mis hijos, se lo digo.

–¿Y Katia Hans?

–Decía que yo le hacía recordar a usted.

–¿No lo convenció de que usted era yo, finalmente? ¿Yo, que también escribía? ¿No le pidió que escribiese cartas apócrifas, o que averiguase sobre mi vida?

–No. No fue para tanto, Baraldi, se lo aseguro. Ella tenía ciertas obsesiones. Era amiga de un periodista. O por lo menos Rodolfo Frías andaba detrás suyo.

–¿Qué periodista, doctor Casinelli?

–Rodolfo Frías, ya le digo. Un lumpen. Vivía por ahí.

–A Katia Hans la acompañaba una muchacha, cuando visitaban a Saturnino: tengo entendido.

–Su nieta, pero fue muy pocas veces. Nunca hablé con esa joven. Un día Katia le habló mal de mí a Saturnino. A ella dejé de verla cuando se mudó del barrio con la familia. Después me recibí y ya no visité más a Saturnino.

–¿Conoció a la familia de Katia Hans?

–No, jamás. Pero yo no escribí ninguna carta impostada, Baraldi. Se lo aseguro. Soy un hombre honesto, y desde ya me pongo a su servicio para lo que necesite.

–¿No le llama la atención todas las preguntas que le hice?

–No, ahora ya no. Anda buscando a alguien que falsificó su firma, eso es grave.

–Le confieso, todavía no me queda clara su historia, para nada.

Casinelli se levantó de su sillón con parsimonia, ya recobrado el aplomo, invitándolo educadamente a dar por terminada la charla. Fueron hacia la puerta de su despacho.

–¿Quiere que le diga una cosa? Al principio me desconcertó, Baraldi. Pensé que era un periodista, uno de esos hijos de puta que andan inventándome cosas últimamente. Hasta me imaginé que de golpe entraría un fotógrafo, mientras usted hablaba. Me quieren crucificar.

A la salida, ya en el ascensor, se encontró con el flaco Pereyra y su aliento ulceroso de toda la vida. Le explicó que le hacía algunas changas a Casinelli.

–Baraldi, tanto tiempo, fijate vos. Así que andás engrampado con el boga. No sabía. Muerde gordo Casinelli.

–Nunca tuve nada que ver con Casinelli.

–Anda prendido con gente de la Rosada, levantando hoteles cinco estrellas por todas partes, y cotos de caza para los yanquis. Ahora además una nueva, canchitas de polo en zonas de veraneo, con clases privadas en televisión por cable. Se la piensan todas, te apuntan a los berretines ¿Quién no soñó en su vida con jugarse un partido de polo?

–No sé nada de eso, Pereyra.

–Da lo mismo. Siempre se está en algo. Para los fideos.

Antes de entrar al cine, en un café de parados, le describió a Celina su conversación con el abogado. También le definió su estado de ánimo con la palabra más exacta posible: cansancio. Ella le propuso denunciar todo el caso, desde un principio, a la policía. Sobre todo el asalto de los pasamontañas a su departamento. Le preguntó si no recelaba de algún familiar, aun sabiendo las averiguaciones hechas por Santiago en ese sentido. A la salida del Atlas se despidieron, ella iba a una reunión de realizadores de video, y él a verse con su editor, quien lo esperó en una de las mesas cerca del mostrador con su flamante libro recién salido de la imprenta. Eran nueve ensayos cortos de sus últimos tres años.

Héctor Zumpano había previsto la presentación del libro en un boliche nuevo de la movida puesto diez puntos, con dos escritores de buen rating, con Moreira, comentarista de arte en TV por cable, y Reno Díaz, uno de los guitarristas de los Sepultados Viudos.

–Fijáte que no, Héctor, y no lo tomes a mal ni creas que soy Cristo viendo sus parábolas encuadernadas. En fin, en todo caso pienso que el hijo de dios hubiese hecho hoy un quilombo de órdago en el monte con rockeros pacifistas. De mis cinco libros anteriores nunca hice presentaciones. Las cosas se escriben, andá a saber con qué recóndita intención nunca muy clara. Suelen decir: porque uno tiene cosas que decir. Nadie te los pide ni los espera, afortunadamente. Entonces que salgan, que sigan su camino, que gusten o los hagan teta. Pero ponerse a escuchar que alguien agarre un micrófono para hablarte de la puta cosa que se te ocurrió, y otros escuchen lo que ya se sabe, y todo como si fuese necesario, no Zumpano, por lo menos la discreción, como disculpa.

–Es para el ambiente, hay que venderlo, viejo. En el libro te la pasás hablando de las nuevas mutaciones ideológicas y culturales. Lo que pensé viene al pelo.

–Los editores no tienen que pensar mucho. En todo caso un vino en la casa de alguien, y con algunos amigos. Ni te lo voy a discutir.

Con su primo, a la primera de la noche, volvió a meterse en un cine sin nadie. Antes de que se apagasen las luces, hablaron de Casinelli. Le había dejado varias dudas la entrevista. Para Santiago, debían tenerlo en lista a pesar de todo, igual que a Rocío. Estuvo de acuerdo con Santiago. Después de la filípica que le dio a la bailarina, por ese lado podrían venir novedades. Le preocupaban los llamados de la familia Rossi y del Jamaiquino: se repetían pidiéndole algo, pero demasiado eufemísticamente. Por otro lado hablaría por teléfono a Horacio Cuestas, uno de los viejos amigos de la barra de Almagro, que al parecer no había caído en esa redada, a pesar de frecuentar en aquel tiempo la casa de Egon Stromberg. Le dijo a su primo que lo de los fedayines fue otra cosa: número equivocado en ese país en alquiler que de la tierra de promisión del *Billiken* se quedó sólo con el guano de esa tierra. ¿Quién no soñó con jugarse un partido de polo?, le preguntó Santiago cuando se apagaban las luces de la sala.

28

Tres horas antes de la cita con el decano de la facultad, pensó en lo oportuno de una visita a Alejandro Herrera en su casa del Botánico. Lo que no supo decirse fue para qué, o para quién resultaba oportuno tal ocurrencia de ir a verlo, el arquitecto no era precisamente una persona de su agrado, más bien le despertó recelos en cada uno de los encuentro, y posiblemente ahí se agazapase la causa de su interés, además de no tener otra cosa que hacer durante la tarde. Ya había suspendido definitivamente sus cuatro cursos privados, después de sus propias ausencias sin aviso y la desbandada de sus alumnos. Le empezaba a quedar un excesivo tiempo libre. Estévez iba a una reunión en rectorado y después se encontrarían en el café de la esquina de Viamonte.

Lo recibió la mucama, un poco más amable que en su anterior visita. Mientras esperaba a Alejandro recorrió la galería de imágenes religiosas de las dos salas, alumbradas lastimosamente por las luces de las vitrinas. La casa se hermanaba con un incalculable sitio fuera del mundo, no recibía ruidos de la calle ni de ninguna otra parte. Tampoco escuchó al arquitecto: al darse vuelta lo vio parado en el otro extremo, cerca de la escalera que transportaba, en un amplio giro, hacia el primer piso de la residencia.

El arquitecto le mostró una carta de Sebastián Lieger, recibida en 1984, poco antes de su muerte. Dijo que jamás la leyó nadie, a excepción de su destinatario, y confiaba en su reserva. Lo había meditado mucho en esos días, por cuanto también se relacionaba con su vida más íntima, hasta decidirse por mostrársela. Sentado en uno de los sillones, observó cómo Alejandro encendía un velador de pie y se alejaba por un brandy español. La carta de Sebastián era corta, una página escrita a mano.

"Querido Alex: te escribo porque siento que falta poco. Nunca supe escribir sobre mi vida, me cuestan las palabras. Recuerdo tus enojos por mis silencios desde Tucumán. Qué te cuento. A diferencia de aquellas, ahora son historias triviales las de uno, y lo único que hago es leer libros viejos, ediciones usadas que sin pretenderlo tengo a mano. El amigo que me recomendó a la facultad, está lejos. Debe saber por qué hizo tal cosa, así me convencieron algunos cuando se me dio por pensar que nunca entendería su actitud. Y el otro viejo amigo, Ariel, el que en realidad sí me esperaba, había muerto mucho antes, hacía años. Con él me vi por última vez en 1972, una tarde casual en un recreo del Tigre, y discutimos sobre Althusser y Marx (hoy no pongas esa cara de esgunfiado, Alex, me suena como algo pagano, inverosímil esos tiempos donde uno discutía esas cosas sin importarle el resto). No sé por qué te cuento estas cosas sobre personas como Baraldi, Rossi, que desconocés. O sí, creo que lo sé. Estos últimos dos meses fueron feos, como cuando yo decía feo, igual que la enfermedad, que no perdona pero que al menos, como tonto consuelo, te cuenta por última vez y a borbotones tu propia biografía sentimental, por así llamarla, no como la más discreta, biológica y vacía crónica de un cáncer. Algo hubo en mi vida, que no supe tan bien como supe mi erótica. No sonrías, te estoy mirando. Cuando me enteré de esto, el dilema fue otro, más enredado, si cabe la leve palabra. No llego a saber si todo se me acerca, como siento con cada dato de los análisis médicos, o soy yo el que voy hacia un encuentro. Nada es tan distinto a otras ocasiones me digo a veces, lo único raro es que ahora voy sabiendo cómo es el final. Me costó esta última oración, por eso creo que es la más verídica. ¿Me sentiste un buen tipo o una mala tipa? De eso se trata al fin, Alex, quién iba a decirlo. No me retes, pensalo. Es demasiado singular lo que me pasa. Y no puedo agregar nada más. Sin embargo me digo, es absolutamente mío, como los sueños agitados que me acosan. Tampoco vos tenés que ver en esto, aunque te joda quedar absuelto de tantas ¿Qué siento? Muchas cosas vividas pero en realidad una sola, de la que casi siempre perdí el hilo. Eso es lo imperdonable. Mi muerte, digo. Y esa melancolía que tengo de no haber creído en dios. Te extraño, Sebastián."

Era breve la carta, más que nada contenida. Con ese extraño valor de lo que se insinúa, sin caer en el vicio o al temeridad de contarlo. A esta altura de las cartas, poco le importaba si mañana le avisaban que no la había escrito Sebastián, sino un colimba pentecostés en un mirador del San Javier, o una zurcidora desdentada de Lugano. Cuando Alejandro regresó a su sillón, y a la copa, argumentó que jamás la había entendido del todo: era cálida y siniestra, una carta encima de la otra, como si cada palabra abriese y matase lo que contaba otra. Al releerla, Humberto pensó en quienes "convencieron" a Sebastián con respecto a lo hecho por un lejano Humberto Baraldi, en México. Otro párrafo le aguijoneaba los ojos: Ariel esperándolo, pero muerto. Y esos días "feos", igual a la enfermedad, pero que no eran la enfermedad sino quizás algo peor. También ese juego de travesías donde decía ir hacia un encuentro. Alejandro interrumpió aquella segunda lectura, para acotarle que el párrafo donde preguntaba si fue un tipo malo o bueno resultaba una inesperada incertidumbre que nunca afligió a Sebastián, sin duda hasta la cercanía de la muerte. Aunque Humberto había regresado, casi sin querer, a las primeras líneas: aquellos libros viejos, usados, de ediciones antiguas que tenía a mano pero parecían no ser suyos. Según el arquitecto, Sebastián había perdido toda su biblioteca en las fugas de distintos domicilios durante la dictadura, y por lo hablado con su hermana Cristina Lieger, en el departamento donde vivió sus últimos días ella no encontró ningún libro.

Conversaron extensamente sobre los velos de esa carta de despedida, y la referencia que hacía Sebastián al amigo distante. Le describió a Alejandro el proyecto que en 1984 llevaba adelante en México, tan inconsciente de toda esa madeja y de la agonía de su amigo. Hay dioses crueles, le dijo al arquitecto, o era sólo la carta que lo había deprimido.

—Dejemos por ahora a dios para un anexo, Humberto, porque entre su abuelo pastor y mi acción católica, si nos sacamos los zapatos con nuestros cuatro testículos flotamos hasta la primera esfera del Divino. Hablemos laicamente, como dios manda.

—En ese año yo estaba, casualmente, con mis credos laicos, preparando una publicación sobre la Trilateral y el inicio de una nueva etapa en Occidente tanto económica como cultural.

—Usted estaba en otra, Humberto ¿Eso quiere decirme? Y es que siempre estamos en otra. Ahora mismo, seguro. Usted estaba en

México, hace un rato me lo contó, por sacar una revista que despertaría la conciencia de una nueva época. ¿No lo escribía en el editorial del primer número? ¿Cómo era? Había terminado para siempre lo que nació a orillas del Sena en el 68, en las selvas africanas, en las pobladas de Córdoba, con los negros de Harlem, con Cuba. Bueno, usted editorializaba en aquel entonces toda su devoción por esas pavadas sesenteras sin articulación alguna, y el garrón que después yo me comí tratando de salvar a los últimos desaforados del corso. Usted estaba en otra y en México: nacía un tiempo de crisis, de muertes de las utopías, de incertezas, de mutaciones, de neoderechas, y había que anticiparse, que empezar a enunciarlo, preverlo, reunir materia gris para explicarlo. Eso llenaba su vida, Baraldi.

–Póngale que fue así. O lo discutimos otro día. Y el impostor estuvo en el hueco, donde no hay nada. Ni besos, ni poemas ni una porción de pizza. Ahí estuvo conmigo. En un rincón. Fue como el aire de un cuarto de baño en Singapur. O el frente de una esquina, de una calle, a la que jamás vi. Lo que nunca se hizo mundo para mí, pero que tampoco rechacé que fuera mundo. Ese es el hombre de las cartas.

–Y ahí sigue, Humberto. En ese mismo lugar. Y se me ocurre que desde una locura precipitada y ficticia como la que usted vive, más parecida a un western del asfalto que a una gran novela clásica como las que suele leer y añorar, él está a salvo. Sigue a salvo. Si usted se volviese loco, trágicamente loco, si no fuese ya usted, podría verlo justo en el lugar donde él está: afilando mansamente la cabeza de una flecha.

–Se lo agradezco Herrera. Me serena.

–No se enoje, en realidad pienso que ese sujeto debió ser siempre un pelotudo sin ni siquiera relación de dependencia. Dese cuenta que si el fulano se hubiese dado a conocer alguna vez, usted le habría ganado, aunque tuviese siete lenguas venenosas en su cabeza. Usted es un hombre de letras, Humberto, maneja el mundo, aunque esté siempre dolido de inoperancia, quejas, desdichas. Él no estuvo en su mira, allá adelante, sino que quiso estar, como al lado suyo. Él invadió lo único que usted, entiéndame y no se ofenda, más imbécilmente se respetó a sí mismo y a toda costa: su soledad entre el ruido de las cosas y las abyecciones del mundo. Quiso compartir esa extraña forma de su condena, su escritorio póngale, o la montaña, donde vaya a saberse por qué, no lastima condecorar al egoísmo propio, rebautizándolo de secreto. Convengamos que él, eso lo conoce. Jamás iba a ser presa de su canibalismo, Humberto. Prefirió demostrarle que su soledad inexpugnable, es el lugar más concurrido y relativo. Ahí organizaba las fiestas.

—Esté donde esté, Alejandro, hay días que lo pienso como un relojero aplicado, de pulso increíblemente exacto, y otras veces como un petardista, un tirabombas, un francotirador.

—O no. O a lo mejor esas son máscaras de su máscara. Para mí tiene la fastidiosa figura de un biógrafo, aunque él no lo haya pretendido, por supuesto. Él supo, qué duda cabe, de su nacimiento. Pero usted me lo decía hace un rato: siente que ese sujeto escribe su vida. Lo más parecido a un historiador inoportuno. El que escribe sobre una vida, quiero decir, también sabe de su muerte. No se engañe. Es un biógrafo. No es que usted ahora descubra lo que ese tipo escribió antes, sino esta otra idea, irreal, imposible por cierto: él está escribiendo después que usted, como un biógrafo cabal anticipado. Pero a qué preocuparse, el fulano no lo va a privar de nacer ni de morir. Dese por satisfecho, le dejó lo del medio, el intervalo en blanco.

—¿Sabe lo que pienso, Alejandro? Que usted encajaría con la figura del impostor.

—Supongo que lo tranquiliza pensar en un tilingo ilustrado como yo, amasando letras en una casona en penumbras como ésta, rodeado de cristos, de biblias de distintos siglos y quién sabe, también por satanes. Pero no se preocupe, hubiese preferido perseguir la vida de un cocinero del Sheraton, de un balsero cubano, o de un campeón de bochas en Vedia. Aunque no me atemorizan las grandilocuencias. Extraños artilugios me inspiran desde las alturas.

Alejandro señaló con sus ojos hacia arriba. No supo si hacia dios o hacia la monja Amalia. Cuando se despedía del arquitecto, ya llegaba tarde a la cita con Raúl Estévez, lo vio parado como una fina silueta oscura entre las dos columnas del portal de su casa. Había anochecido y era un día ventoso de mediados de junio. El editor de libros de autoayuda se quedó esperando que consiguiese un taxi. Humberto paladeó un sabor agrio en la boca, como el de una caries destapada. Desde la ventanilla no consiguió saber si Herrera seguía allá, o había entrado, pero sí que no volvería a verlo en la vida.

29

El taxi se detuvo en un embotellamiento y Humberto se retrotrajo a la carta póstuma de Sebastián. Se percató de que la sombra perseguida podía mostrarle algún rasgo, pero al costo de ignorar cada vez más hacia dónde estaba yendo. Ariel Rossi había visto algo ¿Qué conoció, qué supo, qué dedujo alguna vez? Por eso Sebastián fue hacia su tumba, y a la de su primo Esteban: para averiguar tardíamente qué había sido eso ¿Qué tuvo que ver Humberto Baraldi con eso? La sobriedad de Sebastián en una página de dolorosa despedida, podía equivaler al despojamiento existencial de un moribundo, o al contrario, al flagelo de un terror por decir, por revelar, donde sólo queda la ranura de no nombrar las cosas, porque las palabras son otra vez las cosas.

Cuando llegó al bar de Viamonte, el decano le anunció una sorpresa. Aprovechó para relatarle a Estévez, con el mayor caudal de pormenores, su pesquisa sobre la cátedra fantasma. Le mostró las hojas de los expedientes arrancadas meses atrás de las carpetas en el archivo del subsuelo. Le preguntó si conocía a alguno de los profesores que reincidían a lo largo de los años en el Instituto, o en edificios ajenos a la universidad, según esos papeles. El decano dijo que algunos apellidos le sonaban. Examinaron la planilla donde constaba la compra de un inmueble sin domicilio a la vista, y otras, con partidas presupuestarias para refacciones, hasta un año atrás. Estévez no tenía conocimiento de ninguno de esos detalles y contratos a terceros, ni mucho menos de aquellos gastos inscriptos en el código 1200, viviendo de manera disimulada detrás de otro código oficial. El decano dedujo que había sido una maniobra increíble, nunca descubierta o apañada por una eficaz burocracia universitaria.

Estévez le comentó que varias veces le habían hecho referencia a galerías tipo catacumbas en los subsuelos del Instituto en 25 de Mayo, un sitio plagado de versiones inverosímiles y leyendas quiméricas que hipotéticamente podía estar relacionado con aquella historia encubierta. Esa noche iban a visitar esas supuestas galerías subterráneas: por eso lo había citado.

–Entendelo, Humberto, tengo que conocer qué dirijo, o estoy gratis. Hoy se levantó la reunión de Consejo y tengo tiempo.

Tal ocurrencia era la sorpresa del decano. Y Estévez no se había equivocado. El que entró en estado de equívoco fue él, cuando vio a la pelirroja, al gato de su edificio, a su vecina entrar al bar y dirigirse directa y ondulantemente hacia la mesa donde estaban sentados. Donde después, también ella estuvo sentada.

–Te presento a la profesora María Velárdez, doctorada en Estados Unidos y con tres posgrados europeos en Ciencias Exactas. Después fue contratada, durante estos últimos dos años, por el Núcleo Experimental de Altos Estudios de la ONU, en Londres. Ella quería especialmente conocerte.

–Leí tres de sus libros de ensayos, profesor Baraldi, que me llevó a Londres un sobrino mío, alumno suyo, y puedo decirle la felicidad que sentí en esas lecturas. Comparto plenamente sus ideas.

–El rector me recomendó expresamente a la doctora Velárdez –continuó Estévez, quien se iba disolviendo en la mirada de Humberto como un faro ribereño en la despavorida nocturnidad del naufragio–, entonces le hablé al rector del interés de la doctora por conectarse con vos. Ella llegó hace dos meses, con un proyecto de financiamiento interuniversitario, para desarrollar un Centro de Investigaciones en Filosofía, Ciencia, Estética y Teología. ¿No es así doctora? Para trabajar la historia de las ideas desde dichos cruces de saberes, a la manera del perdido legado renacentista. Ahora está viviendo por un tiempo en uno de los departamentos que tiene la universidad para profesores invitados, en Córdoba y Esmeralda.

–Pienso contar fundamentalmente con usted, profesor Baraldi, armar un equipo humano bien rentado de pensadores de primer nivel –agregó ella: la pelirroja resfriada de la cama.

–Le comenté al rector, Humberto, de tu disposición a participar con la doctora. Precisamente son tus preocupaciones más genuinas, y la oportunidad de colaborar con una académica de tan alto rango.

–Gracias por sus palabras, señor decano.

–Digo la verdad, doctora.

–Permiso, ahora vuelvo –dijo ella, y se deslizó hacia el baño como una pantera tragada por el fragor inclemente del bosque sagrado.

–Y hablando a nivel de programa de doctorado –dijo Estévez– quién pudiera verla en bolas un ratito.

–Ella no es, Raúl. Ella no es eso.

–¿Qué cosa no es? ¿Quién no es? Estás transpirando tupido.

–Ella no es, Raúl, te lo puedo asegurar, te lo juro.

–¿Siempre te ponés blanco tetera con una mina que está buena?

–Ella no es María Velárdez... es un gato.

–Un gato –Estévez miró la máquina de café, se acomodó el nudo de la corbata–, vos decís que el rector me citó a las ocho y media de la mañana para presentarme un gato. Bueno, muy bien, ahora explicáme por qué el pelado haría eso. Te escucho. Y que sea sencillito, sin teoría.

–Yo no sé nada del rector ni de las ocho de la mañana, digo que ella no es ella ¿Entendés Raúl?

–¿Si entiendo? –Estévez volvió a mirar el mostrador–. Bueno, así rápidamente te digo que lo tengo clarito. Sos la peor ruina mental que conozco.

–No Estévez, quiero explicártelo.

–Guarda que vuelve. Bueno querido, ¿le hablamos de la puesta de Hamlet en el Cervantes o de los telos de Don Torcuato?

Mucho más lamentable fue la idea de Estévez de invitarla, apenas ella lo insinuó, a la exploración de los subsuelos del Instituto en 25 de Mayo que emprenderían esa misma noche. Caminaron hacia el lugar, con ella recordando frases de los libros de Humberto como si fuesen sus obras de cabecera. Al llegar, dos ordenanzas aguardaban al decano y guiaron el descenso hasta el tercer nivel subterráneo: el piso del Archivo. Pero Estévez se despidió de los administrativos antes de penetrar en el cuarto subsuelo por la pequeña escalera vertical de hierro pintado de blanco. Desde ahí ya no había luz eléctrica, avisó uno de los veladores, que tenían preparado un sol de noche manuable y dos linternas mineras. Le llamó la atención a Humberto la indiferencia de los no docentes frente a lo que estaba ocurriendo con el decano a la cabeza, quien en ese momento y en cuatro patas iluminaba el agujero con la linterna. María Velárdez dijo que la bajada le hacía acordar a una gruta en Mozambique, cuando la invitaron con su marido a un simposio sobre desarrollo y ciencias duras. Desde esa feliz remembranza, a la doctora no se le cayó el marido de la boca en ninguna de sus intervenciones, mientras Raúl sostenía el farol lo más alto posible y lo miraba de reojo.

—Primero descendemos nosotros, por las dudas —dijo Estévez— y la recibimos desde abajo, doctora.

Con los sacos anudados a la cintura, fueron sufriendo el calor sofocante de los primeros túneles. Cada tanto aparecían habitáculos vacíos, o con restos en estantes de lo que creyeron eran viejas tesis de graduados. Pero el socavón se abrió más tarde hacia varios pasajes: los recorrieron uno a uno. La Velárdez pidió que no fumaran, también dejó la cartera y sus zapatos colgados de un palo, para que sirviesen de referencia a cada regreso de las incursiones. En un momento se toparon con los vestigios de una cafetería que Estévez calculó ornamentada en los años 20 por el biselado de los espejos. Un poco más adelante encontraron un dormitorio infantil, con dos camitas, empapelado de rosa, todos los muebles necesarios y perfectamente decorado. Había un estante con muñecas prolijamente en fila, un pequeño subibaja y la huella en la pared de un inmenso crucifijo que alguien se había llevado. Estévez hizo gesto de comprender tan poco como él. De pronto fue un ambiente de apreciables dimensiones, con estantes repletos de libros en perfecto estado de conservación, y algunas estufas a vela y de kerosene que los climatizaban a una temperatura justa. Al lado pudieron ver un cuarto amplio, vacío, con un arcón de grandes proporciones, cuya pesada tapa no pudieron levantar. La tapa del arcón mostraba una inscripciones indescifrables y a la vez algo familiares, aunque no consiguieron relacionarlas con nada.

María Velárdez recordó, mientras trastabillaba en los ladrillos, haber leído hacía unos años en su ciudad, Bahía Blanca, con el que después sería su marido, el descubrimiento de galerías universitarias parecidas a éstas y la historia de una cátedra universitaria. No tenía muy presente el artículo, se lo preguntaría a su marido, pero fue años después en la sección femenina de un diario, eso no lo había olvidado, como tampoco lo fuera de lugar de esa nota impresionándola mucho más que a su marido.

Avanzaron por ese interminable algar hasta perderse. Escucharon rumor de agua y en un recodo del túnel pudieron apreciar una mediana abertura que daba a las aguas del río. Al regresar se encontraron, en un cruce de galerías, con una bóveda de hierro que debería conectar con la casa de gobierno. Se sentaron a descansar, María Velárdez se agitó la blusa transpirada para desabotonársela discretamente. Estévez hizo referencia a ese extraño dormitorio infantil que habían visto, y también al inmenso arcón con un sello tal vez de la propia universidad que no habían conseguido abrir. Después los dos, ya mejor recostados sobre aquel suelo de polvo gris, arenoso, discutieron sobre el cansancio y la resistencia física para terminar hablando sobre el fútbol horrible que se estaba viendo últimamente, de pura fuerza y estado atlético, y las alternativas del achique con líbero y stopper.

–¿A su marido le gusta el fútbol, doctora? –preguntó Estévez, preocupado por el silencio de ella durante los últimos quince minutos.

María Velárdez alzó la mano indicando que se callasen de una vez. Había escuchado un ruido, anunció con voz de secreto: comparable a pisadas. Se dirigieron, conducidos por el sol de noche, hacia la galería desde la cual, según ella, provenía aquel sonido. Divisaron una luz blanca, pálida, a ciento cincuenta metros de distancia. La visión los paralizó. Estévez encendió un cigarrillo y esta vez la doctora no protestó. En esas circunstancias ya estaban jugados. La marcha hacia el lugar fue lenta, penosa y sin ningún diálogo. Al llegar vieron una mesa de roble, con largos bancos a sus costados, iluminada por dos de los tres tubos fluorescentes del techo. Por las máquinas, se dieron cuenta de que era una imprenta. No entendían lo de los tubos encendidos, pero la impresora no se veía tan vieja ni en desuso. Unos cincuenta años, dedujo Estévez, al reconocer la marca. Nadie apareció en los siguientes diez minutos. Curioseando en un escritorio destartalado, debajo de la cortina de madera Humberto encontró varios ejemplares de la revista Skias, y un antiguo modelo de Remington, con el borroso nombre de su usuario en una tela adhesiva pegada al costado: Jacobo Klinger, decía.

¿Dónde había escuchado ese nombre? Efectivamente, se lo habían nombrado. Hizo memoria pero parecía inútil. De pronto le llegó la imagen: los pasamontañas, los narcotraficantes, los salteños, los fedayines o quienes carajo fuesen, ellos le habían preguntado por Jacobo Klinger. Entonces también ellos tenían que ver con la cátedra oculta, con el Instituto de Filosofía, con alguien a quien los invasores de su departamento perseguían por cielo, mar y tierra: alguien que buscaba a Jacobo Klinger. Ese era el único dato de los pasamontañas. Un nombre, Jacobo Klinger, escrito también en esa máquina de escribir en el subsuelo. Desconocía quién podía ser Klinger, su apellido no aparecía en los legajos de las materias ni entre los concursados de 1942 ¿Qué hacía ese nombre en los oscuros desfiladeros del Instituto? ¿Y qué hacía ella, el gato, también en ese lugar, con su blusa cada vez más desabrochada por el calor? Nada se iba yendo, todo se agregaba epidérmicamente como en una licuadora en esa historia del país con todas las razas paleadas en un carro sin ruedas ¿Era lógica la ocurrencia de Estévez? Daba la sensación que sí, y sin embargo no era lógico estar ahí con un sol de noche y aplastados por el calor.

Con varios números dispersos de la revista Skias sobre la mesa, se sentaron en los bancos a estudiarlos. En las distintas ediciones encontraron artículos apenas inicialados, sobre tópicos filosóficos tan clásicos como intrascendentes. Pero ninguna inicial se correspondía con los nombres de los integrantes de la cátedra fantasma. Aunque fueron comprobando que todas las partes iniciales de las revistas, las páginas de la primera parte de cada edición, resultaban un hilo desorientador, anodino, un simulacro, hasta llegar a una nunca anunciada segunda zona literaria que iba emergiendo de a poco, disimuladamente, por las páginas 44, o 46, con cuentos cortos, diarios de viajes, prosa poética, poemas, donde de manera imperceptible brotaba otra revista. Donde surgía algo distinto, ya muertas las aburridas olas de los escritos inaugurales, zona intermedia que volvía a hundirse más tarde otra vez, sin aviso ni corte, en una soporífera sección de crítica de libros.

En esa zona del medio comprobaron la recurrencia de ciertos temas, una atmósfera de encuentro entre ciudades lejanas en el tiempo y en el espacio, un calidoscopio de geografías distantes cubiertas de secretos, de paisajes arquitectónicos urbanos como vasos comunicantes, inesperados cuerpos de aforismos que reunían imágenes íntimas y enigmáticas sobre viejos y nuevos mundos. En un número de la revista se hacía mención, bajo el disfraz de una biografía posiblemente ficcionada de un geógrafo, a un árbol de palabras, guardado: un árbol escondido entre otras gramáticas humanas. Como si el autor de esa historia de vida, y el propio árbol alegórico, redoblasen las napas que atesoraban otra trama oculta por debajo, hasta pulverizar todo rastro pero dándola a entender. En cierta cadena de aforismos, de otra edición de Skias, reaparecía de nuevo la estrategia: ahora el mensaje tapiado, no se decía en qué consistía, era asimilado a una voz colectiva y preservada por el único que guardaría silencio: el autor del texto.

Fue en esa última edición donde descubrió el anuncio de un libro de poemas, anónimo, que sería leído y escenificado con el aporte musical de Ema Sayago de Rossi. Humberto clavó la vista en aquel nombre: cuatro palabras que hirieron sus pupilas. Ema Sayago de Rossi, la madre de Ariel, su antigua profesora de piano, era hermana o familiar del padre Edelmiro Sayago, profesor adjunto de la cátedra nombrada en 1942. Ahora entendía, quizás, la presencia de esa mujer junto a su hijo Ariel Rossi, poco antes de que lo mataran ¿Pero en realidad qué entendía? Más bien nada. Sin embargo Ariel Rossi, hace mucho, en Argelia, le había comentado a Matías Gastrelli sobre las cartas del Humberto impostor. Ariel hizo referencia a su madre en aquella oportunidad. Dijo también que algo inconcebible había pasado. Y ahora encontraba el nombre de Ema Sayago de Rossi en la revista, ligado a los bajofondos de esa medusa académica. También ella, como Jacobo Klinger, era una aparición callada: como esas infinitas galerías que lo rodeaban ¿Pero entonces, quién lo buscaba? ¿Narcotraficantes confundidos? ¿O la madre de Ariel, en esa caverna nunca registrada por nadie?

En otro número encontraron dos poemas inicialados "K.H". La publicación era de julio de 1959, y su autora indudablemente no podía ser otra que Katia Hans. Una breve introducción, escrita por otra mano, no sólo presentaba a la poeta, también dejaba entrever que ella era la responsable de esas zonas intermedias, de esas páginas discordantes de *Skias* agazapadas entre el principio y el fin de cada edición.

El primer poema de Katia comenzaba con la semblanza de un sitio: "El viento/ en los baldíos de la costa/ lleva cenizas/ donde el carro del lechero asoma al mar". Después los versos se embravecían: "Ella gritó/ en mi cuerpo/ en la memoria/ un rostro/ ella los muslos abiertos/ hasta las azules siluetas de los linyeras de Almagro". Más adelante el poema remataba: "Los hombres en la mesa/ se adormecieron/ cuando la exiliada soñó/ diosa muerta/ en la montaña".

El segundo poema, en otra página, se iniciaba tenso y amenazante: "Detrás mío respira/ la ciudad de la boda sangrienta/ Sus crines buscan color de los montes/ la sombra del ágora/ los tres valles de máscaras/ y la diosa/ mentida forma de su cuerpo". En ese clima se deslizaba sin la menor tregua, para concluir: "Calles de olivares/campos que llegan/ de afuera muy lejos/ vienen veranos/ al barrio/ para verla centellar de placer/ junto a la fuente/ colgada todavía / gimiendo / desnuda".

Raúl Estévez lo había leído en voz alta, firme, y lo miró intrigado. Para la doctora Velárdez, resultaban un poco escabrosos, obscenos, fuertes. Como una fornicación desagradable, dijo. Más que fornicar, veo un ritual sanguinario, una violación, le pareció a Estévez. Perdone el mal gusto, pero lo que es, es, agregó. Ella no se dio por aludida, parecía contrariada. Como si quisiese estar con su marido más que con ellos dos, pensó Humberto. Lo cierto es que pasa en Almagro, atinó a decir, para congraciarse con María Velárdez.

–Es una escritura críptica, cifrada, escrita para acólitos –dijo Estévez, buscando los ojos o la blusa de ella –en otro tiempo la hubiese tildado de decadente y pretenciosa.

–Sobre todo el segundo poema, donde parece confirmarse la parusía invertida del mundo desde una visión feminista casi aterradora. Veo una cópula, sin deseo de concepción de la criatura –pensó Humberto en voz alta creyendo que cubría ciertas expectativas de la doctora.

–Casi casi concuerdo –dijo el decano releyendo en silencio –el aliento cabrío respira detrás de la mujer en el lecho, no para un acoplamiento natural con el cordero, sino para, cómo expresarlo, para un coito estéril y prohibido. El hombre sólo encuentra la espalda de la mujer, y desde ese lugar marginal al amor legitimado, tantea la trinidad de sus montes para sufrir la condena de no ver nunca el rostro de ella, la inmolada por última vez.

–Fijáte que aparece una melancólica descripción de Almagro, Raúl, cruzada con semblanzas mediterráneas y bíblicas. Es el cuerpo de Katia en el amor, y el de su amante, mientras otros tipos están morfando en una mesa. Pero el hombre de las nupcias ignora que en realidad va a llegar a un cosmos primordial, el de la diosa solitaria, lo femenino: el cosmos en sintonía de género. No está del todo mal

–Si no entiendo mal, la utopía masculina de la ciudad hembra, la Jerusalén Celeste, es aniquilada fríamente por Katia Hans. En este sentido es insoportable el dispositivo poético, asfixiante. La hembra ya no revela su rostro, su imagen quiliásica, porque ella es ahora la que hará la historia. Digo, Katia remata su sueño cósmico en una plaza medieval de Almagro. No sé por qué pienso en Corrientes y Gascón, ahí la hembra desnuda, colgada, violada, centellea sin embargo orgiásticamente una nueva historia sin varones amos. Flor de minón habrá sido.

Mientras regresaban a la planta baja del edificio se dijo a dónde iría a parar con todo eso por amor de dios. Sin embargo, de esa mujer poeta perdida en una revista de 1959, conocida durante un tiempo en la casa de Egon Stromberg, le había hablado el desconcertante y corrupto Casinelli. Al volver en un taxi, con María Velárdez, la doctora comentó el profundo disgusto sufrido en esos días. El episodio más desagradable experimentado en su vida: tanto por ella como por su marido.

–Puede creer Baraldi que un degenerado, un ser inmundo, del propio edificio donde vivo, entró a mi departamento cuando dormía ¿Puede creer usted eso, profesor Baraldi? Y supongo que me vio, digo, en prendas íntimas. Yo estaba sola en casa, sin mi marido, porque todavía no me mudé del todo. ¡Ah, pero no sabe esa basura, esa alimaña, con quién se topó! Se lo aseguro, profesor, y creo que usted entiende todo esto, ¡voy a ser implacable hasta saber quién fue! Y cuando lo encuentre, no quisiera estar en sus zapatos. No sabe esa porquería humana, de mi tenacidad. Vengo de Estados Unidos, profesor, imagínese, donde por mucho menos que ese miserable acoso sexual del que fui víctima, interviene hasta el Congreso y la Suprema Corte. Se lo puedo asegurar, veo que a usted también lo asombra tamaña iniquidad. ¡Es que no es para menos, profesor! Piense, me sucede apenas vuelvo a mi país después de varios años. Allá en Washington, hasta la escoria drogadicta es menos enferma que este pordiosero moral. Por lo menos se juegan la vida en el crimen, no como esta lagartija mirona. Pero el insecto se olvidó su encendedor inicialado cuando invadió mi casa. Además, profesor, yo sé cómo averiguar su identidad. Me mira sin poder creerlo, profesor, pero es así, es así: estoy en la pista. La mujer que ayuda al portero, que se portó como una santa conmigo en todos los trámites, me dijo que esa bazofia vive en el edificio, ella lo conoce. Pero no alcanzó a darme su nombre ¿Se da cuenta, profesor? Ahora el portero la echó a Clara, así se llama, porque otro energúmeno infeliz, uno de los propietarios del edificio, se quejó y hasta la agredió. Usted la viera, una pobre mujer separada, con cuatro hijos que mantener en Salta, golpeada por un cobarde machista. ¡Hasta aquí llego yo, chofer! Vivo en esta esquina, profesor, Córdoba y Esmeralda, sexto piso ¿Y usted por dónde, profesor? –¿Yo? Una quince cuadras más arriba. –Mañana mismo lo llamo, Baraldi.

30

Lo peor es perder la calma pendejo, y que esto te entre en la cabeza, le dijo a su primo mientras seleccionaba ciertos capítulos de la Critica del Juicio de Kant para el Seminario. Había vuelto a vivir a la pensión de Santiago, pero no le resultaba posible abandonar del todo su departamento, por una cuestión de libros para la materia, y de llamadas telefónicas de sus ayudantes con el fin de saber qué tendrían que dar en sus clases. No podía vivir en el mismo piso que la doctora Velárdez ni exponerse a que la anécdota imbécil de haber entrado subrepticiamente en su departamento estallase por culpa de Clara y la académica lo identificase como el intruso. Pero tampoco podía irse de su casa por quinta vez en un mes en pleno tiempo democrático y sin persecuciones, rumbo a la pensión de Santiago, a riesgo de caer en un ridículo ya irreversible frente a su cátedra y conocidos. A solas con su almohada, lo admitía: en el fondo hubiese preferido desertar de su sexto piso a causa de los narcos, o por los fedayines, nunca para no ser olfateado por esa histérica calzonuda de la Velárdez con ganas de decapitarlo. El propio Estévez lo llamó al otro día para comentarle el puritanismo de la doctora Velárdez. Humberto pensó plantearle el malentendido a ella, aclarárselo, pero se convenció de antemano de que el esquematismo, la rigidez de esa mujer, su furia, llevarían las cosas a la catástrofe.

Beata, racista, políticamente correcta, feminista recalcitrante: y sin embargo María Velárdez le repetía todos los días seguir fascinada por sus tres libros de ensayos sobre teoría crítica cultural.

Durante las últimas cuarenta y ocho horas consiguió esquivarla, aunque siempre con el corazón en la boca: volvía muy temprano, casi al amanecer, a su departamento, con la complicidad de Ruperto. Bajaba del ascensor en el quinto piso, subía con mucho cuidado hasta el sexto por la escalera, donde lo esperaba lo más álgido. Pararse en el pasillo y abrir su puerta sin el mínimo roce. Adentro se quedaba toda la mañana sin que ella, pared por medio, lo notase: sin música ni siquiera muy baja, descalzo para no hacer ruido, con cerveza caliente para no abrir la maldita heladera que chirriaba, con el teléfono sobre la tapa del inodoro envuelto en dos toallas por si sonaba, la puerta del baño herméticamente cerrada para hablar, entre otros una dos veces por día con la propia doctora Velárdez deseosa de visitarlo con su marido y conocer su biblioteca: ese engendro de libros tirados de los estantes como bolsas de papas después de la incursión de los salteños o los narcos.

Ese día entró en su departamento a las siete y media de la mañana, y al rato escuchó el timbre en la puerta. No atendió, pero sospechaba de Clara. La salteña no le había revelado su nombre todavía a la doctora Velárdez. Conjeturaba con algún tipo de asidero, que a último momento, Clara optó por protegerlo. Actitud insólita pero que a la vez podía vincularse con toda la historia entre ellos dos. La salteña era una pieza de ese engranaje que se fue montando en los últimos meses, casi distraídamente. El que Clara le escamoteara el dato principal a la doctora en ciencias exactas, el nombre del intruso, remitía también a ese laberinto de señales, cartas, voces, personajes despertando de golpe, como una música destemplada que algo o alguien había aprisionado durante años, y no se animaba a pensar si no era él mismo quien la había puesto lentamente en movimiento como si accionara una vieja caja de música con el disco atascado en sus primeros giros.

Entendió que debía irse de su departamento lo más pronto posible. En el baño habló con su ex mujer Marisa y se citó en un bar cercano. Después lo llamó María Rosa Freire por si tenía ganas de ir a visitar a Darío Zabala a Cañuelas. No le resultó mala la idea de un día de chacra y aceptó la propuesta para que lo pasase a buscar cerca del mediodía, a dos cuadras de su casa. Por la noche debía encontrarse a cenar con dos amigos de la vieja barra de Almagro, para informarles sobre el asunto de las cartas y ver si ellos también habían sido tocados por el impostor. No iba a estar en todo el día. Borró su datos identificatorios en la grabación de su teléfono, y en su lugar grabó las indicaciones para su ayudante Gabriela Ceballos, quien debía dar mañana el teórico de Kant y su estética. Agregó también un corto mensaje para Horacio Cuestas, el organizador de la cena de la noche, para ratificar el restaurante elegido y la hora. Dejó el teléfono envuelto sobre el inodoro y abrió la puerta del departamento cautelosamente. Investigó el pasillo y saltó hacia la escalera.

En la confitería Marisa pidió un cortado, Humberto una dosis de cognac para escucharla más tranquilo. Ella estaba desquiciada y sin poder decidirse con respecto a una nueva propuesta de trabajo, como asesora en una editorial sobre libros de comidas exóticas y snobs, que últimamente parecían tener mucho auge en Buenos Aires. Buen sueldo, pero sobre todo, para Marisa, tema del cual nunca había leído una letra y la cubría de ansiedades, por cuanto en un principio aceptó la oferta, pero las señas de los tipos que la contrataron la hacían pensar en dos aventureros sin escrúpulos.

–No voy a arruinarte el proyecto, pero uno no es todas las cosas posibles, Marisa, aunque ahora quieran vendértela así. El tema no te corresponde. Vos estás en otra cosa y por algo. Eso es lo que quisiste ser. No podés reconvertirte de la noche a la mañana, cabeza, vestimenta, ideas, porque se trata de algo llamativo y un muy buen sueldo. Eso es impostura y de la peor especie.

María Rosa Freire lo pasó a buscar en auto. Aprovechó el viaje hacia Cañuelas para elogiar el libro de poemas de ella, sobre personajes del barrio reunidos en un cielo sin dios ni promesas, donde los muertos añoraban sus viejas miserias en la tierra. Durante el almuerzo, debajo del alero de madera construido por Darío Zabala con sus propias manos, fantaseó con la idea de venirse a vivir por un tiempo a la chacra. Apareció Lidia, la hija adoptada por Darío después del accidente, una hermosa niña de ojos verdes y pelo renegrido. Lo sedujo la soltura de esa muchacha, que había pasado dos años muda y paralítica:

la picardía con la cual imitó a su padre adoptivo dictando una clase de historia argentina en la escuelita de la zona.

María Rosa y Darío comenzaron a discutir sobre el lamentable estado moral del país. La poeta, como contrapartida a ese panorama luctuoso comentó ilusionada sobre algunas obras recientes, historias menudas como abriéndose paso a partir de una subjetividad discreta, y para contar cosas concretas, pequeñas, capaz de ser entendida por todos. Darío la dejó terminar para arremeter de a poco.

–Qué hermoso ¿no es cierto, María Rosa? ¿Con la riqueza del París de los 20, no te parece? Tiempo pequeñito para los que sueñan entrar en el catálogo de la universidad de Michigan, el pluriculturalismo te exige escribir sobre un morocho oligofrénico catamarqueño y en patas. Desde ahí pensar el complejo mundo de la pobreza que te corresponde, como mucamo de un departamentos de lenguas yanqui donde el licenciado blanco metodista en cambio por la noche lee a Joyce y reflexiona sobre los grandes temas humanos.

–No seas verdugo de todo lo que se te cruza. Te escucho y todavía estás adentro de la gran empresa del hombre, ahora sin leyes revolucionarias ¿Dónde están ahora las obras mayúsculas, esas que desfondan las épocas y el mundo?

–Y si se escribían antes, ¿por qué no ahora con computadoras que escriben más rápido y podés corregir sin goma y apretar botones de negritas y elegir el tipo de letra y cortar párrafos para intercalarlos? ¿Eh, por qué?

–No sé.

–¿Por qué no ahora que formateás tu página en un segundo y guardás todo en la memoria en dos segundos, que podés escribir en los aviones y el diccionario te corrige automáticamente en un segundo y medio y al final imprimís en colores en diez segundos? ¿Por qué no, justo ahora que Dios te puso procesadores de textos con 32 megas ¿Eh, por qué?

–Terminála –dijo Humberto

–Las palabras tienen sus tiempos secretos, Darío –contestó ella mirándose el zapato

–¿Más secreto todavía? Tengo un secreto cuando tengo algo que decir, y no lo digo. No cuando el secreto es que no tengo nada que decir ¿No estás de acuerdo conmigo bello Humberto? Dejale algunas uvas a María Rosa, no seas animal

–No existe más el drama inconmensurable –siguió María Rosa.

–¿Y qué existe? Los personajes de conciencia barata, la televisión o la peliculita como remanida madre de cualquier historia escrita, la apología del tarado que no puede hilar un solo pensamiento interesante, la trama como pelotudez divertida, el personaje haciendo dedo en una gasolinera o leyendo un pedazo de diario viejo cuando va a cagar a una letrina ¿Y para qué quiero saber lo que piensa ese pelotudo? No el que caga, sino el que escribe.

–No te aflijas, Darío –la voz de ella era mansa, apacible, casi tonta– lo único que va a quedar es la palabra, esa densidad de saber que envejecemos. Tu lápiz y tu mano, eso sólo, tu garabato en el papel. Frente a tanto periodista obsesionado por transparentar la realidad, queda la palabra que puede esconder al mundo, que lo cuida para sentir que el mundo sigue estando.

–Si es así, escondeme un rato, como al mundo.

–Cada uno elige cómo ser elegido –dijo ella.

Humberto se alejó de la galería. Caminó hacia el fondo de la chacra, atravesó el alambrado y se detuvo en el principio de un camino de tierra que se perdía, lejos, contra un racimo de casas. Hasta cuando, pensó. Se dio cuenta de su capacidad de disimular y no exponerse a la preocupación indiscernible del otro. Las cosas quedaban y se deshacían en palabras, su propio mutismo frente a ellos dos le exigía una fragua salvaje de palabras asesinadas. La primera arcada lo sorprendió frente al zanjón, después vomitó todo por la boca y la nariz, arrodillado en el camino.

Pensó en la cena que tendría esa noche con los amigos de Almagro: Horacio y Juan Antonio. Como si ellos no hubiesen sido tocados por la historia, a diferencia de Sebastián, Ariel y Matías. Pero lo suyo se reducía a palabras debajo de palabras, encima de palabras: el desembarco de su vida. Lo deslumbró contemplar la inmensidad del cielo celeste abriéndose encima suyo, un cielo que nunca llegaba a la ciudad.

¿Había elegido, como creía María Rosa? Recordó a su padre. Cada tanto lo asombraba la enfermiza manera de olvidarlo. Había escapado sin sosiego de ese hombre, de Ricardo Baraldi, desde una noche cuando su hermana lo llamó a México para informarle de su muerte, junto con su madre, en una ruta tormentosa. Trató de dibujar con imágenes a sus interlocutores imaginarios: los únicos reales debían ser los inadvertidos, los borrados. Le dolía la cabeza, sintió el gusto rancio en la boca. Las imágenes se podían masticar como palabras no muy grandes, no muy chicas, bocados justos en el tenedor. Su padre en la sala de la casona, con sus libros, con sus discos, con sus remembranzas; reticente a las tentaciones del pensamiento, con la muda conformidad de su retiro en una sala en penumbras poblada también de imágenes, de palabras. Pero no, se equivocaba: su padre en realidad con los amorosos límites de sentirse uno más en la tierra. Sin embargo debió dejarle lo peor, lo que nunca le dijo, silencio, tiempos antiguos, figuras irreconocibles. Su padre había tenido cuadras del barrio, otros momentos del mundo, los cuadernos de poetas con su letra muy prolija, viajes a la provincia, hijos, su casa, su mesa, y la simple memoria de las pequeñas posesiones. No había editado revistas ni viajado a París ni se sintió llamado por ninguna revolución ni arrastró su cuerpo en el exilio ni escribió libros. Leyó solamente, adormeció todo adentro, se sentó en el jardín por las tardes y escuchó música. Nunca eligió un micrófono para hablarle a alguien. Se quedaba con el mate en su mano, o la Biblia, y las historias, y ahí estuvo. Prefirió las herencias, imágenes incomunicables, caminar entre fantasmas, entre pedazos de vida que navegan en silencio ¿Dónde? Con ojos nada más que para lo ausente, para un dios en el fondo de todas las figuras ¿Fue más sabio? Sintió que ahí, donde realmente fue, le gustaría encontrarlo ahora, escucharlo. Vanidad de vanidades, decía. También su hijo tendría cosas que contarle: la historia de un impostor de cartas. Observó el extraño temblor de las hojas en los árboles.

Cuando llegó a la pensión de Santiago se anotó en el tercer lugar para bañarse, detrás de un chileno y un uruguayo. Recostado en la pieza se dio cuenta de que la familia de Egon Stromberg, extraviada en las borrascas de su memoria, retorcía sus huesos desde el fondo marino, sin que alcanzase a entender sus chillidos. Le comentó a Santiago que iría a ver a la madre de Matías Gastrelli para disculparse por la clase sobre Antígona interrumpida tan abruptamente, pero sin ánimo de revelarle, en lo inmediato, la muerte de su hijo Matías, tres años atrás. Lo había conversado con Rocío y coincidió con ella que tal información pondría a la bailarina al borde del delito y de la cárcel.

La fiebre desapareció con el baño. Fue a la cocina por agua, para tomarse dos antigripales. Al sacar el sifón de la heladera tuvo la impresión de un relampaguear contra la ventanita: la luz de un rayo sin tormenta. Salió al patio y el mismo sonido de un instante antes le perforó los oídos. No vio a nadie, todos estaban en sus piezas. Ahora fue un acorde estridente, infinitamente lejano, que volaba rasante hacia él para envolverlo en la oscuridad del patio. En ese momento advirtió el sifón en su mano y aquel rumiar de voces agudas, zigzagueando a la altura de las baldosas. Supo que esas voces estaban por pronunciar un nombre, el suyo. Un sonido destemplado iba armando la palabra, le vaciaba el cerebro desde un agujero en la nuca. Corrió a encerrarse en la pieza y se aplastó contra la puerta. Santiago dormitaba. Sintió el temblor en las entrañas del cuerpo cuando se deslizó hacia el piso. Permaneció sentado un tiempo indefinible, cubierto de silencio.

Le pareció confortable el restaurante elegido por Horacio Cuestas y Juan Antonio Ruiz, dos de la vieja barra de Almagro. El reencuentro después de tantos años de no verse tuvo la frescura de las viejas amistades adolescentes, ventarrones de recuerdos superpuestos, una atmósfera de bromas y risas que no se interrumpió en ningún momento. Con los postres cambió el tema. Les habló del impostor de cartas. También de Sebastián, Ariel y Matías. Ellos estaban al tanto de que Sebastián había muerto de sida y Ariel a los tiros en una esquina. Desconocían el dato sobre Matías. Pero tanto ellos dos, como Jorge y Guillermo, con los cuales se seguían viendo a menudo, nunca habían recibido cartas supuestamente suyas.

No coincidieron con respecto a las visitas a la casa de Egon Stromberg. El punto de partida, según Horacio, fueron las hijas de Egon, conocidas en una kermesse de la iglesia de Betania. Pero en este dato, Juan Antonio difería un poco: para ese entonces Esteban ya era amigo de la suegra de Egon Stromberg, la vieja Katia, y visitaba desde antes a la familia en Francisco Acuña. Recordó que al principio de todo su primo no quería hablar de esas incursiones.

Aquí se abrían como dos historias mezcladas, que a Horacio Cuestas no se le habían escapado, a pesar de que en aquel tiempo tampoco le dio mucha importancia.

–Varios de nosotros íbamos por las hijas de Egon, vos lo sabes bien, Humberto, te gustaba Eugenia, la mayor. Y la otra, Olga creo que se llamaba, la más chica, tampoco estaba mal, aunque era un poco neurasténica y aparecía cada tanto.

–Olga estaba siempre con su hermana, con Eugenia –dijo Juan Antonio.

–Lo que nos llamaba la atención, y no me olvido que lo comentamos muchas veces –retomó Horacio– fue esa hospitalidad tan natural y abierta con que nos recibían, con que nos dejaban estar con las dos chicas. Como si hubiésemos sido parientes de toda la vida.

El que no estuvo de acuerdo fue Juan Antonio: la cuestión había pasado inicialmente por Esteban y Ariel, después se coló Matías. Aclaró que para él, Esteban era un sonámbulo, pero buen tipo. Por el contrario, Matías siempre fue un piantado jodido, dijo. Y el que nos atraía a todos, era Egon Stromberg, capaz de charlar cinco horas seguidas debajo de la parra.

–Sabía cualquier cosa. No sólo de televisión ¿Te acordás esas pantallas que tenía en el galpón del fondo? Egon nos contaba de los griegos, de escucharlo empecé a leer a Platón. Nos tenía encandilados. Decíamos que era un fuera de serie, que un tipo así no existía, nos preguntábamos dónde habría estudiado tanto. Una noche, comiendo pizza, Ariel me cuenta que su madre, la señora Ema ¿te acordás de doña Ema? Ella le habla mal de Egon y también de vos, Humberto.

–¿De mí? ¿Qué le dice de mí?

–No sé, pero me acuerdo que le contesté duro a Ariel, me cayó mal ese chismerío, salí en defensa tuya y de Egon.

–El alemán sobre todo te buscaba a vos, Humberto –dijo Juan Antonio–, no me olvido que Ariel se moría de envidia por eso, estaba celoso. Decía que vos le dorabas la píldora y después te reías del teutón.

–No te creo que Ariel tenía celos.

–Vamos a hablar en serio, la verdad, y más allá de cualquier cosa, íbamos a esa casa por Salka, la mujer de Egon –dijo Horacio

–Eso era otra cosa –aclaró Juan Antonio.

–Claro que Salka era otra cosa: era un par de tetas descomunales y unas caderas que nos dejaban boqueando. No te hagás el boludo, la espiábamos por la claraboya de la terraza que daba a su dormitorio. Por los agujeritos despintados de la claraboya. Matías había hecho esos agujeros La veíamos dormir desnuda en el verano, y también la veíamos coger con más de uno. Matías ensartaba en los agujeritos los largavistas tuyos, Juan, para verla más de cerca.

–Si, algunas veces, no tantas–confirmó molesto Juan Antonio.

–¿Cómo no tantas? Salka era como la paja diaria de más de uno en la barra. Hacíamos fila en la claraboya y vos mismo, Juan Antonio, a veces ni nos pasabas los largavistas porque te incrustabas contra el vidrio del techo y empezabas a relatar lo que veías ¿Te acordás Humberto? Este y Matías podían estar una hora encorvados, transpirados de hacer equilibrio sobre el alquitrán mientras ella se afeitaba las piernas en bolas.

–Ese era Matías, te equivocás –insistió Juan Antonio

Según Horacio, todas las historias en esa casa se cruzaban de manera curiosa. Esteban, el que tenía mayor confianza con Egon, prefería la pieza de arriba con la abuela Katia Hans, la madre de Salka. El resto de la barra se iba, y Esteban recién bajaba a eso de las tres de la mañana de la pieza de la abuela. La ayudaba a traducir poesías al castellano, según contó su primo una noche cuando lo apretaron para que cuente que carajo pasaba allá arriba.

–Sebastián Lieger iba porque ibas vos, Humberto.

–No entiendo lo que querés decir.

–No te hagas el fesa, Sebastián en ese tiempo estaba enamorado de vos.

–Pero ahí pasaban cosas que nunca entendí del todo –dijo Juan Antonio–, después pensé muchas veces en esa casa, en esa gente. En cosas que comentaba Esteban, o que le escuché decir a Ariel siempre medio misterioso. Creo que no era solamente Salka la que nos intrigaba. La mamá de Ariel tenía un conservatorio de piano.

–Ahí estudié un par de años.

–Yo también. Bueno, la vieja Katia visitaba mucho a la mamá de Ariel, y a su hermano, un cura.

–El padre Edelmiro Sayago –dijo Humberto.

–Claro, eran reuniones en el conservatorio, pero también con otra gente. Pero la pianista, en cambio, no iba nunca a la casa de Katia. Y un día me lo dijo la propia profesora: ahí soy mal recibida.

–No se debía llevar bien con Egon, por lo que vos contaste.

–Pero muchas noches los vi a los dos, a la señora Ema y a Egon, tomando café en una mesita de El Cóndor. Matías tenía la posta de que se la garchaba, pero vos sabés lo que era Matías para darle la cana a alguien, nunca se lo creí. También contaba que doña Ema le acariciaba el pito a sus alumnos mientras tocaban el piano.

–El flaco Jorge contó que una vez le pasó eso, mientras daba la lección –puntualizó Horacio– ella le agarró la mano para hacer una escala en las teclas, y con la otra le acarició la piola.

–Dejáte de joder. Yo te puedo asegurar que es mentira ¿Vos te acordás de la señora Ema?

–Era linda, Humberto, y el marido un pecho frío que ni se bañaba para no tocarse las bolas.

–Sí, era atractiva, pero a diez mil kilómetros de hacer esas cosas.

Horacio contó que varios de la barra dejaron de ir a esa casa, cuando se dieron cuenta de que entre ellos mismos había cosas escondidas. Se enteró que Ariel visitaba a Egon mucho más seguido que nadie. Cuando un día se lo preguntó, Ariel se puso mal, muy nervioso. También contó que el flaco Jorge y Guillermo, los más amigos de Olga, la hija menor, se abrieron pronto. Un día los dos se habían escondido dentro de la bañera, detrás de la cortina, para ver orinar o Salka. Y ella se enteró, no sé lo que pasó. Pero Jorge y Guillermo no volvieron más, ni querían contarlo, de vergüenza supongo.

–Yo no me acuerdo de ninguna de esas cosas, se los juro –dijo Humberto.

–Horacio y yo también nos abrimos –completó Juan Antonio–, me acuerdo una noche que caí a la casa buscando a alguno de ustedes, y vi a Salka en bombacha y corpiño hablando sola en el patio. Hablaba con Egon, pero a Egon no lo vi en ninguna parte. No sé, sentí como una cosa extraña. No entendí lo que pasaba. Salka me miró de lejos, le pregunté algo y no me contestó. Siguió hablando con alguien. La abuela Katia me agarró y me dijo que me fuese. Esa noche, en la puerta de entrada, Eugenia me preguntó insistentemente por tu primo Esteban, cosa que me extrañó porque ella salía con vos.

–¿Alguno de ustedes conoce a José Luis Casinelli?

Lo dos contestaron negativamente, nunca habían oído del abogado.

–¿Y a un periodista, Rodolfo Frías? Ese Casinelli, me dijo que Frías fue amigo de Katia Hans.

–¿Sabes quién es Rodolfo Frías? Palo ¿Te acordás de Palo? Vivía en Guardia Vieja y Medrano. Era alto, flaco, desgarbado. No le pasábamos bola porque era del grupo de los Cirujas.

–El grupo Cirujas, sí, me había olvidado. Pero de Palo me acuerdo vagamente –dijo Horacio.

–Palo fue periodista de La Razón, pero a fines de los 60 se volvió más loco de lo que era. Hace unos meses me lo encontré de casualidad: para en una fonda de tacheros, al mediodía.

Cuando se quedó solo, cerca de Plaza Italia, reconoció que la fiebre se le clavaba en los huesos. Sintió en el pecho el oleaje de los escalofríos. Le costaba reconocer los guadañazos en la memoria. Ariel celando de cosas estúpidas, a sus espaldas, sin nunca comentarle nada. Sebastián y un supuesto amor callado del que nunca se dio por aludido. Matías, un tipo quizás jodido, cómplice de su primo Esteban, pero que en el 67 lo entusiasma a él para rajarse a París a lo mejor por toda una vida. Una profesora de piano, quien para sus ojos ingenuos había sido sólo eso: una profesora de piano, nunca otra cosa, y ahora reaparecía con veinte máscaras distintas en un Padlle, en una revista de Filosofía, en la extraña escena de la muerte de su hijo, y tomando café a medianoche en Corrientes y Medrano con Egon Stromberg. Todo consistía en un conglomerado de menudencias, un tiempo de barrio atascado, de compincherías inigualables pero insustanciales, un pasado tan mítico como marchito. Como si ahora pensase en las magnolias del patio de Egon Stromberg, ¿qué eran ahora aquellas flores? Polvo, aire aniquilado hacía mucho, granos invisibles desaparecidos treinta años atrás: nada. Y pese a todo sentía que las estaba recordando como si en una de aquellas macetas se hubiese olvidado, ayer, las llaves de su departamento. Le pagó al kiosquero y sintió en la cara la brisa con olor a lluvia. En los últimos seis meses y medio había hecho bien poco con su vida, tiempo perdido sin ideas ni amores, sin proyectos ni su ensayo escrito ni viajes ni algún libro citable. Ya no se acordaba de obras ni de autores ni de su música. Le habían vuelto palabras, sólo eso. Atrapaba frases desperdigadas en papeles de cartas. Ocurrencias precarias, estados de ánimo, mensajes ensobrados, olvidables, esquirlas de escrituras, polvo de magnolias de un patio enterrado debajo de un edificio de doce pisos ¿A quién buscaba? Se sentía mal, muy mal después de esa noche de imágenes viejas preguntándose quién había sido Humberto Baraldi.

SEGUNDA PARTE

Libros viejos

1

Se fue a Villa Alpina quince días, solo. Las serranías cordobesas lo calmaron, sobre todo un recodo del arroyo donde con los días memorizó cada una de las piedras, sus tonos y lugares de dios, sin aliviarlo sin embargo de los dolores de cabeza y de ciertos instantes, imprevistos, en los cuales un aturdimiento lo arrastraba, un paréntesis de la conciencia, algo cercano a un desequilibrio: como si el amasijo de tensiones vividas y el desarreglo anímico de los últimos meses se conjuraran de golpe en un fugaz espacio de tiempo para desquiciarlo.

Caminó obsesivamente por las mañanas, durante las tardes subía las primeras estribaciones de los cerros buscando siempre una cumbre más alta, y al final las cuencas de aguas escondidas para calmar la sed y refrescarse la cara. Las noches destempladas prefirió el salón de la hostería, sin nadie, con libros de Hammett, Hadley Chase y Ross Macdonald, los únicos apilados y polvorientos que encontró en un pequeño estante junto al fuego de leñas. Se daba cuenta de que tampoco esas travesías diarias le prestaban un poco de sueño.

Por lo menos tuvo tiempo en esas dos semanas para volver de la locura. No intentó repasar sus últimos días en Buenos Aires con esa animosa y malsana seducción típica de un convaleciente, tampoco la noche cuando Santiago lo acompañó a la terminal de Retiro y saludó a una cara, debió ser su cara, en la ventanilla del ómnibus. La escena no la recordaba, pero podía imaginársela, construirla todos los días por primera vez y con algún detalle agregado, diferente. Apostó a quedarse en blanco, que las secuencias de imágenes brotasen como los rumbos antojadizos del viento en las sierras. Se sintió desprendido del mundo frente a la borrasca sublime de las cumbres, delante del abismo que muy abajo escondía el frescor irrecuperable de los valles. Se hermanó con los pinares, escuchó el crujido de sus zapatos en el bosque, bebió de la pequeña fuente de agua de un manantial indeciso, escaló los desapercibidos senderos de infinitas faldas, se imaginó que Joseph Turner o Caspar Friedrich o Carl Carus lo perseguía cada vez que se recostaba boca arriba o boca abajo en la grama suave, o por detrás suyo dibujaban su silueta. Si pensaba en lo sucedido, las imágenes parecían esconderse como gatas recelosas en algún lugar inubicable, escapar siempre un poco antes de ser enlazadas por su cabeza. Si en cambio vaciaba su mente en algún sitio donde los ojos se iban petrificando junto con lo que veían hasta desprenderse de su rostro, las imágenes reptaban. Las oía sin poder pronunciarlas, se aproximaban como montículos negros a ras de un suelo también sin luz, para abalanzárseles de pronto como mundos extraviados y todavía sin palabras.

Los recuerdos se amontonaban, para luego aplacarse, o encenderse: había sido en uno de esos días ya dejados atrás, al llegar casi encapuchado a su propio domicilio, cuando escuchó en el teléfono la voz grabada de un tipo hablando de parte de la salteña Clara Bermúdez, para exigirle diez mil dólares por el silencio de ella con respecto a su absurda excursión al departamento de la doctora María Velárdez. El desconocido dejó un dato en el contestador: había ido personalmente a buscarlo, pero no lo pudo encontrar. Relacionó al sujeto con aquel gordo que parecía escapado del Borda, según la contó el portero. Un hombre que lo esperó y se fue el día de la dulce velada con los encapuchados. Se le dio por pensar que la voz en el teléfono encajaba justo con la semblanza que le dio Ruperto. A la mañana siguiente, después de un diálogo efusivo y telefónico con María Velárdez, quien le anunció haber hablado con el rector para apresurar su contrato, el chantajista volvió a llamarlo. Esta vez habló con el desconocido, pero encerrado en el baño y con la cara envuelta en dos toallas para apagar cualquier sonido delator que pudiese escuchar la Velárdez en el departamento de al lado.

–Son diez mil verdes, profesor Baraldi, ni uno más ni uno menos –dijo el extorsionador, ahora también abogado– y por si no lo tiene presente, violó puerta y domicilio, invadió propiedad privada, se metió sin anuencia en el dormitorio de una mujer desnuda, reporteada en tres revistas. Además, hace un tiempo se cojió a Clara varias veces, personal doméstico, forzándola y con tretas. Le aseguro: ella le conoce el porte de cada cana de sus pendejos y el formato del glande. Después la atacó y le pegó, delicia de las abogadas feministas ¿Qué más quiere? ¿Se alcanza a ver en los diarios ahora que no pasa nada? ¿Se imagina cuando el rector lo condecore, y los alumnos pidan que lo cuente otra vez? Cien verdes de cien, profesor Baraldi, y todo olvidado.

Después que el tipo colgó, se dio de cuenta de que estaba arrodillado contra el inodoro, con su cabeza y el teléfono envueltos en dos toallas húmedas. Así lo había escuchado. Así permaneció, hasta que un ojo progresivamente destapado le mostró la bombita de luz sobre el espejo del baño. Luego vino la pesadilla, las botellas de whisky, las charlas con Santiago, la fiebre y el no poder digerir ni un pobre muslo de pollo hervido sin el consecuente concierto de arcadas. Furia, desarreglo mental, desorientación a cada paso que daba hasta ubicar a la salteña en un cuarto de pensión a cinco cuadras. La fue a ver con Santiago, pero ella no quiso conversar. Repitió varias veces que su abogado tenía la palabra. No la pudo soportar, y menos los fallidos razonamientos de su primo intentando una rebaja sustancial a lo pedido.

En un momento se dio cuenta de que la iba a matar. No fue un impulso ciego, fue otra cosa: un instinto absolutamente racional. No era una metáfora enclenque de su cabeza. La miró y pensó matarla. Sólo pensaba de qué manera, y advirtió que jamás había estado más lúcido y compenetrado de voluntad que en ese instante. Ahogarla con esa almohada que ya tenía en sus manos y nunca supo cuándo había llegado a sus manos. Imaginó su muerte detalle por detalle. Se dio cuenta de que iba a hacerlo. Y cuando pensó, no la vas a matar, se dijo, definitivamente convencido, que la iba a matar. La vio boca arriba en esa cama, con la almohada aplastada contra su cara. La vio muerta, y él encendiendo después un cigarrillo. La vio muerta, acostada, y él hablando con Santiago. La vio muerta y vio su propio gesto, mirándola, pero no diferente a sus gestos de siempre. La vio muerta, y él diciendo que no quedaba otra, y la mueca de preocupación de Santiago. Hasta que percibió los ojos aterrados de su primo, arrebatándole la almohada, y escuchó la risa de Clara, sentada en la cama, remotamente lejos de sospechar que la había visto muerta.

Casi no recordaba los días siguientes. Necesitó juntar dinero. Habló con Cristina Lieger por el trabajo que le había ofrecido para que seleccionara leyendas murales para colgar en la *discotheque* El Tren Fantasma. Se encontró con su ex esposo, Arturo, y le pidió ocho mil dólares en lugar de los seis mil ofertados.

—No sé si voy a poder pagarle tanto, Humberto —había dicho Arturo.

—Es dinero que necesito con urgencia.

—Además, quería aprovechar esta charla, Humberto, para aclarar un tema delicado, del cual tengo sabido que se enteró por el arquitecto Alejandro Herrera. Es con respecto a mis guardias cerca de Cristina, cuando ella comete algún desliz, digamos, se enamora.

—No sé de qué me habla, Arturo.

—Los he visto juntos muchas veces, los he escuchado, los he mirado hacer sus cosas en la cama, me entiende, en el dormitorio de Cristina con usted adentro. Tómelo como quiera, está en su derecho, lo que pretendo decirle es que se trataba de cuidarla, a ella, que es la que me preocupa, no a usted, Humberto. Aunque en ese tipo de situaciones es difícil ver a uno solo.

—Me da lo mismo, Arturo.

—Me sorprende a veces, Baraldi, aunque en este caso agradezco su comprensión.

–Volviendo al trabajo para El Tren Fantasma. Si usted acepta, busco más textos de terror, más autores, o ensayo algunos míos. Pero necesito ocho mil.

–Déjeme pensarlo.

Los días posteriores se le confundían en el recuerdo. Escribió y eligió esos textos en la pensión de Santiago, aguardó el llamado de Arturo, quien finalmente le avisó que el pago debía retrasarse diez días, mientras el agobio de la fiebre y el mordisco de una vértebra de la columna lo tuvo cuarenta y ocho horas postrado en la cama. Santiago se haría cargo de cobrar y de llevarle el dinero a Clara. Su primo se fue a vivir a su departamento de Córdoba y Esmeralda, para anotar las llamadas que recibiese. Hasta que una noche Santiago lo acompañó hasta la terminal de ómnibus y le aconsejó que aprovechase los quince días en Villa Alpina para olvidarlo todo.

En las sierras supo de noches estrelladas, las contempló acostado sobre la piedra de una meseta donde iba siempre después de cenar. Sintió a veces que era el cielo del mundo, la fusión del espacio infinito y la totalidad del tiempo: nada quedaba más allá de sus ojos. Comprendió que estaba mal, enfermo, contaminado por asfixiantes represiones religiosas de su infancia. Infectado de una insobornable soberbia intelectual desde una adolescencia mal digerida, donde su cuerpo supuró la supuesta santidad de un abuelo pastor y su cruento veredicto contra los débiles de espíritu. Como una manta oscura, de la que nunca pudo liberarse, había corrido por la vida creyendo, aunque se lo negase, que el mal era siempre anterior a la conciencia, venía de afuera, precedía a cualquier entendimiento. Sólo le había quedado una retorcida servidumbre frente a la iniquidad del mundo: una artimaña disfrazada de interminables teorías ateas, seculares, reconfortantes, de corte político, social y estético.

Reconoció que siempre había sido así, desde aquellos retratos del abuelo que lo miraban en cualquier rincón de las piezas donde buscaba no ser visto. Siempre se provenía de una culpa, eso supo: de algo que no era del mundo ni de nadie, sino anterior a todo. Llegado un tiempo pensó que la filosofía podía resguardarlo de aquella eternidad sin nombre, o con un nombre demasiado repulsivo, podía hacerlo reflexionar siempre un poco más allá de la venganza celestial, tomar distancia, hacerse de un humor ácido y apocalíptico como casamata funcional frente a los sabuesos del Divino. Lloró, acostado en esa piedra contra el cielo de Villa Alpina. Sentía que lloraba también de miedo, sin descubrir en la bóveda estrellada la inmensidad del hombre, la supuesta alcurnia de sus obras. Se dijo de su perpetuo desprecio por los santos, por los que escapaban de las infecciones y soñaban la pureza. Pero tampoco creyó que se podía elegir racionalmente, ilustradamente, entre una ley infinita y lo minúsculo y negativo de una vida: de un hombre. Aborreció la confusión teológica de Esteban, no quiso ser salvado por ningún padrenuestro de los miles que no volvió a pronunciar. Aunque tampoco los grandes pensadores del sentido del mundo alcanzaron a convencerlo para siempre: ni los buceadores de la felicidad, ni los amantes de una libertad fuera del tiempo, ni los que habían esculpido razones críticas o los creyentes en los Palacios de Invierno.

Entonces se imaginó situado y confortable en un paréntesis que nadie le otorgó, entre un dios al que quizás volvería alguna vez, y saberes que lo fascinaron por sus impotencias frente a lo incalculable. Y en medio de tanta telaraña, de estigmas inconscientes, de terminologías de ocasión, pudo fondear en el arte, compensación aurífica, aspiración a reposar sin respuestas fijas entre la razón, esa astuta mujerzuela, y el delirio. El arte tenía muescas de aquella atmósfera teológica congestionante, pero la soberbia de una eternidad humana. Ahí lo trágico era no sólo la mirada, una entre tantas, también la idea, el punto de partida, la salida, el quejido del mundo pero a la vez su remanso. La muerte, pero también las incontables y todas sus estéticas floridas, oscuras, demenciales. Estaba psicológicamente enfermo, del impostor, de sus cartas, de no haber sabido quiénes fueron Sebastián, Ariel, Matías, nadie, ni él mismo. Enfermo de su padre mudo en el sillón, de una madre que fue promesa callada de algo que jamás llegó. La mancha por lo tanto estaba adentro de él, sólo ahí: la había acunado, como diría la ciencia, socialmente, culturalmente, profesionalmente. Era una sinfonía de traumas y escondites, de temores y omnipotencias, de sarcasmos y lepra psíquica, nunca el fabulado y primordial misterio de los dioses del Mal. Ahí únicamente, en las grietas de su cabeza, en lo mental tajeado, estaba lo abominable que ni su garganta dolorida por el llanto podía consolar. Había pensado matar, deseó matar a alguien, quiso hacerlo. Ahora tal vez recién podía volver y que alguien profesionalmente lo ayudase contra esa peste terrenal, íntima, biográfica, sin otro secreto que su altivez. De curiosas y arteras maneras lo falaz arraigaba en su alma: nunca fue otra cosa, nunca fue el sueño espantoso de lo otro. Apenas cuerpo y alma necesitados de cura.

2

Al volver a Buenos Aires se enteró de que Santiago no sólo estuvo al tanto de los movimientos de la doctora María Velárdez, sino que la había enamorado con tres encuentros premeditadamente fortuitos en el ascensor, más un café de once a una de la noche. El marido de la cientista hacía mucho que no jugaba de nada, resultó simple pantalla con eyaculación precoz desde la noche de bodas en el campus universitario de Boston y ella, además de todos los títulos que portaba, era efectivamente un gato, pero internacional. Su estrategia frente a la defección de su consorte a los quince o dieciocho segundos de cada penetración, fue no perdonar a ningún titular académico, coordinador de posgrado, consejero de tesis, tutor de doctorado, director de programa ni responsable de área.

—A la segunda noche, aquí, en tu departamento, con el marido durmiendo pared por medio, ella misma cuando le conté todo lo sucedido y el chantaje de la salteña, decidió muerta de risa ir a hablar con Clara sobre tu incursión de *voyeur*. María le dejó dos mil dólares a Clara para que regresase a Salta y también para sus cuatro hijos. Aquí tenés los seis mil restantes que me adelantó Arturo.

Aprovecharon el fin de semana largo de julio, para salir los tres un par de noches al cine y a comer. En una charla corta, mientras Santiago se puso en la cola para sacar entradas, le confesó a María Velárdez seguir desconcertado, sin poder explicarse por qué fingió un papel de mojigata pudorosa, y los contratiempos que le había causado la actuación de ella simulando ser una beata. La doctora le explicó que tanto el rector, Raúl Estévez, y él mismo, la habían intimidado, y en tales experiencias optaba por mostrarse reticente. No podía ser una sincera liberal, una mujer desinhibida, ardiente y fuera de los roles fijados por las costumbres del varón, y demostrarlo en lugares inconvenientes, sino sólo cuando valía la pena en algún sentido: para su currícula por ejemplo, o cuando excepcionalmente encontraba personas tan poco sombrías, tan cálidas y sin vueltas como Santiago.

El lunes, antes de su clase teórica, conversó con Estévez y lo puso al tanto de la personalidad de la científica, no para criticarla sino todo lo contrario, las nuevas referencias la convertían, coincidieron los dos, en una muchacha más agradable, y confirmaban su impresión inicial desde aquella noche que la vio salir con refulgentes pantalones piel de leopardo. Con el decano conversó sobre el insólito enlace que iba descubriendo entre la cátedra oculta del Instituto y gente de Almagro, su barrio de infancia. Katia Hans, el padre Sayago, la hermana pianista del cura, Ema Sayago de Rossi, Matilde Lombrozo y otros, solían reunirse desde fines de los años 50 en el conservatorio de la profesora de música. A Jacobo Klinger, aquel nombre inscripto en una vieja Remington, ninguno de los dos lo tenía ubicado.

Dedicó la clase a explicarle a los alumnos la renovada vivencia de la palabra con el romanticismo y el definitivo nacimiento de la individualidad moderna. El lenguaje, análogo a una hendidura por la cual se huía del tiempo presente, se reabría para escuchar la resonancia del pasado y el futuro en los precipicios íntimos del poeta. Si para el artista clásico la lengua del arte consistía en reglas universales, lo común a todos, para los hijos de la nueva melancolía la palabra como imprudencia lingüística del amor, del deseo ferviente, hacía reingresar otra temporalidad de sepulcros y mañanas primaverales, de ruinas petrificadas y sueños redentores, de catedrales centenarias y vanguardias rupturistas de toda norma estética. Un deseo de desearlo todo, un masoquismo narcisista que irrumpía sin establecer lindes y que también angustiaba al exponer que la existencia milagrosamente pasaba a ser lo irresoluble.

Celina lo esperó, sin habérselo avisado, en la puerta de la facultad. Ella también lo había ido a buscar a la terminal de ómnibus en su regreso de Córdoba, y estuvo a la salida del consultorio del médico cuando Humberto resolvió una temporada de cura, de revisación clínica general con análisis de sangre y orina, radiografías y diagnósticos: síntomas de gastritis, fiebre virósica de las muchas que pululaban por Buenos Aires, recomendación de menos alcohol y cigarrillos, y dos remedios en píldora que encontraron a las seis cuadras, en una farmacia con descuento para el gremio docente. A Celina le pareció acertado que tuviese la próxima semana una o dos entrevistas con la psicoanalista Josefina de Gastrelli, para que lo derivase a un terapeuta adecuado. Cuando se despidió de ella, en la parada de ómnibus, eligió meterse en una shopping y comprarse zapatos aprovechando una liquidación. Caminó por los distintos niveles de las galerías que a esa hora se iban raleando de gente. Pensó que después de todo lo que le faltaba encontrar era su historia, pero eso no era tan difícil al fin de cuentas. En su departamento habló con su hijo en Chicago. Guido le anunció que permanecería allá dos meses más, durante el verano, y ninguno de sus argumentos en contrario pudo hacerlo desistir. Se comunicó inmediatamente con Marisa para explicitarle su desacuerdo con la decisión de Guido y que por favor dejase de mandarle giros, porque con plata en el bolsillo aquel imberbe se seguiría sintiendo el rey del mundo. Tenía ganas de ver a su hijo, de charlar con él, de escucharle sobre su vida en Estados Unidos. A la media hora de pelea telefónica, cuando escuchó a Marisa reprocharle que el muchacho era su fiel reflejo de ardides y tretas para conseguir siempre lo que se proponía, decidió cortar, bañarse, afeitarse, tomar el 109 hacia la Paternal, y llegar tarde al cumpleaños de Cristina Lieger, donde conversó primero con la monja Amalia Ferro, luego con José, el muchacho maquetista ayudante del arquitecto Alejandro Herrera, y por último con Rocío, la bailarina: con ella sobre todo, por si recordaba alguna mención de Matías Gastrelli con respecto al cura Sayago o a Ema de Rossi.

Después, ya en su casa, se había despertado para fijarse en el reloj de la mesita: las imágenes de un sueño todavía rondaban por su departamento. También su propio grito, no tuvo dudas, lo volvió a la vigilia. En el sueño caminaba por un pasillo que daba al campo, quizás a una playa, y vio a un soldado, un uniforme oscuro con casco. Y a otro, con ropa negra y la cabeza descubierta. En una habitación, cuando se dio vuelta, había visto un cuadro encima de una cama. El mismo cuadro que le mostró la vieja empolvada de blanco en una librería de Belgrano. La tela de los tres caballeros sentados. Y al escudriñar aquel cuarto vio la cara sin ojos de Salka, la esposa de Egon Stromberg. Entonces lo supo, en el sueño. Posiblemente antes del grito que lo despertó. Entonces lo recordó por fin: ese cuadro que vio en la librería, colgaba de la cabecera de la cama de Salka treinta años atrás. En la casa de Francisco Acuña. Después en el sueño vio a su primo Esteban abriendo un cajón de manzana de donde sacaba una urna funeraria y trataba de convencerlo que eso era su mesita de luz, mientras él dormía sobre una cama pero no dormía: miraba la espalda de Esteban, se daba cuenta de que si su primo giraba la cabeza, no tendría su rostro sino otro, estaba seguro, pero no sabía qué rostro. Y al despertarse, al escuchar su propio grito, al encender la luz, se descubrió bañado por un sudor frío del que no tuvo un recuerdo similar en su vida. Sintió un aroma extraño, dulce, agradable, lo relacionó con el aroma de su cocina de infancia. De su piel había emanado una sustancia que ya no estaba, era como un indicio: algo que lo debió cubrir pero se había replegado. Una sensación que persistía en la pieza como si algunas sombras hubiesen dejado en las paredes marcas invisibles de esa transpiración, marcas que se iban disolviendo y lo abandonaban.

Bien temprano llamó a su tía Mercedes para avisarle que pasaría esa tarde por su casa. Cuando llegó, a eso de las cinco y media, se encontró con las tres tías ancianas, elegantes y lisonjeras. Tía Mercedes había preparado chocolate caliente en tazas gigantescas.

A tía Josefa, la única a quien fue a visitar un par de veces cuando regresó de México para recordar el tiempo refugiado en el cuartito de su terraza, no la veía desde entonces. Tía Adela, la madre de Santiago, había llevado churros, memoriosa de sus antiguos antojos. Hasta las ocho de la noche rememoraron la saga familiar en su versión más completa.

Las dejó a las tres mientras se recomendaban mutuamente médicos, homeópatas y curanderos. Buscó el dormitorio de Esteban, al que tía Mercedes había respetado en todos sus detalles desde la muerte de su hijo. Se sentó en la cama, examinó el lugar, vio la foto en el portarretratos, él con su primo a los doce años en el jardín del fondo de la casona, y otra de Esteban solo, ya más grande, apoyado sobre el escritorio del abuelo con una pipa en la boca. Abrió el cajón de la mesita de luz. Lo vio vacío. Y abajo, en la cajonera, únicamente un par de zapatos viejos y lustrados.

Se desorientó pero no quiso irse de esa pieza. Había soñado con Esteban y una mesita de luz. Trató de abrir el cajón de esa mesita para comprobar si podía sacarlo del todo, pero al final se trababa. Revisó, por si encontraba el posible escollo: todo parecía normal. Tiró más fuerte hacia afuera, aunque fue en vano. Deslizó los dedos hacia el fondo y tanteó del otro lado de la madera, más allá del cajón. Su mano atrapó un sobre, sujeto con dos tachuelas de cabezas grandes. Con la uña las forzó, hasta soltarlas, y extrajo el sobre. Era una carta, fechada en 1944, de Rosalía, aquella loca temible que visitaba la casa de su infancia. Una breve esquela de amor, de quince líneas, dirigida al abuelo pastor, donde Rosalía le rogaba que se decidiese finalmente a enfrentar sus verdaderos sentimientos; irse muy lejos los dos, eso que no se habían atrevido a hacer en treinta años, "pero ahora, antes de que fuese definitivamente tarde". Esa frase la había subrayado Esteban con birome verde.

Pero detrás de esa esquela firmada por Rosalía, había otra carta que se le deslizó por los dedos para caer en el cajón abierto: hojas cuidadosamente dobladas en tres pliegues. Miró aquel rectángulo de papeles aprisionados, lo acarició levemente. Lo arrastró apenas con su dedo índice sobre la madera del cajón. Abrió muy despacio sus bordes hasta adivinar los renglones de otra carta escrita a mano.

Era su propia letra. Pestañeó como si quisiese regresar a un momento anterior a esa mirada inicial sobre los párrafos. Eran los rasgos indelebles de su propia escritura en cada mayúscula y minúscula, en el tilde de las comas, en su mezcla de imprenta y cursiva, en la b como indiscernible h, en el garabato de la z dibujado así desde la primaria, en los infinitos blancos después de cada vocal. Se dio cuenta de que no leía la carta sino su letra. Como si en ese preciso instante le llegara su letra, no palabras todavía. Desplegó las hojas y se enfrentó con su propia firma en la cuarta página. Una carta dirigida a Esteban en noviembre de 1968, cuatro años después de haberse peleado con su primo para no volverlo a ver. Reconoció que él no la había escrito, en ese tiempo estaba con Matías en París. Escuchó las risas de las tres tías en el comedor. Tenía en sus manos una carta de puño y letra del impostor.

3

Se sentó a leerla en un bar vacío. En la primera parte el apóstata intentaba un acercamiento con su primo: "reconstruir esa noche de septiembre de 1963 en la casa de Egon Stromberg, es una de las tantas cosas que nos quedaron pendientes, Esteban. Sin embargo, cuando la rememoro, no termino jamás de armarla del todo ¿Por qué la traigo a la memoria cinco años después, te preguntarás? Se me ocurre que esa noche, nunca te lo dije, comenzó a tejerse fatalmente nuestra futura separación, nuestro definitivo desencuentro. Se me ocurre además que fue importante en mi vida, como todas las cosas que son una primera vez, aunque paradojalmente fue una de las últimas veces que visité la casa de Egon. Pocos meses más tarde también yo, vos ya te habías ido, me había mudado de Almagro para no regresar más a esas cuadras de infancia. Pero volviendo a lo que quiero contarte, a las dos semanas de aquella noche de septiembre en la casa de Egon, me distancié definitivamente de Eugenia Stromberg, y ése fue el motivo en realidad de no pisar más la casa del alemán: no quise que ella pensase que era un pretexto para verla. Tampoco nosotros, casi, volvimos a vernos, Esteban, cuando en enero de 1964 te fuiste con tu madre de la casona del abuelo. Ahora, creo, es mejor una carta que un encuentro personal inoportuno entre los dos ¿Vos no pensás que nuestro distanciamiento tiene mucho que ver con aquella noche de septiembre en la casa de Egon? En ocasiones creo que hubo miles de diferencias entre nosotros, otras veces se me da por darle importancia sólo a aquella noche. Entonces busco en el recuerdo esa casa de Francisco Acuña, la casa de Egon Stromberg, y es como si fuese entrando, como si la recorriese una y mil veces: el jardín adelante con la palmera, el banco de plaza azul, la puerta de madera oscura entre delgadas columnas, la enredadera demasiado tupida y cubriéndolo todo, el comedor con Salka, el patio con la parra, las piezas de arriba con Katia en una de ellas, la terraza con la claraboya, el galpón del fondo, y todo, siempre, se detiene en aquella noche, en tu ansiedad, en mi desasosiego: se parecía a un día preparado sin que lo hubiéramos dicho nunca".

En la segunda página, el relato adquiría un tono mas preciso: "esa noche, como algunas otras antes, asaltamos la casa de Egon. Fuimos llegando de a poco. Primero vos y Ariel ¿O no? Creo que sí, ustedes dos con botellas de cubana sello verde, sándwiches de miga y discos de Roberto Yanés, Neil Sedaka y la Sonora Santanera. Era un asalto, con el visto bueno de Eugenia, y quizás también de la hija menor, de Olga. Al rato llegué yo, después Matías, y al final Sebastián, con tos, pañuelo y un resfrío impresionante. Me pregunto ¿todos sabíamos que esa noche iban a estar solas Eugenia y Olga, las hermanitas Stromberg? ¿O únicamente vos y yo? ¿O el dato lo pasó Ariel? ¿O Ariel se lo pasó a Matías, y Matías fue el que lo dijo? Ni siquiera la abuela Katia estuvo, arriba en su cuarto, cosa infrecuente te diría. Pienso en Ariel y sus bravuconadas. Pienso en Matías y su vocación erótica exacerbada: él había descubierto una tarde la claraboya despintada sobre el dormitorio de Salka. Pero aquella noche, vuelvo, eran sus dos hijas solas. Era Eugenia, primo Esteban, y Olga. Y nosotros que invadimos la casa, ponemos música, nos emborrachamos levemente, tocamos guitarra, Matías habla de Sade, lo recuerdo ¿y después? ¿Después qué, Esteban?".

"Recuerdo que Matías se la lleva a Olga para mostrarle algo, la aleja hacia alguna pieza, y la deja encerrada, creo. Un broma típica de aquel entonces. Pero soy yo el que está con Eugenia. Aunque sospechando que Eugenia también piensa en vos, Esteban ¿Ariel se va o se queda, o toca la guitarra? ¿Y Sebastián, se duerme afiebrado por la gripe o ya no está en la casa a esa altura, a pesar de la música del Winco y los discos dispersos sobre la mesa? A veces creo que vos, Esteban, entraste primero al dormitorio de Salka, con Eugenia detrás tuyo. Pero ahí estuvieron muy poco tiempo. O no, recuerdo que Eugenia me besó en el comedor, estaba excitada. Se sentó sobre mis rodillas, después se levantó y fue hacia el dormitorio. Fuimos los tres, creo. Entonces me preguntaste algo, Esteban ¿Qué me preguntaste? Hablamos en ese pasillo que daba a la pieza de Salka. Olga gritó varias veces, encerrada en la pieza. Y Matías ¿dónde estaba? ¿Y vos estabas con Ariel en otra parte de la casa? Se me da por creer que vos estabas con Ariel en el patio del fondo, el de la parra, o a lo mejor en el galpón. Después, armando esta escena de locos, me pregunté muchas veces dónde estabas vos, Esteban, con Ariel ¿En la planta baja, arriba en los cuartos, en la terraza con Matías, o en el fondo? Pero el que estaba con Eugenia, al final, era yo. Con el tiempo busqué convencerme de que esa noche sentía a Eugenia muy excitada. En el sillón del living la había tocado y estaba mojada como nunca. Pero tal vez ella no lo quería así. Recuerdo, se había dejado soltar el corpiño en el comedor, debajo de su blusa, y yo pensaba en vos Esteban ¿Alguna vez también le habías soltado el corpiño? Ella estaba algo borracha, se reía como una idiota, me besaba pero aplastándose contra la pared del pasillo, sin querer entrar al dormitorio. Y cuando nos acostamos, ella apretó las piernas, la pieza de su madre estaba a oscuras. Ni yo me animé a encender el velador.

Tocáme, dijo ella, sólo tocáme. Tenía la cara transpirada. No pude ver bien las cosas, forcejeamos, ella gritó, qué sé yo lo que gritó, quería quedarse, quería irse. Te diría, primo, fue cogida como dios manda. Con testigos mudos, tal vez adentro o arriba de ese dormitorio, desde la claraboya ¿Pero dónde estuvieron ustedes? Nadie te encontró, Esteban, después. Tampoco a Ariel ¿Sebastián siguió sentado en un escalón que llevaba a la terraza? Alguien fue a la cocina por naranjada ¿Matías calentaba un resto de café? Eugenia se peinaba en el comedor delante del espejo, muy nerviosa, sin querer hablarme. Uno le abrió la puerta a Olga, alguien, y la vio llorando en silencio sobre la cama. Pero ni vos ni Ariel volvieron ¿Dónde estuvieron? ¿Espiando lo que había sucedido? ¿Qué vieron esa noche?"

Humberto se preguntó por el sentido de ese trabalenguas insufrible de preguntas fragmentadas. La carta de un tarado rondando como vieja chismosa una escena: Eugenia con él, en el dormitorio de Salka. Una sarta de boludeces insoportables con varios cretinos divirtiéndose a la manera menesterosa de los adolescentes. La carta concluía con una despedida reconciliadora. Sin duda Esteban debió descubrir fácilmente al impostor al leer esas líneas con su letra, y esa secuencia venenosa de detalles palurdos que nunca pudo pensar que podría haber escrito Humberto. Recordó la incredulidad de Esteban, esa misma que Matías le reprochaba en una de las cartas que le envió a su primo desde París. Esteban supo con quién se acostó Eugenia aquella noche. Y eso era todo lo que pretendía la carta, dar cuenta de su ardua encamada con Eugenia. Humberto sonrió casi desilusionado. Matías tal vez los había espiado desde la claraboya de la terraza. No comprendía esa catarata de interrogantes sobre dos noviecitos hacía treinta años, pero tampoco por qué Esteban escondió esa carta de manera tan misteriosa, junto con aquella de Rosalía la loca, dirigida al abuelo: al pobre y viejo pastor con su concubinato secreto. Después de tanto perseguirlo, el impostor se hacía presente como una tía pacata y solterona, averiguando dónde había puesto la pija una noche caldeada tres décadas atrás. Retenía únicamente las imágenes de su sueño. Volvió a doblarla y la guardó en su bolsillo. No deseaba pensar un segundo más en todo eso que acababa de leer.

4

Se vio en un bar con Raúl Estévez. El decano le comentó no haber encontrado la mínima huella sobre el misterioso Jacobo Klinger en los legajos de la facultad. Estaba indagando quiénes y cómo habían impedido, en reiteradas ocasiones, el llamado a concurso para la dirección del Instituto de Filosofía. Pero en realidad vio preocupado a Estévez por otra cosa: por un festival que organizaban los Centros de Estudiantes de Filosofía y Letras, Ciencias Sociales y Psicología, como un evento con carácter de denuncia contra el bajo presupuesto de la Universidad, y a la vez para confluencia de todas las carreras de humanidades que a algún imbécil se le ocurrió separar. Según el decano, debía tomar la delantera, no dejarse correr por los trotskos. Necesitaba él mismo proponer un lugar y a alguien que supiese organizar la actividad, pero no a la manera insoportable de los grupos de la izquierda rompebolas. Humberto le describió a Patricia, una muchacha emprendedora y ambientada en la movida. Al decano no le cayó bien del todo que fuese periodista, pero aceptó la oferta confiando en su palabra y buen criterio.

Desde un teléfono público llamó a Patricia. Cuando ella apareció por el café, Estévez se había ido, acosado por el tiempo y una reunión en rectorado. Ella pidió un yoghurt y consideró interesante la propuesta. Se entrevistaría con el decano. A continuación permaneció absorta, escuchando los pormenores del impostor de cartas.

–Es increíble –dijo Patricia–, ojalá me tocase a mí una película parecida. Un tiempo en Madrid, después en Venezuela.

–Fue en París, no en Madrid. Y dije México, no Venezuela.

–Da lo mismo, Humberto. El tipo ese te armó un viaje, una biblioteca y sin pedirte nada

–¿Una biblioteca? Posiblemente sea eso, una biblioteca. De chico miraba la biblioteca del abuelo. Por el orden de cada estante pensaba las preocupaciones de su vida ¿De qué te reís? El escritorio del abuelo era como la habitación de un palacio codiciado. De pibe, ahí estaba todo para mí

–Palacios. Mejor pensar que vivimos en un hotel barato. Vas conociendo a cualquiera en la puerta que te abran. Nunca seguís mucho rato por el pasillo. Eso quiso el impostor, Humberto. Se alquiló para pensar por vos. Sensacional el *man*.

–O al revés, quiere que siga por el pasillo hasta el fondo. Pero con biblioteca o con hoteles de cuarta uno es siempre el mismo más allá de lo que le pase, de lo que haga, escribiendo con lápiz o con computadora: uno es.

–¿Quién te dijo eso?

–Viejo sueño humanista ¿Ya no debe ser así, no?

–También pasan las cosas, Humberto. Y lo que importa son las cosas que pasan. En tu lugar haría una conferencia de prensa para decirles lo que me contaste sobre el impostor. Sos un tipo conocido, interesaría. La historia es buena.

–¿Qué tiene que ver eso?

–Es una historia, tuya, te está pasando, te jode ¿Por qué esconderla?

–Me está pasando a mí, eso es cierto.

–Anda a saber qué sucede si la saben muchos más.

–¿Lo estás diciendo en serio?

–¿Creés que es menos importante que un artículo sobre Sartre? Ese artículo lo escribirías ¿No es importante lo que te pasa?

Cuando se despidió de Patricia fue a buscar a los dos paraguayos amigos de Santiago, para que revisasen su auto, estacionado hacía casi un mes en la calle Querandí. Detectaron la falla del motor, pero recién al otro día alquilarían una grúa para llevarlo al taller de un chileno mano santa. Al despedirse de ellos tuvo ganas de caminar sin rumbo fijo. Pasó por un viejo cine de barrio abandonado. Contra la empalizada de madera y afiches que lo tapiaban vio comer a varios mendigos de barbas largas. Sobre el enorme cartel del cine, ya sin las letras, tres chicos no le sacaban los ojos de encima. Se alejó hacia la esquina, cruzó la calle, lo envolvieron otra vez las imágenes del sueño que tuvo: los dos soldados como sombras negras en un pasillo, la cara de Salka, el cuerpo de Esteban como un bulto sin rostro, el cuadro colgado. Con los días fue cavilando que aquella señal de su sueño que lo transportó hacia el antiguo dormitorio de Esteban fue una travesía que no lograba explicarse y sin embargo había obedecido como si caminase por la penumbra de una escena indiscernible donde deambulan otros seres, otras caras, sin alcanzar a verse.

Se preguntó quién era el impostor ¿Matías, Ariel, Esteban, Sebastián? ¿Cómo se unía el impostor con la cueva en el Instituto, con aquella casa de barrio frecuentada hacía ya tanto? Y sin embargo el juego de espejos y de puertas falsas iba tomando el absurdo tinte de ser una misma historia. Pensó en Egon Stromberg, reconstruyó su figura perdida, aquellas conversaciones con el alemán en el patio de su casa. Con Eugenia se había visto dos veces después de aquella noche que mencionaba la carta. Dos o tres veces, pero ya no en la casa de Egon. Habían sido encuentros en la placita de Salguero. Ella rompió el noviazgo sin explicarle las causas, decisión que tampoco le llegó a doler demasiado mientras la escuchaba decir que lo recordaría como un buen amigo. Eugenia le juró no contar a nadie, nunca, lo sucedido. La recordó triste, angustiada.

No alcanzaba a responderse por qué el impostor escribió esa carta, imitando a la perfección su letra, firmándola con su nombre. Hacerse pasar por Humberto había sido la argucia ¿Pero por qué? Se dio cuenta de que sus preguntas repetían el estilo de la carta. Como si impostase al impostor, o se dejase arrastrar otra vez por el delirio de ese desconocido. Así debieron ser todas sus cartas, también las otras que siguió mandando con los años: interrogantes sobre una noche. La excavación por debajo de una anécdota finalmente menuda, su primera relación sexual con una muchacha de barrio, de lindas tetas por cierto, que durante el mes que duró el noviazgo acostumbraba a esperarlo por las tardes recién bañada y perfumada en el banco del jardín.

Se sentó en el bar abierto a las tres y media de la mañana y releyó esas hojas: una carta de veintitrés años atrás, pero esta vez sin mediadores. El falsificador había aparecido por fin con su relato, con sus frases, con su puntuación. Le diría a Estévez que el hilo de las pistas se modificaba: nada tenía que ver una intrascendente fiestita con un Winco y naranjada en la heladera tres décadas atrás, con una confabulación de vieja data en el Instituto de Filosofía de la carrera, por más que ciertos personajes se tocasen en uno y otro lado. Estaba convencido de eso. En un kiosco compró otro atado de cigarrillos y chocolate con maní ¿Dónde llevaban finalmente las visiones del impostor? Por primera vez se le hizo carne la posible angustia de ese apóstata. Los desvaríos de aquella cadena de preguntas sin punto de arribo, pertenecían exclusivamente al embustero. El maldito había penado detrás de su biografía, retorciéndose como una babosa en los surcos que sin saber le fue dejando. El falsario había elegido el camino del idiota, retozó apenas en el musgo de sus pisadas. Si no fuese por aquel dato de sus tres amigos muertos, podría llegar a creer que él mismo buscó al impostor: lo había ido creando igual a como se tira en una bolsa lo vivido. Sin embargo estaban muertos los que estuvieron esa noche de septiembre en la casa de Egon Stromberg. Mejor pensado, el impostor parecía que no le dejaba nada ni nadie. Como si le devolviese un destino a lo desmañado de su vida ¿Tendría razón el arquitecto Alejandro Herrera? ¿El impostor no lo salvaba finalmente?

Amanecía cuando llegó a Córdoba y Gascón. Guardó la carta en su bolsillo. Le hubiese gustado entender de qué hablaba el falsario. Se aproximó a la esquina de Córdoba y Francisco Acuña. Le preguntó al diariero si recordaba la casa de la palmera, casi llegando a Cabrera. El hombre le recomendó hablar con doña Virginia, en el supermercado de los coreanos. Cruzó la calle, la vieja estaba abriendo el negocio y lo primero que le contó fue que por ese tiempo, al principio de los 60, ella era dueña de una panadería y no cajera de orientales por un sueldo miserable. Después hizo memoria.

–Si, la de los alemanes, cómo no me voy a acordar. De la pobre Salka tan bonita ella con ese cuerpo y ese pelo largo. Pobre familia, fue en diciembre del 63, me acuerdo. Fue cuando agrandé la panadería. El marido de Salka ¿cómo se llamaba?

–Egon.

–Claro, Egon. Fue algo terrible. Una de sus hijas, la mayor, se suicidó. Decían que estaba embarazada de dos meses. Creo que Salka fue la que la descubrió bañada en sangre sobre la cama y casi se volvió loca la pobrecita. Salka se tiró por el ventanal del primer piso, se arruinó la cara. La vi cuando se la llevaban al hospital. Egon no lo pudo soportar, creo que se volvió a Alemania. Sólo quedaron por un tiempo la abuela y la otra nieta, cuidando a Salka. Después de algunos años se fueron del barrio, la casa quedó vacía. Estaba ahí enfrente, donde ahora están los diez pisos de departamentos. Me acuerdo de la palmera.

5

Un tiempo encerrado. Contó tres noches desde su balcón con vista al río esperando que la gangrena se apoderase de todo su cerebro. No quiso ver a nadie, lo único soportable consistió en la música de su aparato, sobre todo Berlioz. Rememoró sin sosiego la frase de Ariel Rossi una tarde en Argelia, contada por Matías Gastrelli en carta para Esteban. Algo inconcebible había pasado en esa casa, dijo Ariel ese día. Eso había sido en diciembre de 1968, cuando Ariel y Matías se encontraron en el país árabe. Y la carta del impostor, sepultada en la mesita de luz de su primo, era de noviembre de 1968. A esa altura los tres, y seguramente también Sebastián Lieger, habían recibido la primera andanada del falsario. Eugenia se había suicidado cuatro años antes, en diciembre de 1963. Su madre Salka entró quizás en la locura. Y Egon terminó en su tierra natal, Alemania. Cosas, datos, que nunca había sabido ¿Era posible eso? ¿Sería cierto lo que le contó la vieja? Recordó la carta de Ariel Rossi, el párrafo donde le decía que la revolución era una hermosa niña muerta ¿Casualidad, mensaje cifrado? Lo que ignoraba es si en 1968 Matías, Ariel,

Sebastián y su primo Esteban también desconocían ese suceso cuando recibieron las cartas del falsario con el nombre de Humberto Baraldi al pie de los renglones. No, sin duda varios de ellos supieron de esa fatalidad aunque ya no frecuentaban más la casa de Egon: aunque esa casa estuviese a cinco cuadras de Lavalle y Bulnes. Pero no pudieron saberlo. Él viajó con Matías a Francia en 1968 y jamás hizo alusión a nada parecido. Algo estaba fuera de dudas, Matías no lo supo en ese entonces, y tampoco Ariel Rossi, porque no le hizo ninguna referencia a ese suicidio en Argel. Sebastián también lo ignoraba, o lo hubiese comentado con alguien. No, ellos no lo sabían tampoco ¿Entonces qué había buscado el impostor?

Trató de comunicarse con Ema de Rossi, pero infructuosamente. En la empresa le decían que ella no estaba, o le bloqueaban las llamadas, o no quería atenderlo. Tampoco la Gringa: ahora era él quien los perseguía, después que, sin entenderlo mucho, los narcos lo habían dejado de acosar. Habló por teléfono con uno de la vieja barra, Juan Antonio Ruiz, para preguntarle si estuvo al tanto, en su oportunidad, del drama en la casa de Egon. Le contestó no saber nada. Nunca volvió a Francisco Acuña y Cabrera, y si pasó dos o tres veces en la vida por esa cuadra, sólo vio la casa cerrada, y más tarde, una obra en construcción. Quedaron en verse. Además Juan Antonio le pasó la dirección del boliche de tacheros donde solía parar el periodista Rodolfo Frías, conocido años atrás de Katia Hans, según Casinelli.

Al bajar las escaleras de la facultad se encontró con su ayudante Gabriela Ceballos bastante alterada y defenestrando a la vieja Ernestina de Queirolo, a raíz de una clase práctica incluida por la anciana profesora en su comisión sobre un tal Fernando de Nájera, supuesto pintor en los tiempos del virreinato, quien jamás había sido mencionado en ningún punto del programa de la materia. Pero fue después, llegando a la planta baja, cuando se enteró de la grave recaída de salud de su ayudante Ernestina de Queirolo, internada de urgencia en una clínica el día anterior, motivo por el cual Gabriela Ceballos se vio obligada a corregir los parciales de la enferma y descubrir aquellas insólitas preguntas sobre Nájera.

Humberto procuró tranquilizarla, sin dejar de repetirse aquel nombre, Fernando de Nájera, hasta ubicarlo en los labios de la librera de Belgrano, mientras le mostraba el cuadro de dicho artista. Un imprevisto furor le acalambró cualquier tipo de idea. Sólo le regresaba la escena de aquella librería. Encontró a su adjunta Joaquina Fernández en el bar de enfrente de la facultad y quiso hablar a solas con ella. Se estaba dando por notificado de que su materia era ya pasto de las lagartijas escabulléndose en las guaridas del Instituto de Filosofía. De mal talante se sentó en la mesa del bar con su adjunta, para preguntarle si estaba al tanto de la ocurrencia de la vieja Ernestina.

—No tuve nada que ver con eso, Humberto, te lo aseguro. Son cosas de la pobre Ernestina. Está muy mal.

—Lo sé, recién me entero. Supongo que vos sabrás un poco más sobre ese Fernando de Nájera.

—Tenemos que hablar, Humberto, andás bastante ausente, disperso, últimamente.

—Tenemos que hablar, sí, tenemos que hablar, por ejemplo de Jacobo Klinger.

—Jacobo Klinger. No lo conozco.

Estaba mintiendo. Por sus ojos, por el pequeño temblor de los labios, se daba cuenta de que ella mentía.

—Jacobo Klinger es alguien, Joaquina. Alguien. Alguien como Fernando de Nájera. Como Matías Gastrelli, por ejemplo.

Percibió que el rostro de Joaquina empalidecía, justo en el momento de llevarse el pocillo a la boca.

—A Matías Gastrelli sí que lo conozco.

—¡Por supuesto que lo conocés!

—No te alteres, Humberto. No sé a qué viene la mención de Matías Lo conocí hace mucho, cuando hice mi posgrado en París. Hace tres años anduvo por aquí y volvimos a vernos algunas veces. Después se fue, volvió a Europa, creo.

—¿Con su hijo?

—Sí, con el increíble y promisorio Vladimir, mezcla de drogadicto, dealer, misógino, galleguito bruto, andrógino, pretensiones de actor underground, y todo lo que quieras agregar en la lista.

–¿Dónde se fue Matías, hace tres años? Sí, no me mirés así, Joaquina, te pregunto dónde suponés que se fue. Que estuvo en Buenos Aires lo sé, lo que ignoro es dónde se fue.

–Tranquilizáte. No entiendo qué me preguntás.

–¡Te pregunto dónde se fue Matías!

–Matías tuvo muchos problemas estos últimos años. Algo me contaron, pero muy poco. Él había empezado en Argelia, a fines de los sesenta y con su mujer sexóloga, una experiencia socialista de liberación y nuevas vivencias sexuales de la mujer árabe. Produjo durante varios años cierto revuelo en la universidad de tierra de Mahoma. Pero con el tiempo no se dio cuenta de que cambiaban las referencias, como se dice ahora, los paradigmas ideológicos y políticos, y los fundamentalistas argelinos y egipcios empezaron a hostigarlo.

–Escuchá, Joaquina, antes de que te haga tragar esta cuchara.

–¿No sabías esta historia?

–A Matías lo mataron aquí, en Buenos Aires.

–¿Qué decís Humberto? ¿Quién lo mató? Estás absolutamente loco.

–¡Cómo quién lo mató!

–Te estás volviendo loco, hablá despacio.

–Gente del Instituto de Filosofía está relacionada con eso.

–¿Hablás en serio? No lo puedo creer, realmente no te soporto.

Se dio cuenta de que aquella mujer no le diría nada. Encendió un cigarrillo. Decidió serenarse. Pitó largo y dejó salir el humo por la boca.

–Joaquina, voy a hacerte una pregunta, y quiero que me la contestes sin hacerte la boluda ¿Por qué estoy yo en esta cátedra?

Percibió en su adjunta el principio de una sonrisa, un gesto de asombro interrumpido antes de nacer. Especuló que estaba haciendo tiempo para ver si se le ocurría una respuesta.

–¿Por qué estoy yo en esta cátedra? Te escucho, Joaquina.

–Ganaste un concurso, debo suponer.

–No te hagas la estúpida y contestáme.

–Me niego a seguir con este disparate.

–¿Qué papel juego en esta cátedra?

–Hablá bajo, Humberto, por favor.

–¿Por qué soy titular de la materia? Contáme la historia, vos la sabés. Yo no.

–No quiero escucharte un segundo más, ¿entendiste, Humberto?

–¡Quién soy yo y por qué estoy al frente de la cátedra!

Escuchó los aplausos y vivas de los alumnos en las mesas cercanas, celebrando la sonoridad de su pregunta. Miró a Joaquina, se levantó y salió del bar.

6

No le interesaba saber qué habían hecho los fedayines, si es que hicieron algo, sino decirse que Matías Gastrelli conoció, había encontrado tal vez, o buscaba a Jacobo Klinger, antes de que un auto lo pisase y su hijo Vladimir y Rocío lo metiesen dentro de un cajón con su nombre. Lo único que sabían los pasamontañas esa noche en su departamento, además de que la Bestia había arruinado a la mujer árabe, era que su presa codiciada iba detrás de Jacobo Klinger, metido en algún lugar de Buenos Aires: Matías Gastrelli perseguía ese mismo nombre que con Estévez vio pegado en una máquina Remington en las grutas del Instituto de Filosofía. Perseguía a alguien que nada tenía que ver con el feminismo en el Magreb ni tampoco con los hijos de puta que perseguían al propio y desaforado Matías. Reconocía que estaba enloqueciendo, que ya nadaba y revoloteaba en la impudicia de la pérdida absoluta de sentidos de las cosas. Pero estaba seguro de poder escapar finalmente de esa trampa, de alcanzar a distinguir todavía la historia de ese ignoto Klinger, del cuarteto de los encapuchados. Metió la cabeza debajo del chorro helado de la ducha: le faltaba saber cómo llegaron los fundamentalistas a su departamento, metralleta en mano.

Josefina de Gastrelli lo había citado para una primera entrevista analítica antes de derivarlo a un colega. Cuando se recostó en el diván se sintió mareado, a punto de perder el conocimiento: asistía al estallido de sus propios oídos por un rumor infernal que le atenazaba los tímpanos.

–No piense ahora en qué terapeuta puedo recomendarle –había escuchado–, conozco a muy buenos profesionales, no se preocupe. Reencontró de poco el hilo de las ideas, aunque no por mucho tiempo. Por la respuesta de ella pudo suponer lo que le había preguntado. Pensó en el impostor y en el relato de la cajera del supermercado de los coreanos. Otra vez tuvo presente que estaba recostado, y detrás suyo, Josefina de Gastrelli.

–Esto es sólo una primera entrevista.

Necesitaba hablar del impostor. Aunque en todo caso, el que debía analizarse era aquel hijo de puta, se dijo, intuyendo vagamente la voz o el silencio de ella ¿Cómo comentarle a Josefina que el suyo no era un caso cualquiera, como el de todos los demás? Se imaginó el rostro de Jacobo Klinger. La señora de Gastrelli le había dicho un día que su nieto Vladimir no era igual a muchos otros jóvenes ¿Qué carajo quiso decirle esta mujer? ¿Qué escondía? Volvió a ver el temblor en los labios de su adjunta Joaquina sentada delante suyo en la mesa del bar. Joaquina dijo drogadicto, dealer, andrógino, y otras cuantas cosas más.

–Humberto ¿me está escuchando?

Si, algo escuchaba. Se imaginó al falsario en el diván. O debajo del diván. Acostado boca arriba sobre el piso, justo debajo suyo. Así debió haber estado muchas veces. ¿Por quién lo iba a tomar, si empezaba con eso? O si decidía mirar debajo de ese diván que no era otra cosa que una cama con colcha hasta el piso. Después de todo, esa alma en pena y errante había decidido su entusiasmo para viajar a París, su retorno a la Argentina, su casamiento con Susana, su éxito como pensador sobre América Latina, su pasaje a la política, su abdicación a ir a vivir a Chile, su militancia, su huida del país hacia el exilio, su regreso, y su entrada en la cátedra de Filosofía. Estaba exagerando.

–¿Por qué se imagina de esa manera una sesión?

Alguna cosa debió decir, para que ella entonces le preguntara eso ¿Qué había dicho? Pero es que alguien se tenía que imaginar algo, pensó. Era ella la que estaba hablando. Todo había sido la obra maestra de ese imbécil. Del resto, a lo mejor le pertenecía algo. A no ser que necesitase dos o tres analistas juntos, en vez de uno solo como sucedía con gente más simple. Quizás su amor a Beethoven. Eso era genuino. Necesitaba un terapista que lo cagase a tiros, que lo sacase de abajo del diván a punta de pistola.

–Uno que haya estado en Vietnam, o en Malvinas. No sé, que sepa de armas.

De un solo impulso, sin despedirse, se vio bajando las escaleras de aquella casa. Algo cuajaba tortuosamente en su cerebro, una idea sin ninguna palabra todavía, caras superpuestas, la música del tablao, el cuerpo de Rocío. Bajó del taxi y corrió por la Avenida de Mayo hasta escuchar el timbre y ver la silueta de Rocío cuando abrió la puerta. La tomó de un brazo y la revoleó sobre la cama.

–Escucháme forro de cuarta, ¿a qué vino toda esta historia?

Rocío lo miró aterrorizada, cuando quiso levantarse la volvió a empujar contra la almohada. Entonces ella se llevó las manos a la cara, para cubrirse y quedar así, sin decir nada.

–Si no hablás me voy a quedar aquí toda la noche.

Rocío se pasó las yemas de los dedos por debajo de los ojos, con temor de habérsele corrido la pintura. Se puso de pie, reconquistó apostura y lo miró de frente.

–Soy Vladimir –dijo.

–¿Vas a volver a contarme que fue por miedo?

–Posiblemente sí, por muchos miedos, distintos. Pero ya te lo dije: soy Vladimir Gastrelli.

–¡Dejáme de joder! Tu abuela me había dicho un día que Rocío apareció como noviecita recién al final, cuando el incendio en el Tigre, donde supuestamente quedaste carbonizado.

–No quise ni quiero saber nada con mi abuela. Nunca hubiese aceptado.

–Un nieto travesti.

–Un nieto bailarina de flamenco en las marquesinas de la Avenida de Mayo. Así, en cambio, de golpe estaba solo, y empezaba de nuevo todo.

–¿Y el incendio de la casilla en el Tigre?

–El incendio fue verdad. Tenía miedo por lo de papá. Me escondí unos días en el Tigre, una casa metida río arriba, apartada de vecinos. Había ido con un amigo, con Javier Quiroz –dijo Vladimir y volvió a llorar.

–No te preocupes, yo espero. ¡Me escuchaste, yo espero!

–El que murió fue Javier Quiroz. Esa noche estábamos pasados. Muy pasados. Me desperté y parte de la casa estaba en llamas, saqué todo lo que pude, pero no encontré a Javier. Supuse que estaba afuera. Salí corriendo, Humberto. Pero no estaba afuera, quedó adentro.

Ahora el llanto de Vladimir fue más espeso y descontrolado. Cuando percibió sus primeras convulsiones, le trajo un vaso de agua y lo recostó sobre la cama.

–Antes de que amaneciera el incendio comenzó a apagarse. Encontré a Javier carbonizado dentro del baño. Sin duda se trabó la llave de la puerta. Cambié mis documentos por los suyos, que había conseguido salvar. Era muy parecido a Javier, de cara y de cuerpo. Javier hacía tres días que había llegado de Triana, traía contactos muy buenos con empresarios del cantejondo, lo que yo más amo en la vida. Al final llegó la lancha patrullera.

–¿Y Rocío?

–Rocío nunca existió. Inventé ese noviazgo para tranquilizar a mi abuela con respecto a mi sexo. El cuerpo carbonizado de Javier lo hice pasar como Humberto Baraldi. Un tipo, por poca plata, hizo de intermediario con mi abuelo, el del negocio de los cementerios. Él trabaja con muertos a cajón cerrado en lo posible, con tal que todo esté legalizado en los papeles.

–Así que en realidad sos Vladimir Gastrelli. Pero por documentos robados. Legalmente sos Javier Quiroz. Y artísticamente Rocío, la Bailarina ¿Por qué no me dijiste todo esto de entrada?

–Porque por fin ya no era Vladimir, y vos podías arruinarlo todo. Me sentí libre de mis abuelos, de mi padre en Francia, sin nadie que me persiguiese. Por primera vez podía ser lo que quería, lo que era, lo que soy.

–Hiciste mierda a tu abuela, que es buena mujer.

–Sí, lo sé. Ella no es como el rufián de mi abuelo. Hace veinte años que ella y él viven en casas separadas, sin saber nada uno del otro. Ella sólo le alquila ese primer piso para el Instituto Viena.

–¿Y tu padre, y Matías?

–Lo que te dije de papá es verdad, Humberto, te lo juro.

–¿Lo de los fedayines fundamentalistas?

–Algo de eso. Nunca lo supe. Papá nunca me dijo dónde paraba en Buenos Aires. Me prohibió que comentara que él estaba en Buenos Aires. Lo perseguían Sólo se vio con esa tipa Joaquina Fernández. En realidad no vino por mí a Buenos Aires.

–¿Vos creés que fueron los Fedayines?

–Mi padre está muerto. Él siempre se comunicaba conmigo, y dejó de hacerlo hace tiempo.

–Pero esa historia: que lo atropelló un auto, que fuiste a buscar su cuerpo ¿Dónde la ponés ahora?

–Nada de eso fue cierto. Pero se me ocurre que mi padre está muerto. Jamás volví a saber de él en tres años, desde esa noche que fue a una conferencia y no volvió.

–Matías buscaba a un tal Jacobo Klinger.

–Sí, me suena ese nombre.

–¿Te habló Matías de Jacobo Klinger?

–Hablarme no. Pero lo nombraba.

Cerró la puerta, lo dejó del otro lado, encendió el fósforo antes de escarbar el paquete de cigarrillos en el saco.

7

Después de vagar toda la tarde llegó demasiado temprano al teatro. Entonces tiró su cuerpo en una silla del bar de la esquina. Mientras miraba la calle se dijo que debía aguantar. Yolanda y Zulema, las Diotimas, pasaron para decirle que se iban a cambiar, el ensayo empezaba en media hora. Un cronista de Espectáculos y un fotógrafo vinieron a hacerle un reportaje sobre su adaptación de Hölderlin. El muchacho había leído su libro de ensayos recién publicado, creyendo que tenía relación con el tema de la obra. Me gustó, dijo. En la puerta del teatro se encontró con Patricia, invitada por Mingo Corrales, director de la puesta. Caminó entre las plateas vacías hasta sentarse en la cuarta fila.

Si la historia resultaba cierta, si la versión de la cajera del supermercado era auténtica, el impostor alzaba vuelo desde la casa de Egon Stromberg. Durante treinta años nadie le había dicho de esa desgracia. Eugenia quitándose la vida, Salka con la razón extraviada, Egon y su regreso a Alemania. En la casa habían quedado sólo la abuela Katia Hans, muerta muy pronto, y su nieta Olga: las dos probables conocidas del viejo cuidador, Saturnino Hernández y visitantes de su casa paterna. Todo parecía indicar que su biografía había tenido que ver con aquella fatalidad. La cajera comentó sobre el embarazo de Eugenia ese mes de diciembre de 1963. La carta del impostor, a su primo Esteban, hablaba de una noche en la casa de Egon, en septiembre de ese año. Eugenia era virgen cuando se acostaron, eso suponía él. Y en la farragosa carta del impostor, se hacía alusión directa, básicamente a su escena con Eugenia, en el comedor y en la cama. Los otros aparecían confusamente, sobre todo Esteban: adentro, afuera, arriba, abajo, en algún lugar de la casa. Nada supo de la corta vida posterior de Eugenia, después que ella decidió cortar tan abruptamente el breve noviazgo. Tal vez Eugenia le escondió alguna otra relación, un amor ignorado que precisamente pudo motivar su distanciamiento. Sintió que despertaba del entresueño, para descubrir allá adelante a los actores.

–¿A quién le escribes? Nunca me hablaste de tus cartas, Hiperión.

–Escribo sólo cuando el aullido del chacal viene a sacarme de mis sueños.

–Las historias son siempre hermosas

–No te engañes, no tengo nada de lo que pueda decir, esto es mío.

Se trataba, al fin de cuentas, de una política de la venganza. Lo aciago de esa historia de 1963 no alcanzaba ya a conmoverlo sentimentalmente. Pensarla, por el contrario, le seguía resultando estremecedor. Una venganza planificada, tan infinita como artera. Un hombre envenenado, prolongando su represalia hasta el dislate de apoderarse escabrosamente de su vida. No comprendía por qué el impostor había elegido ese camino para la vindicación. Nada era creíble, a excepción de la tragedia de la familia de Egon Stromberg. Sin embargo estaban las cartas, esa trama pérfida tan concreta como sus propios ojos.

–La literatura no es prudencia, señor mío. Tampoco una mortaja. Nadie inventa imágenes para sobrevivir. Son únicamente ellos, los que nunca estuvieron, las imágenes que faltan.

–¡Escucha cómo ríen y bailan los soldados de nuestras revoluciones! También las voces del pasado vienen disciplinadas

–¡Lejanas tierras meridionales! Cuando joven, en las montañas, me decía: también hubo hombres allá abajo alguna vez, alzados en armas.

El propósito incubado por el impostor fue como una larga expiación, casi tan larga como sus años. Pero carecía de sentido el no haberle hecho saber de su pecado. Todo se reducía a una relación amorosa con una muchacha, y de ese acto, el falsario no le permitió conocer las consecuencias. Lo privó de la conciencia. Nada tenía mucho significado en esa patraña reparadora, armándose con máscaras, atajos y astucias, y una memoria que le ofertó técnicas, habilidades, saberes, al impostor de cartas. Una colosal y a la vez rastrera política de la venganza como la empastada historia del país. Sin embargo era una historia auténtica, se le acercaba, lo iba acariciando de la misma forma que el borde de la butaca con su cabeza.

–¡Escucha cómo ríen los soldados! ¡Mira cómo baila Diotima, desnuda y borracha sobre la mesa!

–Un día lo escribí para Diotima. El lenguaje es cosa superflua casi siempre.

–Pero hacerse viejo donde todo es viejo me parece lo peor. Debo confesarte, Hiperión, me estremezco al pensar en tu destino.

–¿La oyeron? Los guerreros forajidos envenenaron el corazón de mi Diotima.

–Escribe tu carta y serénate. Para eso sirve la palabra.

Recordó su sueño del cuadro, la cara de Salka, la de Esteban. Y esa tarde acostado en el diván, corrió después detrás de algo que nunca llegó a ser palabra. Joaquina le había dicho sobre Vladimir: un mal actor. Actor ¿Fue esa la palabra? ¿Dónde estaba Humberto Baraldi? El falsario de las cartas terminaba siendo un vulgar reparador, un moralista. Toda esa burda maquinación concentraba una aberrante moralina, peor que su falta, si es que había cometido alguna. No forzó la voluntad de Eugenia. O posiblemente sí, desde esas típicas artimañas de las refriegas entre noviecitos, donde ella no quiso, pero se dejó llevar a la cama de Salka. Eugenia misma no se sintió forzada, no le reprochó un acto de esa naturaleza. Aunque tampoco imaginaron ningún embarazo. No se sentía responsable de su suicidio ¿Por qué se habría suicidado? La familia no debió humillarla ni condenarla, Eugenia no era religiosa, mística, de carácter sombrío ¿Pero de qué estaba hablando, si apenas podía rescatar el rostro de Eugenia? En todo caso había traicionado la confianza de Egon, su amistad. El impostor lo había arrastrado hacia una comedia de equívocos, para prolongar una historia. Más bien un teleteatro, pensó Humberto, presintiendo lo arrimado que estaba todo al melodrama, donde pagaba la culpa de haberse cogido a una mujer, de haberla embarazado sin saberlo. El comediante de las cartas era un imbécil, un pobre tipo, más allá de lo meticuloso y criminal de su obsesión.

–Ya nada hay que escribir ¿Desde qué recuerdo del hombre?

–Los lobos huyen cuando alguien enciende el fuego. Son palabras tuyas.

–Pero ya no existimos ¿Qué otras cosas esperabas cuando lloraron las madres? Es como un campo de batalla donde yacen entremezclados manos y brazos, y toda clase de miembros mutilados.

–¿Te irás entonces de tu patria?

–Una noche, recuerdo el esplendor de su luz. Descubrí que el himno de la vida sólo se deja escuchar en el fondo del dolor. Sentí que los muertos y los vivos ¡qué íntimamente unidos estaban! Me pregunté, querido enigma ¿te entendí bien? Entonces me volví a mirar otra vez la fría noche de los hombres, y lloré de alegría. Supe que este es mi lugar. Me dije, la memoria es el mundo.

–¿Se siente mal, señor?

Al levantar la cabeza de la mesa, Humberto vio al mozo. Tenía la bandeja vacía en la mano.

8

Al mediodía se acercó a la fonda, para que uno, en el mostrador, le dijese que el periodista Rodolfo Frías no era de caer todos los días. Se quedó más de una hora y no lo vio llegar. No se sentía bien, de a ratos se aturdía, ahora sin dolor de cabeza. Pero era en el alma, nunca tan clara su existencia porosa a la altura de los hombros, donde arropaba un enjambre en caída abrupta.

Uno de los tacheros, justo con el primer trueno y la tormenta, le comentó dónde vivía Frías: en un inquilinato pasando la barrera. Se dio cuenta de que ya no lo llamaban Palo, ni le profesaban gran estima. Se enteró de que iba a su pieza sólo por las noches, a dormir. Volvió a eso de las diez a las inmediaciones del inquilinato: el taxi no quiso seguir, lo dejó a una cuadra. Lo único que percibió fue una niebla espesa, estacionada contra el asfalto, también por el descampado y contra aquella cloaca habitacional en forma de gigantesca herradura de tres pisos con centenares de puertas disueltas por la neblina y dando a las barandas de las galerías.

Tuvo la sensación de que los departamentos, menos algunos pocos, estaban deshabitados. Avanzó por la inmensa plazoleta de cemento, despacio para evitar las grietas, los pozos, la basura y los árboles barridos de raíz. Taconeó fuerte pero ni sus pasos escuchaba. El viento le pegó en el pelo. Detrás de una columna, en la galería inferior, atisbó a una pareja besándose, a dos perros que se perseguían en círculo, y a un tipo, surgido del humo, de impermeable abierto y hasta los tobillos, camiseta blanca y una botella de cerveza en la mano: era Palo, lo reconoció al rato de mirarlo entre la espesura del aire. Tan flaco, tan interminable hacia arriba y piltrafa como treinta años atrás con los Cirujas de la cortada de Salónica.

–¿Qué haces, Humberto, te caíste en la letrina? –lo escuchó, desde esa misma distancia.

–Qué buena vista tenés, no lo sabía.

–Intacta. Pero de saber, vos sólo supiste de mi pija.

–Como si me hubieses estado esperando, Palo –se aproximó, lo vio encender un cigarrillo.

–Por desgracia espero a otros, más boludos todavía.

Humberto miró a su alrededor. La niebla le impedía verificar si estaban solos o rodeados. Creyó ver unas sombras cerca de la columna.

–Esos no son, los que te digo vienen en auto.

–Sería mejor otro lugar, Palo. Quiero hablar con vos.

–¿Conmigo, Baraldi? Te juro que esta vez no me garché a tu vieja.

Persistió en ese tono repelente también adentro de su pieza, mientras recalentaba café y lo servía en dos tazas grandes. Después se sentó del otro lado de la mesa, lo miró con algo de sonrisa sobradora pero amable. Sin esperar demasiado le expuso a Palo el tema de Katia Hans, contado por Casinelli. No pudo percatarse si al periodista lo sorprendió la mención de esa mujer. Lo descubrió algo más receloso a medida que le hablaba de la casa de Egon Stromberg, de la barra de Almagro.

–Lo de ustedes, en la casa de Egon, debe haber sido la misma lepra que contagiaban en otras partes ¿Te acordás? Matías y sus manoseos con la viuda de Muratore, para extorsionarla con contárselo al hermano del muerto. Ariel rajándose con la guita de los remedios del geriátrico, para después convencer a las abuelas de que ya los habían tomado.

–Leyendas chismosas, mala prensa Palo.

–Incendiando toldos, tirando gente atada y amordazada en obras en construcción hasta que alguien las oyese, regando el barrio con putas niponas del Bajo.

–Ganándole la final a los Cirujas cuatro a tres.

–Y siempre trajeaditos, culo con talco, caqueros, bien pensantes, prepotentes, ganándole al mundo con un libro bajo el brazo.

Humberto rió, y fuerte, al comprobar el viejo rencor de los Cirujas revivido en los labios de Rodolfo Frías. Como si el tiempo no hubiese transcurrido y estuviesen por agarrarse a trompadas en cualquier esquina. Le habló de José Luis Casinelli.

–Miente –dijo Palo–, no fue en los años 70 cuando rondó tu casa y al viejo Saturnino Hernández. Fue del 66 al 69. Pero Casinelli siempre fue un otario, el enanito que se le trabó la braqueta la noche de Blanca Nieves. Todavía debe estar contando de la última escondida. A eso jugaban ustedes de pibes, maricas.

–¿A qué iba Katia Hans a ver a Saturnino, a qué iba a una casa deshabitada?

–¿Qué querés saber, Humberto?

–Quién es el impostor de cartas, lo que te conté. Por qué murieron Sebastián, Ariel, Matías.

–Pero Matías no murió ¿No estaba en Francia?

–Matías murió, Palo.

–Hay historias que pegan duro, Humbertito.

–Vos conocés esta historia.

–No conozco ninguna historia. Algo tengo que contestarte.

–Ahora parecen que son otras las cosas, Palo. Siempre creí que íbamos a la casa de Egon para escucharlo hablar. Sabía de filosofía.

–Fue sabiendo menos, a medida que Sebastián le remataba los libros en Plaza Lavalle.

–¿Qué hablaste con Katia Hans en ese tiempo, Palo, antes que la vieja muriese?

–La vieja no murió ¿Siempre investigás así, Baraldi? No lo veo, está muerto. No lo veo, está muerto. Un ascenso de cargo te va a costar los dos huevos.

Observó el rostro de Rodolfo Frías. Tenía una rara habilidad para escarbarse minuciosa y pausadamente los mocos sin desprender el cigarrillo de los labios: y hasta pitar y largar humo.

–Eugenia quedó embarazada, Palo. Yo tuve una relación con ella pero no lo supe. Ni supe de su suicidio, por haberla embarazado ¿Ariel lo supo? ¿Cuándo? ¿Y Matías, y Sebastián, se enteraron de lo que pasó? ¿En qué momento? ¿Por qué no me lo dijeron, si yo era el que había estado con ella?

–¿En alguna reputa historia te animaste a correrte un cacho al costado?

Se miraron fijo a los ojos. El periodista sonrió al ver su gesto.

–Tranquilizáte, creo que Matías, Ariel y Sebastián tampoco supieron nada hasta muchos años después. Quizás tu finado primo Esteban sí lo supo, desde antes. De cualquier manera eso no te hace menos pajero.

–Pero ahora sé lo que pasó.

–Las historias suelen ser otras, Humberto. El negro que va a hacerte el amor viene siempre de atrás por el parquet, y en medias.

–Ariel murió. Sebastián también.

–Ariel murió en la guerrilla ¿O no? Ahora resulta que nadie murió genuinamente por ninguna causa. Pienso que murieron por la revolución, por el socialismo. Me revientan esos típicos boludos que los curraron tres veces con cheques sin fondos y entonces creen que detrás de cualquier cosa está la CIA, la KGB, el Opus Dei, Onganía. Ariel se cagó a tiros porque era combatiente peronista ¿O ahora todo fue de mentira?

–Estoy de acuerdo con vos, Palo, fui un militante, fui un cuadro político orgánico, durante bastantes años esa fue la lógica de mi vida. Se habrán cometido infinitas cagadas pero muchísima gente dio lo mejor de sí misma en esa historia. Ahora, desde esta menesunda es difícil hablar qué fuimos, hablar de nuestra ética, de nuestra honestidad, ahora es todo una licuadora inmunda de amnesia, de progresistas que van al médico una vez por mes por problemas estomacales, de arrepentidos que descubrieron los libros mansos. Reconozco que nos equivocamos feo, que hubo dementes de sobra y también hijos de puta indiscutibles, pero la mayoría no fue eso, sino buena gente.

–Me desilucionás, Baraldi, creí que había sido más interesante. Con buena gente hacés una kermesse, y si no llueve.

–No vine para discutir de esto, Palo, me rompen tanto las bolas los nostálgicos como los arrepentidos como los desinformados.

Un armónico terceto de cuerdas. Quiero hablar de lo otro, de aquella casa, vos sabés que ahí hubo otros datos.

–¿No iban a esa casa porque estaba Salka?

–También, lo acepto. Era un tamaño de mujer, de altura y de cintura. No sé si te acordás qué cuerpo estilizado, qué caderas, qué pechos. Vos lo sabés.

–¿Pero qué eras, la modista de Salka? ¿Te la cogiste o le sufilabas las mangas?

–No jodas, Palo.

El periodista se encajó otro cigarrillo en la boca después de terminar el café de la taza. Al levantarse de la mesa se tiró un pedo de esos que hacen época en cualquier lugar del mundo.

–¿Por qué no querés hablar, Palo? Nosotros en realidad frecuentamos la casa de Egon sólo un año.

–¿Hablar de qué? Mirá la niebla en la ventana. Si esos boludos llegan ni nos vamos a dar cuenta. Se me ocurre que usan silenciador.

–Contestáme, ¿por qué no hablás?

–Me costó mucho esa historia, Humberto. Y no creo que sea la misma que la tuya. Me volví loco, algo así. Y vos venís ahora, el mismo petimetre de siempre, lector de Habermas seguro, a que Palo te cuente una historia.

–No te hagas el ciruja, ya pasó.

–¿Qué es lo que ya pasó, Humberto Baraldi?

–No sé, Palo. Siento que me voy acercando a alguien. Al impostor, a un asesino, a un loco, a alguien que se metió perversamente en lo mío.

El periodista le pidió directamente el paquete, no le quedaban cigarrillos.

–Escuchá *body building*, escuchá con atención y no me preguntes ni cómo te llamás. Una vez, allá por el 66, fui a hacerle una nota a un bandoneonista. Roberto Guzmán se llamaba. A lo largo del reportaje sospeché que en realidad el tipo estaba en otra. Pensé en política, no sé por qué se me ocurrió la resistencia peronista y ese tipo. Alguien me lo batió, no recuerdo. Yo trabajaba en *La Razón*. Entonces me puse y lo seguí. Ahí toqué, sin pretenderlo, la casa de Egon Stromberg. O ella me tocó a mí, date cuenta, era mi propio barrio. El del bandoneón iba a esa casa de Francisco Acuña. Persigo la historia y me encuentro con el dato del dueño de la casa: un alemán llegado al país a fines del 42. Egon Stromberg. Pero también me entero de que volvió a Alemania el año anterior, en 1965. Entonces me interesa más todavía. Averiguo, de costado, que en esa casa hubo un drama poco tiempo antes, y en los ratos libres rondo el lugar con suma precaución.

–Había pasado lo que me contó la cajera de los coreanos.

–La cajera esa, la conozco, habla de gorda tetona ¿Te fijaste que las de tetas grandes hablan mucho? Esa historia no había salido en los diarios ni intervino la policía ¿Cómo se sabía? Eso fue también lo que me empezó a intrigar. Me dije, el barrio termina por enterarse de todo ¿Te acordás lo que se decía de tu vieja? Bueno, ¿qué había pasado verdaderamente? Supe que Salka se había piantado del bocho, que se la llevaron en una ambulancia. Pero lo de esa piba, Eugenia, quedó como en esos baños de asiento en la bañera, que con la mugre del agua no podés verte las bolas: debajo de la línea de flotación. Entonces voy atando cada dato con todo el sigilo posible. Lo busco a Dios para que vigile la casa de Katia ¿Te acordás de Dios? No lo veía nadie de raquítico que era. Imaginate al rengo de Somalía cuando la ONU llama a comer y salen todos a los pedos sobre las ollas. Pero una tarde Katia Hans me va a buscar directamente al bar de la esquina. Se me cruza la vieja ¿Qué quiere usted, joven? me pregunta, tranquila y elegante: como si todas las noches ella hubiese morfado viendo a ese boludo de Dios por la ventana, mi espía de cuarta con su traje negro sombra. Ese día charlo largo con Katia Hans, nos hacemos medio amigos. Le pregunto algunas cosas que me interesan, y ella parece serenarse.

–¿Te habló de nosotros, de mí?

–Un día Katia me habla de Esteban Baraldi, tu primo. Del que más habló es de Esteban, como si lo siguiese viendo. Pero un día me aclaró que hace mucho que no sabe de Esteban. También me habló de Ariel varias veces, sin poder disimular cierto recelo. De vos me dice que durante un tiempo te creyó un buen chico.

Con respecto a vos utilizaba la palabra chico, me acuerdo. De Sebastián, la vienesa ponía cara de pícara, jeta de fina dama indiscreta. Supongo porque Sebastián era trolo. Al que casi despreciaba era a Matías, no supe las causas.

—¿Dijiste vienesa? ¿Katia Hans era vienesa?

—Ella misma me lo dijo. Me habló de Viena. Bueno, ella me habló de ustedes una tarde. Una larga tarde. Entonces empiezo a relacionar. Pero me cuenta que Eugenia, la hija de Egon, se fue a Alemania con su padre. Ahí me pregunto quién murió en esa casa, también pienso que la vieja estaba mintiendo para esconder ese balurdo que ni salió en los diarios. Un día, lloviznaba me acuerdo, paso delante de la casa y veo entrar a un tipo, que por las descripciones que tengo acumuladas, tenía que ser Egon Stromberg ¿No era que estaba en Alemania? ¿Había vuelto? Entonces me pregunto quién se fue de esa casa. Era fines de 1969. Una de las últimas veces que hablo con Katia Hans, ya con más confianza, me confiesa que al principio ella sospechó de mí, pensando que venía por el Plan. Yo no tenía la menor noticia de ningún Plan. Ella me aclaró que en realidad el Plan nunca había sido tal cosa: algunas ideas en borrador y escondidas bajo tierra. Tomo nota, pero no me importa. Lo relaciono con la política, con el bandoneonista, que no volvió a aparecer más por la casa de Katia.

—¿Supiste de qué Plan se trataba? ¿Volviste a ver al bandoneonista?

—Pará, atolondrado. Ella me cuenta que el Plan está escondido junto con un juego muy fino de tazas y tetera selladas. En ese momento pienso que Katia Hans está mucho, mucho más piantada que yo. Pero era agradable conversar con ella, siempre en el mismo bar. No así con su nieta, Olga Stromberg. La piba estaba para seguirla desde el ringside: de histérica le debían parecer lentos los cortos de Chaplin. Después viene la noche negra. Un día me aseguro que ellas dos no están en la casa, sabía que Salka seguía internada. La casa estaba sola, y me meto por una de las ventanas del costado del jardincito. Me doy cuenta de que en la casa no hay nadie, pero hay alguien. Un sorete se me va escapando del agujero del culo. No sé cómo explicarte, nunca lo supe, era como una casa de doble fondo. No podía salir, me di cuenta en un momento que no podía salir, y al mismo tiempo presentía que me iba a encontrar con alguien. Me daba cuenta de que alguien estaba, pero no lo encontraba. Entonces se me dispara el coco sin regreso, entro en picada y ya no vuelvo. Me rajo de la casa como puedo, rasguñando el portland, pero ahí mismo me apiolo que en lugar de neuronas me quedó una poronga de mula en la cabeza. En *La Razón*, termino meando los cables de las teletipos, y a los de mesa de cierre les tiro el rollo de papel higiénico. En 1970 se fueron todos: la casa de Francisco Acuña quedó vacía. Pero a esa altura ya no quise: pasaba en silla de ruedas y por enfrente. Un día, muchos años después, en 1983, leo en el diario que en los subsuelos de un edificio de la Universidad, por 25 de Mayo, encontraron un juego de tazas y tetera con sellos: en galerías subterráneas. Recuerdo lo que me contó Katia, pero de aquel Plan ni la menor información en el diario. Averiguo y me certifico que nadie vio ningún Plan. Ni yo sabía qué cosa era ese Plan, pero deduzco que algún ñato dejó las tazas para los giles. Relaciono las dos historias, Katia y la facultad, pero no me animo a publicarlas. Me había costado cinco años volver a garcharme a tu hermana. Sentí que había pisado algo feo en Francisco Acuña y Cabrera. En ese tiempo estoy enganchado con un diario de Bahía Blanca, que salió muy pocos meses pero pagaba bien, y mando sólo la nota de las galerías subterráneas, con algunos agregados y camuflada: para la sección mujer. Pero algo cuento.

Humberto recordó que la doctora María Velárdez, el día de la incursión a los subsuelos del Instituto de Filosofía, había aludido a lo extraño que le pareció ese artículo leído en un diario de Bahía Blanca.

—Vos conocés a Jacobo Klinger ¿No es cierto, Palo?

—Ni idea.

Tuvo la sensación de que el periodista había jugado a las cartas todo el día de ayer con Jacobo Klinger.

—Abríte, hermanito. Como si no hubiese pasado nada. Yo sé lo que te digo, Baraldi.

–Vos sabes mucho más, Frías.

–¿Mucho más? Si hasta yo te engrupo así, largá Baraldi. A vos ni en la terminal te para el subte.

9

Por la calle, en el banco de una plaza, lo pasaba un poco mejor que en su departamento. Afuera no le acalambraban la cabeza los retumbes ni aquel sonido tan difícil de describir, una sirena transatlántica, honda, sumergida, como un clamor exasperante de auxilio en la soledad del mar creciendo en círculos concéntricos. Sólo en lugares abiertos se aquietaba ese resuello sin imágenes y su cuerpo volvía a ser su cuerpo.

Había asistido a la segunda sesión terapéutica con la señora de Gastrelli, pero el poco tacto del que hizo gala, imperdonable, arruinó sus propias y casi desmesuradas expectativas. Le comentó a Josefina que si bien su hijo no era que estuviese vivo, ni su nieto muerto, como ella lo tuvo por seguro durante tanto tiempo, tampoco era cierto que su hijo y su nieto estuviesen muertos, como supo hacía muy poco. Su hijo estaba muerto, sin duda, pero su nieto en cambio vivo, aunque tercamente indispuesto para verla. Ella se afligió, o tal fue su sorpresa, que pospusieron la sesión para una hora libre del próximo viernes. Se reconoció avergonzado por el despropósito que le había dicho a Josefina, casi inerte en el sillón giratorio. La vio de pronto tan pálida y mustia que lo único que se le ocurrió fue ir a la cocina y prepararle un té con vino como solía hacer su abuela cuando era chico para reanimarle la sangre y que lo tomase a sorbos cortos. Pasada una media hora ya pudo conversar normalmente.

Esa tarde fue con Patricia a la hamburguesería de la estación de servicio. Quiso informarse sobre la entrevista de la periodista con el decano de la facultad, con respecto al festival de protesta de los estudiantes. Se habían caído mutuamente bien, le contó Patricia al volver a la mesa con un cucurucho gigante de papas fritas. Al rato se levantó para elegir otro rock en el aparato y traerle la tercera lata de cerveza.

Mientras observaba a Patricia bailar sola junto a la máquina, sin proponérselo revivió sus últimos días. La charla con Rodolfo Frías, esa niebla impenetrable de la medianoche desapareciendo abruptamente apenas localizó una terminal de colectivos rumbo al centro. Pero por encima de eso, lo que ese día quedó flotando, sin conclusiones reparadoras, lo condenaban a disquisiciones rayanas en la impiedad.

El lunes había trasladado su escritorio al balcón del departamento, sin arredrarse por ese final de julio con los días más fríos del invierno. El mueble y su sillón entraron casi raspando entre las macetas, pero el aire libre lo reconfortó, y la vieja gorra de dormir, el sobretodo, la bufanda enroscada en el cuello y los guantes, fueron el reaseguro elemental cuando desplegó todas las cartas de respuesta al impostor y la única que obtuvo de la inmunda mano del plagiario, defendidas del viento con libros, vasos y platos que las sujetaban contra la madera. En el balcón le escribió un fax de ocho hojas a su hijo Guido rogándole que regresase pronto por lo insoportable de vivir extrañándolo.

La carta de 1990 de Matías Gastrelli, que le había pasado su hijo Vladimir, impostado como Rocío, se veía atenazada por un lenguaje críptico, metafórico, pero ahora adquiría otra dimensión. Matías, ofuscado, le notificaba en 1990 sobre largos mensajes intercambiados con su primo Esteban en 1970 y 1971. Matías se regodeaba de que sus delirios interpretativos de aquel entonces, a la postre habían resultado "verdaderos". En una línea escribió: "Uno nunca sabe qué regiones ocupó que no le pertenecían". Esa frase parecía correr desesperada, para abrazarse con el relato del Palo Frías, cuando contó su violación del domicilio de Katia Hans y las secuelas corporales que sufrió al recorrerla.

Pero esa atmósfera inquietante también surgía en la carta de Matías a Esteban a fines de 1968, descubierta en la casa de su tía Mercedes: la familia de Egon Stromberg los fue poseyendo a todos, esa era la infundada síntesis que Matías le reprochaba a su primo, similar al relato del periodista, contándole que él no había tocado

la casa de Francisco Acuña, sino que ella más bien tocó sus huesos.
Si regresaba a la carta de Matías de 1990, traída por él mismo a
Buenos Aires, se reencontraba con ese párrafo donde le anunciaba
a Humberto, con cierto hartazgo, que por fin podrían verse "frente
a frente" ¿A quién aludían las palabras de Matías? ¿A su viejo amigo Humberto, o al impostor, ya descubierto? Lo incuestionable de
ese dato, era que Matías no volvió al país escapando de probables
fedayines, sino básicamente para esa cita sin mayores referencias.

Estudió con más cuidado el cuerpo de Patricia mientras ella
cambiaba de música: las piernas, las caderas, sus pechos debajo
de la blusa. Sintió un cansancio desacostumbrado, pero predijo
una noche de difícil sueño donde lo más adecuado iba a ser la
compañía de la periodista. Pensó en Jacobo Klinger: quién sería,
por dónde encontrar sus huellas, tal vez el viejo ya estuviese
muerto, o posiblemente no. Tampoco le resultaba claro por qué
ese nombre nunca mencionado por nadie, sólo una identificación en una destartalada máquina de escribir, lo iba sintiendo
tan significativo. El dato nuevo fue que desde finales de 1963
hasta 1970, según el relato del Palo Frías cuando perseguía a un
tanguero, la casa de Egon sobrellevó un enigmático o supuesto
duelo, recubierto de pistas falsas, de coartadas, de escaramuzas
y contradicciones donde Egon y su hija Eugenia estaban vivos o
muertos, cerca o muy lejos: los mismos años en los cuales Katia
Hans visitó su casona de infancia y habló con Saturnino Hernández
por motivos que hasta ahora no habían salido a la luz.

Pero el Palo Frías se había trastornado de manera contrapro-
ducente con toda esa historia, y no podía tomar sus apreciaciones
como garantía de verdad. En sus diálogos con el periodista, Katia
Hans, allá por el 68 y 69, recordaba a la barra que visitaba su
casa: parecía recelar sobre todo de Ariel Rossi; seguirse viendo,
o no, con su primo Esteban, y haber sido muy despectiva en su
recuerdo de Matías Gastrelli ¿Pero por qué? No alcanzaba a ensar-
tar la figura final de ese rompecabezas, donde Sebastián Lieger
se desdibujaba y Humberto Baraldi aparecía, en la memoria de
la anciana, quizás también en la de Egon Stromberg, como "un
buen chico" hasta un determinado momento.

Cuando llegó a su departamento con Patricia, ella terminó de contarle sobre sus dos años en Nueva York con un operador de radio dominicano, con el que vivía en un inmenso y destartalado departamento de Manhattan en compañía de un grupo de nudistas bañados en yerba noble de la mañana a la noche y con quien armaban un programa de hits en FM para hispanos de seis horas por día. Se fijó, pero no había fax ni llamadas registradas de Guido. Sobre la alfombra, ayudado por el whisky, sintió en el cuello los besos de Patricia. Al rato ella se levantó para ir a la cocina a hacer café.

Pensó en Eugenia Stromberg. Durante sus días en el balcón, bien arropado junto al escritorio, había tratado de reconstruir los gestos, la voz de esa muchacha con quien flirteó dos meses, treinta años atrás. Volvió a recordar aquella noche con Eugenia, sobre la que preguntaba insistentemente el impostor en su carta. Imaginó a Eugenia descubriendo su embarazo, decidiendo su suicidio, a Salka arrebatada por la locura al ver a su hija muerta ¿Todo eso daba para decir sencillamente que se trató de "un buen chico" que dejó de serlo? Pero Katia Hans le contó al periodista que Eugenia no estaba muerta, sino en Alemania con su padre, con Egon. Tal vez Katia le mintió al Palo Frías. La abuela de Eugenia nunca invitó al periodista a su casa de Francisco Acuña. No desentrañaba la causa de esa reticencia, cuando pocos años antes la familia Egon abría sus puertas de par en par a toda una barra de adolescentes. Eso indicaba que para ese entonces aquella casa ya no era la misma. Estaba devastada. Sin embargo le resultó dudoso el relato del Palo Frías: aquel estúpido mote de buen chico que le endilgaba. Todo se revelaba confusamente como una historia dramática, donde en realidad a lo mejor no pasó nada, y hasta Egon Stromberg, supuestamente deshecho, escapado a Alemania, había vuelto y circuló por Francisco Acuña.

La cuestión, se dijo esos días aplastando los puchos en las macetas del balcón, era averiguar qué había visto el Palo Frías en esa casa. A lo mejor lo mismo que había visto una vez Ariel Rossi, y que Sebastián Lieger supo y por eso lo buscó hasta en su tumba. No conseguía figurarse qué podía ser. Sí, recordó, que el periodista lo había juzgado duro noches atrás: que alguna vez se corriese al costado de esa historia, le dijo, para poder apreciar la escena verídica. Eso tal vez quiso advertirle también, pero sibilinamente, la vieja de la librería de Belgrano frente al cuadro de Fernando de Nájera: "Lo más importante de la tela es la escena ausente", dijo la vieja bruja, o algo parecido. Nunca pudo asegurarse quién fue esa mujer esperpéntica y empolvada ¿Fue Salka, irreconocible después de treinta años de no verla? Estaba loco ¿Salka con anteojos oscuros y una cirugía facial evidente? Cuando tuvo ese sueño agitado, en el sueño vio a Salka, ciega, junto al cuadro de Fernando de Nájera, y a dos soldados, y a Esteban. Lo que sintió en la librería aquella noche, donde se había suspendido la supuesta presentación de un libro, también era una herida que jamás iba a cerrarse: los viejos libros sobre una mesa de oferta, títulos agotados que se tragaban su cuerpo. Muchas veces pensó si no se tratarían de los mismo viejos libros y de las mismas antiguas ediciones que Sebastián Lieger, ya enfermo, contaba en su carta a Alejandro Herrera: una carta contenida y siniestra, según el arquitecto.

Patricia dejó de besarlo, se sentó sobre la alfombra, terminó de quitarse el corpiño.

–Quiero que me hagas el amor. Vos a mí –dijo Patricia.

Así de sencillo. En el dormitorio, Patricia tuvo ganas de ducharse, antes. Ella dejó la puerta del baño abierta, y desde la cama, con un extraño nerviosismo a la altura del estómago, Humberto pudo contemplar su silueta de entre el vapor de la lluvia, detrás de la cortina de la bañera. Vio la sombra de los brazos de Patricia, y también sus manos subir hacia la nuca, recorrerse los pechos, para girar en círculos sobre su vientre, para deslizarse muy suave hasta las entrepiernas, para permanecer ahí con un movimiento imperceptible, prolongado, hasta bajar por sus muslos, las rodillas, y otra vez, ya vertical, estremecer su melena contra el agua.

Lo irrefutable era que la historia de la casa de Francisco Acuña se soldaba a fuego con la soterrada cátedra del Instituto de Filosofía. La monja Amalia Ferro le había contado que Sebastián se vio varias veces con la profesora Matilde Lombrozo, pero también con un viejo que silbaba tangos todo el tiempo. Le vino a la memoria el bandoneonista Roberto Guzmán, al que Palo Frías le hizo una entrevista. Bandoneonista que visitaba la casa de Katia Hans por las noches. Humberto recordó el día que revisó los archivos de las materias de la carrera antecesoras a la suya: la última carpeta que encontró, confundida en una pila de biblioratos, sólo traía una revista futbolera, *Alumni*, pero también una página arrancada de *Radiolandia* con la foto de un bandoneonista sin identificación: la fecha aproximada de aquella carpeta era 1940. Matilde Lombrozo, Ema de Rossi, Katia Hans, el matrimonio Queirolo seguramente, y ese bandoneonista en la última carpeta ¿Quiénes eran? A lo mejor habían sido los que escondieron ese Plan en los subsuelos del Instituto de Filosofía, junto con tazas selladas. Recordó cuando revisaron con Raúl Estévez los viejos números de la revista Skias: un relato contaba de un árbol gramatológico oculto, y un texto de aforismos hacía mención a una creación colectiva guardada ¿Tendría que ver una cosa con la otra, esos mensajes literarios con ese absurdo y desconocido Plan?

Patricia se seguía solazando debajo de la ducha. Decidió interrumpir su mirada sobre aquella silueta del otro lado de la cortina. Se levantó de la cama y fue a su escritorio por dos aspirinas. Advirtió que estaba mucho más mareado que los cuatro vasos de whisky con que esa noche había prometido controlarse.

Pero hubo, en esos últimos días en el balcón congestionados de hipótesis, algo que taladró su cabeza, semejante a un ave de rapiña devorando su presa más soñada. Fue al repasar la carta del impostor a Esteban. Como si no la hubiese leído nunca antes. Como si no fuese la misma. La escritura de esa carta, forzosamente en primera persona, sufrió desde sus ojos al releerla en el balcón un imperceptible deslizamiento: desde un yo que narraba, que interrogaba, el yo del falso Humberto haciéndose pasar por el Humberto real, hacia otro lugar. Un deslizamiento hacia otra mirada, que no era la del Humberto falso, y por lo tanto, tampoco del real.

El deslizamiento no lo había notado antes: como si de pronto otra cámara, otros ojos, otra presencia en las palabras, enfocase la misma escena, pero con preguntas que Humberto, ni el real ni el falso tuvieron por qué hacerse, después de lidiar con Eugenia sobre una cama, después de atravesar un episodio tan intenso, finalmente llevado a cabo. Recién en el balcón se dio cuenta. ¿Por qué Humberto iba a preguntar sobre lo que él mismo hizo con Eugenia? Entonces algo distinto comenzó a emerger desde esas hojas. La escritura, al final, insistía varias veces con preguntas sobre Esteban y Ariel. Ellos no estaban en la escena, se afirmaba en la carta. ¿Por qué el autor de la carta fijaba otra escena, donde ellos no estaban? Estrategia maligna: en realidad en la carta no importaba la escena central, la de Humberto con Eugenia, sino lo que no sucedía ahí. Y la pregunta insistía en saber dónde estaban las otras escenas. Las ausentes ¿Cuáles? Morbosamente releyó frase por frase para sentir que otra historia, otro paneo de cámaras, otra birome en la carta, recorría esta vez, y como ciega, la casa de Egon esa noche, con imágenes que no eran las de Eugenia con él besándose en la cama de Salka. Al principio creyó que era la neurosis del Humberto impostor, deseoso de saber si Esteban y Ariel lo habían espiado cuando estuvo con Eugenia en el dormitorio de Salka.

Pero al releer la carta con más atención, advirtió que en realidad el Humberto impostor dejaba paso a otros ojos. Se corría de su escena. Se disolvía sin decirlo. Y al hacerlo también disolvía al Humberto verídico que buscaba representar. Como si esa otra cámara, en la escritura, más atrás de los dos Humberto, fuese la verdadera dueña del objetivo de esa carta. Como si otra escritura, la de otra cámara disimulada, fuese la poseedora de la clave: no su forcejeo físico con Eugenia en el dormitorio. Sí, en cambio, ese "dónde estaban Esteban y Ariel". El último travelling de esas páginas tenía un autor solapado: hasta el impostor quedaba postergado en el camino, perdía protagonismo, se alejaba, se extraviaba entre palabras ajenas.

Los ojos de esa mirada final de la carta, sin dueño preciso, habían utilizado al impostor para quedar disimulados. No era lo que Humberto hizo lo que importaba, sino otra cosa. Eran otras imágenes, otras escenas, otros personajes de aquella noche y de aquella casa lo que desesperadamente escudriñaba, sin alcanzar a ver, la carta del impostor. Tomar conciencia de ese detalle, descubrirlo por primera vez en ese largo juego con su plagiario, lo llenó de estupor. Si el propio impostor se apartaba de él, Humberto Baraldi entraba en una nueva dimensión, perdía peso, se confundía con el resto, era casi un dato más. Como Sebastián, como Ariel, como Matías, como Esteban. Ya no participaba del centro de un engranaje con sus criaturas señaladas, sino que de alguna manera pasaba a ser un condenado más, exactamente igual que el resto, pero con un destino simplemente postergado. El impostor utilizó su nombre, se inmiscuyó vilmente en su vida, lo convirtió en protagonista de algo, pero también le mostraba ahora que el haberlo elegido estaba más cerca del azar, de lo aleatorio, que de una relevancia fundada. Para el impostor, en esa historia, Humberto no era finalmente imprescindible. Otra escritura arrebataba la del falsario. Como si ni siquiera el impostor ya le quedase. Como si no fuesen figuras superpuestas. Como si subrepticiamente tomase distancia de su blanco.

En el momento de llevarse las dos aspirinas a la boca escuchó los tañidos, un acorde violento que chocaba una y otra vez contra las paredes del escritorio. Gigantescas planchas de metal golpeadas entre sí, el sonar de campanarios arremolinados en el aire y por detrás un aullido que se abatió contra su cuerpo. Caminó trastabillando hacia la puerta del baño, hacia aquel cuerpo desnudo detrás de la cortina. Se detuvo para recorrerlo una vez más con los ojos, ahora más de cerca. Desde el marco de la puerta. El rumor del grifo, abierto a pleno, se entremezclaba con aquel raspar de sones indefinidos. La silueta negra de Patricia simulaba continuar con el baño en total inconsciencia de su proximidad.

Humberto cerró los ojos. Después volvió a mirarla pero más en detalle entre ese plañir ensordecedor. Se aproximó un poco más a la cortina de la bañera. Percibió algo en la mano de ella, una sombra. No era el jabón. Era un cuchillo, una tijera, un objeto puntiagudo, filoso, negro. Ahora el cuerpo detrás de las cortinas se agachaba, volvía a erguirse, lo estaba mirando desde el otro lado de la cortina. Humberto corrió hacia el living, luego hacia la puerta, no esperó el ascensor, bajó los seis pisos por las escaleras hasta verse en la calle, en la esquina, en la vereda.

10

Abrió sus ojos de a milímetro contra el cielo raso blanco. Lo sorprendió el silencio alrededor suyo. Bajó la mirada por la blancura de las paredes, por un vacío acogedor y sin detalles que pudiesen destemplar aquel tono, hasta posar su vista en la cara de Celina, sentada junto a su cama. Ella tenía un libro cerrado entre las manos, y no supo que se había despertado. Permanecía con sus ojos sobre el ventanal. Humberto la nombró y se encontró con su sonrisa, con sus verdes pupilas.

Celina le comentó que dormía desde hacía veinticuatro horas, después de la inyección. Patricia lo encontró desmayado en la esquina de Córdoba y Esmeralda, y con la ayuda de Santiago lo internaron. Después habían llegado Cristina Lieger y Vladimir, y hasta una monja con un joven. Ellos estaban abajo, en la cafetería del sanatorio. Alguna gente de su cátedra también fue a visitarlo mientras dormía, lo mismo que el decano, y dos paraguayos que le trajeron un corazón de porcelana con la camiseta de Racing.

Después subieron todos para verlo y hablar a la vez. Santiago había cargado con su cuerpo, junto con María Velárdez, que bajó rápido a tomarle el pulso y a acostarlo sobre tres mesas juntas en el bar. Amalia Ferro, con su hábito gris recién planchado, le guiñó un ojo, Patricia le avisó que estaba en deuda, Marisa le trajo un par de libros, y José, el ayudante del arquitecto Herrera, le contó que entraría en Filosofía para hacer también unas materias en la carrera de Artes. Cuando llegó Raúl Estévez con una clásica caja de bombones, se alzaron las bromas y los aplausos, y hasta Marisa le preguntó si Yrigoyen seguía enfermo y qué se rumoreaba de Uriburu. Se preguntó por esa gente que parecía olvidarse del enfermo: Patricia con sus 22 años, Santiago 28, lo mismo que María el gato, y José recién le había comentado de sus 24 recién cumplidos. Se miraron con Estévez para decirse que por lo menos no tenían canas.

Después Raúl se sentó junto a la cama y hablaron largo tiempo sobre lo informado por el periodista Frías: las tazas y la tetera selladas del subsuelo del Instituto. El decano le pasó varios datos sobre ese hallazgo diez años atrás, y tomó nota sobre aquel misterioso Plan que sin duda rondaba la historia de la cátedra fantasma. Cuando se dieron cuenta, en un paréntesis del diálogo, advirtieron la cara de Santiago, María, Patricia y José: los cuatro los estaban escuchando en silencio sin entender demasiado.

El médico, al darle de alta tres días después, le recomendó cama por lo menos durante una semana, sin bebidas ni cigarrillos. Su sistema nervioso había entrado en colapso y necesitaba reponer en serio su salud y que alguien lo atendiese convenientemente. Aceptó la propuesta de su tía Mercedes: lo más adecuado resultaba ir a vivir diez días a su casa, para lo cual le acondicionaría el viejo dormitorio de su primo. La mañana que partió del sanatorio, antes de abandonar la habitación, se hizo presente un periodista para entrevistarlo por su libro de ensayos sobre la situación cultural de la última década. El reportaje fue breve por lo inoportuno de la situación, y la pregunta final tuvo que ver con el futuro.

–No tengo del todo claro cómo contestar esa pregunta. Por lo que pensé y leí últimamente, y discutí con algunos vagos que saben mucho, creo que va quedando atrás una etapa de desconcierto y crisis de conciencia que empezó hace casi quince años, al principio de los 80. Sería largo de hablar ahora, pero se me ocurre que hay que estar atentos, quizás Marx no esté tan muerto ni la historia tan cerrada como soñaron algunos asesores del norte. La cuestión es que uno no se distraiga y siga escarbando debajo de las superficies.

Una semana en la casa de tía Mercedes en Villa Crespo, sobre la calle Jufré, le sirvieron para recuperar el ánimo, comer sus platos preferidos, reencontrarse con algunas lecturas, y aprovechar cierta tibieza primaveral para semblantear el barrio desde la terracita del primer piso, entre las copas de los árboles retoñando. Reconoció las razones del médico sobre su estado ya casi de surmenaje, y postergó para la semana siguiente su cita de análisis con Matilde de Gastrelli. Apoyado sobre la baranda de la azotea tomó conciencia de que él era una torpe patología incinerada: un caso. Tal vez tuvo razón Patricia, lo lógico hubiese sido llevar el asunto a la prensa, verdad o mentira del extraño caso del profesor de filosofía. A lo sumo podrían decirle que su problema no alcanzaba el rating necesario, no mostraba personajes conocidos, ni siquiera una intervención policial. Todo aquello era demasiado viejo para ser noticia. Ariel Rossi había muerto en 1976, Sebastián Lieger en 1984, y Matías Gastrelli posiblemente en 1990 ¿A quién le importaba un sutil falsificador de cartas íntimas, evanescentes, perdidas? Sólo él, y el decano de una facultad que sólo rejuntaba derrotados, podían creer en una volátil conspiración de profesores imposible de corroborar.

Con la sopa de cebollas y los ravioles de tía Mercedes los episodios de esos últimos meses recobraban otra realidad, su auténtica fisonomía, sus formas elementales y afortunadamente pedestres. Una tía madre era una madre pero además una tía, casi el santo grial, y el mundo volvió a un tiempo de regar macetas con la manguera. En ese sentido su internación había logrado desprenderlo del ensimismamiento, no sólo del whisky. Lo alejaba de un Humberto arcaico, aberrante. Seguía siendo igual que antes, mejor dicho, la crisis le demostraba que no había un antes y un después para ser lo que siempre había sido. Quedaba una familia de la calle Francisco Acuña sin otro atributo que olvidarla: un recuerdo sin pregnancias.

Una mañana fue a visitar la casona de Almagro para ver si confirmaba ciertas conjeturas con Ismael Hernández, el hijo del finado cuidador. De la conversación con Ismael sacó en limpio un par de referencias y un agregado que lo desorientó: aquella anciana con su nieta, fueron efectivamente Katia Hans y Olga, la hija sobreviviente de Egon Stromberg. Una muchacha de mirada huidiza, poco comunicativa, amiga de otra mujer, un poco más grande que ella, con la cual en ocasiones también visitaban a Saturnino en la casona deshabitada ¿A quién se refería, cuál era la identidad de esa tercera presencia femenina? Katia, Olga, ¿pero quién era esa tercera mujer borrada hasta esa mañana de la historia? Ismael no supo decírselo. Ese detalle lo indispuso para el resto del día.

Compartió un par de cafés con su adjunta Joaquina, pero esta vez sin ánimo inquisitorio, sólo para comprobar la marcha del seminario, abandonado durante quince días. Inesperadamente Joaquina sacó el tema de Matías Gastrelli, al mostrarle una foto que se habían tomado los dos hacía cinco años en Francia, junto con Vladimir. Ella después le comentó que Ernestina de Queirolo seguía cada vez más enferma y Gabriela Cevallos debió hacerse cargo de su comisión. Pero después de ver esa foto Humberto ya no la escuchaba. Tampoco se percató del mozo, que fue a parar debajo de la pecera por el encontronazo. En el taxi creyó que era de noche, pero con sol a pico. Y en Avenida de Mayo saltó por encima del capot de un auto estacionado, porque en plena carrera no estaba para buscar resquicios.

Tocó el timbre y se preparó. Cuando la bailarina abrió la puerta, le pegó con sus dos manos entrelazadas. El envión de la propia trompada arrojó a Humberto contra un sillón, pero Vladimir ya estaba desplomado en el suelo, en el otro extremo, debajo de la mesa.

–¡Levantáte hijo de la gran puta madre que te parió!

Cuando iba a hacerlo, una patada en el pecho lo volvió a esconder entre las cuatro patas estilo Imperio

–¡No me pegues, dejáme hablar, Humberto!

–¡Salí de ahí abajo!

–No voy a salir.

–Vladimir es rubio y con anteojos culo de botella ¿Quién hijo de tu perra madre sos?

Se hizo un silencio sepulcral. Escuchó que la bailarina lloraba debajo de la mesa.

–¡Salí de ahí!

–Soy Javier Quiroz.

–Encantado. Pero salí de ahí. Igual te voy a matar, pelotudo. Ahora o dentro de un rato, ya estás muerto.

–No me vas a creer si te lo cuento.

–Tenés razón, por eso no te pregunto nada. Sólo quiero que salgas.

–Vladimir hace mucho que se volvió a Europa, a Francia. Después que mataron a Rocío.

–¡Salí de ahí, carajo! Te conviene.

–Rocío era dealer. Ella se quedó con un gran vuelto de merca. Ella me dio dinero con la idea de que montase un espectáculo que yo había hecho en Europa. Cuando la pescaron la empezaron a perseguir. Por eso nos escondimos los tres en el Tigre. Pero la ubicaron, fueron allá. Y la mataron de dos balazos. Entonces para tapar todo, con Vladimir incendiamos la casa, la carbonizamos, la pusimos en un cajón con tu nombre, Humberto. Después...

–Si, ya sé, después vino el dueño de los nuevos cementerios. Ese no cambia en ninguna versión desde 1930. ¡Salí de ahí abajo, me cago en la virgen!

–¡Esta vez te estoy contando la verdad, Humberto! ¡Es la verdad! A la semana de eso Vladimir se volvió a Europa, asustado, cagado hasta las patas. Yo había conocido a Vladimir la noche antes de irnos al Tigre. Y esa noche, en el Tigre, antes que llegaran los pesados me contó un poco la historia de su viejo, de Matías. Después no lo vi más a Vladimir, te lo juro, te lo recontrajuro, supe que se había vuelto a Francia. Después, el día menos pensado, llegaste vos y Santiago al tablao.

–Y vos creíste que éramos del tráfico de frula, ya lo sé ¿Ves que también puedo contarla? ¡Salí de ahí abajo y la puta que te parió!

–No, Humberto. Me estás arañando, bruto. Ya para ese entonces Matías Gastrelli manejaba todo este asunto.

Espió abajo de la mesa y vio la cara triste de la bailarina, con sus ojos inmensos, asustados. Recordó cuando lo deslumbraba en el escenario, algunos meses atrás. También esa mierda de historia ya tenía su pasado.

—¿Matías Gastrelli? ¿Qué estás diciendo? ¡Salí de ahí abajo!

—Matías ya sabía que en algún momento ibas a aparecer, Humberto. Y me obligó a que fuese Rocío. Igual yo ya era Rocío, así que no me costó demasiado ser lo que era. Matías me pidió que te mantuviese lejos.

—¿Matías te obligó a vos, Javier Quiroz, a que hagas de Rocío? ¿Vladimir ya estaba otra vez en Francia en ese entonces? Para mantenerme lejos, decís ¿Lejos de qué?

—¿Puedo salir? Humberto, escucháme. ¿Puedo salir de aquí abajo?

—Hacé lo que quieras.

—Matías me tenía agarrado, yo no podía hacer otra cosa. En el asunto de los narcos con Rocío, yo también de alguna manera estaba prendido, había empezado a gastar esa maldita guita en algo de vestuario y cosas para una escenografía. Y Matías me apretaba, si no le obedecía me mandaba la cana, así decía el muy hijo de puta de tu amigo. Me extorsionó para que fingiese ser Rocío, la ex noviecita de su hijo, y entonces te vigilara. Tanto él como yo, estábamos esperando que aparecieses alguna vez y vos nos aparecías nunca. Cuando te viera, yo tenía que darte una carta, la que te di. Esa fue su orden y cumplí ¿Te acordás esa primera noche, cuando me escapé en un taxi? Me escapé porque no sabía qué hacer. Tanto te había esperado que me cagué toda. Así soy yo. Al día siguiente Matías me siguió dando instrucciones por teléfono, como siempre.

—¿Que me vigilaras de qué? ¿Qué te decía Matías?

—No lo pierdas de vista, me decía siempre por teléfono. Faltan muy pocos días, me decía cuando me llamaba. Quiero que estés muy atento sobre lo que hace Humberto. Suerte que a este boludo no se le ocurrió lo más elemental, me decía, pedirle una foto de Vladimir a mi madre y comparar.

—Suerte que a este boludo. ¡Salí de ahí, carajo!

–Matías lo decía, no yo, te juro que yo no decía eso, Humberto. Yo nunca te dije boludo. Y el día que ibas a ir a esa presentación de un libro, a una librería de Belgrano, me llamó para decirme: que no venga, que no se acerque.

–¿Que no venga? ¿O que no vaya?

–Que no venga, me dijo Matías. Me obligó a llamarte por teléfono con voz fingida, y a decirte que se había suspendido la presentación, para que no fueras a ese lugar.

Humberto recordaba esa grabación en su teléfono. Pero de igual manera había ido a esa librería, ilusionado con encontrarse con un amigo teórico de cine. Que no venga, había dicho Matías.

–¿Me creés ahora? –dijo la bailarina, y fue saliendo de abajo de la mesa muy despacio y alerta.

–¿Y vos quién sos en esta historia?

–Javier Quiroz, un travesti. Nací en Olivos, trabajé en el cantejondo en Oslo. Una noche, ya en Buenos Aires, conocí a Rocío, tiempo después a Vladimir, y al día siguiente de conocernos fuimos al Tigre con él y Rocío, vinieron esos mal paridos, la mataron, y quedé pegado a las locuras de Matías. No tenía otra. Me puse Rocío para el espectáculo en memoria de ella, la mejor tipa que conocí en mi vida.

–¿Nunca lo viste a Matías personalmente?

–Sólo una vez. Te acordás ese día que llegaste y casi me mataste, que yo estaba con Patricia. Yo era Rocío para vos, en ese entonces. Ahí te conté que Matías había muerto, que lo atropelló un auto. Todo fue libreto del propio Matías, para que yo te cuidara.

–¿Para que vos me cuidaras? –miró al travesti con el labio sangrando, pensó que a lo mejor fue así.

–Pero ese día, después que vos te fuiste, Humberto, llegó Matías como desesperado, preguntando por vos. Le di la dirección de tu casa, salió para allá. Estaba loco.

Humberto hizo memoria. Fue la misma noche de los fedayines esperando en su departamento. El mismo día que Ruperto le dijo sobre un gordo que parecía escapado del Borda, que lo buscó por el portero eléctrico y al rato se fue. Ése había sido Matías

Gastrelli, no como supuso, el mafioso abogado de la salteña Clara. No entendía por qué Matías llegó antes que él al departamento. Entonces recordó que habían pasado con Santiago por el supermercado, donde se quedaron más de media hora eligiendo marcas de vino. Por eso se retrasaron.

–¿Matías me buscaba a mí ese día?

–Sí, a vos, estaba como fuera de sí.

–¿Nunca te habló de fedayines, de fundamentalistas árabes?

–Nunca.

Hubiese querido que alguien le respondiese por qué justo esa noche fue al supermercado: no antes ni después. Pero en fin, fue esa noche. Recordó las botellas vacías del vino que compraron aquella vez, ahora vacías en el lavadero de su departamento. Ellas debajo de la pileta, no Matías Gastrelli. También era una forma de contar una historia.

–¿Matías se sigue comunicando por teléfono con vos?

–No, me llamaba dos o tres veces por semana. Pero desde hace como veinte días que no llama, más o menos desde cuando te desmayaste en la calle.

–¿Y qué pensás?

–Algo jodido. No sé, a lo mejor se volvió a Francia.

–¿Te habló alguna vez de Jacobo Klinger?

–No, a mí no. Pero en su Diario, Vladimir cuenta que Matías le habló de Jacobo Klinger muchas veces.

–¿En qué Diario?

–Al irse a Francia, Vladimir olvidó su Diario, con cosas que cuenta de Buenos Aires y de su padre. Casi lo memoricé ¿Si no cómo creés que podía aguantar tantos personajes para melonearte?

–¿Quién tiene ese Diario?

–Está ahí, en el estante. Es el único libro de la casa. Yo no leo libros.

11

El nombre lo tenía. Y por una no envidiable biografía intelectual, muy íntima, tener el nombre siempre fue cazar la presa. Jacobo Klinger era el impostor de cartas.

La revelación del calvario de Matías Gastrelli, su desapercibido compinche de los últimos meses, tajeó a mansalva ese sagrado rincón de sus deducciones personales, el pozo de sus ánimas: pero abrió un claro en el bosque. El que hacía falta. Aquella bravuconada epistolar de Matías en 1990, el verse "frente a frente", y no por carta, con el impostor, ahora tuvo un nombre: Jacobo Klinger. El Diario íntimo de Vladimir se lo confirmó hasta la saciedad. Matías vino a Buenos Aires a encontrarse con el plagiario. Y si bien Vladimir no supo el porqué de la obsesión de su padre por ese hombre, el diario lo atestiguaba. Sus ojos lo leyeron, lo releyeron, Humberto supo que la historia terminaba en ese nombre, como que en el ataúd que llevaba miserablemente su propio apellido y estaría en algún nuevo cementerio recién estrenado, estaba el cuerpo o los restos de ceniza de Rocío.

Se quedó más tiempo del previsto en la casa de tía Mercedes, indudablemente por ese mismo descubrimiento de las inciertas andanzas de Matías, paralelas a las suyas y nunca imaginadas. Sólo Celina lo visitaba algunas tardes para escribir muy cerca suyo, en la galería cubierta, su estudio sobre Godard pensando que el cine había muerto, y sobre Tarkovski, creído en realidad que aún no había comenzado. A veces, también, para hablar de Derrida, de Foucault, de Lyotard, antes de que ella se fuese a eso de las ocho de la noche a cuidar a su madre enferma. Quedó con Celina en visitar a su familia apenas repusiese las fuerzas necesarias.

Precisamente fue ese domingo, después de despedir a Celina y mientras veía por televisión la síntesis futbolística de la jornada, cuando escuchó la conversación de sus tres tías en el comedor, contrariadas por el abandono sin aviso, inexplicable, de la mucama que desde hacía treinta años iba por hora a cada una de sus casas.

–Vos podés creer, Humbertito –dijo tía Adela–, la falta de corazón de esa mujer. De golpe y porrazo dejó de venir hace dos semanas. No sé si está enferma, ella sufre del hígado cada tanto, no sé si le pasó algo. Y vos vieras, Humbertito, con todas las cosas que le regalé en la vida. Ayer fui a su casita de Liniers y una vecina me dijo que se había mudado, que a lo mejor se volvió a Corrientes. Se fue así, sin una palabra, lo podés creer.

–Hace mucho dije que era una yegua, y la saqué cortita de mi casa –comentó tía Mercedes.

–Vos la conociste, Humbertito –ahora fue tía Josefa–, ¿te acordás de Fidelina? Empezó a trabajar para nosotros cuando vivíamos en la casa del abuelo. Ella tenía sólo 18 años ¿Te acordás de Fidelina? La llamábamos Lina.

–¡Y con todo lo que te quiso a vos, Humbertito! –dijo tía Adela–. Siempre nos preguntaba por vos cuando te fuiste al extranjero, que cómo estabas, que por dónde andabas, quería saber todo lo que te pasaba, todo lo que hacías ¿No es verdad, Josefa? Un día se peleó con tu finada madre, y tu padre no la quiso seguir teniendo en el departamento, pero ella igual les hablaba por teléfono para preguntarle por vos. ¡Pucha si lo habremos comentado! Ahí tenés, ingrata de mierda.

Para dormirse tomó una doble dosis del somnífero recetado por el médico. No quiso pensar en Fidelina. Hacía un par de meses, en los cassettes grabados para Celina con la historia de la casa de Almagro, había recordado brevemente esa anécdota de su primo Esteban con la correntina. Pero en estos últimos días perseguía otra señal: el Diario de Vladimir contaba, sobre el final de sus páginas, el último día que vio a su padre. Fue cuando había acompañado a Matías a una conferencia, pero lo dejó una cuadra antes de llegar al sitio donde aguardaban a Matías, por orden de su propio padre. Matías quiso llegar solo esa vez, y Vladimir relataba en su Diario, diez días después de aquella noche, que "fue ahí donde perdí toda pista de papá y no volví a verlo más". El lugar donde se despidieron, según el relato de Vladimir, fue una esquina. Vladimir no era en ese entonces baquiano de Buenos Aires, tenía un mes de arribado al país en

1990, y no pudo volver a ubicar ni el barrio ni la zona de esa despedida. Describía puntillosamente la esquina donde vio alejarse a Matías, como si recordar esos detalles con palabras escritas lo acercasen ilusoriamente a la posibilidad de volver a estar en ese sitio. Hablaba de una esquina con una rotisería, una mueblería, y una casa vieja de paredes celestes, en tres de sus ochavas.

Fue a verificar los alrededores de aquella librería de Belgrano, la de la vieja del cuadro de Fernando de Nájera, y sus presunciones se confirmaron. En una esquina de la calle Conesa vio la mueblería, la rotisería y la casa de paredes celestes que retuvo la memoria de Vladimir. A media cuadra de esa esquina, se alzaba la extraña librería. Matías Gastrelli fue a dar su conferencia en 1990 en ese mismo local donde tres años después cayera él como un incauto a una presentación frustrada para hablar de un libro de cine.

Caminó hacia la librería y la encontró cerrada con una hermética cortina metálica gris, carcomida por el óxido. Consultó con algunos vecinos, quienes le dijeron que muy esporádicamente se abría ese negocio de libros viejos: dos o tres veces al año, para aburridas reuniones sin concurrentes. Un afilador de cuchillos que pasaba en su bicicleta le comentó que años atrás, en los altos de la librería, funcionaba un instituto nocturno de segunda enseñanza, pero que ahora ni arriba ni abajo vivía nadie: él nunca dejó de tocar un timbrazo, por las dudas, pero no le respondían. El florista, en cambio, sospechaba que en esa casa vivía alguien.

Al día siguiente quiso que Cristina Lieger lo acompañase al lugar. Fueron en el auto de ella, y al bajarse y caminar un poco Cristina reconoció el frente del departamento donde su hermano Sebastián había caído muerto de un síncope, de un aneurisma, o como último suspiro de su enfermedad: el sitio quedaba a una cuadra y media de aquella librería que alguna vez también fuera instituto.

Le había pedido a Santiago que localizase dónde trabajaba ahora la Gringa, la viuda de Ariel Rossi. Su primo, en dos días de imaginaria frente al anterior edificio de oficinas donde ella concurría, la vio entrar, salir a los pocos minutos, y dirigirse a una torre de veinticinco pisos, en la cual Santiago ubicó la empresa: la Gringa Marta de Rossi era gerenta de una firma recién establecida, donde se le procuraba a gente del gobierno, de la farándula y del mediano empresariado, distintos tipos de viajes, esparcimientos, y también casas, amoblamientos, decoraciones de ambientes, vestuarios y hasta familiares presentables, todo en alquiler, para posar en notas de revistas de alta circulación.

Humberto fue a verla sin pedir cita ni audiencia previa. Ella no tuvo otra opción que recibirlo en su suntuoso despacho, donde hablaron de ciertas desinteligencias ocurridas en los últimos tiempos. La Gringa estuvo neutra, amable, como si dialogase con un cliente. Le dijo que su suegra, Ema de Rossi, dio la orden de interrumpir drásticamente el seguimiento que la empresa había emprendido contra él a raíz de un sobre robado. La madre de Ariel y de Alberto Rossi no cumplía funciones en ninguna de las firmas del grupo, pero su palabra seguía teniendo un peso definitivo.

—Por eso te dejaron tranquilo, Hueso.

—Mirá vos, Gringa. La verdad fue una sorpresa volverte a encontrar en la vida. Estás hecha y bien parada.

—No sé ni me importa con qué intención decís eso. Trabajo por un buen sueldo en una financiera con proyectos distintos de importación y exportación y muchas otras cosas, donde además soy socia. No me importa de dónde viene la guita, no es asunto mío. Pero me río de los que se indignan y se abochornan de la nueva gente con mosca, de los nuevos arribistas, frívolos y corruptos de mal gusto, con su farándula en la casa de gobierno. Como si los de hace cien años atrás, los que levantaron el Colón, los que fueron con la vaca a Europa, coparon el cementerio de la Recoleta y se adueñaron del país, no hubiesen sido arribistas, frívolos y corruptos, y bastante después silenciosa gente de buen gusto. Ahora tenemos que la pelotuda clase media añora la sobriedad del patrón de estancia.

—Me da lo mismo Gringa. Vine a hablarte por otra cosa.

Nicolás Casullo

Le explicó a la Gringa lo averiguado durante los últimos meses, las distintas versiones sobre la muerte de Ariel, y las dudas que tenía sobre el papel jugado por la señora Ema y por ella en esa truculenta historia.

–Todo lo que te conté aquella tarde es verdad, Hueso, menos una parte que me callé. Y me callé por dos motivos. Uno, que nunca entendí en realidad qué pasó en aquel entonces. Traté de conversarlo con mi suegra, pero me di cuenta que si ella verdaderamente lo sabía, jamás me lo contaría. Yo efectivamente hice de enlace entre vos y Ariel, el Franchute, pero sólo para los informes que se intercambiaban en ese último tiempo. La dos cartas tuyas, firmadas absurdamente como Humberto Baraldi, llegaron directamente al instituto donde estaba refugiado Ariel, lugar que casi nadie conocía. Cartas que me dijiste que vos nunca mandaste.

–¿Dónde quedaba ese instituto, Gringa?

–No sé, nunca lo vi ni estuve cerca. Pero en ese instituto sucedieron cosas muy extrañas. Yo, y algunos compañeros, llegamos a creer que fue copado por un servicio de inteligencia del ejército, de la marina, o de la aeronáutica, o por un grupo de tareas que en 1976 ya actuaba por las suyas. El instituto fue copado, pero con Ariel adentro. Sí, no te asombres, el instituto ese, de pronto se convierte en otra cosa, los compañeros no entienden y piensan la más lógica: cayó la casa entera y están disimulando su caída, para cazar a otros varios. Los compañeros no vuelven a ir allí. Ariel queda adentro. Además, nos enteramos que vos, en tus cartas, pedías tener la cita con Ariel en ese instituto: como si supieses de su existencia y dónde quedaba. Un día antes de esa cita dinamitan el interior, parte de ese edificio. Los mismos que lo coparon pusieron una o dos bombas, así suponemos por esos días. Lo cierto es que los vecinos cuentan haber oído varias explosiones: de eso se enteran dos compañeros. Entonces la profesora Matilde Lombrozo, ¿te acordás que ella le consigue ese lugar a Ariel? La profesora Lombrozo me pide que te llame y te diga que la cita se levanta. Sólo eso. Nada sobre la muerte de Ariel. Nada sobre que Ariel va a ir a la terraza a liquidarte ¿Vos en esos días ibas a tener una cita de reenganche en un bar, no es cierto, Hueso?

–Sí, en un bar. Iba a encontrarme con un nuevo responsable que bajaba de Córdoba para hacerse cargo del desastre. Un embuste. Nunca pensé en el Franchute, ni sabía que el Franchute era Ariel.

–En realidad, eso supe, lo programado era que iban a buscarte a ese bar para llevarte al instituto. No entendí si porque vos lo habías pedido en tu carta, o porque ellos querían llevarte al instituto.

–¿Quiénes son ellos, Gringa?

–No sé, los compañeros, o Ariel. O chupados, o no. Vos te carteabas con él, eras de la organización. Supongo que eran cuestiones de ámbitos políticos.

–¿Pero qué hacía ahí la profesora Lombrozo, pidiéndote que me llamaras y levantaras la cita? ¿Qué hacía ahí la madre de Ariel?

–Tampoco lo supe nunca. Esa tal Lombrozo y la madre de Ariel sabían más sobre el asunto que lo que me contaron. Sospecho que tenían relaciones con altas jerarquías del ejército, o de la Iglesia. Ya muerto Ariel, opto por callarme la boca, los Rossi me cobijan, me guardan durante la dictadura. Años después me caso con Alberto Rossi, él tampoco sabe qué pasó con su hermano. Sólo sospecha cosas no muy originales.

–¿Y el segundo motivo por el cual te callaste todo esto?

–El segundo motivo sos vos, Hueso. Fui a verte para ver si sacaba algo en limpio. De estúpida o melancólica. O para saldar una vieja cuenta. Aquella casa tomada por el ejército, vos con tus cartas con nombre y apellido, vos queriendo ir a ese instituto, vos enamorándome a mí que era el correo del zar. Nunca dejé de sospechar de vos. Te conté la historia que me convino. Quería saber qué contabas vos ¿Queda claro?

–Pero después de diecisiete años, era yo otra vez, Gringa. El mismo que conociste

–¿Y quién cuerno sos vos, Hueso? Vos para mí sos uno cualquiera, y no de los mejorcitos, te aseguro ¿Qué sé yo quién sos vos?

¿Qué sabés que soy yo? Antes fue antes, ahora es ahora, nadie pide cuentas, ni malas ni buenas, y cada uno sabe en lo que anduvo y en lo que anda.

12

El círculo comenzaba a cerrarse. Jacobo Klinger había sido el impostor, el supremo canalla: como la araña, en el borde del tramado de su propia tela. Matías volvió o no volvió de aquella noche en la librería, y vaya a saber por dónde andaba ahora, Sebastián murió a una cuadra y media de ese sitio, tal vez en plena fuga, agonizando. Ariel había estado en ese instituto de Belgrano, arriba de la librería, para morir ahí o en alguna otra parte, en una historia que perdía y recobraba perpetuamente su supuesta identidad política. Ese instituto debió ser aquel lugar de domicilio nunca registrado, que aparecía en el legajo 1200 de la cátedra fantasma, relacionado con el Instituto de Filosofía de la Facultad. Todos los papeles sacados esa noche del archivo se los había dado al decano. Se comunicó con Estévez para que averiguase la fecha de alquiler de un inmueble, que aquella cátedra había tramitado bajo el falso código 1200. El decano la revisó: era una compra de propiedad, sin número de catastro, fechada en 1977. Un año después de los sucesos que la Gringa le había contado.

Sin duda ese grupo subrepticio de profesores había abandonado la casa de Belgrano en 1976, a lo mejor semidestruida, inutilizable por aquellas explosiones y por otras cosas que debieron suceder. Y compraron otro edificio, el que aparecía sin datos en el legajo universitario. Pero resultaba irrefutable que algunos, o alguien, todavía seguían allá en Belgrano: Sebastián murió a ciento cincuenta metros de ese lugar en 1984. Matías se perdió en esa calle oscura en 1990, y llamaba a la bailarina de flamenco en 1993 para decirle que Humberto "no viniese" a la librería. Sólo él, en 1976 estuvo a punto de conocerlo a partir de una cita política pedida por el plagiario de cartas, pero la Lombrozo, o la muerte de Ariel, lo impidieron. Y hacía dos meses debió desprenderse furiosamente de las garras de ese sitio, cuando entró a la librería, el local de abajo. La salud lo traicionó de nuevo, volvieron las fiebres y las recriminaciones del médico por su regreso al cigarrillo y al alcohol, por lo cual prefirió no hacerse presente en el consultorio para una tercera revisación. La clave podía ser Fidelina, la mucama que por varios años, hasta mudarse de la casa de Almagro, trabajó para la familia. Si bien cuando volvió a visitarlo, Ismael Hernández no recordaba el nombre de ella, la descripción de sus rasgos, incluidas sus trenzas hasta la cintura, hicieron coincidir la imagen de Fidelina con la muchacha amiga de Olga Stromberg, que años atrás visitaban a Saturnino y recorrían la casa deshabitada, llevadas por Katia Hans. Tía Mercedes agregó los detalles restantes: Fidelina continuó trabajando en casas de varios tíos y tías, pero desde entonces como mujer de servicios por horas, siempre a la mañana.

—Tu propia madre la contrató para que fuese a limpiar dos veces por semana —dijo la tía.

Reconoció que además de dejar de verla, se le había escapado completamente la larga relación de la correntina con la familia, después de la antigua diáspora de Almagro. Humberto se mudó del barrio con su familia en 1964, pero ya en 1966 se fue a vivir solo, luego viajó a París, a su regreso de Europa no volvió a la casa de sus padres, más tarde se casó, y al divorciarse, en el tiempo político, habitó más o menos nueve departamentos distintos en cinco años: Fidelina desapareció de su vida.

En la antigua habitación de su primo Esteban, sobre su escritorio, rehizo las secuencias plausibles de ser pensadas como el artero husmear de Fidelina con respecto a su vida. Ella, como proveedora de información para Jacobo Klinger. Confeccionó un mapa en el tiempo.

Sebastián y Cristina Lieger vivieron hasta 1967 enfrente de su casa de infancia. Después los dos hermanos se mudaron de Almagro, la casa paterna de Cristina tardó dos años en venderse, pero ella recordó, que cuando iba a inspeccionar la casa vacía para mostrársela a un posible comprador, haber recogido debajo de la puerta varias cartas para su hermano. Sin duda Fidelina conocía señas y domicilio de Sebastián desde ese año, y a partir de eso el impostor siguió el rastro y se fue enterando del itinerario de la vida de Sebastián, a través del propio intercambio de cartas.

Con respecto a Ariel Rossi, durante la época de desmembramiento de los ámbitos guerrilleros, Humberto rehizo la historia. Él le mandaba los informes al Franchute por intermedio de la Gringa. Los escribía en la piecita de la terraza de su tía Josefa, lugar donde llegaba por las noches y se iba durante todo el día. Consultó con su tía Josefa, y efectivamente, en esos años Fidelina llegaba tres veces por semana a las diez de la mañana, cuando él ya no estaba, para limpiar la casa, incluida su piecita dormitorio en la terraza, mientras su tía iba a atender el bazar. Fidelina y el impostor seguramente utilizaron su misma máquina y leyeron los informes inconclusos de Humberto a su responsable, que le llevaba días terminar. Ellos escribieron las cartas apócrifas para Ariel donde revelaba su verdadero nombre. Indudablemente el impostor, y tal vez también Fidelina, sabían quién era el Franchute, dato que por el contrario, él ignoró siempre.

Retrocedió en los años, pensó en los meses previos a su viaje a París. Sin que Matías lo supiese, le había escrito al profesor Bardini a París, para acompañar su primer libro editado con una pequeña carta. Si la memoria no le fallaba, curiosamente esa carta la rompió y la reescribió varias veces antes de enviarla, pero lo hizo durante algunas noches en el departamento de sus padres, porque tuvo como más de medio año su máquina rota. Sin duda le dejó la carta a su madre para que la llevase al correo, como hacía siempre. Averiguó con tía Mercedes, ella estuvo segura que por esos años Fidelina iba una vez por semana a ayudar a su madre con la limpieza del departamento. Luego, Fidelina supo la dirección del profesor Bardini en París. Por otra parte, desde París le había escrito varias cartas a su madre durante sus siete meses de estadía en Francia, contándole de su desconcierto entre quedarse o volver a Buenos Aires. Fidelina se enteró de esas confesiones, y el impostor simuló una carta suya, desde París, traída a mano por algún supuesto amigo, que terminó en poder de Susana, su primera esposa. A su hermana, recordó, le había enviado desde Francia una copia de su artículo sobre Arte y Política que publicaría en la revista parisina de Matías. Sin duda Fidelina y el impostor se hicieron de esa copia y pergeñaron una "carta política", que fue la que finalmente enviaron a París y Matías editó en el primer y único número de *Ríos Desbordados*. Las cartas para su gran amor chileno, Sonia, en 1970, se las daba a su madre para que las tirase en el correo, sin saber que también se las estaba dando a Fidelina.

Cuando volvió de México en 1988, por un mes, sus padres ya habían fallecido en el accidente de la ruta a Mar del Plata. Paró en un hotel céntrico, puesto que su hermana vivía en un departamento de un ambiente. Antes de retornar a México, el último día, le dejó a su hermana su currículum académico, la dirección y el teléfono del profesor Uriarte, para que mandase todo eso por correo. Humberto llamó a su hermana a Bahía Blanca, ella no entendió a qué venía esa insólita pregunta, pero rememoró que en aquel tiempo, Fidelina iba dos veces por semana a limpiarle el departamento, mientras ella atendía a sus pacientes en un consultorio a tres cuadras. Finalmente, quedaba una duda, que al hacer memoria sobre su visita al desván de la casona del abuelo, cuando encontró las cartas de Matías Gastrelli, se le despejó rápidamente. En esa ocasión se había topado con todas sus carpetas de cuarto y quinto año de la secundaria: su letra, casi la misma de ahora, que Fidelina, sola o con el impostor acompañándola, estudiaron pormenorizadamente. Ésa fue la letra del impostor.

Humberto clavó los ojos en la página garabateada, repasó aquellos itinerarios: flechas, llaves, paréntesis, items, subtítulos. Le vino a la cabeza la imagen de la punta de un iceberg. Ahí estaban los nombres, cada vez más cerca: Fidelina, Olga Stromberg, Katia Hans. Menos uno: el de Jacobo Klinger. Fidelina había resultado un simple instrumento en esa maraña que tanto había tardado en desbrozar. Ya todo estaba aclarado. La historia era tan truculenta como imbécil. Faltaba el gran autor: como si un inmenso foco hubiese ido disminuyendo pausadamente la amplitud de su luz, para posarse en la pobre biografía de una mucama, y en ese otro nombre, a oscuras, encerrado en un círculo.

13

A pesar de los logros obtenidos, la fiebre iba en aumento día tras día. Y empezaron también otra vez los retumbes de antes de la internación. Ni la casa de tía Mercedes, casi un retiro apostólico, impidieron que esos síntomas creciesen sobre todo por las noches. Había logrado confirmar que se trataba de una política de venganza, que lo utilizó a él para involucrar a varios. También desentrañó su técnica: una sirvienta, como se decía en aquella época, que apenas si supo en la vida escribir su nombre y apellido, Fidelina Goya, engatusada por una falsa amiga, sin duda Olga Stromberg, y utilizada a full por el impostor ¿Pero por qué? ¿Por el suicidio de Eugenia Stromberg? Katia Hans debió fallecer muchos años atrás, también Egon Stromberg, que además no era un hombre de buena salud ni en los años 60. Pero más allá del objetivo, y de la técnica, lo insólito pasaba a ser la comprobación de la red que se utilizó: una cátedra disimulada en un Instituto de investigaciones filosóficas de la universidad de Buenos Aires. Ese nudo académico invisible atrajo a los señalados como culpables, y le tiró finalmente un cargo de titular de cátedra a él mismo, que sirvió de forro con sus cartas para toda la operación. Para la escena final de una historia siniestra, pero en todo caso tan menuda ella, que no iba a quedar registrada ni en el recuerdo de su propio hijo Guido allá en Chicago con sus personajes de historieta.

Llegó para su tercera sesión con Josefina de Gastrelli, pero esta vez se lo anticipó antes de acostarse en el diván. No me lo interprete, se lo ruego, pero su nieto está sano y salvo en Francia desde hace tres años, y su hijo vivo en alguna parte. Tamaña fue la sorpresa de Josefina, que quiso contestarle pero sólo pudo abrir la boca sin que le saliese la mínima palabra. Le pidió mil disculpas reconociendo sin embargo que no había perdón para un comportamiento como el suyo. La mujer lloraba y sonreía cada vez más descompuesta, pero era su respiración entrecortaba lo más alarmante. Con paños fríos en la nuca y masajénadole los pies fue comprobando que le volvía el color a la cara. Le acarició el cabello sin dejar de reconocerse el peor de los miserables, hasta que ella pudo levantarse del banquito de la cocina y caminar sola agarrada al borde del mármol. Con mucha altura y don de gente Josefina le reprochó que no podía proveerla y privarla de hijos y nietos todas las semanas, y al despedirse le pidió que le dejase los datos de ese último relato: con su hijo y su nieto vivos. No venga nunca más, Humberto, no sabe cómo se lo agradecería.

Al volver a la casa de tía Mercedes un llamado de Raúl Estévez lo desconcertó con la noticia: Patricia lo había convencido que el mejor sitio para el festival de las tres facultades era un nuevo lugar bailable de jóvenes a inaugurar, El Tren Fantasma, que cedía sin costos sus instalaciones. Colgó sin omitir opinión, pero le pareció deplorable la elección de la periodista, y sospechosa la manera de haber convencido al decano.

Sin embargo las cosas iban de mal en peor adentro suyo. De Jacobo Klinger, no poseía el menor rastro, tampoco podía asegurar hasta cuándo aguantaría en su refugio: en la casa de tía Mercedes. Esa noche se dio un baño de agua casi fría y la fiebre disminuyó, pero cuando se acostó en la vieja y chillona cama de su primo Esteban, el sueño quedó siempre muy por detrás de las imágenes de Fidelina.

Lo que había pasado allá por el 62 con ella, fue consecuencia de la soberbia de Esteban en esa sofocante casa con retratos del abuelo en varias habitaciones. La propia Fidelina, Lina la llamaban, con su cuerpo desmesurado, con su melena negra, agreste, fue también producto bastardo de ese mundo de legados pastorales y represiones alabadas en el nombre de dios. Cuando tenían once, doce años, ambos la espiaban desnudarse en su pieza, y al rato indefectiblemente terminaban masturbándose en el cuarto del laboratorio. Sano esparcimiento. Después la correntina comenzó a asistir al culto de la casa, a leer trozos de la biblia seleccionados por las tías. Pero eso no le sirvió de trinchera por lo visto, cuando una mañana Esteban descubrió que en el piso de arriba, donde para ese entonces sólo dormía ella, estaba escondido desde hacía dos semanas su novio Vicente, ayudante de la carnicería de al lado.

Vicente se fue para no volver, y Esteban extorsionó a Lina, quien aterrorizada ante la idea de que las tías lo supiesen, que su madre en Corrientes se enterase, aceptó la barrabasada de su primo. En realidad Esteban con sus 17 años cumplidos, disfrazó todo como si se tratase de una prueba a la cual la exponía dios. Esteban descubrió que Lina gozaba más pensando lo que había hecho, que cuando efectivamente cometía el acto pecaminoso. Pero no solamente porque Vicente entraba, eyaculaba como abrazado a la almohada y luego era un solo concierto de distintos ronquidos producto de una sinusitis nunca tratada. No, para su primo, Fidelina necesitaba pensar en Cristo, en la cruz, en la sangre del cordero y la corona de espina, en la biblia y en el culto metodista, cuando Vicente se ponía encima de ella tres o cuatro veces por noche, después de cada sueñito corto que se echaba. En un año y medio, decía Esteban, las tías le habían hecho leer mal lo peor de la biblia. Pero lo cierto es que eso que aterrorizaba de culpa a la correntina, era también lo que la llevaba a gozar desde sus propios dedos recién cuando Vicente, jadeante y vaciado, se corría al costado de la cama. Allí, sola, ya sin ninguna caricia física, pensando en aquellas cosas santas, sabiendo que no tenía perdón de dios, Lina se retorcía como una tigresa en orgasmos solitarios, que si Vicente despertaba la hubiese tomado lisa y llanamente por una puta insalvable. Eso contaba Lina, y su primo consideró que únicamente llevando a su mayor radicalidad aquella conciencia desatada más allá de las fronteras cristianas y del coito, podía regresarla a la senda del Señor con la genuina palabra evangélica. Ella no fornica con Vicente, tampoco místicamente con dios, ese era el argumento de Esteban: fornica y goza con el abismo, cuando en su soledad imagina que lo está haciendo en ese paraje.

A Fidelina todo ese debate teológico la tuvo siempre sin cuidado, pronto sintió que los ojos fulmíneos de Esteban, siempre vestido de negro, la volvían más loca que su propio miedo por las imágenes santas con las que se excitaba. Los largos interrogatorios a que la sometía su primo la llevaron no sólo a un estado virtual de catatonia, sino a contárselo un día a Humberto. Ella se deshizo en llantos, le reveló la monstruosidad de las sesiones con su primo, pareció volverse más loca cuando se lo explicaba que al hacerlo, y le pidió misericordiosamente le informase con discreción a su padre para que Esteban desistiese de aquel martirio. Su primo no quiere tenerme, le dijo esa tarde la correntina: quiere otra cosa. Los ojos de ella escondían cada una de las suciedades padecidas. La situación continuó de la misma manera, desde entonces con las lágrimas de Fidelina cada vez que lo encontraba solo, tomándolo como posibilidad de salvación y rogando que no se enterasen los hijos del pastor, así llamaba a los tíos boludos que la invitaban a la iglesia, y no la echasen para irse no sabía dónde. Cuando le reprochó duramente a su primo aquella conducta, Esteban sólo contestó que había logrado poseerla absolutamente, por las cumbres rocosas de los ángeles caídos. Ella está esperando que le proponga una indecencia carnal, dijo, no la cópula con la palabra de dios. Y yo jamás me la montaría.

En esas circunstancias de terquedad y desesperación es cuando él comete la imprudencia de espiar los diálogos de Esteban con Fidelina, hasta que una noche es descubierto. Humberto se había quitado los zapatos y las medias para no hacer ruido, pero Fidelina, acostada en la cama de su pieza de servicio, llorando por las palabras de Esteban, vio por el espejo del ropero su cuerpo agazapado. Él mismo se dio cuenta, tarde, del descuido: él también observó su propia cara, su cuerpo, en traje y descalzo, en cuclillas contra la luna del espejo. Y en lugar de escapar, se quedó paralizado al contemplarse. Esteban lanzó una brutal carcajada, Fidelina saltó de la cama para golpearlo, y recién ahí pudo salir corriendo escaleras abajo. Al otro día ella se fue de la casa. Nunca se había sentido culpable por esa escena ridícula. Al contrario, varias veces la recordó risueñamente y para otros. La fiebre no disminuyó. Junto con el nuevo síntoma de las náuseas una tarde pasó los cuarenta grados: cuando llegó el médico, además de remedios recomendó paños fríos en la cabeza. Tía Mercedes lo ayudó a levantarse para ir a vomitar al baño, escena repetida a pesar de no tener nada en el estómago y sin embargo lanzar en cada arcada una sustancia negruzca, gelatinosa. Hasta que en uno de esos viajes la pobre vieja vio cómo oscilaban los muebles, las arañas del comedor y de su pieza, y hasta el bidet parecía querer desencajarse del mosaico. Tía Mercedes recordó el terremoto de San Juan, a Evita, puso la radio, subió a la terraza para comunicarse con la vecina por si había escuchado algo, y bajó sin comentarle una palabra, como si nada hubiese sucedido.

Apareció Celina para reemplazarla con los paños fríos en la frente, ellas se turnaron, y cuando pudo abrir los ojos y supuso que ya era de noche, Celina le aclaró que estaba amaneciendo. La fiebre le bajó de pronto, se sintió despejado, sin tensiones en el cuerpo ni dolores. Fue maravillosa la sensación de sus propias manos sobre las sábanas, mientras sus piernas y los brazos recobraban de pronto un vigor olvidado, como sus labios cuando encontraron los de Celina. Ella siguió moviéndose después, debajo de él, desnuda, ella fue un remoto y al mismo tiempo desconocido perfume en su pelo, en su cuello, y esa inconcebible sensación de amor que hacía tantos años anhelaba. Cuando estuvo adentro de Celina lo asombró su vagina hirviendo, inclemente, su quejido con un sabor distinto en la boca, un aliento más diáfano que los besos iniciales, y hasta el fuego de su propio semen le ardió en todo el cuerpo como jamás lo hubiese presentido.

Esa mañana, aunque debilitado pero sin fiebre ni náuseas, llegó a la puerta de la Facultad Protestante de Teología, y averiguó en la biblioteca por los escritos de Esteban Baraldi, que tía Mercedes había recordado, o supuesto, en una de las tantas charlas de las siestas. El bibliotecario, al saberlo primo de Esteban, lo conectó con el pastor Méndez, hombre de unos 70 años, quien había conocido y estimado a su primo. Conversaron serenamente en el jardín de la Facultad, debajo de la sombra de los árboles. El pastor Méndez guardaba un admirado recuerdo del atrevimiento teológico de Esteban, peligroso a veces, como son peligrosas, dijo, todas las aventuras de pensar a dios. Al rato de escuchar sobre la infancia y la adolescencia de Humberto, tan sesgada por el metodismo, Méndez deslizó una opinión.

–Los metodistas en la Argentina sufrieron siempre de su propia condición social. Es una minoría burguesa más bien acomodada, sin mayores contactos con los sectores subalternos de la sociedad. Gente que se siente honesta tramando sus vinculaciones y negocios en el hall de las iglesias, que transforma sus deseos en hipocresía, y todos los domingos escucha cuarenta y cinco minutos al pastor que le toca en suerte.

Asintió en silencio el tenor de aquellas palabras y del resto del diálogo. Hubiese preferido un pastor a la vieja usanza, un convencido reaccionario, un teólogo que le hablase de los misterios y de las herejías, y no tanto de Freud, de Marx, del inconsciente y las diferencias de clases. En un momento reconoció delante de Méndez el mal momento por el cual atravesaba, debido a una historia que nadie, incluido él mismo por supuesto, se percató que estaba sucediendo. Para no confundir al pastor, para evitar que pensase en una arrogancia suya cuando tildó de historia a los inconvenientes de esos últimos meses, le aclaró que mejor resultaba tomarlos como vicisitudes de la existencia.

Ya en la biblioteca, Méndez retiró del estante un libro de tapas blancas, publicado en 1972 por la propia facultad, que llevaba impreso en letras góticas el nombre y apellido de Esteban Baraldi, su autor. La obra se llamaba "La Cercanía". Méndez comentó que el libro tuvo una afortunada difusión en varias congregaciones campesinas de América Latina, sobre todo en Bolivia, Perú y México, pero que Esteban nunca había pretendido tal cosa, ni siquiera editarlo. Fue una decisión suya, después de la muerte de su primo. Jamás tuve la menor noticia, dijo Humberto.

14

La lectura de las primeras cincuenta páginas del libro de Esteban fue como un remanso que se le cruzó de improviso en el disloque de su vida. Un paréntesis de reposo y meditación, un cambio de ritmo frente al puro ejercicio de la desorientación y el frenesí de lo caótico. Si bien a medida que leía se fue topando mágicamente, sin armadura protectora, con la mayor parte de los datos que con tan escasa fortuna había pretendido explicarse, y además sintió a cierta altura de esas páginas la caricia de referencias espeluznantes, macabras, jamás imaginadas. El libro de Esteban no dejó de ser en ningún momento una reflexión serena, la suspensión de toda vorágine vital, que a él por el contrario lo había desperdigado. Casi un empezar de nuevo.

A partir de una inteligente relectura que planteaba Esteban de ciertas partes de la Biblia y de la mítica griega, Humberto repasó con los días la escritura de su primo: el tema central del libro discurría en el significado último de la incierta proximidad de lo divino en la vida de los hombres. Un buceo por lo tanto religioso sobre el sentido del mundo y de la historia, la única dimensión propicia para dialogar con los Inmortales. Y al mismo tiempo, la perpetua posibilidad en tal trance, del contacto equívoco más allá de la deidad que se invocase.

Esteban rechazaba pensar el arrepentimiento de la criatura como un pecado de orgullo disfrazado de humildad, porque la falta era siempre obra exclusiva de la voluntad de dios. Según esta apreciación, el amor propio del arrepentido, llevaba en realidad al olvido del Creador. Esteban planteaba en cambio la inutilidad del arrepentimiento, pero también la imposibilidad de que el alma lo soslayase. Por ende, el arrepentimiento era un problema falso, resultado de no haber comprendido la índole originaria del diálogo con los dioses, creador de la historia. Entre muchos ejemplos, Esteban elegía la Antígona de Sófocles, donde lo espantoso llegaba a parecerle la única cordura final a la criatura humana cuando dios la lanza hacia el infortunio.

Trágica pero arrebatadora confusión, según su primo, donde ni el dios ni el hombre eran culpables, sino que el mismo diálogo fundaba la propia hechura del Bien y del Mal, exigida por lo tanto a ser teologizada de manera distinta. Para Esteban, la turbulencia del espíritu humano tenía una única forma de ser pensada: la supuesta imagen unívoca del dios dialogante era en todo caso una insalvable inmoralidad del propio diálogo. Reunirse con lo celestial carecía del estigma del mal o del bien.

Su primo examinaba entonces la milenaria idea de "ofuscación", o para otros autores antiguos, "el delirio", que provocaba el hálito cercano de los Celestiales con sus rostros ambivalentes. Según su primo, la indagación de esa insondable cercanía, el encuentro entre lo inmortal y la criatura terrestre, debía escapar a toda visión idealista y por lo tanto también culposa, a toda lógica maniqueísta paralizante, y al clásico argumento del pacto o su imposibilidad. Es decir, a todo dualismo condenatorio y al mismo tiempo redencional, para situarse únicamente en el reconocimiento de aquel diálogo como rotunda instancia ambigua y fabulosa. Era ese el trasfondo andrógino: la alarma seductora que se abría en toda pretensión de saber. Reivindicar esta ambivalencia, ese oscuro propósito de los dioses, le devolvía al mundo, resuelto mediocremente hasta ahora en términos de vulgata religiosa, un indecible y originario misterio sagrado, sin privarlo de la idea de lo bueno y de lo malo. Pero esto último, ya no residiendo en el pecador, sino en la estirpe insorteable de aquel diálogo con los Divinos. La Cercanía de los Absolutos, de lo angélico pero sin discriminación papal, esto es, lo más ansiado por la criatura, era un lugar de ofuscación donde quedaba anticipadamente absuelto: en gracia, más allá del calibre de los actos cometidos. El diálogo era siempre, a los ojos humanos, el primero y el último, o lo que significaba lo mismo, la experiencia del dios inicial y del dios final, pero ya no cargado de apoyatura ética o moral como lo vivió el judaísmo, el catolicismo, el luteranismo, el protestantismo, sino en su inscripción primordial, lo humano en su libertad postmetafísica. Llevado esto a un tiempo secular como el nuestro, donde la cercanía dialógica fundante no era ya la de Abraham, Job o Moisés, ni la de Aquiles, Ulises o Agamenón, el conocer y dar sentido seguía sin embargo experimentando esa proximidad sagrada y equívoca con lo elevado y lo caído, y la presencia oculta de lo trascendente ya casi olvidado, que absuelve

Pero en las últimas páginas de su libro, bajo el título "La Cátedra" y dividido en dos capítulos, Esteban accedía a un extraño, sorprendente y hasta chocante corolario de sus reflexiones, a través de una semblanza de tono intimista sobre su encuentro con Egon Stromberg y Katia Hans.

Esteban recordaba que a Egon Stromberg se lo presentó a fines del 62 el conferenciante de una biblioteca pública en Estado de Israel y Rawson: un tal Mozart Sewer, hijo de Humms Sewer, danés que había sido amistad del abuelo Baraldi. Para ese entonces, Esteban menciona que ya conocía a Katia Hans, de dos o tres charlas en la confitería Las Violetas, donde se la presentó Ariel.

A medida que avanzaba en las páginas, notó que Esteban ponía sólo los nombres de los integrantes de la barra de Almagro, tal vez por discreción para con los amigos. En la primera charla con Egon el alemán le comentó sobre la existencia de la cátedra de Arte en la Facultad de Filosofía y Letras, sin hablarle en cambio de investigaciones en ningún Instituto. A los pocos días, pero invitado por Katia, asiste a una de las reuniones de aquellos docentes en los altos de una casa por Belgrano, con una librería abajo atendida por Jacobo Klinger. Conmovido a su edad, Esteban recuerda su deslumbramiento al escuchar a esa gente reunida aquella noche. "¿Quiénes eran esos seres?, me pregunté mientras los oía. Al rato, cuando hicieron un alto para la cerveza y sandwichs de pan francés, Katia Hans en voz baja y no sin picardía, me resumía sus historias personales. Pero mi desconcierto era fingido, sentía que todo eso lo había atisbado, sin entenderlo nunca, de ciertos seminarios del abuelo pastor. Entre botellas, bocaditos, papeles garabateados con esquema y el denso humo de los cigarrillos, esos hombres y mujeres hablaban de algo abstracto, etéreo, que nunca me había preocupado en demasía: el país. Como si esos dos vocablos fuesen la contraseña sagrada para traspasar la puerta de esa casa en Belgrano".

En líneas posteriores, Esteban repasaba los asistentes de aquella noche. Héctor Queirolo, titular de la materia, filósofo, ex socialista ganado tibiamente en los 20 por el proyecto mussoliniano, experto embalsamador de pájaros ya casi en extinción, aves que llevaba a Córdoba con Egon para un museo privado. Matilde Lombrozo, Licenciada en Filosofía, escultora, experta en plástica, hija de padres hacendados y con una buena renta mensual como modista. Katia Hans, vienesa, poeta, ensayista, editora de la revista de la cátedra universitaria, quien solía asistir a esas reuniones acompañada por su nieta Olga, niña que prefería quedarse abajo en la librería. David Schulem, dedicado los fines de semana a educar perros finlandeses cobradores de presa, half derecho, supuestamente licenciado en Museología, militante del anarquismo, periodista de *Noticias Gráficas*, técnico de audio en Radio del Pueblo, y convertido al peronismo en febrero de 1946. El padre Edelmiro Sayago, amante de Kant y Nietzsche, experto en papiros del Canon, con un libro de estética teológica, cinéfilo irredento, golpista del 55 en los comandos de la Libertadora, historietista sobre pasajes de la crónica nacional en revistas pedagógicas.

Jacobo Klinger, bandoneonista y letrista en varios quintetos con el nombre artístico de Roberto Guzmán, librero de ediciones agotadas, y por algunos años, 59, 60, dueño de un cabaret donde refugió a sindicalistas perseguidos y algunos uturuncos. En cuanto a Ernestina de Queirolo, ella era licenciada en Letras, esposa del titular de la cátedra, especialista en artesanía indígena y medioeval europea, y también íntima amiga de Salka de Stromberg, con quien en 1943 abre una casa de antigüedades en Arenales y Rodríguez Peña, clausurada en 1954 por agio y especulación, aunque algunos vecinos dijeron que la medida tuvo lugar al descubrirse que en el local se hacían citas clandestinas antiperonistas, desfiguradas como reuniones académicas o religiosas.

Por último, esa noche también estaba presente Ramiro Fernández, filósofo con posgrado en Italia en 1933, guionista de

Nicolás Casullo

radioteatro con bastante éxito, y conservador popular en sus ideas. También Erna Stromberg, arquitecta recibida en Berlín, hermana de Egon, ex cuerpo de choque de los luxemburguistas, estudiosa de ciudades y plazas latinoamericanas y europeas, amante de la ópera y la danza. Sentado casi en la cabecera, un hombre anciano, Humms Sewer, licenciado en Teología pero también con un doctorado en estética, socio importador con Ramiro Fernández de medias de nylon y lapiceras fuentes desde el Uruguay, experto en griego, hebreo y la Cábala, gourmet amigo de doña Petrona de Gandulfo, y ganándose la vida sobre todo como imprentero en el Colón.

"En 1963, cuando asistí por única vez a una reunión de esa cátedra, presentí como dos bandos. Uno de ellos mayoritario, detrás de Katia Hans, y otro sector, que si bien no tenía un líder en ese encuentro, no dejaba pasar oportunidad para demostrar las tensiones existentes. Después me dije que eso no era así, sino que debía ser otra cosa".

"De toda esa gente, en aquel tiempo quien más me interesó fue Egon Stromberg, curiosamente el primero en hablarme de ese grupo, pero que no participaba de aquellas reuniones. Como suele suceder con los apasionamientos verdaderos, me vinculé con Egon oblicuamente, a través de Katia Hans, la otra gran personalidad fuerte de aquel racimo de personajes. La vienesa, ella me pidió que no revelase su nacionalidad, fungía como inicial inspiradora de la cátedra, el alma que la había esbozado a partir de muchos diálogos previos, y tal vez de otros modos más íntimos del afecto, tenidos con el librero Jacobo Klinger al poco tiempo de arribar a Buenos Aires. Katia Hans fue para casi todos ellos, la barda elegante, alta, huesuda, la esotérica musa de 43 años provocadora de un sinnúmero de versos ajenos. De madre española y padre en la alta burocracia de los Habsburgos, en realidad Katia Hans con su viaje a la Argentina escapó del nazismo que incrustaba las garras en su patria".

Entonces Esteban comenzaba a hincarle el diente a Egon, indudablemente conmocionado por la personalidad del alemán: "Egon, antiguo primer violín de la filarmónica de Munich, había

378

retenido virtualmente prisionera a Katia Hans durante dos años, aprovechándose de su uniforme de la SS, de su poder político y su traslado a Viena: la amenazó con revelar el paradero del esposo de ella, un judío refugiado en un sótano en las afueras de la ciudad del vals, quien finalmente muere en una atroz redada de la Gestapo". Según contaba Esteban, después de la llegada de Katia a Buenos Aires, Egon y su esposa Salka, la hija de Katia, y la hermana de Egon, Erna Stromberg, desembarcaron también en la ciudad del Plata. De manera inexplicable para su primo, Katia Hans, la ex prisionera de Egon, los recibe, alquila una casa en Almagro, y rehace la sórdida familia de Viena. Apenas si Erna Stromberg prefiere vivir sola en un departamento por Congreso.

"Así como pude aproximarme a la intimidad de Egon desde el pretexto de mi relación con Katia", prosigue Esteban, "me di cuenta de que también Egon disimulaba su enorme incidencia sobre aquella cátedra de la facultad, por detrás de la figura de la poeta, a quien nunca le pasó desapercibido ese detalle". En esta parte, Esteban comenzaba a desarrollar un extraño drama de interpretaciones sobre lo que iba viviendo: "Varias veces discutí con Ariel en los años 60 sobre el origen y el sentido de aquel pacto académico. Ariel hacía tiempo que conocía a Katia, a través de su madre, y suponía, por datos constatables, que ese proyecto que ya llevaba veinte años de reuniones, era posesión casi exclusiva, aunque disimulada, de la vienesa. Desde un principio dudé de la seguridad de los argumentos de Ariel. El encuentro con Egon fue tan devastador para mi espíritu, como promisorio y confusamente vivido. Conversando un día precisamente con Egon sobre la cátedra, no sin astucia el alemán no habló de ella, sino que deslizó el tema de las tribulaciones de su propia vida, como desafiándome a que entendiese su respuesta sin ningún tipo de síntesis vulgar. Egon me dijo que lo obnubilaba, pero no cristianamente sino como consternado arqueólogo, el haberse dejado impregnar tan auténticamente por las ideas extremas y racistas del mundo germano de los años 30. Su pasaje de músico y acólito del iluminismo alemán y de la Cábala, creyente en la divinidad del lenguaje, a ese otro territorio ciego del nazismo donde la muerte adquiría una obscena belleza, era la biografía que le quedaba por estudiar. Egon pensaba que la noche está siempre dentro nuestro, iluminándonos a dentelladas el alma. Pero Egon supo de mi emoción cristiana al escuchar sus aflicciones, la percibió de antemano como si mi corazón fuese una caja tonta y transparente. Fue como si los dos nos dejásemos llevar por el viaje inverso del otro, sin decirlo. Él necesitaba regresar al protestantismo de su infancia en Hamburgo. En cuanto a mí, la vida de Egon, nacida en el amor a Kant, a Goethe, mutada luego en camisa parda, me envolvió pero no en términos ideológicos, políticos, cuestiones prescindentes en mi existencia, sino en tanto inusitada y al mismo tiempo simple biografía de un hombre sin dios, o visitado por el dios final. Con absoluta certeza vislumbré que Egon, y sólo Egon, era el corazón de ese grupo refulgente."

Esteban relataba que después fue atando cabos de ese laberinto repartido entre una casa en Francisco Acuña, un inhóspito edificio en Belgrano, y el Instituto de Filosofía de la Universidad. La idea de la cátedra en Egon, parecía partir de un mismo dilema, el explicitado en la confesión del músico germano, y que Katia en todo caso traducía de otra forma. Katia Hans le contó a Esteban de la emoción de Egon cuando al llegar a la Argentina escuchó un tango en el bandoneón de Jacobo Klinger: cómo lo abrazó después de oírle aquellos versos musicados de "arriba doña Rosa", y algunos otros. Sin embargo, para Jacobo Klinger, Egon no pertenecía a la cátedra, ni nunca podría integrarla. Y era cierto, decía Esteban: "Las vidas estaban separadas no sólo con respecto a la cátedra, sino también en otros pormenores. Katia nunca bajaba de sus habitaciones en la casa de Francisco Acuña: siempre estuvo ahí, en el piso de arriba, en su mundo, por lo menos cuando alguien la visitaba. Y abajo, la familia de Egon Stromberg: el teutón, Salka y sus dos hijas. Como si una barrera invisible, inconfesable, deshiciese la figura de la casa para armar otra, distante, que nadie mencionaba, ni siquiera Katia Hans".

Una vez Egon le habló melancólicamente de su destino en esas tierras sureñas, más precisamente en Almagro. En las mitologías desmembradas de la gente de ese barrio, Egon reencontraba un anfibológico laberinto, donde era siempre ese resto callado, postergado en cada explicación que se daba, el auténtico secreto para engarzar el pasado y el futuro, los viajes, migraciones y regresos. La verdad consistía en esa premeditada falla oceánica en cada uno, y eso reabría perpetuamente el tiempo, la esperanza de la historia muda, pero demasiado lejos de cualquier mensaje evangélico de prudencia. "Fui advirtiendo, extasiado pero vacilante a la vez, que Egon no compartía conmigo la atormentadora cuestión de lo oscuro, sino que él mismo era la oscuridad, pero mucho más que eso: era su mirada primordial la alumbradora, que ni siquiera necesitaba excusas o fundamentos".

Esteban recordaba varias conversaciones con Egon al terminar el culto metodista, en la casona del abuelo, y otra en el patio del alemán. Una tarde le preguntó a Egon por el galpón del fondo, donde decía estar experimentando transmisiones de televisión en circuito cerrado. El germano no quiso hablarle de ese lugar ni de sus trabajos técnicos. Reflexionó en cambio sobre una tercera alma: ni la del poeta de los bosques que se destruye para obtener la videncia, ni la del santo o místico virtuoso que imbécilmente parte de un aparente privilegio para alcanzar la gracia. El poeta cuando llega ya está muerto, no sirve para nada. El virtuoso cree servir en su mutismo para todo, que vendría a ser lo mismo. "Para Katia Hans, en cambio", comparaba abruptamente Esteban, "la cátedra contenía un proyecto utópico, un anagrama escondido desde la primera vez que fue pensada: un Plan ornado con las sutilezas de los amuletos femeninos, dicho de otra forma, escondiendo siempre sus objetivos finales."

Decía Esteban: "Mi experiencia con Egon se tornó distinta desde su encuentro con mi primo Humberto. Desde ese día advertí que Egon me utilizaba para reencontrarse con mi primo, como yo, a través de Katia, buscaba hablar con Egon, el guía callado de esa tribu pensante. La atracción que causó Humberto sobre Egon, no llegó nunca a hacerse conciencia en mi primo. Percibí que Egon había descubierto en Humberto lo esencialmente despreciado: un joven silvestremente absorto en su virtud, y por eso mismo necesitado de la infinita culpa de la tentación. Incapaz de un dolor genuinamente estragante que lo llevase a los verdaderos meandros del alma, y no que se convirtiese, como decía Egon, en bálsamo envilecido de sus propias flaquezas para racionalizar el mundo".

"Reconozco la poca prudencia de mi parte", admitía Esteban: "la irrupción de mis amigos en la casa de Katia y Egon terminó con un tiempo donde sólo yo, a veces también Ariel, nos sentíamos imantados por algo hasta ese momento indescifrable, pero que en poco tiempo más se revelaría con la espantosa cara de lo impronunciable. La llegada de Humberto a la casa, de Matías, Sebastián, Juan Antonio, Horacio, Jorge y Guillermo, promovida en realidad por Egon y su esposa Salka, pero donde yo aparecí como el falso mediador frente a los ojos acusadores de Ariel, fueron acelerando los acontecimientos por la propia brutalidad de la invasión".

En las siguientes páginas, Esteban se dedicaba a describir esa nueva época, con la presencia de la barra. "Por ejemplo, Matías entrevió en Salka una hipótesis que lo corroía desde la primera adolescencia. Ella era, para sus ojos, la hembra estética total: una obra de arte fusionante del conjunto de lo bello herido por la erótica, cosa que había mal leído, a los 15 años, de la experiencia de vanguardia berlinesa de entreguerras. Matías raspó la pintura de la claraboya de la terraza, desde donde pudo ver el dormitorio de Salka, sus escenas amorosas con Egon, y con otros. Estudió y escribió los gestos y las poses de Salka, sus labios, ojos, cejas, lengua, sonrisas, muecas de miedo, de goce, de asombro, zonas íntimas que la descontrolaban, infinitecimales pasajes que la llevaban al éxtasis, distintos tipos de gestos que anunciaban la cuenta regresiva final, movimientos de brazos, cabeza, piernas y caderas y los distintos órdenes de posiciones corporales que trazaba sobre las sábanas. Pero fue una tarde, con la ayuda de Sebastián, este último excitado por la musculatura de un sodero amante de Salka, que entre los dos armaron un aparato: una prolongación de caños unidos con tela adhesiva, para poder escuchar, no sólo percibir, los actos eróticos de Salka. Matías me detalló despúes que Salka no gemía ni se quejaba. Desde un principio de su entrega física hasta el orgasmo que la adormecía lánguidamente, contaba algo. Matías decía algo, no porque la haya escuchado, ya que el idioma le resultó desconocido, sino por las cadencias, reiteraciones y armoniosos énfasis de lo que pronunciaba, a medida que crecía la refriega en la cama y entraba en paroxismo. Algo realmente insoportable para el sodero, supuso, pero que en definitiva debía ser una historia".

A continuación Esteban, como contrapartida, relataba otro tipo de melancolía a partir de muchos encuentros secretos con Katia Hans en el dormitorio de ella, "donde la vienesa, inesperadamente, me hizo testigo de su impudicia de diva maravillosa en decadencia, pero frondosa en los recuerdos de sus amores físicos. Cuando escuché esos relatos sentí que Katia me contaba lo oculto en las infinitas conversaciones que sostuve con Egon. Katia me fue relatando, desde un onanismo lujurioso, su vida y la idea de la cátedra. Si respeté el pacto de no comentar nunca la existencia de ese grupo, y mucho menos de sus propósitos, mi juramento no tuvo que ver con el hermetismo sórdido de Egon, sino más bien con ella, que jamás me pidió tal silencio. Entendí que sus viejas historias, de arrebatados idilios clandestinos, terminaban confluyendo sobre mi silenciosa presencia de escucha como una incorpórea posesión final de la vida de la vienesa. Un dios último nos tocaba, como si los recuerdos de Katia me hubiesen elegido sin que ellos mismos supiesen que alguna vez encallarían para siempre en mis oídos, en un primer piso de la calle Francisco Acuña, con todos los antiguos cuerpos desnudos de Katia nunca vistos. A través de aquellos cuerpos, que su boca de anciana reconstruía, me sentí inexplicablemente partícipe de aquella cátedra, pero desde un sitio incomparable: el de las Katias subrepticias en escenas ya muy lejanas, abnegadas de caricias. Katia me contaba, así lo sentí, el mutismo de Egon, quien jamás fue mencionado en ninguna de las largas pláticas".

En las hojas postreras de ese primer capítulo sobre La Cátedra, Esteban cambiaba de tono, de ojos, hasta quizás de osamenta, para anticipar en un tétrico fragmento, lo que un lector, y no precisamente sombrío, sólo podía inferir como la antesala del horror. "Con Ariel fuimos advirtiendo, reconozco que él lo intuyó desde el primer día, que todo aquel cuadro de la familia de Egon, con su esposa, sus dos hijas, y Katia arriba, en sus aposentos, se sostenía a la manera de una fábula amenazante. Parecía rozar algo que se nos escapaba siempre. Una historia espeluznante, la de ellos, había sido interiorizada por nosotros, que en realidad la ignorábamos: como si hubiese muerto, desaparecido, y fuese ahora literatura de paredes, rincones, gestos y voces inextinguibles. Pero presintiendo, también, que sobrevivía, y eso era lo malsano y atrayente, en cada silencio entre las palabras, en las propias palabras, en las ranuras de las palabras donde los ojos de ellos simulaban mirar, pero para ver escenas mudas, invisibles, monstruosamente acontecidas, o peor quizás, por acontecer. Un hálito secreto, fuera de cualquier dogmática, estaba aconteciendo. En ese tiempo retorné exasperado a los Seminarios del abuelo, a su biblioteca, y hallé, de manera extravagante, en un horrible jarrón velador de porcelana, sin uso desde hacía años en el escritorio del abuelo, marcas insospechadas de su vida. El jarrón en realidad se cayó del estante más alto de la biblioteca, y al romperse, me encontré con cartas de Humms Sewer, amigo del abuelo, sobres con una cinta roja ocultando una correspondencia amorosa entre el viejo pastor y Rosalía, mujer a quien conocí ya loca años después, también un revólver cargado, insignias militares alemanas, las recomendaciones médicas de una partera, y dos pasajes en barco, nunca usados, al Paraguay".

"Cuando le comenté a Egon lo encontrado en el jarrón, sobre todo las apasionadas esquelas de Rosalía al abuelo, fue la única vez que lo sentí vacilar, esconder su rostro, desaparecer de la habitación. Jacobo Klinger estaba presente y me miró con una severidad que sentí me disolvía en la silla. 'No lo siga, no lo busque', me dijo Jacobo, cuando me levantaba para ir a disculparme, por algo que sin entender había sido una imprudencia mía. Tampoco comprendí si la orden de Jacobo tenía relación con ese diálogo, o con toda mi amistad con Egon. A los pocos días me respondí ese interrogante".

La última media página del capítulo atenazaba palabras que Esteban jamás debió permitirse alucinar: "Una noche, todos los amigos estábamos en la casa de Egon, sólo en compañía de sus dos hijas. Ni siquiera Katia reposaba en su pieza de arriba. Esa noche toqué con los ojos, con mi cerebro perforado, con mi escaso aliento y mi pobre alma desquiciada, lo que Egon pérfidamente me había tratado de decir entre tantas cosas que me dijo. Mientras los otros se entretenían en la casa, y mi primo noviaba con Eugenia en el comedor, o en otra habitación no tan santa, me aproximé con Ariel al fondo de esa casa, pasando el patio de la parra. Fuimos al galpón de Egon. Al entrar no vimos nada. Mejor dicho no era un galpón. Fue un lugar inmenso, bañado por una semiluz violeta. Un lugar imposible de medir, porque de hacerlo hubiese llegado hasta la otra cuadra. Un lugar vacío que en realidad no era. Vimos a Egon, sentado, inmóvil, sin ver, o dándose cuenta de todo. Y vimos borrosamente a Eugenia, su hija, la muchacha que arriba en ese mismo momento se estaba besando con Humberto. Entonces supe que Eugenia no estaba arriba, como suponía Humberto. No estaba en ninguna parte. Ella era de Egon, pero de una historia que no me había contado. Ella estaba ahí: parada, poseída por un silencio inmemorial, con los ojos en blanco".

15

En el segundo capítulo de "La Cátedra", Esteban, más próximo a esa altura a un escritor con sus astucias que a un teólogo a dos materias de graduarse, demostraba sentirse como un autor que preparó con eficiencia su terreno, para explicar no sólo el porqué de esa banda de académicos en el Instituto de la facultad, sino para una develación, anunciaba, que mortificó su espíritu de una manera definitiva, "sabiendo que en ese juego había quemado las naves del regreso".

Esteban recordaba: "La última vez que conversé con Katia Hans, si se puede denominar a dicho encuentro una conversación,

Nicolás Casullo

había sido cuatro años atrás, a mediados de diciembre de 1963: para ese entonces hacía tres meses que no la visitaba. Le comuniqué que en un mes y medio más me iba del barrio, me mudaba de la casa del abuelo. La invité entonces a pasar las Navidades en ese hogar del cual me despedía. Ella casi no habló en esa charla. Presentí que reconocía en mi mirada, en mi desazón, la amorfia indecible de la que fui testigo la última vez que estuve en Francisco Acuña, un día de septiembre. Pero sobre lo visto aquel día, lo callé todo. En ese entonces todavía trataba de convencerme de que había sido consecuencia de una borrachera. Ariel tampoco me mencionó nunca aquella visión teratológica".

"Ese día Katia me informó que las navidades las pasaría con Salka y Olga en la casa de Erna Stromberg, la hermana de Egon, porque no deseaba compartirlas precisamente con Egon. Noté que de él, y de Eugenia, no comentaba nada. Sólo me avisó, con preocupación, que Humberto y Eugenia se seguían viendo a pesar de haber roto el noviazgo. Percibí en la mirada de Katia que me imploraba hablase con mi primo y le pidiese no volver nunca a tocar el timbre y preguntar estúpidamente por Eugenia. O era ella, su nieta, otras veces, quien lo llamaba por teléfono. Pero cuando Katia ese día pronunciaba el nombre de Eugenia, era como si no dijese nada, una palabra hueca, sin fondo, fugada hacia lo anómalo. O como si estuviese diciendo realmente Egon. Comprendí que Katia descifraba en mi silencio con respecto a Eugenia, lo que había visto aquella noche en el galpón del fondo de su casa. Como si la vieja y elegante Katia me hablase de la tonta cotidianeidad de Eugenia, de su noviazgo trunco, para hacerme entender todo lo contrario con respecto a esa muchacha: algo abominable. Sentí que me pedía que no fuésemos más a visitar a Egon, ninguno: ni Sebastián, ni Ariel, ni Matías, tampoco Humberto y yo. Hablábamos sin hablar de eso, pero sabiendo de lo que en realidad hablábamos. Esa tarde de diciembre de 1963, era Nochebuena, supe que nada en última instancia se elige y algo ya estaba trazado".

Esteban avanzaba en el tiempo: "En 1968, cinco años después del drama que avasalló la casa de Egon, la historia volvió a conectarse conmigo a través de la turbia carta de alguien que se hacía pasar por mi primo Humberto, con quien me había distanciado para siempre aquel día de diciembre de 1963. Yo era el que estaba más inhabilitado para hacerle saber a mi primo esa historia. A partir de la muerte de Eugenia, y la postración mental de Salka, me había apartado para siempre de esa familia. La carta falsa del pseudo Humberto trataba sin embargo de volver a chuparme hacia aquellos lares. Pero una tarde de enero de 1969, me encontré de casualidad con Katia, y le conté sobre esa carta. Ella me habló de todos nosotros, muy breve, casi forzadamente. Creí entender la causa, aunque no me la explicitó. Dijo que Egon estaba en Alemania, que había vuelto solo a su tierra. Katia se despidió muy rápido, fríamente, como si nunca hubiésemos tenido nada que ver. Pese a todo pude informarme que la cátedra en la facultad de Filosofía había sobrevivido al duelo de la casa de Egon. Ariel también lo supo, a través de su madre, no a través mío, por cuanto hacía años que no volví a verlos, a ninguno, nunca más".

"Pero fue en febrero de 1969, graduado ya de pastor y después de cuatro años de esforzado estudio del idioma alemán, cuando recibí una insólita y escalofriante carta de Egon Stromberg, enviada desde un pequeño pueblito germano, cercano a la universidad de Giessen. El mensaje era corto y amable. Egon, incomprensiblemente, sabía sobre mi próximo viaje a Alemania, y me invitaba de manera hospitalaria a pasar unos días en su solitario hogar, para conversar y apreciar las bellezas de los altos del valle del Lahn. Por cierto la invitación de Egon coincidía con mi beca programada en varios lugares de la vieja Alemania, aquella tierra tan predilecta no sólo por mis estudios pastorales sino también por mi autodidactismo: Lutero, Zwinglio, Munzer, Boehme, Hamann, Herder, Goethe, Schiller".

"Pensé en mi vida, también en Humberto. Nunca podría contarle a mi primo la verdad, jamás la entendería. Jamás alcanzaría a advertir lo que había sucedido con él mismo, conmigo, con Eugenia, aquella noche. Mi primo era el nieto imbécil de un abuelo secreto, desconocido, heredaba del viejo pastor lo menos importante y superficial, y al asumir eso, de muchas formas me había condenado. Me pregunté de qué querría hablar Egon en los bosques de Hessen. Pero supe, orando a dios, que resultaría mejor ir a buscarlo que esperarlo. Fue en esos días cuando empecé a concebir la idea de este libro, aunque nunca pudiese imaginar su edición efectiva. Escribir por lo menos los nombres de Humberto, de Matías, de Sebastián, de Ariel, era una forma de alertarlos, como una botella en el mar. Se me ocurrió, parecía ser tarde para todo, buscar y conversar con Jacobo Klinger. El viejo me citó una tarde a la hora de la siesta en un boliche tanguero para turistas, por San Telmo, donde lo escuché largo rato ensayando su bandoneón. Le conté sólo algunas cosas. Sobre las falsas cartas firmadas por Humberto Baraldi, sobre lo que sabía de Egon y de Katia. Nunca me fantaseé escribiendo un diálogo, a pesar de mi amor por Platón, Giordano Bruno y Erasmo. Voy a tratar de encararlo, sabiendo mis limitaciones:

–¿Y usted, si no es indiscreción Jacobo, cómo conoce a Katia Hans?

–Katia llega a Buenos Aires y para en la casa de una prima, por parte de madre: en la casa de Rosalía Miranda. No se olvide de que Katia habla muy bien el castellano porque su madre es española, de apellido Miranda, casada en Viena. Lo cierto es que con Katia me empecé a ver todos apenas pisó Buenos Aires. Katia había sido amiga de Egon Stromberg, en Europa, y eso, se lo aseguro, ella no podía olvidarlo.

–Ella me contó que Egon era un jerarca nazi, la tenía como virtual prisionera, extorsionada. La veo menos como amiga, y sí como víctima.

–Las cosas nunca son redondas con un agujero en el medio. Katia era una mujer bonita, interesante, bastante snob. Desesperada por ser hermosa y a la vez por ser hombre. Seductora, atolondrada, entusiasta. Katia escapa de Europa cuando se entera que Egon tiene relaciones con su hija Salka, herida en su amor propio. Le digo: escapa cuando se da cuenta quién es Egon, qué calibre de personaje es.

–Un jerarca de la SS, llegado desde Berlín.

–Entre otras cosas, también fue nazi. Pero de la SS lo echan por indisciplinado, por descentrado, porque en realidad tampoco era nazi. Un día el propio Egon me lo confesó: él no servía para burócrata de la muerte, dijo. El burócrata necesita creer en una causa precisa, ejecutar las órdenes en nombre de ideas, sentirse providencial en esa función. Egon no se sentía providencial. Él era el silencio de la vida, ni siquiera una empresario de la muerte. Era lo que no responde por ningún sentido, si ese sentido necesita defenderse, propagandizarse, proclamar que es solución del mundo. A Egon ni se le cruzaban por la cabeza los chivos expiatorios ni los malditos de la historia. Así le fue con los camisas pardas. Jamás se preguntó qué era o dejaba de ser un judío. Para Egon un judío era como el signo propicio de su idea del mundo: nada, vacío, hasta que entraba en cercanía, como él argumentaba.

–¿En cercanía de quién?

Aquí Jacobo Klinger se calló, para guardar prolijamente el bandoneón en el estuche después de acariciarlo lentamente con una franela.

–Supongo que en cercanía de él mismo. De su deseo, de sus intenciones. De su fatalidad. Un día me comentó: el juez de un hombre es un patético vampiro, piensa solamente en su propio vuelo nocturno, en la vida que le dará la sangre del condenado. Pero la sangre del condenado no vale nada en las venas de un juez. Vale sólo cuando resuena con toda su intensidad en el único lugar donde no se acepta la condena: en las tripas del condenado. Bueno, en realidad no dijo tripas, Egon no era de utilizar ese vocabulario.

–Egon se siente un condenado.

–Volvía siempre a lo mismo. El juez es un exterminador, un hombre de dioses muertos, lejanos, que necesita un lugar en la tierra. La presa de Egon, en cambio, era la absoluta inmediatez con los dioses, la plena mezcla.

–El Mal.

–Bueno, sí y no. No sea tan, tan periodista le diría. Fíjese que Egon rechazaba esa palabra. Le parecía tan grandilocuente como vana. Para Egon, precisamente Hitler pensó en el mal, terminó juzgando a la humanidad. Necesitó una causa. Maldita para nosotros, pero para Egon otra huevada más del toma y daca de la cultura de herencia alemana en la que se había criado Eso les decía el muy provocador a los camisas pardas. Así le fue.

–Me suena absurdo. Si con Hitler uno no concientiza el horror, la vastedad del fin de lo humano ¿Cómo podemos saber del mal, experimentarlo, tener conciencia de él? Para condenarlo o para pensar en nosotros mismos.

–Para Egon, todo eso que usted piensa era como Almagro. Una calle con adoquines y árboles: inopinable. Las respuestas que no interesaban. Imagínese, estábamos en 1941, en 1942. La cátedra se arma, primero con Egon y conmigo, cuando adivinamos que ya la historia había terminado de llegar. Era como una historia que hasta entonces se escondía en otras caras y cosas. La svástica era terrible pero apenas el comienzo. Filosofamos sobre eso, era lo que sabíamos hacer. La historia era un mundo de fantasmas allá y acá, pero sentimos que ya no había regreso histórico. El comunismo era una maquinaria, pero triunfante. Encima Hitler ganaba en todos los frentes. Y en el país todo estaba como siempre por pensarse de nuevo desde la a hasta la z. No había regreso a la inocencia, Baraldi, por más que la guerra terminara con lindo maquillaje: con el cadáver de Hitler, póngale. Masas automatizadas, técnicas aniquiladoras, estética de las bombas, muchedumbres clamando por la muerte, la racionalidad absoluta del sinsentido y como hábito: como los adoquines de las calles de Almagro ¿Quién toma conciencia de lo que está porque tiene que estar? ¿Quién distinguía esos adoquines de dios, de una filosofía centrada en valores? Egon, en mameluco, en su galpón, era ese sueño, era su propio sueño. Él mismo me lo dijo una tarde: para usted, Jacobo, yo soy lo más común y cotidiano, ni siquiera vale que me piense.

–¿La cátedra nació contra Egon?

–No, de ninguna manera. Le diría que la cátedra nació de lo que muchas veces adivinábamos en el silencio de Egon, que hablaba muy poco, asentía con la cabeza, o cerraba las reuniones con muy pocas palabras ¿Qué le puedo decir de la cátedra? Para mí, para otros, debía ser lo necesario y lo imposible de pensar: nuestra historia, nuestra vida. Después de todo Egon estaba aquí, iba al mercadito, se interesó por el siglo XIX argentino, leía todo, no se le escapaba nada. No era un extranjero de paso. Aunque la cátedra tuvo muchas causas, y hasta posiciones encontradas.

–No lo entiendo, Jacobo. Usted no me cuenta nada, parece que me estuviera contando.

–En todo caso para algo le va a servir esta entrevista entonces. Egon medulaba la cátedra, aunque nunca haya asistido a muchas reuniones. Pero tuvo sus adeptos. No podía ser de otra forma. La cátedra se puso en actitud de resistencia. Para algunos, el arte era la ciclópea galería de obras que permitían desfondar el falso lugar de la virtud y de la belleza, muertas en el mundo. Para otros, era la forma de resistir todo saber que no tuviese en cuenta aquel anagrama negro, y enemigo: el no darse cuenta de las muertes del alma, individual y nacional. Para alguno, era la posibilidad de confrontar contra la luz mortal de la filosofía devenida imbécil apoyatura epistemológica, analítica, mientras los millones de Hitlers se respondían mal las preguntas primordiales, y se armaban de delirios en sus casas. Otros pensaban que era una cita para las almas errantes, para los que aceptaban el malentendido en la historia, los enredadores que sueñan con un orden al que nunca llegan, los granujas que aceptan la distancia entre la intención y lo que dicen. ¿Me entiende? Para los desesperados moralmente, porque nunca asumieron la fácil cretinada de escapar a lo turbio de la vida. O para los que creían que no hay saber sin tormento, y por lo tanto nunca dejaron de indisponerse con los valores, con los conocimientos que fingían sortear la calamidad ¿Se le va pareciendo a un tango, verdad Baraldi? Y bueno, alguna mano metí en el Plan. La cátedra juntó historia, filosofía y estética, y terminó teológica. No podía ser de otra forma. Soñando con explicarse, exterminar o redimir aquello que representaba Egon. Pero soñando con Egon. El Plan lo discutimos, y pasamos en limpio en siete sesiones interminables. Una huevada. Egon solía leer los borradores en su galpón, solitario siempre, callado. Pero ojo, que la historia de Egon no era alegoría ni metáfora. Era tan concreta y palpable como esta caja del fuelle.

—Un sueño más por cambiar la historia.

Jacobo Klinger me miró con mansedumbre o lástima. Escarbó en su bolsillo el paquete, y encendió su tabaco con una desmedida parsimonia, hasta la primera suelta de humo.

—Mire Baraldi: la historia es una vaca imbécil, que cada tanto se encabrita. Hace falta de seres ridículos, algunos geniales pero muy excepcionalmente, que tiren de ella, como si por una demencial sensación, se creyesen que están adelante. Que la entienden o la auguran. Me saco el sombrero por esas catervas de ciegos, que al sentirse con un don, terminan sintiendo que siempre queda un último sentido a salvar.

El bandoneonista se levantó para irse. Primero se marcó con los dedos las líneas del pantalón, se cruzó la bufanda sobre el pecho y se puso el saco. Al final agarró el instrumento.

—¿Egon está en Alemania, no es cierto?

—Ahora en Alemania. Cada tanto me llama, preguntándome por la cátedra, o por ustedes, por Humberto.

—¿Por Humberto?

—O por usted, Esteban. Da lo mismo. Durante sus últimos años en Buenos Aires, Egon estuvo rondando la vieja casona de su abuelo Baraldi. No quiso vivir en Francisco Acuña, no quiso vivir ya más con Katia.

—Nuestra casa está deshabitada, por pleitos sucesorios.

—Pero fue un buen lugar para un refugio temporal de Egon. Lo llevó ahí una mucama que tuvieron ustedes, si no me equivoco. Una correntina. Convivió con ella en el segundo piso. Al cuidador le convino, recibía un buen sobresueldo. Egon debió encontrar algo especial en esa correntina ¿Cómo se llamaba?

—Fidelina. Sí, supongo que encontró algo en ella.

—Katia lo iba a visitar a menudo, con Olga, la hija de Egon.

—¿Por qué ella iba a visitarlo a mi casa? No lo entiendo.

—La vieja historia, no me pida que se la repita o lo voy a creer un otario, viejo. Varios de ustedes estarían como señalados:

eso piensa Katia. Yo no tanto, creo que la vienesa exagera, como siempre. Ella cree que tenemos que estar como alertas.

–¿Y usted, Jacobo, qué piensa que pasa?

–Estoy bastante abierto del grupo del Instituto en la facultad, a pesar de que tengo ahí mi escritorio medio escondido, sin ventilador. Le dije a Katia que esa no era la misión originaria de la cátedra pensada con Egon y otros locos anarquistas ¿Qué quiere que le diga? Elaboramos un plan que mejor ni acordarse, era otra época, el mundo estaba al borde, como una última mano de póker en ese entonces, y pedimos cuatro cartas cerrando los ojos. Bueno, la Argentina daba para eso, era una inmensa caja vacía de historias fabuladas. Era fantástico, el país había sido un panel de soñadores de historia que nunca creyeron estar aposentados en una historia concreta, acabada, reivindicable. Como el tango, yo soy letrista, siempre es más hermosa, más cierta la historia de amor que se cuenta que lo realmente sucedido. Eran todas costureritas analfabetas, yiros de cabarets envenenadas, pelotudos con perfume, y fíjese usted que oyendo las desventuras en la canción, son seres míticos, inigualables, modelos eternos. La historia argentina también es entrañable en los libros y un fiasco en los diarios. Nosotros alzamos el proyecto de la cátedra, pero nos tuvimos que ganar la vida en otras cosas: había una modista, un gourmet, un imprentero, un periodista, un dibujante, una arquitecta, un librero, un entrenador de perros, un guionista de radioteatro, un embalsamador, un operador de radio. Casi todos licenciados ¿Qué quiere con este país?

–De todo corazón, Jacobo, ¿usted qué piensa de Katia Hans?

–Fue un hermoso disparate, vestida siempre como los dioses. Ella, a su manera, fue una frontera entre Egon y nosotros."

En esa respuesta, Esteban interrumpía el diálogo con el bandoneonista, quizás porque a esa altura habían llegado a la puerta del boliche de tango y sólo quedó la despedida. Luego su primo proseguía con su viaje a Europa como becario: "Durante la travesía en barco, hicimos escala en Vigo, en Le Havre y por último en Hamburgo. Desde el puerto, al atardecer, tomé un tren a Stuttgart. Horas después, mientras desentrañaba las siluetas negras desde la ventanilla del vagón, volví a pensar en Humberto. Contemplaba las sombras de la noche, me daba cuenta de que en esos nombres de las estaciones, tierras natales, palabras en los andenes, penetraba al mítico corazón de Europa tantas veces hablado con Humberto en la casona, con su padre y los discos del barroco y el romanticismo, con el propio Egon, y siempre desde aquel barrio manso de Almagro. Sentí que iba camino a lo que en realidad era Esteban Baraldi tan contradictoriamente, pero también sentí que esos lugares nocturnos, esa gente dormida en sus casas detrás del vidrio del tren, nunca lo llegaría a saber. Creí entender la malignidad de los recuerdos, percibí a los pequeños dioses con sus rostros cubiertos, cercanos, muy cercanos esa noche en tren, a los ángeles mensajeros que habían volado muy alto o muy bajo sobre una ciudad sureña. Me pregunté quién los había enviado, me pregunté si habían sido los altivos del Señor, o los proscriptos por su vara, o el final".

"Permanecí un año en un convento preparando mi tesis sobre ciertas ideas luteranas en pensadores enmascarados de la contrarreforma. Pero al mes de estar ahí, un fin de semana fui a visitar a Egon Stromberg. Lo vi muy avejentado, enfermo, sabiendo de su muerte próxima. Me habló de la cátedra allá en Buenos Aires, del sortilegio que lo depositó más de veinte años en Almagro. No quise preguntarle nada ni prolongar demasiado los temas. Según él, a pesar de Katia Hans, la cátedra había cumplido su misión. Me contó que Matías Gastrelli, meses atrás, había llegado desde París a visitarlo. Egon le restó importancia a esa extravagante carta que le mostró Matías, donde alguien quiso pasarse por Humberto. Me preguntó varias veces sobre mi primo, y supe que en realidad estaba preguntando por mí. En un momento me habló de su hija Olga, dijo que estaba muy lejos, que ya no le escribía. Al recordarla, lo vi llorar en silencio, y como en otras ocasiones presentí que se agitaban las alas de lo funesto: conjeturé que Egon estaba pensando en Eugenia Stromberg. Me hablaba de Olga para que yo supiese que me hablaba de Eugenia, sin decirme dónde había vuelto a estar ella. En el epílogo de aquella tarde, Egon se sentó junto a la ventana: débil, fatigado, casi mudo. Me lo imaginé en ese momento en algún lugar de Buenos Aires, o en alguna otra parte, antes o después de ese día, o ahora, me dije: taconeando con su uniforme y el brazalete con la svástica por alguna calle de Viena. Intuí absurdamente que esas historias eran únicamente imágenes que jamás habían pasado a ser certezas. No logré decirme esa tarde dónde estaría Eugenia, en qué desvarío de sus visiones, en qué rincón de esa casa en las montañas. Como si Egon adivinase lo que pensaba, en un momento me dijo con absoluta serenidad: con estas manos maté, usted lo habrá pensado muchas veces, Esteban. Y pude seguir viviendo, pude sentir que el hecho de tener que ocultarlo, extrañamente me fortalecía ¿Su dios le permitiría eso? No le contesté muy pronto, preferí mirar por la misma ventana. Dios nunca oró por nosotros, dije. Nosotros oramos por un dios que ampare. Al irme me regaló una guitarra criolla, comprada en Buenos Aires. Piense que no soy yo el que se la está dando, me aclaró, sino otro Egon, con otra historia".

"Un mes después regresé a los altos del valle del Lahn, para el entierro de Egon en un pequeño cementerio del lugar. Era fines de abril de 1969. Me llamó la atención una corona de Salka, de Katia y de Jacobo. Como si alguien se hubiese encargado puntualmente de esa mediación floral. Conmigo había cuatro personas más, junto a los sepultureros. Viejos que duraron más tiempo que yo frente a la tumba. Al alejarme no pude dejar de pensar en esos viejos, y en los muchos entierros de Egon Stromberg".

"Para fines de mayo de 1969 me encontré en Salzburgo con Matías, recientemente casado con una adinerada sexóloga francesa. Finalmente cenamos en el restaurante del castillo de Honhensalzburg. Matías me habló de su profundo resentimiento con Humberto, de una carta enviada por mi primo, recibida en París, en la cual se regodeaba con recuerdos incatalogables de una noche en la casa de Egon, cinco años atrás. No compartió mi idea sobre la falsedad del mensaje.

—Hablé mucho con Egon cuando fui a verlo a Alemania —enfatizó Matías —y no aceptó para nada tus recelos sobre aquel tiempo en su casa. En todo caso, Katia Hans fue el personaje siniestro de esta historia, y de lo que después fui sabiendo: su tutelaje de una cátedra que mejor sería exorcizarla.

Jamás podría revelarle a Matías algunos pormenores claves de esa historia y de esa cátedra: el silencio no salvaguardaba, pero al menos permitía evitar la degradación de las razones y de los credos en cada uno.

–Humberto no supo lo que ocurrió aquella noche –insistió Matías –pero ahora lo presiente, y me escribe de manera retorcida. Ya te conté por carta mi charla con Ariel en Argelia, hace unos meses: él piensa también lo inconcebible, así me dijo. Y eso, mi querido Esteban, tiene un nombre y una única línea sucesoria: primero Katia Hans, luego su hija Salka, por fin sus nietas Eugenia y Olga. Este itinerario subrepticio, y no las paradojas de Egon, es lo que hay que desbrozar.

–Humberto no escribió esas cartas. Humberto, para sí mismo, es siempre el centro de la escena, aunque sea para mostrar sus lacras. Por eso nunca le hizo falta hablar ni mencionar que es el centro de la escena.

–Humberto lo presintió, y mis averiguaciones lo confirmaron. Por eso manda cartas a troche y moche como un bebilaqua. Él estuvo con Eugenia. Egon Stromberg fue una víctima del legado de Katia Hans, que sólo ella supo transformar en proyecto, en acólitos extorsionados de un Instituto de filosofía. El pobre alemán murió solo y olvidado en tierra extraña, con su familia aniquilada.

–¿Cómo en tierra extraña? ¿De dónde sacaste eso? Murió en su patria, en Alemania

–No estoy seguro, Esteban, que Egon sea alemán.

–Jacobo Klinger me contó una versión muy diferente, Matías.

–¿Y quién es Jacobo Klinger? Un pobre secuaz de Katia, y de esa runfia de académicos.

–¿Qué tenés contra el bandoneonista?

–No sé, no me cayó, es peronacho.

–¿Qué estás diciendo, por dios? ¿A qué viene?

–Si es capaz de creer en ese sátrapa, es capaz de cualquier cosa.

–Humberto lo ignora todo, Matías. Por eso tengo miedo por él. Cuando hablé con Egon, hace dos meses, me dijo que Humberto es una criatura olvidada en su memoria.

–¿Y entonces?

–Conozco a Egon. Una vez me habló mucho sobre su hija Olga. Nunca me habló de Eugenia. Y fue Eugenia su amor, su delirio. Lo que calla termina siendo su blanco. Todo en él es absurdo.

–¿Y la cátedra de Katia Hans no es un delirio?

–En la cátedra están todos con Katia. Estoy seguro, Matías.

–¿Todos? ¿También Héctor Queirolo, y su esposa Ernestina de Queirolo?

–Según Jacobo Klinger, ellos dos son los únicos que siempre le respondieron a Egon Stromberg.

–Los únicos que deben valer la pena.

–Los más siniestros, te diría."

"Las hipótesis de Matías me parecieron erróneas, hasta indignas de ser mencionadas a pesar del visto bueno obtenido de parte de un investigador alemán con quien se veía frecuentemente, conocido por sus trabajos sobre lo irracional. Para Matías, la cátedra contenía una clave en las antípodas de lo que yo había deducido: ese grupo, con Katia al frente, había intelectualizado, sistematizado, una historia escatológica, de abotargados orígenes, que modificaba todas mis interpretaciones. Por eso Egon Stromberg, según Matías, nunca había participado en aquellas reuniones de investigadores ni integrado la cátedra".

"Esa noche, cenando en el restaurante del castillo de Salzburgo, hablamos extensamente de Humberto, de todos nosotros, metidos en una crónica con dos versiones: la de Matías, verborrágico como siempre. La mía, que ya había conversado lo suficiente con dios. Recuerdo que ese día, 30 de mayo, era el cumpleaños de mi madre. Desde una cabina internacional, del propio lugar, hablé a Buenos Aires para saludarla. Entre otras cosas, ella me contó de la preocupación de los padres de Humberto, porque desde el día anterior mi primo estaba en la ciudad de Córdoba, donde había estallado una pueblada, una rebelión gigantesca. Mientras esperábamos otros dos cafés se lo comenté a Matías. Pero enseguida volvimos a nuestra conversación".

"A mi regreso a la Argentina, pasado un tiempo, supe de un libro editado en alemán, en 1971, escrito por Alfred Wobler. El investigador intercalaba esta historia, desde la versión de Matías, como un caso interesante de estudio. No pude leerlo todavía, pero el hecho me pareció irresponsable, y en todo caso aceleró la escritura de estas páginas que de otra forma quizá nunca hubiese elaborado. Al mismo tiempo, esa precipitación de Matías confirmaba en parte las hipótesis de estas hojas: el delirio del hombre por oír el designio que late en los acontecimientos majestuosos o menores. Obsesión de lo humano, connatural a su estirpe: sentirse atrabiliariamente en cercanía de lo providencial, presa de la ofuscación develadora. Ser escucha. Pero serlo, no sólo por afán de conocer la verdad, sino para acechar los rumbos. En esa cercanía, las palabras se oraculizan de infinitas maneras, para mostrarnos un rostro opuesto a la común verdad, y sin embargo sagrado, para escapar de lo fatídico de la historia, para envolverla en otras historias sin hacerla desaparecer: sino para dejar a aquella latiendo, entre velos. Los dioses rozagantes de la oscuridad hacen como nadie el camino del mundo. Pienso en mi primo Humberto: tal vez debí contarle la historia, lo que sucedió. Era imposible que la aceptase. Pero como deduciría el abuelo pastor, sólo Él inaugura, troncha itinerarios, devela en su momento, frente a la inexperta mano de la criatura. Pienso en las simulaciones de Egon. Hasta su enfermedad, llegué a creer, era ficticia. Y si me habló de los estertores de la cátedra, yo estaba al tanto de sus llamadas a Buenos Aires para hablar con Jacobo Klinger. Y cuando lloró por su hija Olga, también Egon lo sabía todo de Eugenia. Nadie abandona su diálogo con los dioses de señas imprecisas".

16

Nunca en la vida dije algo que valiese mínimamente la pena, pensó Humberto. Pero igual había hablado, escrito, discutido años y años. Apoyó su frente, y todo el peso de su cuerpo, contra la tapa del libro de su primo. Seguía sentado en el escritorio de Esteban, probablemente el lugar donde su primo habría escrito muchas de esas páginas veinte años atrás.

Cerró los ojos con la nariz aplastada contra el libro. No le quedaba sangre en las venas, tampoco parpadeo en los ojos, ni vestigio de aire en los pulmones. Había olvidado los remanidos rasgos de su propio rostro. Sin levantar la cabeza observó su mano, las formas de sus uñas, las arrugas de la piel en los nudillos. Recordó que le gustaba cruzar plazas en invierno, el té con vino, pararse en vidrieras de bazares, coleccionar lapiceras, abrir la heladera por fruta fresca a las tres de la mañana, comprar viejos Gráficos con partidos antiguos ¿A quién pertenecían esos pequeños hábitos cubiertos también de musgo?

Apoyó firmemente las palmas de sus manos sobre el escritorio. Después trató de mantener el cuerpo erguido, también la cabeza. Por la ventana vio a Celina en el patio: había lavado sus medias, calzoncillos y camisas en la pileta para aliviar a tía Mercedes. Ella puso todo en el secadero y ahora estaba planchando la ropa. Miró ese patio, a esa muchacha, a un último resto del sol de la tarde. Se dijo que pese a lo que había leído, la vida continuaba siendo aquello que contemplaba: su tía Mercedes junto a la pajarera enganchando la lechuga en los palitos.

Un hálito de rebeldía le cruzó la mirada. Acarició la tapa de ese libro que le había entregado el pastor Méndez, tan exitoso en América Latina. Los indios evangelizados de medio continente hacía veinte años que conocían una historia, la suya, sobre la cual hacía una hora que terminaba de despabilarse. La desorientación lo embargaba. No dejaba de aguijonearlo su propio nombre Humberto grabado en tipos de imprenta, aquel papel rústico, las líneas tipográficas metidas prolijamente en caja. Estar con sus intimidades en boca de otro era irritante, pero estar impreso en libro en boca de otro, incas, guaraníes, collas, y hacía dos décadas, extenuaba su cerebro antes de cualquier idea. Consideró que Esteban era lo más cercano a un sarraceno bastardo y maloliente, era el mismo de siempre, un impertérrito demente contando su propia insania ¿Pero qué contaba ese lunático? Acostarse con una mujer que en realidad está en el galpón del fondo, eso le había pasado decenas de veces con sus dos ex esposas. Haber querido reanudar su relación con Eugenia después de aquella noche, ¿Cuál era la falla, o el estigma? Al menos no era personal doméstico, que parecía ser el otro signo de su vida ¿Y frente a quién disculparse, cuando dos pelotudos como señoritos ingleses cenaban en el palacio de Salzburgo haciéndole el mapa astral, mientras él se pasaba toda la noche del cordobazo escondido en una fábrica de lavandina con la nariz incrustada en los botellones?

Pero no podía mentirse. Esteban era un hijo de puta pero el libro había sido escrito. Bajó las persianas del ventanal, quedó a oscuras: el libro lo había deflagrado. Esos dos últimos capítulos hacinaron su entendimiento hasta convertirlo en la peor pocilga mental que alguna vez fantaseara. No sólo por los datos inauditos de ese escrito, sino por la distancia inabarcable, sumida en la descreencia del tiempo, que lo separaba de los cabildeos de dos amigos, en 1969, hablando sobre lo que en realidad iba a suceder con su existencia, sobre los años luego transcurridos.

Vio llegar, a pasos muy lentos por sus huesos, la ponzoña de la desidia, o mejor dicho, de una acidia que empezaba a estragar sus entrañas, sus cuerdas vocales, la voz de su propia boca, imaginada, cuando emitiese la primera palabra. No, ya no podría. Abrió la boca lo más que pudo y sólo escuchó el rozar de su aliento, nada más. Lo suponía. Volvió a incrustar la mejilla contra la tapa del libro y cerró los ojos. Ninguna reflexión, ninguna ocurrencia o empecinamiento podía licuar lo evidente, aquello que clavaba para siempre su cuerpo en la silla. Veinte años atrás, Esteban lo supo. También Matías ¿Por dónde se escabullía esa pincelada diferente entre él y aquellos dos muchachos, discutiendo en una antojadiza ciudad de Europa, un cuarto de siglo atrás, sobre una casa, una noche, un barrio, una familia que jamás había vuelto a sus recuerdos? Esteban le imponía un salto a la locura, arrojarse por un desfiladero y caer eternamente, sin llegada, pero pensando segundo tras segundo que caía hacia un fondo donde las tinieblas no supieron jamás de las imágenes. Si había sido así, si era así como Esteban lo contaba, él nunca tuvo nombre ni apellido, tampoco años, amigos, dolores, sueños ni memoria cierta. No era recién ahora que podía percibirlo, y esto tal vez demolía las propias ruinas de su vida, diezmaba sus despojos. Debió saberlo antes, en días increíbles del pasado debió tantear su sombra, su aliento, sus pupilas inhallables. No se había aproximado a nada esos últimos meses, como quiso creer: alguien se le fue arrimando en un juego invertido que no pidió palabras ni razones ¿Qué podía importarle el nombre de un impostor? Salka Stromberg, Egon, muerto veinte años, Jacobo. Únicamente Matías se rebeló contra ese hechizo mortuorio de las preocupaciones de Esteban. No las convalidó, rehusó adherirse a esa funesta pérdida de toda referencia. Sólo Matías, de seguir viviendo, podía recomponer ese teorema de una geometría informe, desencajada del tiempo y el espacio mortal. Sólo la versión de Matías podía, aunque ya tarde, salvarlo.

Fue a dar su clase teórica a la facultad, a la cual no pisaba desde su internación, y durante dos horas conversó con los alumnos sobre la próxima jornada de protesta de todas las carreras de humanidades. Terminó contándoles las revueltas estudiantiles a principio de los años 70. Después fue a ver al decano, a quien le sintetizó la biografía de la cátedra espectral y la de sus integrantes, según contaba Esteban, aunque no pensaba mostrarle el libro a nadie. Coincidieron en que no resultaría oportuno citar a los que todavía estaban vivos, sin saber en realidad lo que habían hecho. Estévez había averiguado con respecto al juego de tazas encontrado diez años atrás en las galerías subterráneas del Instituto de Filosofía en 25 de Mayo. Le mostró una de las doce que lo componían, que como excepción se la facilitaron por cuarenta y ocho horas. Tuvo en sus manos un tazón rojo, grande, con sello de la universidad, cuya ilustración en líneas verdes consistía en una escena que nadie pudo explicarse: un monstruo, mezcla de varios animales, algunos perros a sus pies, y una muchacha de larga cabellera alzando la cabeza de un ciervo.

Raúl Estévez lo invitó a participar en una reunión con delegados de las tres facultades, con el objetivo de discutir el programa del festival de protesta el 21 de septiembre en El Tren Fantasma. Humberto advertía que su ánimo sólo reconocía un antecedente más bajo, el día que su madre lo destetó para irse un fin de semana en Montevideo. Pero igual decidió ser uno de los asistentes del debate. Por la noche, en la casa de tía Mercedes recibió el llamado de Yolanda, para avisarle que el día de la primavera, por la tarde, hacían un último ensayo general de su adaptación de Hölderlin, con vestuario y escenografía completa. Ese día Celina recién partió bajo la lluvia a las doce de la noche, sin entender muy bien su pedido de que no fuese a probar tomas de video a la casa de Almagro: quería tener tiempo y acompañarla. Al quedarse solo en el comedor, pensó en Katia Hans, en los altos de una librería por Belgrano. Juan Antonio Ruiz le había contado que una noche vio a Salka, solitaria, hablando con nadie en la casa de Francisco Acuña. Y Eugenia, en la puerta, que le había preguntado por Esteban. El Palo Frías vio a Egon rondar esa casa, pero en el 68, antes de que se fuese a morir a Alemania. ¿A quién había visto Ariel, según le contó Sebastián Lieger a la monja Amalia? ¿Cuándo vio lo que vio? ¿Qué vieron Ariel y Esteban una noche en el galpón del fondo? Su primo estaba loco cuando escribió ese librito de cuarta. Cerró los ojos, tomó conciencia de que la decrepitud de su espíritu era más efectiva que dos grageas con sus cargas de miligramos.

17

En su segunda visita a la Facultad de Teología conoció a Felicia Rivas, una joven pastora sanjuanina, quien en la bibliografía para su licenciatura había incluido tres de los Seminarios del abuelo Baraldi, llevados por Esteban a la institución mucho tiempo atrás, y también el libro de su primo. El interés de Humberto fue indagar si tenían en la biblioteca el libro del alemán Alfred Wobler, que Esteban citaba en las conclusiones de su ensayo. Mientras almorzaban en la facultad, Felicia Rivas se mostró afligida al enterarse del nomadismo de sus últimos meses. Para ese tiempo varios estudiantes regresaban a sus provincias y ciertas habitaciones quedaban vacías. La pastora consultó con las autoridades, y la iniciativa para que Humberto se trasladase unos días a vivir en la facultad recibió el visto bueno de los superiores.

Dedicó esos días a la escritura de un artículo solicitado por un suplemento literario, sobre cómo debía interpretarse el renacimiento de cierto romanticismo en la actual sociedad posmoderna. Destruyó esa supuesta idea en los primeros seis renglones que se le ocurrieron. Pero fue a partir del profundo sentimiento de abandono por el que navegaba, que descubrió el bienhechor sosiego de aquel sitio. Le gustaba la soledad del jardín, el silencio del comedor a ciertas horas, la entrada de la capilla, la claridad de la luz en la biblioteca. Entendió a esos sitios como idealmente adecuados a su tristeza. Llegaba a sentir a veces una indescriptible congoja hiriéndole el pecho, un dolor desacostumbrado donde una extraviada idea de dios, de recogimiento y de oración impronunciable recorrían su cuerpo como un anuncio de alivio que siempre se postergaba.

Nada podía hacer, sólo entregarse, aguardar. Se había propuesto encontrar alguna huella de Matías, con la ayuda de la última versión de la bailarina Rocío: el gallego Javier Quiroz. Sus pasos resultaron infructuosos. Según contaba Esteban en su libro, aquella librería de Belgrano pertenecía a Jacobo Klinger, señalado como el librero del grupo que se reunía indistintamente en el Instituto de la Facultad o en el edificio sobre la librería. Pero la escabrosa noche que había pisado aquel negocio, no vio al bandoneonista, sino posiblemente a Salka. El edificio de Belgrano ahora estaba vacío, y la librería cerrada. Tal vez Jacobo Klinger y Salka seguían relacionados, aunque las versiones del periodista Frías, y de Esteban, coincidían en que treinta años atrás, a causa del suicidio de Eugenia, su madre se había vuelto peligrosamente loca. El dato de Egon Stromberg, como falsamente alemán, según Matías, era otra incertidumbre desquiciante, pero no tan precisa como esa mención a Rosalía Miranda, prima de Katia Hans por vía materna, mujer que en 1938 alojó en su casa a la vienesa cuando irrumpió en Buenos Aires. La misma Rosalía loca que irrumpía en su casa de infancia, amante del reverendo pastor Baraldi.

Esteban contaba haber descubierto en el jarrón roto del escritorio del abuelo, cartas de Rosalía dirigidas al pastor, además de un revólver, uniformes y dos pasajes de barco a Paraguay. Recordó que la carta del impostor, hallada en el cajón de la mesita de luz de Esteban, venía junto con una pequeña esquela de Rosalía, fechada en 1944, donde ella invitaba al abuelo a irse juntos, "antes de que fuese tarde". Lo cierto es que Rosalía, para una turbación ya sin límites de su cerebro, unía en alguna parte la historia de Katia Hans con la historia del abuelo Baraldi, junto con la de ese danés, Humms Sewer y su hijo Mozart, socio de Jacobo Klinger en la edición de la revista *Alumni*. Deducción: casi seguro, su abuelo conoció a Katia Hans el mismo año de su llegada, en la casa de Rosalía Miranda, por cuanto Rosalía, en su carta, decía estar enamorada de su abuelo desde hacía increíblemente treinta años. Envidiables amores eran esos, pensó Humberto mirando desolado los árboles del jardín. Tal vez por ese motivo, como parte de una investigación interrumpida con su muerte, Esteban enganchó en una misma tachuela, en el fondo de su mesita, la carta del impostor y la de esa mujer, Rosalía, que ya por los años 50, cuando visitaba la casa de Almagro para aterrarlos, estaba absolutamente revirada. Su abuelo, desde esta perspectiva, tuvo que ver con Katia, y por lo tanto, también de alguna forma con Egon. Resultaba demasiado aventurado pensar eso, y Esteban nada decía en su libro al respecto.

La cátedra también seguía siendo un anagrama ilegible. Esteban aseguraba que nació desde la maldición de Egon y su mente reconcentrada en amagues y datos aparentes. Para Matías Gastrelli, por el contrario, la cátedra era el inadvertido y enajenado camino que eligió Katia Hans para abatir a un pobre Egon Stromberg.

Y en cuanto a Jacobo Klinger, probablemente el único sobreviviente ahora de todo aquello, junto con la profesora Lombrozo y Ernestina de Queirolo, el bandoneonista aparecía cerca de Katia apostrofando al germano, pero informándole por teléfono a Alemania sobre la marcha del grupo, y enviando una corona de flores para su entierro. Quedaba Ernestina, ahora gravemente enferma: su ayudante enquistada en la materia. Ella le respondió desde siempre a Egon, coincidían Esteban y Matías ¿Y eso qué significaba? Ernestina filtró en las preguntas del parcial la biografía de Fernando de Nájera, un pintor del XVIII, uno de cuyos cuadros había visto en la librería de Belgrano, descripto por una vieja irreconocible, que después soñó como Salka. Ese insólito pintor engarzaba a las dos mujeres, a Ernestina y a Salka, y a ambas, con Egon: vivo o falsamente muerto, o falsamente vivo. Egon había pasado un tiempo habitando clandestinamente la casa de Almagro, allá por el 65, el 66 o el 67: él, con Fidelina, la antigua mucama ¿Cómo se conocieron? Posiblemente a raíz de la invitación al culto metodista, que Esteban le hizo a Egon, también a Salka, a través de la cual aparecieron algunos lunes por la casona del abuelo, ya muerto a esa altura. Había hablado con sus tías, ninguna de ellas recordaba cómo vino a trabajar Fidelina a su casa de infancia, ni quién la había recomendado. Esteban contaba que Egon y Fidelina le alquilaban una pieza al viejo Saturnino Hernández, y ahí el alemán recibía las visitas de su hija Olga, y de Katia Hans. La que no aparecía en esas circunstancias era Salka, posiblemente internada, o caminando por las cornisas del barrio. Habló con Ismael Hernández y su mujer, pero ellos rechazaron ese dato de su finado padre alquilándole una pieza a Egon. Pensó en un trío: Egon, Olga, Fidelina. Le sobraba Katia Hans. A lo mejor le faltaba Jacobo Klinger, y era un cuarteto. Finalmente estaba Eugenia: pero sobre eso no podía pensar. Había salido con ella varias veces más después de aquella fatídica noche de amor donde quedó embarazada: pero no le llegaba su imagen, su voz, lo que pudieron decirse.

18

Quedó extasiado por la calma de esa semana en los claustros de la facultad de teología. El fin del invierno se anticipó en el incipiente florecer de los árboles del jardín, en tardes de brisas frescas, de un sol que poco a poco comenzaba a postergar su retiro. Sin embargo, su estado depresivo ignoraba ese brotar promisorio de la naturaleza. En ocasiones, sentado en algún banco del jardín, solitario, las lágrimas palpitaban en sus ojos llamadas por una nostalgia sin nombre ni destino. La pena simulaba atarlo a pensamientos que si bien lo compungían, no dejaban de acompañarlo con la promesa de un monólogo que lo reconfortase. Era un deseo, que si lo perseguía hasta las fuentes íntimas, le decían que buscaba a alguien que le hablase de dios.

Con la joven pastora Felicia Rivas discutió mucho sobre el libro de Esteban. Una noche, en su habitación de la Facultad de Teología, la pesadumbre lo encarceló con sus tentáculos de una manera inédita, hasta hacerlo llorar sin defensas, abrazado a la almohada. Recordó a Esteban, lo quiso y lo acarició en su memoria por primera vez en treinta años. Las páginas de su libro, además de lo que contaban, se lo habían regresado para siempre. Eran hojas de un misterio encantador, de un joven religioso que penetraba el mundo para esconderlo en su alma, de un muchacho todavía hijo de ciudades letradas, de un caminante de la vida muerto tan joven, que trató de escuchar las otras palabras. Se sintió abrumado, también alicaído: por ese mismo deseo de otras palabras, las del corazón, que tan pocas veces, como el buen dios, se hacían escuchar. Se lavó la cara, vio sus ojos inflamados en el espejo. Bajó a la galería para encontrar a Felicia Rivas y seguir charlando. Ella le mostró el libro que buscaba, *Experiencias*, de Alfred Wobler, pero en alemán, reeditado cuatro veces desde 1972, según pudo informarse. Había un segundo apéndice, en las páginas finales de la obra, cuya producción era compartida por el autor y la especial ayuda del profesor Matías Gastrelli. La teóloga prometió traducirle ese anexo, y evitarle el esfuerzo de leerlo dificultosamente con un diccionario al lado.

Se dejó guiar por Felicia hasta la segunda ala del edificio, donde se sentaron en el piso de una amplia habitación junto a la galería. No había muebles, tampoco mucha luz, sólo una cruz estilizada presidía el lugar. Felicia le confesó no haber entendido nunca del todo qué significaba ese sitio, donde a veces viejos pastores venían a meditar, o a ensayar largas y silenciosas oraciones. Se recostaron, no muy lejos uno del otro, sobre aquel suelo de madera lustrada.

–Leí muchas veces el libro de Esteban para mi tesis. Me intrigó siempre saber por qué agregó esos dos últimos capítulos sobre la Cátedra, tan arbitrarios y fuera de lugar. En ese libro, para Esteban, ya no hay problema sobre la verdad, sino sobre las historias. Egon no es nada, aparece en el barrio. Es la historia que el mismo Egon contó. Igual que Katia. Como el entierro de Egon. Los pluraliza, dice "los muchos entierros de Egon". Su primo ve a Egon de uniforme, taconeando por una vieja ciudad ¿Pero cuándo lo ve? ¿Antes, ahora, después, cuándo? En un único tiempo, el de las historias ¿En el pasado, en el presente? ¿Qué es Egon, qué es Katia, qué es la casa, sino lo que ellos contaron? Nada más. Esteban es el último y gran amante de la anciana Katia porque ahí están todas las historias, las de ella, las de la cátedra. Esteban cuenta eso para no contar la historia.

–Sigo pensando que en algún relato tiene que estar la verdad, Felicia. Como si uno la buscase y la hallase algún día. Pensarlo como un juego de palabras sería más siniestro todavía.

–Diabólico, diría usted.

–No sé si exactamente eso. Creo que con la palabra, con las historias, rehacemos un sentido siempre, un valor, un lugar de interpretación fuerte ¿No piensa en una historia más alta? ¿En una última historia sagrada, que las reúna a todas?

–Esteban habla de Egon Stromberg, pero en realidad es de Katia Hans de quien está hablando. La historia de Esteban es mostrar una historia, para contar otra que nunca se cuenta. Katia Hans, mencionada secundariamente en relación a Egon, etérea allá arriba, en su habitación, es la que le sirvió a Esteban para descifrar todo, la que le sirvió para su relato. Ella es lo iluminante. Por eso, Esteban no lo cuenta. Ella es la historia, la no contada. Y cuando su primo habla de la cátedra, el título de esos dos capítulos finales, en realidad cuenta otra historia. No la del Plan de esa cátedra. Y cuando habla del Cordobazo, cuenta una cena en Salzburgo.

–¿No le parece demasiado aventurado, Felicia?

–Sólo hay una historia a condición de que no se la sepa. Perseguirlas, es lo que queda de las historias.

–Nosotros, pero sin dios. No lo podrá negar, siempre tuve presente aquello oscuro.

–Pienso que su abuelo, pastor metodista, influyó mucho en Esteban. Fue el principio de su descubrimiento: el abuelo Baraldi no fue nunca, murió antes de todo, cuando ustedes gateaban Más bien era una historia, sólo eso. Relatos que llovieron encima suyo sin clemencia.

–¿Y cómo se las va a arreglar usted, pastora Felicia Rivas con esas ideas que porta? Y yo también. Usted dice, el secreto nos salva del secreto, para decirnos que no hay secreto. Según usted, no quedaría otra cosa en pie: sólo tapar con historias las historias. Buscarlas siempre, con otra historia. Me vuelvo a preguntar cuál sería la cara final de ese dios. Historias que tapan historias, que pervierten historias, que escapan de historias, que disimulan historias. Estamos cerca de la nada. Fíjese qué paradoja Felicia, yo iba a preguntarle por la casa de dios, por el buen dios olvidado.

–Su primo supo lo que era Egon. Sintió lo que tocaba en términos casi absolutos. No solamente humanos, así pensó Esteban

–No dejábamos de ser una barra de pibes, una pequeña historia.

–No se crea, Humberto: espiaban bestialmente a Salka, encerraban a Olga en una pieza para atormentarla, se acostaban con su otra hija, Eugenia, se metían en el galpón de Egon a espalda suya, tomaban a Katia por una vieja loca y decadente.

–Mirado así.

–No se equivoque.

–¿Pero qué cuenta entonces Esteban?

–Para Esteban eso es lo fatídico de la verdad. Digamos, del bien. La cuestión del bien no es fundamentalmente un contenido. Es un lugar, de eso se trata. En ese lugar Esteban se da cuenta de que pelea con Egon. Pero también se da cuenta de que no puede escapar de Egon. Esteban descubre que su propio lugar, el más consciente, el más virtuoso, el más cristiano, alberga adentro las mismas estrategias de Egon, la cara de Egon. La cercanía de Egon. Esteban descubre adentro suyo el último refugio del mal, donde es casi imposible percibirlo ¿Y cuál sería ese lugar? El lugar donde el mal no está. Para Esteban, sencillamente no existe ese lugar donde no está. Por el contrario, siente que es el lugar más peligroso. Lo siente en las lágrimas de Egon, cuando el alemán le cuenta su pasaje de músico de Mozart a SS. Cuando escucha la pena, la aflicción, la toma de conciencia del alemán, una historia pordiosera de Egon.

–Si no le entiendo mal, eso sería mi historia contra el impostor. Pero en mi caso, jamás lo sentí cerca. Y si estuvo cerca mío en toda esta historia, no hizo nada para revelar su cercanía. Pienso que estuvo muy cerca de Sebastián, de Ariel, de Matías. Muy cerca de ellos, concretamente, inconcebiblemente, sin que lo notaran.

–Y de usted, por lo que me dice, estuvo lejos.

–Ahora pienso en lo que cuenta Esteban sobre Eugenia. Esa visión en el galpón del fondo. Eso es desproporcionado.

–Esa visión no es verídica. Esteban quiso extremar ahí su idea. Le diría que es la parte menos interesante del libro. Casi entró en un género. Pero ese tema no es lo importante del libro de Esteban.

–La sentí temeraria, Felicia.

–No se aflija, el mal viene ahora dibujado en los afiches de la calle, en una publicidad de fideos. Y de lo que estuvimos hablando, en cambio, es de lo que no se discierne: de otra cosa. Si pensamos a Dios todo puede ser doloroso, porque es impensable, Humberto. Por eso la gracia de la fe, el salto que no busca pensarlo, entenderlo. El mal también es una cercanía callada que persiste. Fíjese, Humberto, si apago esta luz. Ya no hay luz. Fíjese en esa estatua, del otro lado de la puerta, en la galería. ¿Qué es ahora? Nada, un espacio negro, una sombra, un bulto, una estatua. Sin embargo supongo que sigue estando ahí. Que estuvo también en estos últimos quince segundos.

Fijó la vista en aquel lugar. Reencontró de a poco, muy borrosamente, los contornos de la estatua. O así lo supuso. Pero no la veía. Entrecerró los ojos para ver si la descubría: la estatua no estaba en sus ojos, pero la estaba viendo. Como si la viese sin imágenes, sin palabras.

Se despidió de Felicia Rivas en el pasillo de los dormitorios. Entró en su habitación, se recostó en la cama sin desvestirse ni apagar la luz de la lámpara. Le hubiese gustado otro tipo de charla con Felicia, pensó. Verla como una intermediaria del Señor, más dulce, más callada, más simple, o más abismal en todo caso, más parecida a los sermones de los pastores en el culto de su casa cuando todavía era muy chico, cuando hablaban del milagro, del infierno, de los ángeles, de la cruz sangrante, cuando recitaban los versículos con los ojos cerrados y su madre le decía que hablaban la palabra de dios y por eso no necesitaban leer la biblia. Sin embargo reconoció que lo que dijo Felicia había sido perfecto, y hasta más penetrante que la hermosura que creyó encontrar en los recuerdos escritos por Esteban. Pero en el fondo hubiese preferido menos deconstructiva a la pastora. Una inmensa piedra le oprimía el pecho, lo incrustaba contra la cama. Tuvo la sensación de que otras imágenes se agitaban por adentro de las últimas palabras de Felicia: en sus ojos, en el mármol de aquella estatua, en la galería oscura. Hasta que le brotó un nombre, Yolanda: y las imágenes lo arrasaron en estampida.

Se levantó y fue hacia el hall del internado. Encendió la luz, marcó el número de teléfono y escuchó la voz de Yolanda. Le rogó el mayor esfuerzo y precisión de memoria, con respecto a aquella noche cuando fueron los dos a visitar la casa de Almagro.

—Sí, Humberto, la recuerdo. Fue en marzo. Y me sentí muy mal.

–Quiero saber qué pasó desde el momento que yo no estaba.

–Vos te fuiste a recorrer la casa.

–¿Y vos, Yolanda?

–Me quedé sentada en esa cama de bronce. Empezó a dolerme mucho la cabeza.

–¿Cómo era el dolor?

–Me retumbaba todo. Apagué la luz entonces, y encendí un cigarrillo.

–Y te acostaste, te dormiste.

–No, Humberto, encendí un cigarrillo, y al terminar de fumarlo me fui de la casa. Me acuerdo que no sabía dónde apagarlo, no había cenicero, vos me conocés lo obsesiva que soy con eso: recién lo apagué en la calle.

– ¿Cuánto tiempo habrás estado sola en esa cama?

–No sé, cinco minutos pienso, me sentía mal.

–¿No me viste o me sentiste volver una o dos veces desde el fondo de la casa? ¿No me viste sentado en el piso del vestíbulo un rato larguísimo?

–No, ya me había ido ¿Cuántas veces hace falta que te diga que me fui a los cinco minutos?

–Yo te estaba viendo, Yolanda, sobre la cama de la antesala, ahí estabas. Te veía en la oscuridad, te fui viendo de a poco, hasta verte.

–Estás loco, estás loco.

–Sí, es cierto.

Al cortar la comunicación rememoró las secuencias de aquella noche, cuando visitaron la casa con las llaves robadas por Santiago. Había recorrido la casona varias veces, y al volver al vestíbulo, en dos ocasiones, se sentó en el piso a contemplar el cuerpo de Yolanda recostado sobre la cama de Saturnino Hernández. La habitación estaba sin luz, también el vestíbulo. Pero había percibido el contorno de su cuerpo, de su sombra, de su silueta, de sus ojos como dos manchas oscuras, imaginadas. La había visto al final nítidamente ¿A quién vio sobre aquella cama? ¿Quién estuvo en esa cama aquella noche? No podía seguir pensando, la imagen de la antesala le regresaba de manera implacable como si la hubiese tenido enterrada en sus ojos, arañándolo, como si nunca se hubiese ido. Como si la viese por primera vez, recién ahora: la veía, tan cerca, muda, inmóvil, recostada. Lo único que iba sabiendo ahora, era que no dormía, que no era Yolanda. Pero que había estado ahí, en las tinieblas de la pieza, mirándolo.

El sonido, el chillido, un diapasón agudo y sin final le acribilló los oídos. El martilleo no provenía de ningún sitio preciso, pero llameó dentro de su cabeza. Se detuvo en la puerta de la capilla, a gatas iluminada por una lucecita en el altar. Recordó sus oraciones de infancia, un sudor frío le bañaba el cuello, recordó el miedo de olvidarse de algunas de las tantas cosas que según su madre debía agradecerle a dios todas las noches. Se imaginó arrodillado frente a la cruz, sintiendo lo que sentía en aquel entonces. Las vibraciones tiritaban por su cuerpo. No se animó a cerrar los ojos, como decía su madre. Fue a su habitación, hizo la valija, le dejó su número de teléfono a Felicia Rivas, sobre la mesita.

19

A los tres días, otra vez en su departamento, recibió el llamado de Felicia Rivas y la traducción del anexo del libro del cosmólogo alemán Alfred Wobler. Cuando terminó la transmisión del fax, arrancó del aparato la larga tira de papel y comenzó a leerla.

"Caso Humberto X, 1972, transcripción textual de cinta grabada.

Alfred Wobler: como conclusión de mi ponencia desearía referirme a un caso varias veces mencionado en este coloquio: el de Humberto X, que examiné con cierta rigurosidad en colaboración con el profesor Matías Gastrelli, estudioso en historia de estética erótica, residente en París, y a quien agradezco el haber reunido la mayor parte de los datos de esta investigación. Sé que mi ponencia fue larga y fatigosa, pero les pido por favor señores que no se retiren todavía, que nos respetemos. También sé la extensa y snob bibliografía sobre este caso en los últimos dos años. Yo mismo señores, señores les pido silencio, yo mismo rastreé veintidós trabajos sobre Humberto X, y lamento tener que decir las consecuencias que produce una moda intelectual, la decepción que todos ellos me produjeron, además de ocupar inútilmente mi tiempo. La experiencia de Humberto X, en Sudamérica, acontece en el presente y reitera, de principio a fin, las secuencias que acabo de analizar. Sé que el caso de Humberto X es intranscendente, poco importante en relación con otros similares, pero no deja de ofrecer, al menos, ciertas aristas para la reflexión. Por los datos obtenidos, Humberto X completó estudios terciarios y ejerce actividades profesionales. Para el caso, nada más interesa de su vida. Según me acaba de decir ayer el profesor Olaf Steffensen, Humberto X viviría ahora en San Pablo, Buenos Aires, o en la ciudad de San Andrés de Filles, a ver, sí, de Filles, en San Andrés de las Hijas".

"Su encuentro con lo Elemental, y esto lo consulté largamente con los doctores Karl Neppach y Ruth Herzfeld, remonta a una historia anterior, que se aproxima a Humberto X en absoluto silencio: lo que Fernando de Nájera solía llamar 'el curso inadvertido hacia lo latente', que muchos equivocadamente han traducido 'hacia la lactancia'. El punto de partida en este episodio, como es lógico, lo establece una mujer. Se trata de Katia H., residente en Viena en las primeras décadas de este siglo, joven acomodada, huérfana de padre y madre. Es ella, versificadora de delirios sensuales, separada de dos maridos en cuatro años, sin duda nietzscheana, antisemita, y posiblemente de rasgos histéricos acentuados, quien no sólo participa de un turbio caso de contraespionaje donde luego, en plena investigación, dos generales checos, un oficial alemán y dos secretarios de Estado de Eslovenia afirman al unísono ser esposos legales de ella, sino que rompe con su propio entorno cultural de clase, y escandaliza a sus amistades con un libro de poemas donde describe su lubricia masturbatoria, y las imágenes olvidadas de otra historia, a las cuales percibe en cada orgasmo".

"Sin embargo, recién cuando se relaciona amorosamente con un esteta expresionista, joven novio de su hija Salka, es cuando Katia H. accede al plano de las revelaciones que nos preocupan en este querido encuentro de Isernia. Su relación de amante con dicho artista es extrema, desmedida, sin ayuda de ningún tipo de droga. Sucede que en uno de sus cotidianos orgasmos, Katia cree percibir el rostro del caos primordial. Katia H. advierte, luego de muchos años de intuirlo, que ese viaje hacia lo informe e indiferenciado helénico, hacia lo impensado judeocristiano, se da a través de una estrategia: con dos almohadas debajo de las nalgas en el acoplamiento. En dicho éxtasis Katia H. ve a su desaparecida madre gozando con su propio hijo: con el hermano mayor de Katia, quien de adolescentes le mentía, diciéndole aborrecer a su progenitora. En el momento de su goce copular, Katia ve y escucha gritar a su madre lo que Katia misma venía pronunciando sin entender la causa, durante sus propios orgasmos. Aquí comienza la historia que concluirá ciegamente entrelazada con Humberto X".

"Porque Katia H. no sólo atisbará el drama que consumió a sus padres, ése que le ocultaron, sino que escribirá, engreídamente, un libro de poemas insufrible en discusión crítica con las más legítimas interpretaciones de la teodicea cristiana, donde además cuestionará a importantes intelectuales de aquella Viena legendaria: la teoría de las ninfas durmientes de Klimt, la transgresión paradisíaca entre hermano y hermana en Musil, la tramposa reivindicación de la prostituta en Karl Kraus, el psicologismo barato de Arthur Schnitzler, el machismo intelectualoide de Alma Mahler, la disfrazada impotencia sexual de Hugo von Hofmannsthal, la remanida y hartante utilización de Edipo por parte de Freud, y las tesis misóginas de la mujer sin espíritu de Otto Weininger. En las revelaciones de sus excelsas imágenes orgásmicas, cuando las logra con el joven dramaturgo, lo que contempla Katia H. no es sólo a su madre copulando con su propio hijo, no es únicamente un pasado familiar encubierto, sino otra historia desaparecida de la faz de la tierra, y las causas de tal extinción".

"Katia H. advierte que no es una satisfacción sexual aislada, sino la cadena sintagmática de sus orgasmos organizados, en ciertas etapas impecables de su amante, la que le permite develar aquel secreto. Se da cuenta de que sus relatos nunca pueden ser muy largos ni lúcidos en el lapso de la culminación de un coito, jaqueados por sus propios besos, quejidos, gemidos, suspiros, mordidas, boca entreabierta por más aire, y toda la parafernalia de esos instantes de lo femenino en condición cultural de sojuzgamiento histórico. Pero también descifra que cada uno de sus éxtasis, es como un capítulo distinto de esa historia originaria que brota desde sus labios trémulos. Habla una tarde en Berlín con Ernst Bloch, y prueba con un taquígrafo, testigo de su trance y sentado junto a la cama. Sin embargo sus labios, en ese acto, quedan sellados a pesar de la conmoción padecida por su bajovientre. Percibe, eso no la hace ideológicamente feliz, que sólo el rostro de su varón amado, del cual depende, debe recibir esa historia de su boca. Pero su amante no admite, a esa altura, también tomar nota. Por lo cual decide, sin problemas y con un cuaderno, sentarse en una silla al costado de la cama matrimonial, mientras Katia H., por contrato y paga establecida para no confundir frenesí con estudio, consigue a un primo suyo sin trabajo en la Viena castigada de entreguerras, quien la visita y la posee por las noches".

"Con ese dispositivo investigativo Katia H. va desentrañando aquella historia, pero completa: después ella pasa a máquina los torpes y nerviosos garabatos del artista, inscriptos en el cuaderno. En el principio fue la hembra, diosa del caos benigno primordial, autoconcibiendo desde su placer solitario, sin ningún animalejo ni pescado ni piedra volcánica, sin coito por la rodilla, el talón o la nuca, a su hijo, el dios hombre. Criándolo sin pareja en inenarrable amor y sabiduría, para que, llegado el tiempo, la posea y celebren el génesis, el pronunciar de lo terrestre. No hay padre, ni tío ni hermano ni vecino en la historia orgásmica primera de Katia H. Y cuando llega el acoplamiento cosmológico, ambos, hijo y madre, viven en la plenitud de la gracia enunciativa, en el tiempo de la sílaba fecunda que genera el mundo y su criatura. Pero el hijo la olvida: no se sabe bien por qué en el relato de Katia H. pasa tal cosa. De pronto, y sin otra memoria que la de su madre, el hijo sin embargo la hunde en el fondo crepuscular del antiguo y maravilloso caos. La prefiere ahí, para que desde ahí lo inspire siglo tras siglo. Funda la historia de la Caída, de la Bestia de la Tentación, y construye un engañoso y nuevo cosmos desde la violación moral y física de la hembra otra".

"Con la gimnasia erótica que Katia H. va teniendo, aprende a negociar entre sus propios éxtasis y las frases de esa historia, y busca a veces repetir orgasmos anteriores, partes ya sabidas de esa crónica, y hasta detenerse justo en una imagen o enunciación, avanzar, retroceder, fijar una palabra. Lo que su amante terminará llamando la vagina moviola, mientras el primo en ocasiones no sabe si está por eyacular o va camino a su erección inicial: técnica que a la impiadosa Katia H. le sirve para repasar por qué maldita cosa oculta la historia que sucedió así, o para corregir detalles de sus viejos relatos con otros datos de sus nuevas exaltaciones amorosas. Pero lo cierto, a pesar de sus empecinamientos de orgasmos en retrospectiva, es que esa historia de visiones fabulosas en su alcoba termina siempre con el varón que se yergue como dios único, falsamente primero, luz patriarcal y bienhechora según las Escrituras, señor de las Evas".

"Lo importante es la práctica de Katia H. No su poética plagada de retórica sobre Cibeles, Astarté, Pandora, Afrodita, Metis, las Parcas y hasta Electra. Ella está convencida, de una manera difícil de refutar, de haber revelado la cruenta epifanía masculina. Retiene, desde los incendios de su vulva, la historia de la Arcadia, esa tierra de la diosa inicial y distante de los lobos. Conserva en sus pronunciaciones orgásmicas aquel monte de Venus primigenio, con su valles, prados, montañas y cavernas donde gozó con su miserable hijo. Un día el esteta y amante, saturado de las investigaciones de Katia H., descubre casi en estado de hemiplejía que su novia, Salka H., hija de Katia H., también arriba, en la cima de su placer carnal, a las mismas imágenes y palabras de su madre: a la Inmortal condenada al olvido. A la Diosa vilipendiada por el hombre".

"Señores, en ese tiempo aparece un nuevo personaje en la escena erótico cósmica. Egon S, amigo del joven dramaturgo, jerarca político en los conocidos avatares de aquella época, que se enamora de Salka y está decidido a que sea suya. Egon S. escribe a un viejo amigo librero en Buenos Aires, piensa en fugarse con Salka, la lleva un largo tiempo al campo, a las afueras de Viena, para descubrir también él, atónito, que cada vez que Salka empieza a agitar su cabeza sobre la almohada, a levantar sus rodillas para acomodarlo un poco mejor encima suyo, reaparecen las mismas instancias: calcadas. Imágenes, sonidos, palabras, relatos incomprensibles. La amordaza, se tapa los oídos, sueña con la eyaculación precoz, interrumpe de pronto el acto, se baja de la cama, prefiere escuchar las palabrotas indignadas de Salka haciendo las valijas, que su verbo amoroso en plena posesión. Egon no goza esa experiencia a la manera del dramaturgo funambulesco. Lo enfurece cuando en cada escena amorosa Salka llega entrecortadamente al final de una historia que lo humilla, con todo el género a la rastra. Y esa historia armándose entre caricias, besos, salivas y resoplidos nasales regresa siempre intacta, casi calcada, de a poco, armándose inocentemente en los labios de su adorada Salka".

"Pero Egon no sólo sufre ese padecimiento, también lo seduce, lo encandila, lo arrebata, finalmente siente que lo envicia. Según investigó mi colega Matías Gastrelli, un día Egon S. se entera a través del joven esteta de que Katia H. y su hija Salka, hace tiempo que confabulan entre sí, se cuentan sus paroxismos, se vuelven confidentes obsesivas: se aterran pero se precipitan en el placer en procura de distintos agregados para aquella historia. Exploran una infinita bibliografía cosmológica, hasta dar con el primer libro de Fernando de Nájera, obra que no sólo las convence del todo, sino que las transforma, a ambas, en posesas de las ideas del español, o criollo, nunca se supo a ciencia cierta, refugiado a fines del XVIII en la lejana aldea de Buenos Aires. Mucho después, en los últimos años de su vida, Nájera escribirá otro libro, esta vez teológico filosófico, arrepintiéndose auténticamente de sus antiguas argumentaciones de juventud, abjurando de aquel escrito entusiasta que un siglo y medio después, en la Viena de los años 30 fascinaría a Katia H. y Salka".

"Estimados colegas, ustedes ya conocen la extraña y tantas veces discutida entre nosotros obra inicial de Fernando de Nájera, artista, pensador, pintor, contrabandista, aventurero. Cuenta haber encontrado, en una campesina del Río de la Plata, el hilo de una de las escasas pero temibles cadenas femeninas que heredan y se abren cíclicamente a un amenazante orgasmo cosmológico, hoy transformado en mito por la ciencia. Nájera escribe, como ferviente cristiano, excitado y temeroso, que tal filiación de mujeres vuelve a tocar el cosmos perdido de la hembra: lo abominable. No debemos criticarlo desde nuestra actualidad: él era un hombre de la Iglesia, aunque no un militante de ella. Nájera afirma haber entrevisto en esa campesina de Sud América, cerca de Buenos Aires, realmente un tipo especial de mujer. No aclara a qué se refiere con el calificativo de especial. Pero sí dice: mujer con la memoria vaginal del mundo primero. Y Nájera encuentra dicho recuerdo, casi románticamente, en el cuerpo de una analfabeta: en lo que dice en sus orgasmos. Aquella mujer todavía en edad de merecer, dice Nájera, con tres hijas jóvenes concebidas tiempo atrás con un boticario de campaña, llega al imitato coeli, a la rememoración de lo sucedido en la casa de dios".

"En ese punto, creo, se produce, con 150 años de diferencia, el encuentro erótico letrado entre Fernando de Nájera y la vienesa Katia H., aunque con propósitos decididamente opuestos en uno y en otro. Para el español, lo pudo comprobar desafortunadamente, se necesitaba satisfacer puntualmente a las hembras de la memoria orgásmica, para controlar esos terroríficos eslabones esparcidos, o contenidos de manera ignota, en el mundo blanco cristiano de la autoridad del macho. Se necesitaba expresamente llevarlas al orgasmo de su melancolía primordial, como la única forma de no desprender las fuerzas de aquella teodicea enterrada: para no activarla, para agotarla en puro lenguaje inconsciente. Según Nájera, el orgasmo resultaba imprescindible para que las rememorantes de imágenes y palabras, se conectasen con la verdad de las fuentes cosmológicas, el placer absoluto vivido por la diosa madre con su hijo, y lo retuviesen dentro suyo, calmado en su furia: apresado biológicamente en su seno".

"Detengámonos un poco en el controvertido Fernando de Nájera ¿Era un rufián, un romántico anticipado, un hijo desesperado de la moderna Ilustración, o un libertino, el mote con que ahora designaríamos a un anarquista? Él alumbró una teoría, usufructuando del relato de aquella campesina rioplatense: teoría sobre cómo se descifraba, desde su nacimiento, a las hembras de la cadena orgásmica. La abuela de la campesina se lo había contado, como puede contarlo la abuela de una campesina. Pero las tres hijas de la campesina se lo demostraron en acto: en el parto, ninguna de las tres lloró al salir, lanzaron un quejido narcotizado, decadente, ansioso, de mujer camino hacia su clímax sexual. Llegaban al mundo con el último suspiro de placer de la Diosa Madre, antes de caer en la traición patrística. Así dedujo Nájera, no la campesina por supuesto. Luego, de bebés, si eran niñas como lo eran, acostadas abrían las piernas en un ángulo mucho mayor que 90 grados, como si un poder sobrenatural tornase sus extremidades inferiores para un destino, para una figura corporal extrema, frente a la cual cualquier varón irremediablemente abjuraba de la herencia sosegada de Las Luces "para volverse", escribe Nájera, "un rústico guiñapo humano preso de su propia verga alzada". Es cierto, convengamos: Nájera, digno hijo de sangre española, es virulento en sus semblanzas y tipologías, desagradable cuando quiere ser más gráfico, desmadrado en sus conclusiones, extraño hombre de la fe irracional y a la vez de la experimentación cartesiana con su sueño por conocer los secretos de la Naturaleza. Y también Nájera, por qué negarlo aunque nos duela, se enseñorea de una incontinencia tan pocas veces vista, que su propia obra anticipativa termina como un engendro insoportable y procaz. Pero a un precursor, señores de este coloquio de Isernia tan esperado, y eso creo que admiró Katia H. de su libro, a un precursor hay que tomarlo por encima de sus desviaciones homicidas. Nájera piensa en la alarma luciferina de la cadena orgásmica, de no ser satisfecha con rigurosidad.

Para su lectora, Katia H., el objetivo siempre fue otro. Ella pretendía que persistiese la memoria de esa cadena concientizadora, que ese poder no estallase azarosamente en cualquier insatisfacción femenina y disolviese el recuerdo de la marca infame. Resguardar, cobijar el secreto, para llevarlo a conciencia política de época, a debate cultural, a obra poética escrita, a ensayismo liberador, a armado académico colectivo que lo enriqueciese con saberes posibles de ser engarzados a una noche desenfrenada".

"¿Cómo podemos situarnos hoy frente a Fernando de Nájera, desde el mundo de las computadoras y la biogenética? Simplemente diciendo: él hizo lo suyo. Nájera puso en marcha, en 1793 y en la distante Buenos Aires colonial, un Plan que luego Katia H. trató de imitar al pie de la letra con un proyecto estético filosófico colectivo. Nájera, en esa aldea sureña sin la mínima historia, encontró en Buenos Aires lo que denominó 'un atolondrado cavernario de luz oscura', propicio para la reiteración orgásmica y para repensar los lugares enunciativos de la vida histórica. Preparó cuidadosamente a tres jóvenes varones de un tambo cercano, quienes bordearían lo ignominioso con las tres hijas de la campesina, ya muchachas y vírgenes, de la misma manera que Nájera lo había hecho con la madre. El proyecto, por distintas circunstancias, fracasó. Y las hembras de las remembranzas estallaron en una infortunada crispación del orden primigenio, para redesplegar un cielo orgásmico pero como furia: sin palabras, sin imágenes, sencillamente exterminador. Aquella historia originaria, pero ahora desprovista de un lenguaje reparador, contenedor, buscó enardecidamente sus imaginarias fronteras, desanudó otras voces, desató con espanto su éxtasis, para encerrar y voltear sin tiempo ni espacio tanto a culpables como inocentes. Este es nuestro debate sobre Nájera ¿No debió? ¿No era la época adecuada? ¿Fue un irresponsable? ¿Se aprovechó de la inútil y extensa libertad pampeana? ¿Se sintió hijo de un Nuevo Mundo donde todo podía ser posible? ¿Eligió mal a los tamberos? Lo cierto es que una inconmensurable campana orgásmica, liberada, subrepticia y silenciosa hasta cierto momento, envolvente de las secuelas del hecho, comenzó a pasar de cuerpo en cuerpo en la cadena femenina, pero en ningún instante dejó de respirar el bramido de las hembras en la apoteosis de la cópula. Se lo confundió con tormentas pasajeras, galopar de indiadas, remolinos de aire, tornados, espectros de derrotados ejércitos patriotas que regresaban soliviantados preguntándose quién dio la maldita orden, y lluvias de piedras grandes frecuentes en Bahía Blanca. Aquello abarcó 250 kilómetros desde su epicentro, y llegó, desde atrás, a las líneas de fortines. Como un frente tremebundo e inesperado que por lógica los soldados no miraban, dando lugar a toda una saga que en la región de las Américas del Sur se conoce, desde ese día, como la del 'gaucho jaqueado". Lo inmemorial adormecido, explica después de manera irresponsable y estúpida Nájera, se abalanzó sobre aquellos tres jóvenes tamberos y parientes, varones fallidos que interrumpieron y volatilizaron temerariamente el linaje cósmico. Pero ese desastre no intimidó a Katia H. y Salka, quienes atravesadas por sus propias experiencias, imantadas por esa historia, viajaron y se establecieron en Buenos Aires en 1940. Al año siguiente, Egon S. también cruzó el Atlántico detrás de lo que inopinadamente consideraba eran mujeres suyas".

"Dos acotaciones más, con respecto a Fernando de Nájera, no con ánimo de reconciliarlo con el feminismo, movimiento tan trascendente hoy en nuestra cultura y que apoyo fervientemente. Pero sí para ubicar el aporte de aquel casi criollo, en el contexto del pensamiento de la modernidad y en sus justos términos: nada es blanco o negro, como termina pensando todo fundamentalismo desde su defensa de una causa parcial. Nájera, para explicar ese curso metafísico de la mujer como el Mal, seculariza estética y literariamente sus análisis. Lo desacraliza, se lo quita a la Iglesia. Y lleva aquel estruendoso prodigio únicamente al cuerpo femenino en la alcoba. Así recrea, a la manera brillante de gran parte del arte de vanguardia posterior, la rememoración del placer de la hembra. Es aquí donde la hermandad de miradas entre el criollo del Virreinato, y la fina y agnóstica Katia H. de la Viena en descomposición, alcanza su mayor fuerza. Para Nájera, es el cuerpo femenino, sensibilidad e intelecto, pero el cuerpo femenino sin más, sin dios acusador, el que atesora su propia memoria, su propia mirada inconcebible, pronunciada mucho antes del precario lenguaje del varón. Lo femenino, para Nájera, es una descomunal estética deslindada, pura, que nada tiene que ver con la belleza y lo sublime como figura inspiradora, canonizada por el orden patriarcal. Ella es diferente, autónoma, a partir de una liturgia, de una eucaristía de la mujer sobre sí misma y sobre el macho, reponiendo los sentidos de su propia boda extraviada, mancillada. El feminismo toma equivocadamente aquella, tal vez desafortunada, frase de Nájera frente a esta evidencia que lo aterra: 'ahora que yace en su identidad incontaminada, aniquilémosla sin ni siquiera herirnos'. Pero el movimiento de mujeres olvida que lo que Nájera llama de manera desaforada a exterminar, es precisamente su propia revelación, su voz masculina otra vez rectora, con la idea de que ella misma inaugure otra historia en Occidente. Renglones más abajo Nájera afirma que sólo así, surgiendo de su propio lecho y radicalizando su fatalismo sexual desde lo más sombrío de ella misma, la nueva hembra en el plan divino será absolutamente otra, pero seguirá siendo la antigua, y no un disecado varón deforme ¿Qué sería de nuestro mundo y de ella misma, cito textualmente a Nájera, si por vía del progreso y una mutación mal entendida desapareciese la mujer como suelo originario, como lengua totalmente ajena a un mundo que simplemente no deja de morir jamás, la mujer como dato de astucias, estratagemas, meandros, secretos, sabidurías solapadas, sensualidades arteras, manipulaciones y enigmas que trazaron la historia? No me caben dudas de que Nájera, lector fervoroso de Rousseau, piensa la libertad de la mujer desde esa idea temeraria de Jean Jacques de partir, para lo nuevo, desde el sentimiento y la nostalgia femenina extrema como la colosal ruptura cultural a emprender. Y no desde doctas discursividades, desde técnicas, artes y mecánicas discursivas patriarcales que vacían al mundo de lo amoroso y lo convierten en programáticas esterilizantes de la vida. La otra acotación sobre Nájera que no quiero dejar pasar, se refiere a una notable pintura suya, el cuadro de los tres caballeros criollos presenciando científicamente el acoplamiento de una de las hijas de la campesina, posiblemente el primero, con uno de los desgraciados jóvenes tamberos. Absortos los tres caballeros, porque algo sin duda está saliendo mal en esa cama. De esa tela conocemos sólo una foto ampliada, tomada por un francés en 1925. No sabemos sobre el actual paradero de la obra, pero sí nos sigue asombrando ese testimonio pintado por Nájera de su catastrófica experiencia, y el nuevamente vanguardista título de su pintura, 'Yo', cuando él, precisamente, no está presente en esa tela".

"Para concluir, señores, sé que estamos todos ansiosos por regresar al hotel de Isernia, y por una cena reparadora. En Buenos Aires tienen lugar las dos anunciaciones y las mesiánicas esperas de la parturienta Salka, hechos resistidos por personajes cercanos a esa historia, en nombre de dios y de un transcristianismo intelectualizado. Pero partos alentados por otros, también próximos a ese núcleo familiar. Salka preñada, cuidada por algunos académicos de renombre en las Humanidades de aquel país de Sud América, vigilada a sol y a sombra por Katia H., da a luz entre 1943 y 1945 a dos niñas, que responden fielmente, desde sus primeras bocanadas de aire, a las esotéricas señales físicas y de conducta que planteó Fernando de Nájera en su calumniada obra sobre las hembras cosmorgásmicas. Katia H. articula los significados de este acontecimiento con su liderazgo en un proyecto político académico, fusión a la que muchos se resisten en nombre de otros planteos de revisionismo histórico que atañe a ese país lejano, pero que otros miembros de la cofradía aceptan sobre todo por el influjo, el carácter subyugador y la calidad poética existencial de la vienesa Katia H. en ese mundo criollo anodino. Las niñas Eugenia y Olga son los retoños celosamente resguardados de esa cadena, que Katia H. heredó y transmitió a Salka. El profesor Matías Gastrelli atestigua haber escuchado y visto desde una claraboya en techo de zinc, un capítulo de la historia primordial de la creación en boca de Salka, en pleno acoplamiento con un obrero argentino de la industria del agua con gas, dato que confirmó el hallazgo de tal cadena trashumante en el sur del planeta, más precisamente en la ciudad de Almagro, no muy lejana a Buenos Aires. Lo original de este caso, premeditado y realizado fríamente en el mismo lugar geográfico que descubrió Nájera dos siglos antes, es que no quedó librado simplemente a lo privado familiar, sino que toda su configuración, causas, secuelas, redundó sobre una cátedra de filosofía bastante irresponsablemente constituida, cátedra docente investigativa, grupo político teológico lindante con lo prohibido y por cierto bastante condenable, pero que asumió la misión de ser continente colectivo del fenómeno: como hermandad política, como grupo ideológico, como equipo disciplinario, como confesión o culto o simplemente como proyecto de planes reservados. Agradezco en todos estos detalles, la colaboración del profesor Matías Gastrelli, conocidos por ustedes en otro ámbito: sus experiencias en Argelia con la mujer árabe".

"Finalmente, señores: aquí, recién aquí, aparece la escueta historia de Humberto X, que tan injustamente da nombre a este providencial hallazgo, al punto que ya solicité se le cambie el título a este trabajo de campo. Humberto X caminó ciegamente hacia el desenlace, siendo casi el único que no reconoció ninguna de sus referencias. Su relación con una de las hijas vírgenes de Salka, llamada Eugenia, desató una nuevo tembladeral cósmico, en este caso todavía no cerrado, y tan abrumador como el que cuenta Nájera en su tiempo. Efectivamente, Humberto X, al parecer poseyó desde inoportunas condiciones a Eugenia, sin provocar ni mucho menos el orgasmo en ella, ese éxtasis que serena las fuerzas primordiales. Para colmo, según lo explicita el profesor Gastrelli, embarazándola. Caso por demás extraño el de Humberto X, por cuanto este tipo de mujeres de la cadena orgásmica letal, educadas en el propio misterio hecatómbico que las destina y en la frecuencia inocente de sus gimnasias masturbatorias que las llenan de historias, son rápidas y asombrosamente bellas en cuanto a su acceso y logro del clima del placer. En el caso de Humberto X, y tomando en cuenta otros estudios más interesantes que éste, podemos pensar en eyaculación precoz, confusión de vagina con muslos apretados, nerviosismo incontinente, despreocupación machista, o lo que pienso que realmente sucedió:

producto de una significativa pequeñez de su pene. En esta falla, que indudablemente Humberto X no se propuso, quedó condenado no sólo él y su entorno más cercano como en el caso de los tres tamberos en el siglo XVIII, sino todo cuanto decida acontecer para abarcar probablemente un radio de acción de 250 kilómetros, si es que respetamos el relato de Fernando de Nájera". Lo cierto es que su ingenuidad casi autoabsolutoria, y aquel impedimento físico de Humberto X, desencadenaron este infeliz caso, todavía inconcluso hoy, en 1972. Nos enfrentamos a la emergencia de un manto orgásmico femenino desatado desde 1964, que aparece de a ráfagas, por años y épocas, sonido sin fronteras, inteligente, academizado, sobrehumano, y que de manera insondable y atroz busca desesperadamente regresar a la inigualable hermosura de su seno. Nada más, señores, y muchas gracias".

20

Enroscó el papel del fax para guardarlo en un cajón. Se preparó el café y la leche, con dos naranjas exprimidas y dos rebanadas de pan en la tostadora. Acompañado del *Lieder 49* de Mendelssohn leyó el diario como lo hacía habitualmente, primero internacionales y después deportes. Recibió un llamado de Josefina de Gastrelli, deseosa de ir al ensayo final de su Hiperión después de escuchar la noticia por la radio. Puso una hoja en la máquina y terminó su artículo sobre neorromanticismo y posmodernidad. Leyó en su agenda un párrafo que había levantado del libro de Esteban y lo incluyó en su trabajo. Mientras pensaba en un título encendió un cigarrillo, sin advertir que recién lo había hecho con otro, esperándolo flamante en el cenicero. Joaquina le comunicó por teléfono que Ernestina de Queirolo había entrado en coma, agonizaba. Ruperto tocó el timbre para avisarle que mañana le vencían las boletas de agua, gas y electricidad. Se bañó y se afeitó para estrenar una camisa que hacía tiempo había comprado. Al corregir a mano el artículo, lo interrumpió un llamado de Raúl Estévez anunciándole que le hablaron de parte de Jacobo Klinger, proponiéndole una cita con los dos. También el decano comentó con respecto al festival de protesta: estaba todo pautado y los estudiantes conformes. Tomó nota en su agenda de la hora y el lugar que el decano había fijado con Jacobo Klinger. Al cortar cambió el compact por algo más ligero de Mozart.

Volvió al escritorio, corrió todo lo que tenía encima y desplegó un mapa de la provincia de Buenos Aires. Con un viejo compás de la secundaria de Guido trazó una circunferencia con centro en Buenos Aires que comprendiese aproximadamente doscientos cincuenta kilómetros: Saladillo se salvaba, Lobos, San Antonio de Areco caían de pleno, Chivilcoy ahí nomás, San Pedro de refilón, Zárate y Carmelo, se dijo, no zafaban. Apoyó el codo sobre el escritorio y la cabeza sobre su mano abierta. Recordó que esa noche había soñado con una habitación oscura y una cama de bronce. Pero en realidad no había soñado, no había dormido, tampoco pensó en eso. Aquella escena había estado, eso era todo. Se dijo que Matías Gastrelli era el más inmenso y reverendo hijo de puta que había conocido en su vida. Sin embargo al alemán, a ese Alfred Wobler no lo conocía. Empezó a llorar en silencio.

¿Qué estaba haciendo con sus ojos perdidos en la mesa? Después de todo por qué no. Perseguir a un impostor de cartas no era menos absurdo que un libro evangélico leído en zonas pobres y creyentes de América Latina, o que otro, nada menos que en su cuarta edición alemana, haciendo referencia a veintidós tratados cortos sobre un caso. La mente desencajada de Matías, y rememoró cuánto había buscado a ese sorete para abrazarlo emocionado, no era ni más ni menos desopilante que la de Felicia Rivas. Pero en este caso se trataba de libros, y para colmo viejos, ediciones agotadas sobre temas que todavía le estaba pasando a él esa mañana. Que fuesen libros, petrificaba sus reflexiones. Observó su biblioteca, libros revueltos y amontonados desde la visita de los fedayines, también por culpa de ese alcahuete congénito. Tenía que matarlo, si estaba vivo debía encontrarlo para incrustarle el cuchillo eléctrico en la garganta ¿Pero dónde estaba?

Lo tranquilizó pensar que los fundamentalistas que perseguían a ese misógino, ya lo habían matado. Pensó en Eugenia, no podía recordarla aquella noche del 63. Se cagó en el alma de Matías: todo era un dislate inconsistente, pésima literatura, pero estaba escrito. Era una historia, tan historia como la de Michelet, como su camisa nueva. Y editada encima por Suhrkamp. Con todas sus mujeres a lo sumo quiso un rato placentero, no un breviario número 324. ¿Por qué era lógico, a treinta años, tratar de acordarse de las tilingueadas de su primera novia? Pensó en Walter Benjamin: el momento de mayor peligro era el mesiánico salvador: pero no. Ahí estaba, jamás se le había dado tampoco a los judíos. Sólo era la frase de un gran tipo ¿Quién de sus conocidos y colegas habría leído el libro del alemán, se preguntó, o lo leerá en algún momento? ¿Cómo adivinar ahora quién sí y quién no? ¿Y si lo hubiesen leído, se lo confesarían? No, nada de eso que estaba viviendo era verdad, nada existía, ni siquiera podía ser un mal sueño, se dijo, mientras observaba el mapa de la provincia de Buenos Aires,

Salió a la calle para dirigirse al diario a dejar el artículo. Rememoró a otros Humbertos con su áurea entusiasta las mañanas de sol. No le extrañó la vista alzada de la gente en la vereda, inspeccionando el ulular del viento en la rama de los árboles. El colectivero paró varias veces, y al final se bajó para decir no va más: el tren delantero se me va a cualquier lado. Tomó un taxi. El ascensor del diario encalló entre dos pisos, bajó tres en picada con el desvanecimiento de una vieja redactora, conocida suya, y los dejó en el quinto, corazón de las rotativas con la entrada prohibida desde la inauguración del edificio. Se quedó charlando con Parodi sobre el nuevo estilo que quería imponerle al suplemento. Al principio escuchó el cimbrar de los muebles en el despacho, el temblequeo de la computadora que apagó la pantalla, y algunos libros que empezaron o caer desde los estantes. La vibración entró junto con el tembladeral de todas las cosas sobre el escritorio, y el gesto espantado de Parodi al taparse los oídos, justo antes de rodar como un cilindro compactado con traje, corbata y chaleco sobre la superficie de la mesa y caer cerca de la puerta, al lado suyo, tratando de despegarse de sí mismo. Mientras Parodi salía del despacho y gritaba una bomba, aprovechó para deslizarse hacia las escaleras.

Optó por volver al departamento, juntó alguna ropa, sacó los seis mil dólares guardados en un libro, y se mudó a un hotel turístico, a tres cuadras de su departamento. Primero habló con su primo Santiago para que le avisase a José, el ayudante de Alejandro Herrera, a María Velárdez y a Patricia, que fueran al lugar de la cita con Jacobo Klinger, y por las dudas merodeasen el lugar a eso de las diez de la noche. Cuando habló con Estévez, el decano le avisó que llegaría media hora tarde a ese encuentro; el rector lo había llamado para interiorizarse sobre el festival de protesta.

Durante el día prefirió no salir a la calle ni avisarle a nadie sobre su nueva residencia. Anduvo por los pasillos del hotel, con charlas ocasionales con las mucamas, bajó al bar varias veces por ginebra, hojeó revistas sobre bellos lugares del mundo, conversó con un par de ejecutivos franceses, también con un ingeniero noruego de paso por Buenos Aires y portador de un correcto castellano. Escuchó infinidad de tangos en la radio empotrada en la mesita, y entre tragos de la botella, meditó en los motivos por los cuales nada menos que Jacobo Klinger había decidido dar la cara. Las dos versiones, la de Esteban y la de Matías, resultaban decididamente equivocadas. Partes de una soberbia juvenil, de una polémica entre ellos en favor de Egon o en favor de Katia. Gansadas irreales, falsas. Falsas, por eso ciertas, diría la histérica de Felicia Rivas, que sin embargo era una luz para entender las cosas. Pero lo evidente es que aquella historia sumergida, ignota, de una casa en Almagro, fue preocupación de ambos ¿Qué los motivó a los dos a esos minuciosos trabajos al pedo? Tal vez también Ariel Rossi tendría el suyo publicado. Y junto con eso, Jacobo Klinger. No obstante, el significado de esa cita, justo ese día, se le escapaba. Algo había llegado: tal vez un día idéntico al que tuvieron Sebastián, Ariel, Matías. O no, Jacobo Klinger sabría del impostor, tal vez ese era el motivo del encuentro. Pero ya no le interesaba. A lo mejor el impostor también estaba buscando ayuda por algún lugar de la ciudad. Como si corriesen juntos por una calle oscura.

Se miró en el espejo, se acarició la cara. Era un tiempo para no racionalizar nada. Sin embargo pensó en su hijo. Quiso comunicarse con Guido desde la habitación, pero un chillido desproporcionado del teléfono le impidió pedir la llamada. Sólo escuchó el alarido de la telefonista y al rato el botones que vino a averiguar. Se acordó cuando le contaban lo que dijo el abuelo Baraldi el día de su nacimiento: se va a llamar como yo. Sólo le quedaba la botella sin una gota adentro, la cabeza con una docena de ladrillos sin revoque y el aplique de luz en el techo partido en babeantes quijadas que vomitaban imágenes, sombras, esquirlas.

21

Se vio llegar cubierto de musgo. Envuelto en una ameba negra. Untado por la llovizna. Se vio aproximarse al insólito sitio propuesto por Jacobo Klinger para el encuentro: un deprimente cafecito, Saint Edwards, en los fondos de una galería comercial de mala muerte por Libertad y Sarmiento. Eran justo las diez de la noche, sentía que conservaba la lucidez y el control de sus pasos por la vereda, no obstante seguía experimentando el agradable girar de las cosas alrededor suyo, las voces destempladas y ciertas muecas descomunales en los rostros ajenos. Había arribado antes o después de lo previsto a la cita, y se descubrió paralizado mirando el lugar desde lejos. Detectó a Santiago y a José, a todos parados delante de una vidriera humeante en la vereda de enfrente. Y en la esquina, como de levante, a la gata académica María Velárdez y Patricia en un diálogo distraído. Ellos al menos estaban.

Fue cuando no le entraba aire en los pulmones: observó entrar al lugar a una anciana con traje negro, collar de perlas y bastón. La vio bajar de un taxi y deslizarse, no sin dignidad, hacia una de las mesas del barcito. Era Matilde Lombrozo: aquella vieja profesora vista en los subsuelos del Instituto. Le hizo señas a los cuatro para que permaneciesen en sus respectivos lugares. Humberto quiso encender un cigarrillo pero el viento le apagó un fósforo tras otro. Se dio cuenta de que temblaba y estiró los brazos hacia abajo para calmarse. Caminó hacia el bar. Se detuvo frente a su mesa.

–Humberto.

–Profesora Lombrozo.

Al sentarse se dio cuenta de que se le arremolinaban cuarenta y nueve años entre las nalgas. La profesora pidió un licor, él un café: Comprendió que jamás en la vida había estado borracho de verdad. Ella le explicó que Jacobo Klinger no había podido venir porque ya no salía las noches de lluvia. No podía preguntarle nada porque a ella tenía que preguntarle todo. Desde su primer día que casi fue cesárea. Hablaron de la facultad. Entonces quiso saber de la cátedra.

–Ya no queda nadie, Humberto. Si hasta me enteré de que Ernestina se está muriendo.

–¿Usted se ve con Ernestina?

La anciana sonrió, como si hubiese venido preparada para este tipo de averiguaciones. Entrecerró los ojos para verlo mejor, y con su pañuelo bordado se tocó apenas la comisura de la boca. Los pájaros negros y gigantes se arremolinaban en el cielorraso de vidrio.

–Hace muchos años que no la veo –dijo.

–¿Qué fue esa cátedra, profesora Lombrozo?

–No me pregunte, Humberto. Es muy poco lo que podría contarle. Usted lo sabe.

–Usted es la que lo sabe, profesora. Conoció a Ariel, a Sebastián, a Matías.

Matilde de Lombrozo dejó de mirarlo. Posó sus ojos sobre la puerta del barcito. Alguna imagen se la llevaba. Sintió que ella se iba desplegada en el aire.

–Sebastián y Ariel murieron. Matías se fue.

–¿Matías se fue? ¿Dónde se fue Matías, profesora?

–Él siempre se estuvo yendo de todos lados ¿No lo conoció, acaso?

Comprendió que ella no hablaría. Algo tal vez se lo estaba impidiendo. Había venido a verlo, hoy. Esta noche. Los lengüetazos de fuego la acosaban ¿Entonces para qué había venido?

—¿Y ustedes, los de la cátedra? Hábleme un poco de ustedes.

—Me habla de cosas muy viejas ¿Se da cuenta? De hace más de cincuenta años. En aquel tiempo la vida era más simple. Como buenos argentinos, nos reunimos para enfrentar las tramas conspirativas de la historia. Parece ingenuo pensar en aquellas cosas ahora.

—La idea fue de Katia Hans, ¿no es cierto?

—Katia Hans.

La profesora sonrió, el nombre de aquella mujer le debe haber traído algún recuerdo cálido, o desopilante.

—Hace tanto que se fue a Alemania, Humberto. Ya debe haber muerto, la pobrecita. Fue una hermosa mujer, aunque un poco loca.

—¿Por qué no a Viena?

—Nunca le gustó el nazismo de los austríacos.

Advirtió que se le había enfriado el café. Pidió otro. La profesora no dejaba de mirarlo, como si hubiese esperado mucho tiempo para eso: igual que él. Ella lo observaba o ya había desaparecido de la silla.

—¿Y Egon Stromberg?

—No pregunte, Humberto. Piense que vine a verlo, para... para vernos ¿Usted no quería verme algún día?

—Usted sabe, profesora, por qué vine aquí, y por que vino también usted.

—Así piensa Jacobo.

—¿Qué pasó con el edificio y la librería de Belgrano? ¿Por qué se fueron de ese sitio?

La profesora bebió despaciosamente el licor de su copa. Le pidió un cigarrillo. Debió ser muy bella de joven, pensó Humberto, porque todavía lo era. O ya no había nadie en ese lugar

—Nos echaron de ese lugar.

—¿Quiénes los echaron? ¿Gente de la misma cátedra? ¿Salka? ¿Los militares? ¿Quiénes profesora?

–Si entendió la historia, Humberto, como supongo, debería entender por qué no hablo. Solamente quedamos dos: Jacobo y yo. Es muy poco para tanto ¿No lo cree?

–¿Y hablar de qué?

–Seguro que no sabe cómo me amó toda la vida Jacobo Klinger.

Se rió, con discreción y elegancia, al percibir la sorpresa de Humberto frente al dato ¿Dónde estaban sentados?

–Pero yo todavía un poco más. Usted no me conoció de joven. Era muy linda. Él sólo tenía pinta de rufián, con los ojos siempre clavados en alguna parte de mi cuerpo.

Debió ser siempre una gran tipa la licenciada, pensó Humberto, pero demasiado astuta. Hablaron del bandoneonista y del tiempo del tango. Él sacó el tema de la casa de Francisco Acuña. Ella volvió a enmudecer.

–¿Quién fue Egon? Se lo pido por favor, profesora ¿Quién fue?

–Me hubiese gustado conocerlo antes, Humberto, se parece a su abuelo.

–Ya sé que no me lo va a contestar, pero igual se lo pregunto ¿Qué vio Ariel una vez? ¿A quién vio?

–Serénese. Sólo le digo que la cátedra estuvo con ellos. La mayoría de nosotros ¿Usted me entiende? Tratamos de estar, la mayoría de nosotros, con todos ustedes, Chicos de barrio que después dejaron de ser chicos de barrio ¿No es cierto, Humberto?

–Ariel vio a Egon, cuando era imposible que alguien lo viera. Igual que cuando Esteban vio a Eugenia en un galpón ¿Qué me dice, profesora?

En ese momento llegó Estévez al bar, y se sentó en la mesa, con el resto.

–Los vi en la puerta, no sé qué hacían ahí.

Entonces, también Santiago, María, Patricia y José se sentaron a la mesa, rodeados de nieblas y aullidos.

22

Matilde Lombrozo los arrobó de entrada. A los cuatro, y al propio decano. Se definió como la más silvestre del grupo de una vieja cátedra, pero la que puso más el hombro cada vez que hizo falta. La profesora se veía dicharachera, locuaz, mal pensada, quizás con nietos de la edad de Santiago por la forma de tratarlos y saber sobre las últimas modas musicales.

–Profesora Lombrozo ¿Es cierto que hubo un Plan escondido entre las tazas de las galerías subterráneas del Instituto? –quiso saber Patricia.

–Así dicen. Creo que fue Jacobo el que lo escondió ahí, en yunta con algún otro. Decían, como Nietzsche, que el Plan no era para esa actualidad, más bien para las venideras. Yo no supe nunca cómo lo disimularon.

–¿Lo disimularon? –preguntó Santiago.

–Para que se perdiesen las pistas.

–¿Y dónde está?

–Vaya a saber dónde está. Jacobo decía que el primitivo borrador del Plan lo encontró en un viejo archivo de provincia. Ellos lo completaron, contaba. Pero era mentira. O yo pensaba que era mentira.

–¿Pero qué es el Plan? –preguntó Patricia.

Matilde Lombrozo los encandiló, al describirles dónde podría haber quedado inscripto ese famoso texto, según lo indicado por Jacobo Klinger y Katia Hans. En el dorso del plano de una catedral, en una grabación en cinta de cuatro reuniones claves de la cátedra, en un programa de radio que llegó a salir al aire una madrugada, en una primera experiencia de televisión en circuito cerrado, en el diario de sesiones del grupo, en una historieta nunca publicada, en cierta entrevista que le hicieron a varios en un diario local del interior, en dos capítulos de un radioteatro, en los anaqueles de una librería, en los apuntes de una clase magistral dictada en la facultad, en un artículo dominical de *Noticias Gráficas*, como prólogo de un cancionero de tangos, como epílogo de un relevamiento catastral de la ciudad de Buenos Aires y otras ciudades, en una edición apócrifa de la historia nacional, en las conclusiones de una revista sobre la historia del fútbol argentino, en un manual de corte y confección, dentro de tres huesos que sólo perros rastreadores nórdicos saben olfatear, en un recetario en edición rústica sobre comidas invernales, en un programa del Colón como sinopsis de una ópera.

–Pero existir, existió –dijo la profesora tomando aliento después de su meticulosa descripción.

Al pedirle al mozo una segunda ronda de café, el decano le comunicó que Ernestina de Queirolo acababa de morir esa noche. Se lo habían informado mientras se retiraba de la facultad.

–El velatorio de tu ayudante, durante todo el día de mañana, es en una casa particular por Belgrano –dijo Raúl Estévez.

Humberto vio el rostro, ya sin sonrisa, de Matilde Lombrozo. Sus ojos duros, mirándolo.

–Te aviso y vamos juntos –agregó el decano.

–No vaya a esa casa, Humberto –dijo ella.

Santiago observó con cierta sorpresa el gesto de la profesora. Patricia también se desorientó por aquel semblante que repentinamente había cambiado de máscara.

–Es mi ayudante, señora.

En ese instante, un cimbronazo de viento, como una tromba rugiente, derribó las sillas y las mesas del barcito y se estrelló contra el espejo y las botellas, detrás del mostrador. El zumbido no se detuvo, se deslizó por las paredes y llegó al piso para desparramarse con la misma violencia y golpear contra sus piernas. Salieron corriendo de aquel sitio, José paró un taxi en la esquina, y a duras penas Patricia y María, después el muchacho, lograron abrir la puerta trasera y encaramarse en el vehículo. Santiago cruzó la calle, gritó que lo siguieran, y se arrojó en uno de los fosos abiertos en la vereda para el arreglo de caños. Tenía un metro y medio de profundidad por lo menos. Raúl imitó a su primo, él fue el último en arrojarse adentro. Cayeron pesadamente, escucharon el soplido, como una caldera, encima de sus cabezas. Todo era viento y polvo.

–Me garco en los lienzos –dijo Humberto al tocar fondo en el pozo con los codos y el estómago. Vio al decano sacudirse la tierra del saco y echarse el pelo hacia atrás con las dos manos.

–Me garco en los lienzos –repitió Estévez–, ¿andás leyendo a Heidegger?

–Los abrimos ayer –contó Santiago–, fue mi cuadrilla. Su primo trató de improvisar un techo, con una lona apretujada cerca del borde, en la vereda. Humberto asomó sus ojos a ras de la calle, vio volar cosas por el aire, mezcladas con aquel son que no tenía intenciones de apaciguarse. También contempló a la profesora Lombrozo subir serenamente a un viejo auto, manejado por alguien que arrancó despacio y no pudo individualizar.

–Raúl, esto viene muy jodido –dijo Humberto–, hay algo espeso debajo de esta cátedra, como un agujero negro, sin fondo, y que es al pedo razonar. Pensalo por el lado de la locura, va a ser más fácil.

–Me voy poniendo en actas ¿Pero qué sacaste en limpio con la vieja?

Humberto se dio por notificado que Estévez, como Santiago casi siempre, no iba a preguntar nada. Ellos estaban ahí, al lado suyo.

–Como te diste cuenta, Jacobo Klinger no vino. Ese es el primer punto oscuro. No creo que no vino por la llovizna. Entonces, uno ¿quién te llamó por teléfono?, dos, ¿por qué no aportó esta noche el bandoneonista?

–¿El bandoneonista? –preguntó Raúl.

–Roberto Guzmán fue el nombre artístico de Jacobo. Tocaba en los cuarenta.

–Claro, Roberto Guzmán, gran fuelle de Osvaldo Pugliese hace veinticinco años. Sí, lo ubico, mi viejo me hablaba de él –dijo Estévez.

–No sé qué papel jugó la profesora esta noche. No quiso hablar. Me contó su historia de amor con Jacobo Klinger. Ella lo sabe todo. No te creas, la Lombrozo me cayó muy bien, dijo estar de nuestro lado. No sé qué pensar.

–Te dijo algo en concreto, la puta madre.

–Lo que deduje, es que ese subsidio para un nuevo edificio de la cátedra fantasma, disimulado en el Legajo 1200, fue después de que los echaron de la casa en Belgrano, en 1976, donde mañana van a velar a Ernestina. Entonces pienso que parte de la cátedra se quedó con ese sitio, la peor.

–Averigüé sobre el Legajo 1200, Humberto. Fue cancelado en 1942, cuando todos ellos concursaron: suplantado por otro. Pero ellos retuvieron el 1200, aunque recién lo hacen aparecer, lo activan, en 1968. Antes no.

–¿Recién en 1968? No entiendo. Lo que sé es que la cátedra se quebró en algún momento. Lo del Plan y sus formas mutantes para ser disimulado es algo anterior a que la cátedra se dividiese en dos. El Plan es la fundación de la cátedra en 1942, o en 1943. Después de eso pasó algo que no entiendo, que cambió toda la historia y partió monstruosamente las aguas.

–El 17 de octubre, podés decirlo más sencillo.

–Jacobo Klinger es una de las claves. Sabélo al menos, antes de que volemos todos. Y era peronista.

Las ráfagas, y aquel lamento cobijado en el aire, volvieron a herirles los oídos, para arrasar con violencia la calle. La lona que había puesto Santiago se desprendió para volar por encima de sus cabezas. Fue ascendiendo por las ventanas de un edificio.

–Hay dos historias, Raúl, que se pegan gelatinosamente atrás, hace mucho. La de una familia en Almagro, conocida por mí de adolescente, donde hay un alemán y una vienesa que participan del nacimiento de una cátedra que después se refugiará en el Instituto de Filosofía. El impostor va a nacer de la bisagra de esas dos historias, más tarde. Pero antes de eso, por los 40, algo se pudre.

–¿Y Jacobo Klinger de qué juega? –preguntó Estévez.

–Él conoció de entrada a esos dos sujetos que te dije, a Egon y a Katia, él participó desde el comienzo. Y además está vivo. Normalmente vivo, quiero decir.

–¿Cómo normalmente vivo?

–Dejála pasar. Él sabe. A lo mejor es el cerebro de esto. Pero la cuestión es que Jacobo no vino esta noche. O como lo insinuó la Lombrozo, con el pretexto de la lluvia, a él también lo garcaron.

–Que lo hayan cagado habla bien del bandoneonista: debe ser de los nuestros.

–No sé, Raúl, tendríamos que pensarlo.

–Pensar un carajo, Humberto, basta de darle a la matraca. Tenemos que apostar. Hace tres meses que andamos marcando a Maradona. Y ahora enterrados en este pozo de la municipalidad. Así no se sale, no, así no se sale.

–¿Apostar a qué, Raúl?

–A Jacobo Klinger.

–¿Por qué? ¿Porque fue un buen bandoneonista?

–Porque la Lombrozo habló bien de Jacobo. Porque es un buen bandoneón, por cierto. No se puede seguir sin la mínima bandera. Con dos como este balurdo, todavía estoy como secretario de Extensión ¿Te preguntaste qué hacemos aquí mirando la calle Sarmiento a ras del suelo? Aún apostando como el ojete no vamos a estar peor.

El ventarrón no decrecía, pero ahora era el principio de una lluvia cada vez más fuerte. Contempló desde el pozo la calle vacía, destrozada, los restos esparcidos sobre el asfalto. No había más tiempo. Se precisaba seguir aunque fuese con los ojos cerrados, como ciego en un truco. Todo concluía en una corazonada.

–De acuerdo, apostemos a Jacobo –dijo Humberto.

–Salgamos –propuso Santiago, como si hubiese aguardado ansioso el fin de las sesiones.

–Mañana en el velorio –dijo Estévez, ya otra vez sobre la vereda.

–Mañana falta un siglo.

–Traé gente, Humberto –se alejó Estévez–, una suerte de guardia pretoriana. Yo voy a hablar con los delegados de las facultades. A la mierda con todo, estalló el quilombo.

23

Corrió las diez cuadras que lo distanciaban del hotel. No era tanto la lluvia como el tronar del cielo por detrás de las nubes demasiado bajas. En un momento arreció la tormenta, vio chispear el agua sobre la calle, los zigzagueos de una luz contra el asfalto. Se refugió debajo del toldo de un negocio de lámparas y arañas de techo, hasta que oyó el crujido y el desplomarse de la vidriera, el desbarajuste de los artefactos eléctricos como si una manos gigantesca revolviese todo, y el jarrón despedido contra el árbol para hacerse añicos.

Quedó atónito. Se revolvieron imágenes dentro de su cabeza. Recordó el jarrón roto del abuelo, que Esteban contaba en su libro. Cerró y abrió los ojos varias veces, la lluvia persistía. Pensó en las cartas de Rosalía dentro de aquel jarrón, en un arma, en insignias militares alemanas y dos pasajes en barco que nunca fueron usados. Pero había otra cosa. Los últimos trozos de vidrios terminaron de caer por las bofetadas del viento. El recetario de una partera: eso era lo que había olvidado, lo que también Esteban encontró en el jarrón roto.

Se aproximó a un teléfono público, el agua se ensañaba con su cara, parecía venir desde el suelo. El resguardo había volado y estaba en el medio de la avenida. Atendió tía Mercedes y primero no pudo entender la pregunta que le hacía a los gritos.

–¡Sí, la loca Rosalía, acordáte tía! ¡La loca que venía a casa! ¿Qué era ella cuando no estaba loca todavía, qué era Rosalía?

–¿Rosalía? Partera, creo, curandera, también cortaba el empacho, Humbertito ¿Pero desde dónde me llamás?

Cortó y siguió corriendo hasta el hotel, llegó calado hasta los huesos, sin aire. Pidió la llave, respiró en el ascensor, entró a su habitación y se arrojó boca arriba en la cama porque se le acalambraban las piernas. Sólo tenía un pantalón, una camisa y un saco de recambio. El baño caliente fue como el último resto de vitaminas que podía robar antes de volver a acostarse desnudo sobre la colcha con la misma botella por la mitad.

Su abuelo había conocido a Katia Hans a través de Rosalía Miranda, quien la hospedó en su casa cuando la vienesa llegó a Buenos Aires a fines de los años 30, con su hija Salka. Posiblemente Egon arribó poco después al país. Así lo contaba Esteban, y de manera bastante similar el Palo Frías. Pero Matías agregaba el dato del nacimiento de las dos hijas de Salka: de la mayor Eugenia, y la menor Olga. Eugenia en 1943, y Olga Stromberg en 1944. En la Argentina. Seguramente Rosalía, prima de Katia Hans, atendió esos dos alumbramientos: era partera. Según Matías, ambos partos tuvieron la misma y funambulesca significación. Sin embargo, en la carta de Rosalía, encontrada en la mesita de luz de Esteban, ella le rogaba a su abuelo que se fueran "antes de que fuese tarde" ¿Qué significaban esas palabras de una partera todavía en su sano juicio? Esa carta era de octubre de 1944, el mes de nacimiento de Olga Stromberg, la menor de Salka ¿Huir de qué? ¿De qué quería escapar Rosalía?

Hizo memoria, recordó aquellos días de terror cuando era chico, cuando Rosalía, la loca, visitaba la casa y las tías los encerraban junto con sus primas en una pieza ¿Qué contaba, qué decía y repetía esa mujer enajenada en aquellas visitas? Dos meses atrás lo había rememorado, cuando grabó los cassettes para Celina: ella decía estar embarazada, y sin un médico que le explicase cómo era la criatura adentro de su panza. Aquellas no habían sido palabras sin sentido, posibles de suplantar por cualquier otra frase o delirio de una insana. Ese terror, precisamente, debió ser el estallido de la demencia de Rosalía ¿Rosalía había estado embarazada alguna vez? En 1944 el abuelo tenía 77 años, era imposible por lo menos con él, que había sido el gran amor de una Rosalía mucho más joven. Ella era partera, ella asistió a un parto: el miedo a una criatura que no sabía lo que era. Rosalía no hacía referencia a su vientre, fue una experiencia que tuvo pero como partera, y en 1944 sin duda el año que se volvió loca.

El investigador alemán, por datos que le pasó Matías, decía que en el nacimiento de esas niñas, gente cercana se rebeló contra lo que sucedía, en el nombre de dios y del mensaje cristiano ¿Qué resultaba cierto y qué resultaba falso en esa ponencia desaforada, a instigación del renacuajo de Matías? El abuelo Baraldi, el pastor de almas, debió estar muy cerca de todo aquel día del parto de Salka. Debió estar cerca de Rosalía. Pero la esposa de Egon debió insistir en que la criatura naciera. ¿Por qué Rosalía había dicho "antes de que sea tarde?" Salka, ¿quién era Salka? ¿Era aquello absurdo que contaba Matías? ¿O una cosa distinta que aterrorizaba a Rosalía? ¿Salka fue ese vejestorio horrible mostrándole un cuadro en la librería? ¿O estaba muerta, anormalmente muerta? El abuelo escondió en un viejo jarrón en desuso, del que nunca se desprendió, cosas, símbolos, que lo habían vinculado a esa historia ¿En razón de qué? Envidiable enfermo aquel abuelo de los púlpitos, pensó Humberto, mientras se ponía las medias y los calzoncillos.

Salió al largo pasillo del cuarto piso del hotel: el ascensor estaba en el otro extremo de su habitación. Caminó sobre la alfombra roja oscura y tuvo idea de haber visto una sombra, un cuerpo, cruzándose unos treinta metros más adelante. Llamó a la posible mucama pero nadie le contestó. Cuando estuvo frente a los elevadores, reconoció, al costado, la escalera. Se asomó por el hueco, pero no percibió que alguien estuviese bajando. Le hacía falta un par de copas hasta el borde.

24

La luz se cortó justo cuando estaba en el bar, pero no sólo en ese sitio: todo el hotel quedó a oscuras entre risas, aplausos, gente trabada en los ascensores y corridas del personal. En la barra pusieron velas azules y Humberto continuó hablando con un japonés importador de autos de lujo y un yanqui que vendía departamentos en Miami. Por los ventanales escuchó crujir al universo. Desde la barra se miró en el espejo: sólo vio una sombra debajo de su pelo. Un joven de camisa estridente tocaba el piano, mientras dos rubios, creyó que holandeses al escucharlos, acariciaban a una copera, dueña de un par de pechos siliconados. Al rato la mujer se le acercó para ofrecerse, sin muchos preámbulos. Trescientos, dijo. Después ella sonrió al escucharle la respuesta, pero no por lo que había dicho.

—Porteño, sí que no me lo esperaba.

—Nunca nos esperan.

—¿Y qué hacés aquí?

—Pienso qué le pasó a una partera en 1944.

—Porteño, no te digo.

—En serio.

—En un tiempo era una experta para tratar a los porteños. Ya ni me acuerdo.

—Ellos te recuerdan, tranquila.

—No es lo mismo un porteño cincuentón, que un gringo de veinte, que un japonés de treinta.

—Contáte el chiste ahora: había un alemán, un ruso y un argentino en un avión.

—¿Usted es habitación 417?

Tenía un botones mordiéndole el codo. No lo escuchó llegar.

—¿Habitación 417?

—Sí —dijo ella, mirando la llave de Humberto sobre la barra.

—Sí, soy habitación 417.

—Recibió un mensaje telefónico, señor, por eso le pregunto.

Fue al hall a averiguar. No le había dado a nadie su paradero, ni siquiera a Santiago, tampoco a Estévez. Del otro lado del mostrador de mármol, también iluminado por velas, encontró a un joven conserje en el peor momento de su día.

—Soy habitación 417.

—¡García, vení para acá, vení para acá te digo, García!

García vino. Se paró al lado suyo, era el cadete que llevaba las valijas.

—No es asunto tuyo, ¿entendiste, García? Si no de ese boludo en la puerta, que gana el doble que vos ¿Me entendiste, García? Que él se las arregle.

García se fue. El del mostrador, al lado de una vela, recién levantó la vista para mirarlo.

–Perdone, lo que pasa es que este corte de luz, la lluvia, y el recepcionista que deja entrar a una vieja loca, una mendiga, qué sé yo, y ahora nadie sabe por dónde se metió. ¡García, qué te dije! ¡García, vení aquí inmediatamente! ¡No me oíste, vos no te hacés cargo de nada, que ese se las arregle si la dejó entrar, que la vaya a buscar, yo te necesito aquí!

–Soy habitación 417.

–Sí, tiene un llamado para usted. Lo recibió el del turno anterior, que se fue hace cinco minutos. No sé si es un llamado, o vino una persona. Dice que se va a comunicar con usted.

Regresó al bar por más ginebra. Vio sombras y siluetas en todas partes, la gente había abandonado las habitaciones para preguntar cuándo volvería la luz. Escuchó que el suministro de corriente eléctrica se interrumpió únicamente en el hotel. Sentado en una de las banquetas altas se entretuvo mirando a la copera que acomodaba lánguidamente las orejas para el palabrerío de un italiano recordando un corte de luz en alta mar ¿Quién supo que estaba alojado en ese hotel?, se preguntó Humberto mirando de reojo la puerta del bar.

–¡La vieron en el segundo! –gritó alguien, lejos, y dos adolescentes empezaron con un pito a romper la paciencia del que tocaba el piano. Atronó la lluvia contra el ventanal. Escuchó un demencial retumbe del cielo que paralizó a todos los concurrentes. Trató de contestarse quién lo habría llamado por teléfono. Tampoco lo tranquilizaba el corte de luz exclusivamente en ese edificio, y menos aquella tempestad de estallidos en el cielo blanqueando a cada rato las ventanas.

Miró a la copera. Se palpó el bolsillo del saco: había olvidado sus seis mil dólares arriba, en la habitación. Ni se acordó que los había traído. Caminó a tientas hacia el hall, la gente seguía bajando. Debía subir por la escalera. Recordó la sombra vista en el cuarto piso.

–¿Por qué no espera que vuelva la luz? –quiso saber el conserje–. Aquí abajo hay baños, si necesita.

El del mostrador le prestó una linterna y fue abriéndose paso sin mayores incordios hasta el segundo piso. Vio por la ventana el ramalazo de un rayo cayendo no muy lejos. Cuando llegó al cuarto ya no pudo ver nada. El pasillo le pareció más largo que antes. La luz de la linterna lo mareaba, sobre todo al buscar el número en las puertas. Alguien lo había llamado por teléfono, pensó. Alguien sabía dónde estaba. No intuía quién podía ser. Pero en la cabeza le rebotaban dos nombres: Olga Stromberg, o Salka. Se volvió a repetir que estaba loco. Adelante, lejos, al fondo, vio la desagradable estatuita empotrada al final del pasillo. Llegó a su puerta y entró. Revisó su saco hasta encontrar el fajo de dólares. Lo ensordeció el estruendo de la tormenta, como si el pararrayo del hotel hubiese cazado cien refucilos en un solo paquete. Pensó en la vieja que había entrado al hotel: una vieja, dijo el conserje ¿A qué? Le regresó la imagen de la vieja de la librería. Dejó la linterna encendida sobre la cama. Recordó su sueño de Salka ciega, su imagen en una librería de Belgrano cerrada hacía años, pero abierta aquel día.

Debía serenarse, salir de la pieza, volver al bar. La habitación a oscuras le resultaba insoportable. Lo más oportuno consistía en regresar al bar. Fue al placard y encontró una percha de madera. Podía servir como defensa. Abrió la puerta de la habitación. Pudo distinguir muy poco en el pasillo. Lo iluminó con la linterna, pero apenas alcanzaba unos cuatro metros. Caminó despacio, atento a cada puerta cerrada a sus costados. Se preguntó por qué había subido. Nadie entraba a robar a los cuartos de un hotel como ese. Seguía descubriendo puertas cerradas, y adelante la alfombra.

De golpe se detuvo, con la linterna apuntando a la oscuridad. Supo que la tenía atrás. Ella estaba detrás de él. La había escuchado. No entendía cómo la oyó, pero la oyó. Era como si la viese. Ahora ella no caminaba, estaba estática, igual que él. Cerró los ojos. Los abrió inmediatamente. Ella estaba detrás de él. A unos tres metros, calculó. Esa era la distancia. Apretó la percha en su mano derecha. Tenía que darse vuelta con la linterna. Ella estaba más cerca que antes. Podía olerla. Recordó su sueño de Salka, vio el largo pasillo del sueño, vio sus ojos ciegos. Podía correr hacia adelante. O ya no. Ella estaba ahí, sin sonido, sin retumbes en su cabeza. La escuchaba respirar. No era que la escuchase, era un roce distinto de su boca. Era una boca entreabierta. Cerró los ojos y pudo ver sus ojos, atrás, desmesuradamente abiertos. Los abrió pero no podía caminar. Era demasiado el silencio para que no estuviese atrás. Hasta que por fin pudo oír, nítidamente, el arrastrarse de dos suelas por la alfombra. Tan próximas, que si giraba el cuerpo no necesitaría la linterna para verla. Ella estaba al lado. Corrió.

No supo hasta dónde. Vio dos manchas negras al costado, los huecos de los ascensores, tanteó la pared, buscó la abertura de la escalera, raspó con sus manos y uñas la *boiserie* del pasillo, golpeó con el cuerpo varias veces contra la pared, hasta que sintió que rodaba cinco, seis, siete escalones. Se puso de pie en el primer descanso, había perdido la linterna en la caída, pero siguió bajando, guiado por un pasamanos invisible. En planta baja le llegó el titilar de dos velas depositadas en el último escalón. Se apoyó contra la pared: no daba más. Sintió que iba en serio: no daba más.

25

Se derrumbó sobre uno de los sillones del bar del hotel, contra los ventanales. El del piano, muy cerca, divagaba sobre las teclas, despidiéndose. Humberto miró su reloj: las dos y media de la mañana. El cielo hizo otra vez eclosión del otro lado de los vidrios, ya sin lluvia. Escuchó que el equipo de electricistas no encontraba la falla, pero todos habían sido rescatados de los ascensores. No quería imaginarse si el bar cerraba y la copera y el del piano lo dejaban solo. Le pidió un par de temas, le mostró cincuenta dólares: en los ojos del muchacho fue sabiendo que por ese lado tenía compañía. La mujer, en cambio, se sentó por los alrededores, pero aburrida, previendo una noche sin nacionalidades.

—Se asustan los hombres, sin luz y con refucilos —dijo ella.

–No los porteños. Las lluvias traen las mieses.

–¿Las qué?

Mañana iba a ir a esa casa de Belgrano. Podría no ir, pero era inútil. Sin duda la profesora Lombrozo sabía de la muerte de Ernestina antes de sentarse en aquel barcito, y también dónde la velarían. Ella lo había mirado instantáneamente cuando Estévez mencionó el fallecimiento de su ayudante. Quizás por eso Jacobo Klinger había querido una cita a la que después falló. Entonces la casa de Belgrano no estaba deshabitada como había supuesto. O la eligieron sólo para velar a Ernestina. Fue la casa a partir de la cual nadie volvió a ver a Matías, fue la casa donde a cien metros murió Sebastián Lieger. Fue la casa donde debió morir Ariel Rossi en medio de bombas y explosiones, como dijeron los incautos vecinos. Y hasta la Gringa creía en un edificio tomado en 1976 por contrainteligencia del ejército. Tal vez sí. O fueron los mismos fogonazos y estallidos de esta noche en las ventanas del hotel. Salka aquella vez debió estar cerca de Ariel, como aquí, en el pasillo. Una vieja mendiga, había dicho el conserje.

Lo cierto es que aquel día la cátedra perdió la casa de Belgrano, y Jacobo Klinger su librería: hacía diecisiete años. En 1977 tuvieron que buscar otra, vía subsidio universitario. Se dijo que no estaba muy lejos de saber quiénes se la arrebataron. Esteban contaba en su libro sobre dos bandos en aquel grupo de filósofos conspirativos discutiendo sobre el país. Uno acaudillado por Katia Hans, decía su primo. Y posiblemente integrado por Jacobo Klinger, Matilde Lombrozo, el padre Sayago, el anarquista Schulem, y quizás la hermana de Egon, la luxemburguista Erna Stromberg de la que nadie le habló nunca ¿Y el otro grupo? Esteban no lo aclaraba en su libro. Humberto pensó en Egon, en Salka, en el titular Héctor Queirolo, y en Ernestina apoderándose de la casa. Quedaba flotando Fernández, el padre de su adjunta Joaquina. Pero también el libro de Esteban hablaba de Ernestina: amiga íntima de Salka desde siempre. Las dos habían puesto en 1944 un negocio de antigüedades por Barrio Norte. Tiempo después se lo clausuraron por agio, o por hacer reuniones de antiperonistas en dicho local. Esteban decía: reuniones políticas o académicas

disfrazadas de reuniones religiosas. Algo así decía Esteban. A lo
mejor habían sido ciertamente reuniones religiosas, pero no precisamente de la Acción Católica conspirando contra el apuesto
dictador. Como argumentaba la postestructuralista pastora Rivas: si Esteban escribía una historia, significaba que hablaba de
otra. Pero en ese mismo año 1944, cuando se inaugura el negocio de antigüedades, nacía Olga Stromberg. En ese episodio se
quebró en dos la cátedra, que había nacido para el gran Plan de
los filósofos y buscavidas, reunidos en 1942 ¿Pero qué había pasado en ese episodio? Trató de imaginarse quiénes habrían estado
en la casa de Salka, en la casa de Francisco Acuña, cuando ella
parió a Olga ¿O habrá sido en otra parte? Egon indudablemente, quizás el padre Sayago, y Katia Hans, y Ema de Rossi, tan
amiga de Katia, y la partera Rosalía. Tal vez el propio abuelo
Baraldi, acompañando a Rosalía que no la estaba pasando bien
en esos días. Y el matrimonio Queirolo. Fue cuando Rosalía se
volvió loca.

—Ya es tarde —dijo el yiro.

—No es serio —comentaba el pianista— ya nada es serio, se lo
digo yo, no quedan cosas serias.

—Mire la tormenta ¿tampoco?

Las descargas eléctricas habían recrudecido en los últimos
minutos. Bajaban como cataratas contra el edificio. Las nubes
eran bolsas de petardo boca abajo.

—No quedaron cosas serias —insistió el del piano—, todo es joda.
Hasta lo peor. Es una mala película.

—Voy al baño —dijo ella.

—Antes era distinto.

—Vení, vamos ¿o te arrepentiste? —quiso saber la mujer.

—Esperá el cigarrillo.

—No me gustan los hipócritas. Te aviso.

La vio alejarse. El hombre bajó la tapa del piano. Recibió los
dólares y se los guardó en el bolsillo de la camisa. Pensó en el
impostor, en cómo se había ido descuartizando esa historia desde que encontró la carta, con su letra calcada, en la mesita de luz de
Esteban. En aquella carta, ametrallada de preguntas, el falsario

quiso saber qué había pasado una noche entre Humberto y Eugenia Stromberg. Pero no, no había sido ese el motivo, como dedujo después. Eugenia embarazada, suicidándose tres meses después, ya era la respuesta sobre lo que había sucedido aquella noche entre ellos dos. Al releer un día la carta, descubrió que había otra mirada en esas hojas escritas, queriendo saber lo que habían hecho todos esa noche. No, todos no. Sólo Esteban y Ariel, que no estaban en ninguna parte de la casa de Francisco Acuña. Después lo supo, por el libro de su primo: Esteban y Ariel estuvieron en el galpón del fondo y presenciaron una escena escalofriante, imposible de razonar. Vieron a Eugenia, que en ese momento, estaba con él arriba. Vieron a Egon Stromberg, que supuestamente no estaba en la casa. Esteban decía que aquello no era un galpón. Pero lo que su primo vio esa noche ahí, jamás se lo había contado ¿Por qué? ¿Por qué terminaron peleados, distanciados para siempre? Pero la pelea con Esteban fue tres meses después, en diciembre del 64, cuando su primo le anuncia que va a seguir el pastorado ¿Y hasta ese día, por qué Esteban se calló todo?

Después de leer la carta del impostor nunca pudo entender lo que había buscado realmente, utilizando su firma para atraer al resto. Cuál había sido el sentido de ese juego interminable y macabro. El farsante supo lo que había sucedido entre Humberto y Eugenia. Por la propia pregunta que hacía sobre Esteban y Ariel, también supo dónde estuvieron ellos dos esa noche. Entonces se le escapaba el objetivo del plagiario ¿Anunciar su venganza, prevenir que recaería sobre todos? Creyó entender las cosas por primera vez: las cartas del impostor, las que recibieron Sebastián, Ariel, Matías, Esteban, esas cartas no buscaban averiguar lo de aquella noche. Sobre esa noche conocía absolutamente todo. Preguntaba sobre otra historia de la que no insinuaba el menor dato, signo ni huella, pero relacionada con algo de esa noche. Preguntaba sobre otra escena, que en sus cartas estaba ausente. Para eso, Humberto había sido elegido como anzuelo, elegido de carnada. Otra historia era la que el impostor no sabía: la que estaba rastreando con aquellas preguntas. Una historia que se fue lentamente acercando. Que se le acercó casi del todo esa noche en el pasillo del hotel y debió tener un rostro: la madre de Eugenia. Una vieja entrando furtivamente en el hotel. Esa historia ignorada nunca dejó de estar al lado suyo. Como cuando había ido con Yolanda a recorrer su casa de infancia. Una historia que lo debió acompañar siempre, utilizó su nombre, su letra, su identidad, su posibilidad de ser aceptada por los otros, menos por Esteban. Fue una historia tan desconocida como cierta. Únicamente Esteban no creyó en el impostor con la misma letra de Humberto, con la firma de Humberto. Esteban debió conocer esa otra historia, la no mencionada, la no aludida. Esteban debió darse cuenta de que lo que buscaba el impostor no podía buscarlo Humberto, porque precisamente Humberto la ignoraba.

Su primo Esteban fue el único que murió antes de todos. Murió de enfermedad. Después de su muerte el impostor empezó con Sebastián, Ariel y Matías. Eligió que Humberto fuese el último. Y también debe haber elegido que Humberto se creyese por varios meses persiguiendo a un impostor. En realidad no persiguió a nadie. Otro lo buscó, se le fue aproximando poco a poco cuando decidió hacerlo ¿Dónde estaba ahora, refugiado en un rincón del hotel, conversando con Jacobo Klinger, o encarcelado por el tronar de esa inconmensurable tempestad sin lluvia?

También el pianista miró aletargado por el ventanal un relámpago que iluminó la noche de Occidente. Después el grito, el alarido de una mujer en el hall de entrada. Los dos corrieron hacia el hall, para encontrar al yiro con la cara desencajada de pavor, sin dejar de señalar con la mano la zona oscura de los sillones en la recepción.

–¡Ahí, está ahí! –volvió a gritar.

–¿Quién está? –preguntó el pianista, cuando también llegaba el conserje enarbolando un farol.

–¡Está ahí sentada, en un sillón! ¡El relámpago ese, la pude ver, la vi, está sentada ahí!

El conserje se fue aproximando cautelosamente a los sillones, con el farol alzado. No vieron a nadie.

–Estaba ahí, estaba ahí.

–¿Era una vieja? ¿Una mendiga? –dijo Humberto.

–No, no. No era una vieja. No sé lo que era, una mujer, nunca vi algo así.

–¿Qué viste, carajo? –se impacientó el pianista.

–Estaba sentada ahí, mirando fijo hacia la puerta del bar. Era alguien, una mujer, no sé lo que era.

–Ya pasó –dijo el pianista–. Debió ser la vieja mendiga que hace unas horas se coló en el hotel ¿No es cierto?

–A la vieja esa la encontramos a los veinte minutos –dijo el otro conserje–, se había atrincherado en la despensa y sólo aflojó cuando le llenamos dos bolsas con comida. Era una jubilada.

Humberto tragó un resto de saliva. Acompañó a la copera al bar, que ya estaba cerrando.

–Vamos –dijo Humberto.

Ella lo miró, ya más tranquila. Se arregló el pelo con la mano.

– ¿Dónde? A mí me dan cualquier habitación desocupada en el hotel de al lado, es más lindo, más moderno, con mejor baño. Me piden sólo el veinte.

–Bueno, vamos –dijo Humberto, y la tomó del brazo.

–Me dijiste trescientos.

–Trescientos cada quince minutos. Pero vamos, caminá cerquita.

26

Se despertó después de haber dormido cuatro horas. Le dolía el cuerpo, se sintió cansado, al abrir los ojos se dio cuenta de que todo volvía a ser. Había soñado con Celina, estaba con ella en México, camino hacia el norte por una carretera soleada y el mar muy cerca. Un mar transparente, verde fuerte, que brillaba abajo para abarcar todo lo posible de ser visto.

El yiro dormía vestida al lado suyo. Levantó las persianas y descubrió el cielo despejado, sin nubes. Su mirada se extendió hasta el puerto, contra el río, cubierto por una llameante neblina de sol. Eran las once de la mañana. Regresó a su hotel para desayunar un café doble arrullado por dispares idiomas extranjeros. Pasó por su departamento de Córdoba y Esmeralda, pero antes de entrar tocó el timbre en la puerta vecina, la de María Velárdez. Lo atendió Santiago, en calzoncillos y lagañoso. Su primo le informó que anoche los paraguayos de la pensión le habían traído su auto, arreglado y estacionado a la vuelta. Le dio las llaves. Le pidió a Santiago que llamase a todos para informarles que no iría al teatro a presenciar el último ensayo general de su adaptación. Le ordenó a su primo que se fuese con Patricia directamente al festival universitario en El Tren Fantasma y no pasase por el velorio de Ernestina de Queirolo.

Volvió al hotel pensando en una casa de Belgrano. Trató de imaginarse qué tipo de gente encontraría en el velorio. Otra vez se había levantado un viento inmisericordioso. Vio cómo se desprendía una plancha de revistas del kiosco y astillaba la vidriera de un bar. Recordó sus viejas charlas con Ernestina de Queirolo cuando ella le pidió participar en el equipo de su materia. Se detuvo frente a la vidriera de una agencia de turismo. Contempló el jet flotando en la vidriera y las fotos de los afiches. Entró al local y se sentó delante de la empleada para averiguar sobre vuelos a México con combinación a Tijuana. Reservó dos pasajes y se guardó el papel con los datos que le escribió la muchacha. Al levantarse de la silla giratoria escuchó una avanzada de chillidos descolgándose desde los ventiladores de techo. Lo aturdió el estruendo más allá de los vidrios y sólo atinó a escapar. La segunda sacudida, contra las vidrieras, fue peor: como si una inabarcable bandada de pájaros se abatiera sobre el negocio y toda la esquina.

Cruzó la calle, contempló a varios transeúntes correr en dirección contraria. Tuvo la sensación de que no podía respirar y se detuvo para recuperar aliento. En el hotel pidió la llave de su habitación y prefirió subir los cuatro pisos por la escalera a pesar de la falta de aire. Trató de serenarse, se sentó en la cama, escuchó el televisor cada vez más alto, una corriente de aires siderales que se alimentaba y crecía por un espacio sin fronteras, hasta que el aparato enmudeció. La música empotrada en la cabecera de la cama también se había transformado en un ronroneo indescifrable. Pidió línea telefónica para hablar con Celina, mientras contemplaba el rodar del ventilador sobre el piso. Escuchó las llamadas del teléfono pero después un sonido ronco, gutural, inhumano, que casi le arrancó la oreja. Se desprendió del auricular, se levantó de la cama poseído de un repentino temblor, aunque alcanzaba a escuchar que desde el teléfono, sobre la alfombra, se repetían los ramalazos de un susurro sobrecogedor. En la calle desistió de viajar en ómnibus, tampoco en su auto por ahora. Caminó hasta la plaza, se sentó en un banco con sombra frente al teatro Cervantes para almorzar dos panchos en un carrito callejero. Con el último sorbo de la lata sintió cómo se encrespaba el viento y algunos salían disparados en busca de reparo. Eligió una pizzería con escasos parroquianos. Leyó en el papelito los números de los vuelos, los horarios y los días de partida. Se preguntó si tenía que ir a ese velorio. Le pidió al mozo dos porciones y un moscato y trató de fabular el rostro de Olga Stromberg. No era una vieja, había gritado anoche la copera a punto de desmayarse. Apoyó los codos en el mostrador, entraron tres hombres pulcramente vestidos para pedir café con crema. Esta vez el retumbe surgió por debajo de la madera de la barra. El chirrido fue en aumento, las tazas y los platos sucios tiritaron dentro de la pileta, el relumbre atravesó las mesas, y lo golpeó en la nuca, le aplastó la cara contra el mostrador cuando un zumbido majestuoso, un cardumen de alimañas rasguñaba el piso del bar.

Sintió el mareo del golpe. Le palpitaba la piel debajo del ojo izquierdo estrujado contra la madera. No supo de dónde sacó fuerza cuando se dirigió hacia la puerta. Se detuvo en la vereda, miró el cielo. Otra vez había despejado, no quedaban nubarrones. Presintió la hinchazón del pómulo: por el dolor, por cómo lo miraba la gente. Regresó al hotel y se sentó en un sillón de planta baja. Cerró los ojos: vio el cuerpo inerte de Jacobo Klinger en medio de un basural, también sobre una camilla.

27

La que había sido, en un tiempo, librería de Jacobo Klinger estaba cerrada, detrás de una cortina metálica que disolvía cualquier referencia. En la puerta de al lado del mismo edificio, por el contrario, Humberto advirtió además de algunas coronas de flores, el zaguán iluminado, lo mismo que una ventana abierta a la calle. Escudriñó desde la vereda las celosías del balcón del primer piso, creyó adivinar cierta luz filtrándose por las rendijas. Rocío se puso al lado suyo cuando entraron detrás del decano.

Pudo contabilizar bastante gente, algunos diálogos difusos, el patio cubierto por un toldo de metal, caras desconocidas, y otras alguna vez vistas por la facultad y la sala de profesores. Su ayudante Gabriela Cevallos se aproximó para saludarlo. Raúl Estévez estrechó la mano de casi todos a medida que se internaba en la casa. Cuando pasaron frente a la antesala con el féretro divisó a Joaquina Fernández. La saludó de lejos. La vio rodeada de ancianos que no alcanzaba a individualizar a la distancia.

Recorrió disimuladamente la planta baja. La escena era la normal de un velatorio. Por lo investigado en la primera ronda, suponía que ni Jacobo Klinger ni la Lombrozo estaban por el patio. Tampoco junto al cajón. Al terminar su recorrido besó a su adjunta, quien no pudo reprimir su congoja por la muerte de Ernestina. Saludó a un profesor conocido, y mantuvo un diálogo circunstancial sobre su ojo hinchado y las diferentes estrategias para desinflamarlo. En un momento tomó nota de varios jóvenes, bastante ajenos al resto, agrupados en el patio, y algunos otros en la puerta de la habitación con el féretro. Pensó en los alumnos convocados por el decano. Vio a Estévez con cara de estar harto de saludar gente. Después se le acercó para preguntarle si había visto a Jacobo Klinger. Cómo lo iba a ver si no lo conocía, le contestó. Estévez sonrió nervioso y se ajustó la corbata.

Humberto se detuvo junto al hueco de la escalera que llevaba al primer piso de la casa. Joaquina se acercó para decirle que Raúl Estévez le había contado ayer lo de la cátedra fantasma que investigaban. Confesó que las revelaciones del decano la habían sorprendido y angustiado. Nunca supo de esas cosas, le dijo Joaquina, ni su padre muerto hacía años le comentó tal intriga. Ella quería ratificarle que estaba totalmente del lado del decano y del suyo: sin la menor vacilación. Humberto vio que el Palo Frías hacía su entrada al patio, con su pelo corto, desprolijo, y su vejado impermeable hasta el piso, pero esta vez con una polera blanca, cruzada por un collar.

–¿Dónde está Jacobo Klinger? –el vozarrón del decano lo sobresaltó. Vio cómo la gente giraba la cabeza para mirar a Raúl.

–¡Sí, ya me escucharon la pregunta! ¿Dónde está Jacobo Klinger?

El silencio fue inconmensurable entre los profesores de la facultad después de los gritos de Estévez, parado en el medio del patio. Nadie se movió de su lugar ni intentó responder a aquella demanda. El decano recorrió con sus ojos cada una de las caras de los profesores de filosofía arrimados al ataúd.

–¡Sé que la pregunta es la pregunta que se hacen todos ustedes! Sé que se están preguntándose conmigo ¿por qué Jacobo Klinger? Como si los escuchase, me digo: ¿quién es Jacobo Klinger? Sí, quién es, en tanto no está hoy con nosotros ¿Dónde está Jacobo Klinger? ¿Por qué no está aquí Jacobo Klinger? Hoy grito: ¡está Jacobo Klinger con nosotros! Ya ven señores. No está. Pues bien, mis estimados docentes, esta es una secuela más de la historia que padecimos y venimos padeciendo. Pero yo no me siento arrastrado por culpas ni fatalismos, ni creo en historias donde supuestamente reinaron los demonios. Por eso pregunto por Jacobo Klinger. Porque la historia de este país siempre tiene nombres y apellidos de la infamia, siempre tiene poderes, intereses, pero también libros que los denunciaron, que atestiguan. Y este país sobre todo, perdonen la expresión, tiene una cuantiosa cantidad de hijos de puta que masacraron, asesinaron, y ahora se reparten el negocio y el saqueo de la democracia con ese filibustero que tenemos a la cabeza y en la Casa Rosada. Frente a eso, es importante hoy, hoy al menos, preguntarse dónde está ese gran hombre, Jacobo Klinger, qué hicieron con él.

Nicolás Casullo

Un murmullo desparejo, mezcla de asombro y reproche, creció de manera espontánea. Humberto percibió en el zaguán de entrada la figura de la profesora Lombrozo con su bastón. Ella lo estaba mirando y levantó el pulgar de su mano derecha. Algunas voces comenzaban a exaltarse. Un estudiante, al lado suyo, gritó el nombre del bandoneonista.

Joaquina se aproximó al decano para darle la mano. Humberto siguió junto a la escalera que comunicaba con el primer piso. Alzó la vista hacia la penumbra de los escalones, un poco más arriba todavía: hacia el distante descanso, donde la luz casi se opacaba del todo. Vio a alguien parado allá arriba. Un cuerpo inmóvil.

Entrecerró los ojos. No alcanzaba a distinguir su rostro, pero le impresionó lo estático de esa silueta clavada en lo alto. Distinguió sus piernas, su cuerpo, la ropa oscura, hasta encontrar, de a poco, la cara sin gestos, sólo ojos abiertos, paralizados contra los suyos, de una mujer. Humberto no atinó a movimiento alguno. Tampoco precisó de la memoria. La que lo estaba observando desde allá arriba, quién sabe desde cuándo, era Fidelina, su antigua mucama.

Sintió que la cabeza se le desintegraba para esparcirse en un último viaje por su cuerpo. Escuchó los gritos, las respuestas ofendidas y varios comentarios superpuestos que se iban acalorando. Volvió a mirar por el hueco de la escalera, pero ella ya no estaba en el descanso. Ascendió por los escalones con una lentitud que su propio cerebro no pretendía. El viejo instituto de la cátedra resultaba la guarida de esa mal nacida. De ella, y muy posiblemente de Olga Stromberg. Llegó hasta el descanso pero no pudo divisar nada. Sólo los contornos del resto de la escalera. Siguió subiendo, sentía la vista nublada, sus dedos le flaqueaban sobre el pasamanos.

Al llegar al primer piso se enfrentó a una pequeña sala en penumbras, sin conseguir ubicar dónde estaba la llave para encender la luz. Atravesó muy cautamente el lugar, alerta a cualquier presencia por detrás de los sillones o al costado del bargueño. Su cuerpo se petrificó al tropezar con la mesita del teléfono y volcar un retrato. Al levantarlo distinguió en la foto la cara de Eugenia hacía treinta años: sonriente, con el pelo batido, tal cual como la había conocido.

Más allá de la sala se extendía un largo corredor, y en el fondo una puerta cerrada. Tanteó la pared por algún botón de luz, sin encontrarlo. Prefirió seguir introduciéndose por la oscuridad. Varias puertas daban al corredor. Las dos primeras cerradas con llave. Recién pudo abrir una tercera lo más despacio que le permitían sus nervios. Resultó una habitación vacía, con dos baúles contra la pared. Al abrirlos en la penumbra encontró vestidos, polleras, blusas de seda, enaguas. Abandonó sigilosamente el cuarto, cerró la puerta, recién en ese momento tomó conciencia de estar parado en el medio del pasillo. Pensó en regresar a la planta baja. Se acarició los dedos, sintió un temor irrefrenable que sin aviso lo atenazaba hasta la nuca.

Se acercó a la pared para aplastar su espalda contra el empapelado que lentamente iba tomando forma en la oscuridad. Miró hacia atrás. No encontró a nadie. El mismo silencio en todas partes. Apenas un lejano rumor proveniente de abajo. Decidió continuar por aquel pasillo engañosamente adormecido. La puerta restante también estaba trabada, como si un torpe juego de cerraduras lo guiasen al lugar que ellas se habían propuesto. Pensó en desandar la marcha, retornar al velorio. Palpó la manija de la puerta en el final del corredor: estaba abierta. Se fue dando cuenta de la vastedad de aquella casa utilizada años atrás por la gente de la cátedra para dictar cursos y seminarios. Se topó con un patio interno, cubierto por una pintura gigantesca que ornaba el techo de vidrio. Atisbó una mesa larga, varias sillas, otras sombras que después fueron muebles, un televisor, la heladera, una mesita con el teléfono, y a la izquierda una puerta alta, de hierro, parte de un vitral con figuras indiscernibles en medio de la tiniebla.

Ya no le llegaban voces desde abajo. Tampoco el mínimo ruido desde ninguna parte. Presentía sin embargo que ella estaba cerca. Reconoció que lo más conveniente sería buscar ayuda, volver con alguien. Pero decidió seguir metiéndose por aquellos vericuetos. Atravesó el dintel a pesar de la falta de aire y el frío en las manos. Cuando cerró la puerta detrás suyo, se dio cuenta de que ya estaba.

Recién después, descubrió la silueta de Fidelina. Junto a la tenue claridad de una ventana. Pero antes de discernirla fue un resplandor distinto, imperceptible: un claroscuro en el aire de esa nueva habitación que no llegaba a ser precisamente eso, ni tampoco silencio.

–Fidelina.

Ella siguió mirando a otro lado. Humberto desentrañó su pelo canoso, las líneas fuertes en su rostro.

–Sí, Humberto.

Recibió esa voz como si se resquebrajase el tiempo. Un velo corroído terminaba de pronto de desprenderse. Como si la escuchase antes, mucho antes, y quizás también ahora. Quiso salir de aquel lugar. Comprendió que no tenía que estar ahí, viéndola.

–Vos fuiste, Humberto –dijo ella.

No le contestó. Trataba de pensar también en Olga, pero había algo, dentro de su cabeza, y afuera, que le arrasaba todas las imágenes.

–¿Por qué lo hiciste, Fidelina?

En ese instante, ella dejó de mirar por la ventana. Giró la cabeza, una cabeza que parecía no ser de ella ni de nadie.

–Vos asesinaste a Eugenia. Fuiste vos, Humberto.

Los ojos de ella estaban más serenos que la furia reconcentrada de su voz.

–Vos la mataste de un balazo esa noche, Humberto.

Aplastó su cuerpo contra la puerta de hierro. Descubrió el frío del picaporte en la mano. Un resplandor le llegó desde la izquierda.

–Con el revólver de tu abuelo, la mataste esa Nochebuena.

–Fidelina, qué estás diciendo por dios.

–Diciembre de 1963, Humberto.

Recordó aquella Nochebuena, con su primo Esteban en la casa de Almagro, muy poco antes de mudarse. Lo había recordado en la última cinta grabada para Celina: aquella noche con su primo en la casona del abuelo, los dos solos.

–Vos fuiste, Humberto. Vos la amenazaste varias veces, no aceptabas terminar la amistad, y ella te tenía miedo, te tenía asco por lo que le hiciste una noche.

Recordó vagamente el rostro frío, indiferente, de Eugenia. Tal vez la haya amenazado para que no contase lo que había sucedido en la cama de Salka. Posiblemente fuese verdad, o no, se había olvidado. Ella nunca quiso volver a besarlo, nunca quiso volver a salir con él. Fue inútil insistir, lo despreciaba.

–Vos fuiste, Humberto.

Aquella Navidad, pensó Humberto, pero no podía pensar.

–Entraste a su dormitorio, la viste dormida, pusiste el revólver en su cabeza, y disparaste. Mataste a Eugenia, bestia. Pero había alguien más en esa casa, en otra pieza, que no te pudo ver. Apenas vio tu sombra.

Humberto cerró los ojos. Los abrió despacio. Buscaba recordarlo todo. Las palabras de Fidelina eran imágenes detenidas, una escena sin nombre. Ella había vuelto a mirar por la ventana.

–Está ahí –dijo ella.

Humberto giró la cabeza y vio una puerta con cortinas. Vio una luz en el interior de aquella otra pieza. Caminó hacia esa puerta. Al posar su mano sobre el picaporte vislumbró una sombra a través de las cortinas, un trazo en el aire. Contempló el contorno de un cuerpo que no alcanzó a precisar qué era. Percibió de pronto dos pupilas, una mueca desencajada, un relumbre que estalló contra sus ojos, contra sus oídos. Ya no pudo ver, una respiración áspera inundó la habitación, fueron fogonazos vomitados, y por detrás de las cortinas un lamento hiriente se abrió paso para girar en vuelos vertiginosos alrededor suyo.

Tuvo una última conciencia, su mano abría aquella puerta, o era alguien que tiraba desde adentro, era eso estragando su cabeza, un quejido lejano y aprisionado que no terminaba de estallar, una visión que se postergaba siempre. Se imaginó que escuchaba voces, el retumbe de pasos corriendo, un tropel que se aproximaba, gritos destemplados. Volvió la cabeza una última vez para saber que Fidelina ya no estaba junto a la ventana, justo cuando el sonido de esa pieza brotó para precipitarse como una tromba fulgente. Sintió unos brazos que se abrazaban a su cuerpo y querían apartarlo de aquella puerta con cortinas. Creyó que el cuerpo se le partía en dos, se le quebraba. Vio a Rocío, vio también a Amalia que no lo soltaban, pero esa pieza lo tragaba. Sin embargo ellas consiguieron separarlo, arrojarlo al corredor. Oyó que alguien vociferaba el nombre de Jacobo Klinger, y se dejó llevar por el envión de la bailarina y de la monja hasta el patio de la pintura en el techo.

En la calle corrió al taxi, se tiró adentro y sintió que arrancaba.

28

Pero el taxi frenó en seco en la primera esquina y lo volteó del asiento donde iba acostado y deshecho. Trató de aferrarse del respaldo, de la nuca del taxista, para ver qué había sucedido. Vio al Palo Frías parado frente al coche, más largo de lo que era porque alzaba los brazos proféticamente con los ojos desorbitados, el impermeable al viento y una sonrisa impostada cuando entró y se hizo lugar al lado suyo para desplegar las piernas.

–¡Baraldi, nalgas abiertas de Saturno! ¡Te traigo buenas noticias: las úlceras de tu verga no son por el frote diario, sino por tus manos sucias! Flor de biandún en el pómulo ¿Te agarró el marido de la cuadripléjica? ¿O fue ella, que justo le dio corriente en el codo?

Humberto le dijo al taxista que arrancara hacia Vicente López, hacia El Tren Fantasma, y miró con resignación por la ventanilla.

–¡Llegó Olga Stromberg! ¿Qué vas a hacer ahora, Humbertito, que por el sida recetan forros y no dedales para tu puerco bichito? Me acordé del libro de ese alemán sobre tu caso ¿Matías te vio en bolas para animarse a esa tesis? Todo lo tuve que leer, todo lo tuve que saber, hijos de puta, para conocer lo que había pasado. Pero ya no sos el tierno que vino a verme una noche ¿Verdad, Humbertito? Los libros de Esteban, y el del alemán asesorado por Matías, los leí por el 76. Y vos llegaste quince años después como un gandul ilustrado a pedirme pastillas de carbón.

Notó los retumbes de una masa chispeante a la altura de las nubes. Sobrevolaban por encima del taxi como figuras caleidoscópicas: caían junto con las primeras gotas de lluvia. Se prometió que apenas llegase al festival universitario, si es que llegaba, llamaría a Celina.

–¡Vuela que te vuela, atorranta Olga Stromberg! Como te digo, Humbertón, me leí todo. Hasta tu artículo de 1968 en esa revista sacada en París ¿*Ríos Desbordados*, no?

–Jamás la pude ver en mi vida.

–Ni la vas a ver, me limpié el orto una semana entera el verano del 71 con esa mendicidad que escribiste. Vos siempre abriendo épocas. Desde tus revistas literarias y allá por el tiempo de azules y colorados. En París, aquí, en México, ayer leí tu artículo en el suplemento, ahora andás abriendo otra ¿Por qué no te morfás el sacacorchos de una buena vez, Baraldi?

–¿Qué carajo sabés de todo esto?

–¡Todo, Baraldi, hasta dónde van a enterrar tus putos huesos, tu hijo y tu hermana!

Se dio cuenta de que el taxista no entendía la causa de esos barquinazos del auto, bandeándolos contra los cordones. Lo vio con las manos aferradas al volante, intentando concentrarse.

– ¿Te lo contó Jacobo Klinger?

–No, Humbertito, no. Me lo contaron hace años, gente que ya debe haber muerto de vieja. Sobre todo Erna Stromberg, la hermana de Egon, y la profesora Matilde Lombrozo, concubina del bandoneonista. Después también hablé con Ema de Rossi y con el profesor Ramiro Fernández, el padre de tu adjunta Joaquina. Al que nunca pude encontrar en ninguna parte es a uno que fue periodista de *Noticias Gráficas* o de *Crítica*, un ácrata, David Schulem, amigote de Klinger. Toda gente de aquella cátedra.

Humberto miró al Palo Frías. Después la nuca del que manejaba, luchando contra ese espectro mórbido que daba vueltas por arriba sin perderles la pista.

–Contála, Palo, total ya no vamos a llegar a ningún lado.

–Ahora puedo contarla, pelandra. Ahora Olga Stromberg se come las palabras ¿Cómo la querés? ¿De lujo? ¿ O tipo dossier, como dicen las tetas caídas de tu facultad?

El Palo Frías empezó con sus flatosidades. El conductor chasqueó la lengua y bajó su ventanilla un poco más.

–Agarrate fuerte del asiento, Humbertito, y atendé: Egon Stromberg debió nacer allá por 1897, en Retiro, cerca del puerto, pero no se llamó ni Egon ni Stromberg por esa época. Fue hijo adoptado desde los cuatro meses, de un matrimonio de alemanes inmigrantes que lo vieron rubio como ellos y lo compraron sin preguntar ni por su madre. Lo bautizaron Amancio, nombre telúrico con que ese par de teutones soñaban su nueva vida en el país. Amancio Richter. El Naso Amancio, así lo conocían cuando de pibe, en el barrio, se hace amigo de Jacobo Klinger, dos años menor. Lo de Naso le venía por su voz nasal, gangosa, de personaje de chiste boludo. Precisamente fue Jacobo, letrista de milongas desde los 15 años, quien se rompió la crisma por corregirle el defecto y educarle la voz. Y lo consiguió, hasta el punto que formaron un dúo de cancionero sureño y candombes por cafetines del Bajo allá por el Centenario. Roberto y Amancio, así se los conocía, porque Jacobo ya había optado por el seudónimo de Roberto Guzmán para subir a las tablas. Pero Jacobo desde hacía mucho se daba cuenta de la jodida patología de Amancio, de sus pensamientos perversos y deseos mal paridos, sobre todo cuando Amancio tajea la jeta de una buena mina, amiga en común: la desfigura después de forzarla y reventarle los ovarios. Amancio tiene que rajar después de eso, los propios padres lo ayudan con guita, porque se dan cuenta que si sigue aquí todo va a terminar incalculablemente mal. Y Amancio elige Alemania, porque habla el idioma tan bien como el criollo, pero por otra cosa sobre todo: se siente llamado a encontrar a su verdadero padre, algo que lo obsesionaba.

Escucharon el clamor de la llovizna sobre el parabrisas, un susurro que se tornaba azul, verde, cada tanto también amarillento. Vio la turbación en el perfil transpirado del taxista, justo cuando escucharon detonar los primeros relámpagos. Las ruedas traseras venían patinando como si hubiesen entrado en curva violenta. Pero consiguió enderezarlo.

–Egon se fuga a Europa en 1916, en plena primera guerra. Tiene entonces 18 años. Pero vaya a saber por qué, pasa de largo por Alemania y aterriza en Viena, para mojarse las patarras en el Danubio después de caminar todos los días sin un sope. Conoce gente de cuarta, entre ellas un grupo donde participan un tal sacerdote Grill, también Lanz von Liebnfels, que saca una revista antisemita, *Ostara*, y un ingeniero muerto de hambre de Munich, dedicado años atrás a investigaciones sobre la radio visual, tipo que había conocido a Marconi en Londres y a Paul Nipkow, pionero en Berlín al trasmitir una imagen a distancia en 1884. Terminada la guerra Amancio viaja a Alemania en 1920, con las bolas por el suelo de Viena la Roja. Vaga sin rumbo y recala en Munich, en la casa de aquel ingeniero conocido. Pero una tarde de mucha cerveza entre ex soldados de la Primera Guerra, mientras se bañaban en el río Isar, uno de ellos hace referencia a las dos grandes verrugas que Amancio portaba en su cuerpo, a la altura de los riñones. Le cuenta entonces haber conocido en las trincheras a un viejo cabo berlinés, Stromberg, un alemán medio gitano, con esas dos marcas en el mismo lugar, y voz gangosa. Un personaje temible, de una crueldad hermanable con el averno, a quien los propios mandos militares germanos fusilan en plena guerra, acusado como protagonista y cerebro de una matanza gratuita contra ancianos y niños de un pueblo. El condenado sólo había dejado una carta antes de su ejecución, para sus dos hijos, gemelos. Amancio siente que le crepita el corazón de verdad por primera vez en la vida. Viaja a Berlín, le escribe a Jacobo Klinger a Buenos Aires, con el que de tanto en tanto se carteaba, sobre la enigmática huella descubierta con respecto a su padre, aunque silencia absolutamente el dato del hermano gemelo.

Sintió tronar el firmamento, y el eco de esa sonoridad que convulsionó la osamenta del taxista para perderse en la inmensidad sin lindes del espacio. No era lluvia, se asemejaban a gotas espesas que morían antes de tocar el asfalto. Humberto se dijo que escuchaba otra historia, una más, acurrucada a la sombra de otras anteriores. Recordó la tarde que fue a ver al profesor Lanari para averiguar qué había pasado con la materia anterior a la suya y la causa de la renuncia de Sebastián Lieger. Un dato casi al alcance de la mano.

–En Berlín, Amancio Richter vive muchos años, estudia electrónica y radio –retornó el Palo Frías– y por su cuenta lee filosofía como un envenenado mientras busca por la ciudad datos sobre papá Stromberg. Entra al Partido Obrero Alemán Nacionalsocialista, y después a un equipo técnico de la SA, donde investigan con lentes, silenio, corriente eléctrica, discos giratorios, tubos catódicos, y practican transmisiones de imágenes que emiten en Berlín y son recibidas en Munich. Amancio propone a la jefatura de la SA un nuevo tipo de registro para los cuadros nazis que se incorporaban: tomarlos en imágenes de circuito cerrado, desnudos y recitando un párrafo de un discurso de Hitler, para comprobar perfección física, acento germánico y voz de mando. La propuesta es aceptada parcialmente, aunque lo que pretende Amancio es ver si por ese medio, extendido quizás a distintas ciudades, puede ubicar a su hermano gemelo, portador de dos verrugas en la cintura y algún rastro de voz gangosa. Pero no es con esa estrategia que finalmente lo ubica. Una noche de 1933 conoce de casualidad a Katia Hans en un recital de poesía expresionista tardía, donde la vienesa, viuda de 34 años, lee sus versos en el escenario. Amancio siente que esa mujer allá adelante lo arroba y lo trastorna, sus visiones y metáforas resuman la decadencia de ideas y valores que más odia, y al mismo tiempo su rostro, su voz, su mirada, la melena que angelicaliza sus gestos, los recibe como dones sensuales, paganos, del cielo. Cuando está por ir a saludarla, un conocido de la poeta se le acerca a Amancio, lo confunde con otra persona, y lo deja absolutamente azorado con lo que le dice: él era la exacta, calcada reproducción de otro. El desconocido le cuenta de quién se trata ese igual: un amigo, y sin duda amante de aquella mujer, Katia Hans, que leía sus poemas en el escenario. Tal afortunado era un escritor, también poeta, solitario de vida rural, caminante de los bosques. Amancio también obtiene esa noche datos sobre el paradero de su gemelo, y sin esperar que el recital concluya para conocer personalmente a Katia, sale a la calle y deambula largas horas por Berlín, de taberna en taberna, exaltado por la información que acaba de obtener y que persiguiera durante años. Por eso a la mañana siguiente viaja a buscarlo a ochenta kilómetros de Berlín, en pleno bosque. Ahí lo espera toda una tarde, sentado en el umbral de una cabaña, hasta que ve llegar a su gemelo, quien se presenta como Egon Stromberg. Amancio le cuenta el motivo y al final se abrazan, los dos mutuamente extasiados, y reconstruyen los años de sus vidas paralelas donde se ignoraron. Egon es un poeta que prefiere los senderos del monte, el atardecer cortado por lejanos campanarios, que escribe aunque nunca quiso publicar nada. Le habla del vino de los campesinos compartido los domingos en el pueblo. Egon le cuenta a Amancio que tienen una hermana mayor, Erna Stromberg, arquitecta, marxista y refugiada en Francia por motivos políticos. También le cuenta la historia de la madre de ambos: había escapado a la Argentina a principios de 1897, embarazada, para librarse de un marido comparable a un salivazo del diablo sobre la tierra. Pero en Buenos Aires, ella tiene un horrible parto de los gemelos, queda enferma, cede a Amancio a una pareja de alemanes por un dinero con el que paga su pasaje de regreso a Europa, donde vuelve sólo ella con el pequeño Egon de cuatro meses. Al llegar a Alemania la madre muere, sin haberse recuperado nunca de ese desdichado parto. La niñez de Egon es horrenda junto a su padre, un personaje malvado espiritualmente, esquivado por la gente, con historias atroces según se va informando por chismes, y afortunadamente fusilado durante la guerra.

Humberto escrutó las nubes por la ventanilla. Hasta el Palo Frías se calló de pronto frente a esa visión arriba de ellos: le pareció ver un rostro en las formas de esa masa de aire. Un rostro de nubes más atrás de esa condensación húmeda de la naturaleza. Despedían una vibración en progresivo descenso, un susurro por detrás de los rayos, como palabras amontonadas que le hablaban a alguien. El taxista empezó a putear por lo bajo, parecido a un rezo blasfemo. Al entrar al auto, el Palo Frías había saludado el vuelo de Olga Stromberg, le puso un nombre a ese estropicio en el cielo. Y la noche anterior, en el hall del hotel, la copera la había visto. No se trataba de una vieja, dijo ella. Pero no pudo decir lo que era.

–Durante aquel día del reencuentro –prosiguió el Palo Frías– los gemelos hablan y se cuentan: no se veían literalmente desde la concha de su madre. Deduzco que para Amancio esa tarde fue la más esplendorosa y al mismo tiempo la de mayor angustia de su vida: él había sido el vendido por su madre, no Egon. Pero los dos hermanos se confiesan ese día que se buscaron sin sosiego a través de las imágenes. Egon le muestra más de quince poemas cortos, descarnados, de pausada mística, que llevaban por título sólo la palabra "Hermano". Su padre, el zumbo, le había contado que vivía, inubicable, con otro nombre, en la Argentina. Amancio leyó esos poemas donde un hermano siempre llegaba desde lejos a la mesa puesta, al sol atardecido, o junto con las corrientes misteriosas que soplaban por la noche. En esos poemas aquel desconocido, por arribar alguna vez, tenía siempre antojadizos rostros. Amancio le reveló a Egon, que él también lo buscó electrónicamente en imágenes, de una forma obcecada, terca, tratando de situar por milagro su cara, pero sintiendo, a diferencia de Egon, que cada fracaso era como la pieza oscura en el conventillo de su infancia. De pronto la conversación cambia de tono, se tensa, como si el ángel negro de la parca sobrevolase la chimenea humeante de la cena. Amancio comenta de sus verrugas en la cintura, de su voz gangosa, heredadas de su padre. Egon carece de ambos rastros y nunca prestó atención a esos detalles en el cuerpo ni a la voz de su padre. Resentido por muchas cosas, Amancio desprecia en voz alta a aquel progenitor desconocido, tildándolo de piojoso gitano. Egon se sobresalta, dice que en todo caso lo que había tenido de gitano fue lo mejor que tuvo. Aquella controversia fue la primera señal. Después Egon le cuenta de su amante, Katia Hans, con la que de tanto en tanto tenía una apasionada relación de alcoba desde hacía tres años, pero que ahora también sentía una atracción, correspondida, por la hija de Katia, la quinceañera Salka. Amancio le comenta que escuchó a la vienesa leer algunos poemas miserablemente comunistas. En ese comentario estalla todo, Amancio le informa que es jerarca de la SA. Egon lo vitupera, lo insulta, lo acusa de racista, lo echa de la casa, lo amenaza con revelar que lleva sangre gitana en las venas a sus acólitos de la SS. Amancio se va, tiembla de miedo, desespera sin saber qué hacer. Se siente despreciado por aquella criatura que tanto había soñado encontrar, humillado por la soberbia intelectual de Egon gritándole en plena pelea que se volviese a la barbarie de las pampas. Amancio se emborracha, llora en silencio, no tiene consuelo, golpea su cabeza contra la pared de una taberna, y esa misma noche vuelve a la casa del bosque con dos subordinados de uniforme, con un comando que Amancio debió sentir que era el sueño puro de las walquirias, la raza germánica en estado mítico, y asesina a Egon Stromberg, y lo sepulta en la zona más tupida de aquella región de árboles centenarios, y pisotea su tumba sintiendo que el conventillo pampeano fue reparado, que el es el único Egon alemán en esa historia lejana de Retiro. Supongo que un día solo de haberlo conocido no le dejó pena ni recuerdo. Amancio solamente buscó encontrarlo, encontrarle una historia a su vida que lo hiciese hijo legítimo de una tierra, de un padre, de una imagen fotográfica, la única que se lleva de la cabaña, pero ya portando el mismo nombre, apellido y señas que su padre.

Tendríamos que haber llegado, pensó Humberto. Y sin embargo ni señales de la avenida Cabildo, Puente Saavedra, Vicente López. El ulular de un cielo amarillento, y un aroma insoportable, acariciaban el techo del taxi. Y si Palo Frías detuvo su relato, fue por esas erupciones contra las ventanillas, idénticas a arcadas, que envolvían al auto con un manto putrefacto.

–Dos años después, en 1935 –el periodista recobró la voz– visitando como jerarca de la SS un campo de prisioneros en la frontera norte de Alemania, Amancio Richter, ahora legalmente y con todos los papeles en regla como Egon Stromberg, se encuentra otra vez con Katia Hans. Ella registra como internada.

Entonces pide interrogarla a solas. Katia está ahí por comunista con cuatro años de residencia en la Leningrado de Stalin, de donde la expulsan en 1932, por su poética esotérica, por sus amantazgos y finalmente por la regencia de un garito que con la excusa del bacará y el póquer refugiaba a burócratas de Trotsky caídos en desgracia. Katia reacciona desolada al ver a Egon, a quien confunde con su antiguo amante. Lo rechaza al contemplarlo con ese uniforme, pero es la juvenil Salka la que al volverlo a ver se rinde sexualmente a ese primer amor prohibido y a pesar de su cargo de sus insignias nazis. Egon obtiene la libertad de las dos, les consigue un departamento en Berlín donde las esconde, y establece con ellas un pacto de mutua conveniencia para cada uno, en esa ciudad que para 1935 empezaba a ser un nido de ratas asesinas y espantadas, una sinfonía del sálvese quien pueda. Aquí va a aparecer el personaje central de esta historia: Jacobo Klinger, quien se había carteado varias veces con Amancio, que sabe de su identidad reencontrada y tan ansiosamente perseguida, aunque ignora de qué manera se hizo de ella y de la historia del gemelo. El bandoneonista en realidad viaja a París en 1935, como parte de un cuarteto de tango para un contrato que no se cumple. La malaria y la desbandada del grupo musical lo hacen pensar en probar suerte en algún cabaret de Berlín, donde según le cuentan el tango arrasa. Se conecta con Amancio, quien lo recibe emocionado después de tantos años de no verse, con su uniforme gris y botas negras. Le dice ahora llamarse Egon Stromberg igual que su padre reencontrado, le consigue un trabajo de bandoneonista en la parte oriental de la ciudad, sobre la Kurfürstendamm, y una noche, al mes de haber llegado, lo lleva a conocer el departamento de Katia y Salka. De madre española, Katia habla perfectamente el castellano, y entre ella y el tanguero se produce una pletórica comunión espiritual y estética, nunca física, que jamás se romperá en la vida. Jacobo le revela que no tiene nada que ver con el nacionalsocialismo, sólo que anda varado y sin un sope arrugado. Ella la cuenta sobre su situación desesperada, las imprudencias de Salka, sobre su reencuentro con Egon, un viejo amante suyo, y sobre el envilecido pacto que se estableció. Pero sobre todo, le habla de la tortuosa y alucinada metamorfosis que percibe en ese hombre, en relación a aquel otro Egon que conoció en un tiempo con sus poéticas visiones sobre lo indecible del mundo. Un Egon que ya no escribe más, las tiene prisioneras, las atesora entre regalos y amenazas, y de quien sin embargo ella no logra existencialmente desprenderse, lo mismo que su hija, aunque ese extraño y temible ser se lo permitiera. Katia trata de explicárselo: aquella antigua pasión erótica, mística, de belleza intangible, había trocado desde el reencuentro en algo sórdido, sin sexo, pero con la misma intensidad de antaño. Ese día Katia se entera que en realidad Egon nació en Buenos Aires y arribó a Alemania en 1916, dato que según el bandoneonista tuvo la paradojal virtud de apresar y excitar más a Katia en aquella telaraña de sentimientos encontrados.

El motor del taxi amenazó con pararse, entró a trotar ahogado sobre el asfalto. Los tres sabían, sin decírselo, que no pasaba por una falla mecánica aquel tartamudeo del coche. Ya se termina todo, pensó Humberto, con un poco menos de miedo y más de alivio. Olga Stromberg, pronunció el periodista. Las ventanillas del taxi se empañaron como si muchas manos y dedos porosos de aquella congestión amarillenta se apoyasen sobre los vidrios. Aunque el taxista aceleró a fondo y el motor volvió a responder.

–En ese tiempo –dijo Palo Frías–, Egon invitó a Jacobo a transmitir en imágenes tangos de la propia cosecha del bandoneonista, quien a partir del turbio relato de Katia va desanudando de a poco y aterrado la verdadera historia que aconteció con Egon Stromberg. Jacobo rememora al Amancio de Retiro, su incalificable carácter, y sospecha de su supuesto tiempo de poeta místico solitario, tal cual le contó Katia. También recuerda una carta que Amancio le envió desde Viena sobre un padre fusilado. Calcula las fechas, se pregunta por la enigmática extinción del alma poética de Egon, que de vivir en los bosques según le decía Katia pasó a las céntricas y operativas oficinas de la SS. En una piecita de Berlín, en 1935, visitado asiduamente por Katia, Jacobo descifra progresivamente la historia encubierta, pero mucho más que eso: aquel episodio que guturalmente va saliendo a la luz de sus ojos, y su propia situación de ensayar todas las tardes con su fuelle contra la ventanita de la ciudad nevada, lo conmocionan como nunca nada antes. Un día alguien le habla del verdadero Egon Stromberg, y los rumores casi ciertos de haber sido asesinado una noche cuando incendiaron su cabaña. El desconocido le cuenta del auténtico Egon, y de una historia que solía relatar el difunto sobre un hermano gemelo en la Argentina. Jacobo deduce: Amancio era Egon, porque tomó el nombre de su hermano, no sólo de su padre. Un Egon sudamericano, ahora, que amontonaba vidas dentro suyo como un elixir, y que para el resto curiosamente terminaba calzando. Pero la noche clave fue cuando Jacobo conoció a la hermana de Egon, la arquitecta Erna Stromberg, refugiada por años en Estrasburgo, quien al poco tiempo también le confesaría sus dudas sobre Egon, y mucho más al conocer la historia de los dos hermanos: esa historia seccionada que en algún momento inubicable se fundía con un misterio cubierto de silencio y sangre. El bandoneonista la va a ver cada tanto a la frontera francesa, Erna Stromberg precisamente se dedicaba a estudiar, como arquitecta, viejas ciudades y plazas en Europa y América. Había viajado a Brasil y a la Argentina, y portaba una cosmovisión del mundo entre Marx y las redenciones mesiánicas típicas de la Europa de entreguerras. Desde ese cruce inspirador, ella había construido una teoría llevada a libro: las imágenes superponían ciudades alejadas entre sí, ciudades distanciadas pero de alguna manera ciudades réplicas, copias, con traducciones transgresoras entre ellas, con fragmentos de paisajes similares, con tiempos y con imágenes quebradas, que continuaban hermanadas a la distancia para seguir respirando, en historias diferentes, los mismos legados recónditos, mudos, subterráneos. Como si no sólo la piedra, el paisaje edilicio, fuese el mensaje quebrado, allá y aquí, sino muchas veces lo humano que habitaba esas ciudades vasos comunicantes, con sus seres y sus réplicas ignoradas. Jacobo pensó en el libro de Erna Stromberg, pensó en el dúo de milongas con Amancio en los cafetines del Bajo, pensó en los gemelos Stromberg separados por tantos años, pensó en las biografías falsas y verdaderas apretujadas en cada una de las almas, pensó en su país, en su infancia, en los dialectos de los conventillos, en las procedencias, en recuerdos que nunca se contaban, en su propio azar como chico judío correteando por Retiro, y comprendió la necesidad de volver a explorar la historia, mejor dicho, a preguntarse qué carajo era una historia. Comprendió la necesidad de construirla desde lo majestuosamente utópico pero también desde lo horroroso de aquel sello de origen. Como la historia de él mismo, y la de Amancio. Jacobo sintió que no odiaba a Egon, también Egon era un itinerario entre azares, una mezcla de maldición y memoria cancelada, de canalla y alquimista. En su piecita de Berlín, cagado de frío, con las patas sobre la salamandra, añorando un mísero mate imposible, Jacobo escribe sin parar, alentado nada menos que por Katia Hans, esa mujer de padre checo, madre española, nacida en Hungría, hablando el alemán y viviendo treinta años en Viena, a quien no le resultó difícil compartir y entender ese talismán de Jacobo Klinger guardando la clave. Es ahí, durante 1935, donde el letrista borronea las ciento veinte páginas de lo que sería el Plan a trabajar colectivamente en Buenos Aires por amigos, profesores universitarios y gente letrada de la bohemia. A medida que imagina la vida de Egon, redacta el Plan, o más que eso, mientras redacta el Plan escribe su visión de Egon. Después Katia encuaderna el escrito con las duras tapas de un libro que encuentran en un mercado de pobres de Berlín. Jacobo le comenta el proyecto a su amigo pero también disimula frente a Egon. Y junto con Katia y Erna Stromberg organiza la fuga. Una vez que Egon está por una semana en Munich, a días de casarse con Salka, Jacobo se lleva a las tres mujeres a Hamburgo, para viajar desde ahí a Buenos Aires, donde llegan en enero de 1936. Pero Salka le seguirá escribiendo a escondidas a Egon, y este aparece tiempo después en Puerto Nuevo, rajado de la SS. Esa mañana no sólo Salka lo va a esperar al puerto, sino también, incomprensiblemente, Katia, que luego de vivir un año en la casa de su prima Rosalía Miranda, había alquilado otra en Francisco Acuña. Edificio que Egon compra con el dinero que trae en la valija, y donde celebra su casamiento con Salka embarazada, quien tiene a Eugenia a fines de 1943.

El Palo Frías enmudeció, había terminado su relato. El taxista giró la cabeza para mirarlo con respeto y un resto de recelo. El coche había entrado en zona pantanosa, pero no fue barro lo que distinguieron abajo, a la altura de las llantas. Comprobaron cómo la bruma de la tormenta había estacionado a ras del suelo hasta donde se les perdía la vista, para dejar encima de aquella alfombra negra, fosforescente, un inigualable vacío.

Miró por la ventanilla. Escuchó como si el rajarse de la tierra tuviera al taxi en el centro exacto de la grieta. El agua palpitaba afuera, aullaba un lenguaje indescriptible. Pero ahora la niebla envolvía al auto para llevárselo. Falta poco, pensó Humberto. El morocho se había dado cuenta de todo, había escuchado al Palo Frías con una mano en el volante y la otra acariciando a la virgen del tablero.

–No llegamos –dijo, y frenó el auto para siempre.

29

No salió del departamento de Patricia por un tiempo prudencial. Dormía en el living de su dos ambientes, pero durante el día cuando ella no estaba Humberto prefería recostarse en el dormitorio a mirar televisión. Le anunció a Gabriela Ceballos su decisión de retomar las clases teóricas de la materia recién dentro de dos semanas, sin importarle la preocupación de su ayudante por lo flaco que lo encontraba ni su consejo de esperar más tiempo hasta sentirse recuperado del todo. El Palo Frías le refirió varias veces cómo retornaron esa noche en medio de la niebla desde un sitio que ni el mismo periodista lograba precisar, pero de tal caminata interminable no tuvo memoria sino miedo: aquel dato se asemejaba a una hoja en blanco en su cerebro.

Recordó el taxi, la furia del cielo contra las ventanillas: nada más pudo contarle a Santiago. Tampoco con Celina y sus preguntas reconquistó el más mínimo detalle de esa caminata debajo de la lluvia. Palo dijo que había enmudecido y se dejó guiar a la manera de un autómata hasta subirse al primer colectivo que encontraron. La fugaz amnesia se reducía al momento de bajar del coche, a esa marcha forzada según el Palo Frías, no así con respecto a lo anterior, a la charla dentro del auto, al velorio de la profesora con el patio invadido de gente, la escalera hacia la planta alta y el rostro de Fidelina. Aunque esos detalles tuvieron una consistencia extraña al repasarlos en los días posteriores, como si la cabeza que aferraba las escenas vividas fuese de otro, y hasta la sensación de los recuerdos no le perteneciesen completamente. Tenía la vaga noción de que no eran las formas habituales de hundirse en su propia memoria, y cuando conseguía recuperar algunas imágenes en su vieja conciencia, reconocía que por debajo, más atrás, en el fondo de sus temblores, algo distinto las acariciaba.

Santiago le describió el festival en El Tren Fantasma, sobre todo los gritos, los estribillos de muchos grupos de estudiantes que reclamaban por el paradero de Jacobo Klinger entre la muchedumbre sin poder entrar porque la *discotheque* colmó muy pronto hasta el último de los lugares disponibles. También comentó sobre sus textos literarios en pantallas gigantes de televisión o incrustados con palabras en moldes sangrantes sobre las paredes, entre figuras de vampiros y dráculas, ratas de plástico enloquecidas por el techo transparente, cementerios azulados en los rincones, rostros colgantes de pavorosos asesinos, monstruos alados volando de extremo a extremo del local, siluetas de satanes, y luciferes, dragones, serpientes artificiales por los asientos y entre las piernas, bandadas de demonios, íncubos que vomitaban perfume gaseado, brujas de los bosques, fogatas que calcinaban mujeres, remolino de bacantes entre bestias despedazadas. Santiago se notaba todavía conmovido por aquel espectáculo insoportable que excitó durante varias horas a la concurrencia al compás de una música en alto volumen, mientras las columnas de gente de Comunicaciones presionaban por entrar debajo de carteles con el nombre de Jacobo Klinger y por las otras puertas intentaban lo mismo grupos de Historia, de Psicología, varias de ellos con frases en los estandartes firmadas por Jacobo. Su primo le confesó no haber entendido lo que realmente había sucedido esa noche entre la pista de baile repleta de parejas, los pequeños palcos de militantes a los alaridos sobre los micrófonos con proclamas estudiantiles, y el gesto denodado del vicedecano puteando las ocurrencias de Estévez.

De un día para el otro el Palo Frías desapareció y fue inútil que Santiago lo rastrease por su casa, por la fonda de los tacheros y sus alrededores. Durante las noches, Humberto reanudó la preparación de algunas clases sin la ayuda de sus libros ni carpetas de apuntes. Algunas veces venía a visitarlo Celina preocupada por conseguir una beca de perfeccionamiento en la Facultad. Prefería no dormir, escaparle a un sueño recurrente donde Fidelina, siempre llorosa, le confesaba algo que no podía entender. Las imágenes se repetían, ella vestida de negro mostraba por instantes una cara tan indiscernible como sus palabras. Ella aparecía como una figura mutante sin dejar de ser ella. Para Patricia, lo que vivió en el velorio de Ernestina había sido un delirio momentáneo, una jugarreta de su imaginación alterada, y hasta Rocío le aseguró no haber visto a nadie al encontrarlo paralizado contra la puerta del vitral en ese primer piso sin luz.

No obstante un orificio adentro suyo, una grieta extranjera a sus cavilaciones, simulaba algunas veces revelarle el jeroglífico del llanto de Fidelina en el sueño. Tuvo fiebre, se miraba permanentemente en el espejo los cinco kilos por lo menos que había adelgazado durante el último mes. Intuía que la correntina le hablaba de Matías Gastrelli, eso creyó descifrar aunque terminaba siendo inútil el esfuerzo para que esa otra voz, su voz irrecuperable, hundida, exiliada no sabía dónde, lo regresase a la certeza de lo que sospechaba. Ni Celina ni Santiago lo convencieron sobre una supuesta alucinación de sus ojos, de sus oídos, de su terror cuando escuchó lo que pronunciaba Fidelina junto a una ventana. Pero si rearmaba dicha escena, si percibía nuevamente sobre los azulejos del baño de Patricia aquella ventana detrás de

Fidelina tal cual la había visto esa noche, ahora descubría que en ese rectángulo oscuro todo estaba demencialmente detenido, la noche, la vida, el mundo. No fue una ventana lo que contempló detrás de la silueta de ella. En el recuerdo era un agujero petrificado, apenas una prolongación del cuerpo inmóvil de Fidelina, un paisaje sin latidos ni tiempo.

Después de todo lo que importaba residía en lo dicho por esa mujer ¿Un despropósito? Eso es lo que ellos no entendían, ninguno. Una acusación inconcebible. En sus sueños Fidelina brotaba con una fisonomía distinta a la real, ella lloraba como antes, como hacía muchos años, pero tuvo la plena seguridad de que le hablaba siempre de lo mismo. Jacobo Klinger debía tener la respuesta más allá de todas las historias espurias de Egon, de Salka, de Katia, de Olga, más allá de las cruces gamadas, de un patio con la parra y un grupo de muchachos de barrio yendo a esa casa una noche.

El Palo Frías no regresó al departamento de Patricia ni avisó por dónde andaba ¿Cómo conocer entonces lo que escribió el bandoneonista en Berlín? Su cabeza en desbande resultaba lo menos adecuado para la preparación de una clase teórica. Leyó lo que había escrito, frases deshilvanadas, una mezcla de historias sin sentido quebrándose en cada punto y aparte, como si ya no pudiese lo único que había sabido hacer en la vida, contar, decir, ser dueño de las palabras. Una noche, bastante tarde, Raúl Estévez llegó al departamento para mostrarle un panfleto de los estudiantes que avisaba otorgarle el nombre de Jacobo Klinger a una de las aulas de la facultad. Raúl también le cortó el pelo y lo afeitó.

—Creo que es un nuevo grupo de izquierda dura. A lo mejor se termina conectando con Jacobo —dijo el decano.

—El viejo ni siquiera existe.

—Acordáte lo que te digo.

—Tendrían que encontrar a Fidelina, Raúl.

—¿Tu mucama de cuando eras pibe? Olvidáte de esa pavada.

—La veo en una ventana. Pero no es una ventana. Necesito asomarme y ver qué es eso.

Estévez no contestó. Chasqueó la lengua, lo miró preocupado. Fue a la cocina para regresar al rato con la pava y el mate.

—Te ves mejor con el pelo corto —dijo Raúl.

Humberto se puso de pie, se observó en el espejo.

—Me hiciste la raya del otro lado.

—Dejátela, no te despeines justo ahora.

—¿Justo ahora?

—Va a venir el Palo, ayer me llamó y lo cité aquí.

Efectivamente, una hora y media más tarde de lo previsto, el Palo Frías arribó con una gorra hasta las cejas y una bufanda marrón por encima de la nariz. Pidió permiso para bañarse y volvió al rato en calzoncillo blanco y amplio, asombrado por la buena calefacción reinante. Le contó sobre los contratiempos recientes y los motivos de su desaparición por una semana: cierta deuda de naipes en un garito regenteado por personal policial. Lo venían amenazando desde meses atrás, hasta que le cayó un trío de la muerte y zafó por un minuto. Le anunciaron que ya era tarde para pagar, ahora querían su departamento con su cabeza encajada en el horno. Logró despistarlos con un supuesto raje a Carlos Casares, a la casa de un prestamista camuflado al que seguro le romperían la crisma antes de aclarar el dato falso.

Después, el Palo devolvió el mate.

—Déjese de joder, Estévez, es lavativa.

—¿Qué pensás Palo?

—Hay que largar todo. Tirarle el balurdo a los universitarios. Por ahí lo desculan.

—Decime qué pensás, Palo —insistió Humberto.

—Dormí un cacho, macarrún, te estás cayendo a pedazos, miráte las ojeras.

—Matías no murió, estoy seguro. Y Fidelina lo sabe.

—¿Fidelina, tu sirvientita de pibe? Aflojá, volvé a Hegel, parece mentira muchacho grande ¿Para eso te leíste toda tu biblioteca?

El periodista empezó a ponerse los pantalones, luego los zapatos, 44 por lo menos. Apoyó un pie sobre el borde la mesa para atarse el cordón.

–Queda un lugar – dijo Palo

–¿Un lugar?

–Pero si vas, no se te para la japi ni en la tercera reencarnación.

El decano regresó con agua caliente en la pava.

–El negocio de antigüedades de Ernestina de Queirolo, cerrado hace años –siguió Frías.

–Docente semiexclusiva –apuntó Estévez.

–Pensaba en ese sitio.

–Yo me las tomo mañana a Gualeguay –dijo el Palo poniéndose la camisa –vayan ustedes. Con mi tarjeta entran como por un tubo.

–Vamos ahora –dijo Estévez. Y se levantó para buscar el saco en el perchero y dejar la pava sobre la mesa.

–Seguro me andan siguiendo –consideró el Palo– aunque a lo mejor tu sirvienta me ofrece un aguantadero.

–No vale la pena –dijo Humberto mirando la hoja con su clase interrumpida.

30

A las tres de la mañana y visto desde la vereda de enfrente el negocio simuló estar enterrado en un silencio de décadas. No mostraba cortina metálica de ningún tipo, sólo dos vidrieras pintadas con cal a los apurones y diversidad de afiches pegados. Encima de todos contemplaron la sonrisa de un sindicalista candidato a concejal. Un auto se detuvo contra el cordón en la otra cuadra, puso las luces bajas. Por arriba de su bufanda los ojos del Palo brillaron presas de la locura. Hizo escuchar su primer eructo fuerte. El coche arrancó y se fue. Estévez cruzó con el periodista para inspeccionar el candado.

–Quedó piantado el Humberto –dijo el Palo desde el borde de la vereda–, es una facultad con demasiadas tetas frescas.

La mitad de un ladrillo sirvió para romper el vidrio inferior de la puerta. El estruendo fue menor al fantaseado por Humberto.

Sigilosamente y en cuatro patas se deslizaron adentro del negocio para permanecer quietos, vigilantes, en espera de algún curioso que hubiese escuchado el estallido. Nadie se hizo presente ni de cerca ni de lejos.

Se refugiaron detrás de un mostrador del que emanaba un olor ácido, a cosas podridas hacía tiempo. Notó que pisaban un charco gelatinoso, pero a medida que fueron avanzando Humberto advirtió que el agua, un líquido espeso, se esparcía por todo el local. Recordó el relato del Palo Frías en el taxi, la vida del falso Egon, del Naso Amancio, Retiro, Berlín, un poeta, la Gestapo. Que esa historia fuese cierta en definitiva no lo involucraba. Que un alemán fuese criollo le significaba bien poco, que un bandoneonista anclado entre teutones divagase sobre el destino del país, ya lo había hecho Sarmiento en París y con mejor fortuna. Le seguía faltando el verdadero cuento. Eran nombres, eran visiones extraviadas, un enjambre de partículas sin las señas finales de un escritor de cartas truchas ¿Qué hacía ahí invadiendo propiedad ajena?

Estévez tanteó un interruptor y una bombita se encendió en el techo. Permanecieron expectantes, observando unos pocos muebles viejos por los alrededores y telarañas en los estantes vacíos. El local tenía un entrepiso más adelante pero la escalera estaba rota, inutilizable. Arriba divisó dos mesas y varias columnas de mármol no muy grandes. Más atrás le fue imposible averiguar qué otras cosas se amontonaban.

–Por lo menos garpan la luz –dijo Estévez.

–Hace veinte años que estos cosos nos quieren ver la trucha.

–Escuchen.

Humberto había oído pasos, no muy lejos.

–¡Atrás hijos de puta! –tronó la voz del Palo.

El grito, y no las supuestas pisadas, los congeló en el lugar, agazapados detrás de un sillón de tres cuerpos. No escucharon nada. Estévez se hizo de un fierro largo y puntiagudo.

–Retrocedieron –murmuró el Palo.

El decano les hizo una seña: que miraran hacia el entrepiso. En la penumbra, allá arriba, vieron una silueta, una estatua, o una persona. No se movía. No puede ser alguien, dedujo Humberto, sin decidirse a respirar por la nariz o por la boca. En ese momento el Palo se escurrió hacia el fondo. Lo siguieron. Humberto se arrastró hasta donde terminaba el mostrador. Recién ahí descubrió una hilera de jaulas de pájaros. Doradas, vacías, increíblemente horribles. La luz casi no llegaba a ese rincón de la arcada donde el local aparentaba concluir. Entonces vieron aquellas siluetas del otro lado de un vidrio esmerilado. Una iluminación extraña y repentina las deformaba. No hubo tiempo de reaccionar, el Palo alzó una silla y la estrelló contra esas imágenes indescriptibles. Los vidrios salieron despedidos a la redonda. Estévez aprovechó para traspasar la arcada y perderse de vista. Humberto no vio a nadie, sólo la silla del otro lado todavía temblequeando.

–¡Fidelina y la concha de tu madre! –vociferó con todos sus pulmones el Palo mientras arremetía hacia el lugar donde habían visto esos contornos. Pero el piso terminaba de golpe en una gran abertura, en un sótano sin tapa, en un subsuelo negro. Humberto prendió fuego con un diario viejo y lo arrojó dentro de aquel vacío. Las hojas llameantes volaron hacia abajo. El Palo descubrió una escalerita en uno de los ángulos. Se abalanzó hacia aquel lugar. Bajó detrás del periodista que encendió otro resto de diario.

–Alguien está allá. Se mueve ¿Alcanzás a distinguir ese pedazo más oscuro?

–¿Dónde? –Humberto sólo pudo visualizar algunas sombras estáticas, veladores de bronce con pantallas deshilachadas.

–Debe ser la putona de tu sirvienta. Ahora no veo nada ¿Dónde carajo se fue?

Encontraron un pequeño escritorio, con un block de facturas comerciales encima de una carpeta de hilo bordado. El Palo usó otro fósforo, investigó en los cajoncitos. Sólo una agenda y un par de lentes.

–Es un agenda francesa –dijo Palo y se la pasó.

Humberto tuvo un presentimiento que se le confirmó rápidamente. Con el encendedor leyó en la primera página. Su dueño era

Matías Gastrelli y la agenda era de dos años atrás. Los anteojos posiblemente también le pertenecían. Escuchó ruido detrás suyo, y a Palo que corría a las zancadas hacia el fondo del sótano. No pudo vislumbrar otros detalles. Todo estaba envuelto en tinieblas. Fue detrás del Palo sin distinguir el mínimo detalle de las cosas. Se encontraron con una escultura de considerables dimensiones que bloqueaba una puerta. La fue reconociendo, era una reproducción en tamaño menor del Antinoo del Belvedere, con su brazo tronchado y la túnica doblada sobre el hombro.

–Ayudáme –dijo el Palo

En el intento inicial no lograron moverla un centímetro del suelo. Escuchó un larguísimo pedo de Frías abrazado a la estatua.

–Seguí, dale, ¿qué te quedás mirando?

–No vamos a poder.

–Hablá bajo –aconsejó el Palo– o no vamos a vivir.

¿Qué era todo aquello, dónde estaba, qué hacía ahí, qué era ahí? Ni siquiera pudo saber si esas preguntas eran suyas ¿Por qué estaba haciendo eso? A duras penas divisaba la presencia opaca de la escultura, el héroe desnudo, la serena templanza de su cuerpo, las sombras del mármol blanco. Recordó o vislumbró la languidez sublime de su pose. Pensó en un ángel petrificado, en una belleza lúgubre y para siempre muda, aguardándolo.

–Agarralo del fideo y hacé fuerza para arriba – escuchó jadear al Palo.

Intentaron de nuevo hasta sentir que la mole se inclinaba un poco. Frías apoyó su espalda contra la pared y con los pies apoyados en la escultura consiguió finalmente voltearla. El estruendo fue acongojante. El Palo terminó hecho un ovillo oscuro en el piso. La resonancia del desplome no alcanzaba nunca su final. Humberto se aplastó contra el muro sin entender qué sucedía. Algo le invadió la cabeza, una garra en la nuca lo descerebraba. Apenas tenía conciencia de sus dedos descendiendo hasta tocar lo que sería un zócalo de madera. Vio su propio cuerpo como si estuviese parado en otro lugar de ese recinto sumergido. Sintió la mano del Palo levantándolo, arrastrándolo por el agujero que dejó la puerta abierta. Escuchó un gemido insoportable, provenía de su garganta, advirtió que ese grito lastimero, infinito, no le pertenecía, no era suyo, sólo lo estaba vomitando como un aliento rancio. Sintió náuseas. Alguien moría y desguazaba las entrañas por su boca. Lentamente fue recobrando algunas sensaciones. Estaba parado pero no supo dónde. Se recostó contra la pared fría. El Palo estaba cerca, con las manos en la cintura. Por un instante creyó que no era Frías. Oyó un golpe y alguien cayó contra sus piernas. Desentrañó los ojos cerrados del Palo durmiendo sobre su zapato. Después un punzazo en la nuca.

Abrió los ojos. No lograba estirar las piernas, seguía caído de costado sobre el barro, encogido, con la mejilla hundida dentro de la luz húmeda de la luna. Sintió sus propias rodillas contra el pecho, las manos contra su cara, el olor de su sangre. No dormía ni soñaba ni podía extenderse. Las máscaras blancas se balancearon encima de su vista por el aullido del viento. Sin embargo no se había despertado. Alguien dibujaba una boca en su boca, podía reconocer esos otros labios escondiendo los suyos, también la lumbre de la noche ¿De quién era esa boca? ¿Quién oía ese rumor, esas voces? Miró las capuchas y supo que por debajo de ellas las caras se habían extinguido. Pensó en el cuerpo recostado en el pantano: era el suyo. Pensó en ese cuerpo acurrucado sobre el musgo amarillento ¿Dónde estaban sus ojos? La montaña, muy cerca, era un aterrador silencio que llegaba al cielo. Dijo Humberto y supo que ese era su nombre. Sintió el golpe contra su cara, luego otro. Pudo ver la figura negra.

–Baraldi, carajo, miráme –oyó el tono bajo, susurrante.

–Palo –dijo.

–Nos garcharon.

–Palo Frías, ¿sos vos?

–Estamos encerrados, guanaco, sin ventana y con puerta maciza doble llave.

–¿Qué vamos a hacer?

–Avisarles que ganaron ellos.

Con las horas, la oscuridad de la pieza vacía se transformó en una penumbra que permitía recorrer las paredes desnudas, el techo con una lamparita quemada, la puerta inexpugnable frente a cualquier intento de abrirla o derribarla. Según Palo, se lo dijo de inmediato, el encierro tenía que ver con su deuda de juego y una amansadora antes de que lo despenasen. Quedaba por ver qué suerte le reservaban al testigo ocasional. Le dolía la cabeza, si pretendía levantarse el mareo lo volteaba. Recordó la agenda de Matías. Se la habían quitado. Lo que alcanzaba a escuchar era muy poco, pasos disimulados, la sospecha de una presencia del otro lado de la puerta, aunque su desasosiego tenía que ver con ese vestigio en la cabeza sin abandonarlo desde el desmayo, y la certidumbre de no haber estado inconsciente.

—Si te hubiesen querido romper los huesos ¿Para qué este circo, Palo?

El periodista no respondió. Rumiaba palabras que no decía.

—Vos mismo viste a Fidelina en ese sótano, Palo.

—Finiquitála Deleuze.

—Me pregunto que se habrá hecho de Estévez.

En los ojos del Palo Frías percibió un desconcierto que armonizaba con sus suposiciones. Se observó las manos bañadas por la luna, y no muy lejos la entrada de la caverna que lentamente lo tragaba. Quería quedarse ahí, esperarlos, verlos llegar por esa llanura cubierta de sombras.

—Me afanaron la 38 —dijo Palo.

Contempló el lugar desde donde le llegaba la voz. Retenía algunos rostros mientras el viento no paraba de barrer las nubes. Trató de pensar quién estaba ahí delante suyo. Le dolía la nuca. Por eso imaginó su espalda ensangrentada. Entrecerró los ojos y se dio cuenta de que era Palo. Le volvieron unos versos de Eliot sobre una memoria apagada que nunca se puede recorrer otra vez. Comprendió que se estaba muriendo, que por dentro se le aniquilaba el cuerpo pero no sentía miedo por aquel estrago. Un viejo lo miró desde un lugar que debía ser la playa. No individualizó su cara. Después vio al Palo de rodillas enderezando un pucho.

31

–¿Qué sabés de Jacobo Klinger?

El periodista sonrió sin ganas. Pero no le contestó. Seguían encerrados en esa pieza inmunda.

–¿Qué es esa maldita historia que me contaste, Palo?

–¿Qué historia?

–La de la cátedra.

Frías clavó la vista contra el piso. Luego lo miró fijo, con una dureza desacostumbrada.

–Boludeces.

Humberto se acostó en el piso, le dio la espalda. Después de todo tampoco le interesaba mucho.

–Entendélo de una vez, pelafustán: la cátedra fue un proyecto de Jacobo Klinger. Para Jacobo el país era un misterio, es decir, el punto de partida de un mundo. Y el que dijese que lo entendía era un boludo al trote. Jacobo reúne la gente, habla hasta con tu abuelo Baraldi, los convoca, se pirova de vez en cuando a Katia Hans, prepara los borradores, discute en ocasiones duramente con Egon, se respalda en David Schulem, anarco absolutamente leal al tanguero populista. El drama de ese proyecto fue cuando Olga Stromberg brota de la concha de Salka: octubre de 1944, para mayor precisión. Y en esa casa. Un pacto nupcial con traje negro, con no sé qué maldita cosa donde está entreverada parte de la cátedra. Rosalía Miranda, la prima de Katia, que había sido la partera de Eugenia, se va dando cuenta, durante el nuevo el embarazo de Salka, que esta vez es algo distinto, pero ella ya no puede escapar. Algo la amenaza y fiero. Y Jacobo Klinger ordena afrontar el reto. No entiende al principio cómo se encarajinaron las cosas de esa manera. Tu abuelo y Rosalía deciden que ella atienda el parto, y después escapar los dos al Paraguay y para siempre. Rosalía, en el parto, le saca la criatura a Salka, Rosalía la tiene en sus manos, Rosalía entra en colapso, cae redonda, se refriega en el suelo. Cuando al otro día abre los ojos, ya no reconoce ni a la Virgen de su dormitorio. Tu abuelo se abre respetuosamente de la pendeja Rosalía brutalmente enajenada, vuelve a su monogamia y escribe su sexto Seminario Teológico ¿Lo leíste, corazón? El que lo leyó de cabo a rabo fue el infradotado de tu primo. Después, Jacobo Klinger decide que esa criatura, Olga Stromberg, no debe vivir. La mayor parte de la cátedra, entre programas de materias y bibliografías obligatorias, está de acuerdo. Pero Egon se raja con Salka y sus dos hijas por seis años a Villa General Belgrano, Córdoba. Nadie los vuelve a ver, sólo los Queirolos los visitan. Allí se cría Olga, al cuidado de su hermanita mayor, Eugenia, que asombrosamente, a pesar de llevarle sólo dos años, pareciera recibir de la propia Olga los dones y la madurez para protegerla. El hijo de puta de Egon regresa con su familia en 1951, a su casa de Francisco Acuña. Katia lo acepta: Olga parece normal. A Eugenia es a la única que ama, que adora, que idolatra. Eugenia es su punto en el mundo. La cátedra continúa, pero en realidad partida en dos.

El tiempo se escondía en el aire, en su respiración, en la piel hirviendo. El tiempo se deshacía en el sopor de la oscuridad, entraba por sus ojos caídos en alguna parte ¿Dónde estaban sus ojos? No alcanzaba a pensar en el tiempo, en los resquicios. Pero la oía, a ella la sentía en un cúmulo invisible de cosas, de muecas que no aparecían. Descifró que no era el sonido de sus palabras silenciosas lo que trajo a las imágenes, eran las imágenes las que vomitaban palabras. Las visiones estaban siempre más atrás, en el fondo de su lengua, agazapadas.

–En 1963 es cuando el ganapán de tu primo Esteban conoce a todos lo de la cátedra y entra a la casa de Francisco Acuña. Esteban es un tilinguito soberbio, emocionado con los enigmas de un nazi hablando con él ilustradamente de dios y el diablo, yendo finalmente al entierro del SS. Orinándose de congoja, el guanaco de Esteban, por un viaje en tren al corazón de Europa como escribe atribulado, a esa mierda espectral que sólo tuvo hogueras, verdugos, autos de fe, muchachas quemadas, profesores universitarios frustrados y con bajos sueldos, y finalmente camisas pardas, los teutones de siempre. Esteban se encandila con los bosques germánicos y los rocíos luteranos del claro de luna, Esteban lee como el orto el Seminario de tu abuelo. El viejo Baraldi habla de una criatura, sin individualizarla ni darle identidad: después divaga como un cornudo desde el Génesis al Eclesiastés. Esteban cuenta en su libro que ve a Egon y a Eugenia en ese galpón del fondo de la casa, cuando en realidad en ese momento Eugenia estaba arriba manoteándote la pistolita a ver si alguna vez se te ponía más o menos dura, pasable. Entonces Esteban se hace la croqueta, no le costaba mucho. Piensa que Egon y Eugenia es la yunta esperpéntica, sabe que vos te seguís pajeando por Eugenia en la pileta de lavar la ropa y la buscás como un escuerzo para ver si te vuelve a abrir un poco las piernitas. Tu primo, flagelante de Almagro, leídos los poemas donde la cagatinta de Katia hace de Almagro una crota plaza medieval, Esteban digo, cadete medio tiempo del Rhin, no se dio cuenta que en realidad había sido Olga, encerrada en una pieza por ustedes, la que provocó todo aquella noche cuando invadieron la casa: digo, esas imágenes en el galpón. El propio Esteban escribe que aquello visto en compañía de Ariel Rossi en el galpón, fue una visión brumosa de Eugenia. En realidad no la ve bien, no ve un soto. Pero la que estaba sobre las rodillas de Egon era Olga, juguetona, indescriptible, insondable, pintada de Eugenia.

Entonces se levantó y caminó entre las columnas inmensas sin reconocer sus caras. Ella estaba muy cerca, iba adelante cuando la ventisca agitó los caireles en el techo. Cuando vio las arañas colgando y las gotas suspendidas en el fulgor de las piedras de vidrio. Lo ensordeció el rumor, las arañas ya no chorreaban esa luz pálida. Se detuvo frente a la puerta, se dio cuenta de que era una puerta sellada. Podía verse, podía ver su propio cuerpo, podía ver sus propios ojos ahí, encerrado. Sus ojos traspasaron la puerta y adentro vio su cuerpo quieto, adormecido.

–Olga también me puso a Egon una tarde, en la puerta de su casa de Francisco Acuña, cuando ya el teutón estaba muerto. Y Olga también le puso a Egon, pero esta vez a Ariel Rossi, en 1974, un día que Ariel pasó y paró diez minutos en Villa General Belgrano con un baúl cargado de armas rumbo a Tucumán. Ariel vio a Egon al entrar en un boliche a comprar el diario. Lo vio sentado en la vereda, leyendo *La Nación*. Cuando salió del kiosco ya no estaba. Olga te puso a Salka a vos, hace tres meses, en una librería que había cerrado en 1976, y que tres años antes se había tragado a Matías. Andá sabiéndolo, mi querido Dashiell: Salka murió en 1970 abandonada en un geriátrico de Banfield. ¿Sigo o preferís una gillette? Con la muerte de Eugenia en 1963, la hermanita menor se desata. A Olga le quitaron ese día su anillo de bodas, la luz de sus ojos, el cáliz de su bilis negra. La cátedra, mejor dicho, Jacobo al frente como siempre y algunos otros, deciden que esa cosa, llegada en 1944, debe ser enfrentada de lleno, asumida. Reconoce que Olga en gran parte fue fruto de los sueños arrebatados del grupo, concebida desde lugares contrapuestos. Siente que no hay pasión sin obstáculos inescrutables tanto en el cielo como en este puto país Ahí empiezan a inventar seminarios y cursos y ponencias y artículos de la revista, en el subsuelo de 25 de Mayo. En 1965, a los 20 años, Olga dejó de vivir en Francisco Acuña. A ella la llevan desde entonces a la última de las galerías subterráneas del Instituto de Filosofía. La llevan a vivir con su hermana Eugenia. ¿Se te queman los ovarios? Con Eugenia, embalsamada por Héctor Queirolo, experto en esa materia de petrificar pájaros, para que Olga la tenga todas las noches. El titular de la cátedra hace una obra de arte y deposita a tu noviecita Eugenia con los ojos bien abiertos en un inmenso arcón. Ahí anda ella todavía, esperando que le devuelvas el slip turquesa que le rompiste con el dedo índice. Ahí sosiegan a Olga, reproducen su cuarto de infancia en Villa General Belgrano, la aprisionan, la retienen en esas galerías subterráneas, la escuchan hablar como si fuese otra cosa, aunque nadie sepa qué otra cosa. Jacobo se siente responsable, padre tutor y encargado de esa historia que se derrite en miles de estelas no previstas de ahí en más. Pero en 1976 esa cosa consigue escapar y se posesiona bestialmente del edificio y la librería de Belgrano: como si supiese que ahí está Ariel Rossi escondido. Esa noche el edificio de Belgrano simula estallar en un enigmático juego de artificio que hace temblar la manzana. Es Olguita contrariada, que acaba de alquilarlo sin consultar a nadie. Y en 1984, cuando un grupo de operarios descubre las galerías de 25 de Mayo, ella vuelve a escapar de aquel subsuelo tal vez olfateando a Sebastián Lieger en los pisos de arriba. Lo mismo en 1990 cuando parece esperar a Matías en una librería. Siempre regresa a ese lugar de libros viejos por Belgrano que de chica visitaba con su hermana Eugenia y con su abuela Katia. Se trató de tenerla abajo, en las galerías subterráneas de 25 de Mayo, que nadie se enterase, y permanecer todos en el Instituto como centinelas y carceleros. La última vez que hablé con la profesora Lombrozo, hará unos meses, me dijo que hace poco Olga vio a alguien una noche en esos subsuelos, revisando archivos al pedo, y volvió a desatarse enfurecida. Katia se va a vivir a Alemania en 1973, ya muerto Egon. Se va con el visto bueno de Jacobo: se va para salvar la vida. Ella y el tanguero se dicen definitivamente adiós en un bar de Ezeiza, andá a saber qué imágenes de toda esta historia eligieron para despedirse.

Ella sabía que estaba ahí, adentro de la pieza sin luz. Ella se deslizaba por afuera, por los contornos, se envolvía en la penumbra, aguardaba que llegase una señal, un vuelo remoto, un alarido inconcebible. Vio la sombra despeñándose por la ladera, la montaña se partía para desprender aliento caliente, un rugido majestuoso. Ella se apoyó contra la puerta, la acarició, sus manos quedaron grabadas en la madera negra. Quiso implorarle, quiso gritar pero en sus labios ya no había sonidos ni recuerdos.

–Desde 1965, Olga vive encerrada en la galería subterránea del Instituto de Filosofía, con Fidelina, a la que conoció casualmente cuando la sierva se rajó de la casa de ustedes con el culo entre las manos de tantos pijotazos de los nietos del pastor. Jacobo entiende todo lo que pasa y desde ese año cierra la librería, la deja a oscuras, como si la apagase: la mata. Ustedes tocaron mierda milenaria negra en esa casa de Francisco Acuña. No íbamos a ser nosotros, los Cirujas, que sólo leíamos *Rayo Rojo*. Un día la Lombrozo me avisó lo que Jacobo Klinger había escrito de ese asunto, antes de arrepentirse y tirarlo al canasto. Ella lo pudo rescatar.

Consiguió desentrañar los largos brazos del desfiladero: eran un orificio clavado contra su frente. Se retorcía contra el suelo, no podía llegar, su cara se reflejaba contra las líneas del barro, dibujos inciertos, voces muy tenues. Vislumbró los gestos que eran suyos pero no le pertenecían, muecas que se esparcían frente a sus ojos, que se arrastraban por la ciénaga y llevaban los contornos de su cara. Ella lo espiaba desde muy cerca, del otro lado de la puerta, su capucha colgaba del viento. Ella era las formas olvidadas de las palabra.

–Esa es la historia completa, mamertazo, los cuatro tomos inéditos. Según parece, es esa, y no la de algún impostor de putas cartas. ¿A quién desahuciado blenorrágico le interesa el tema de un impostor de cartas? Y te digo más: me junaba que un día caerías a buscarme por la fonda de los tacheros. Hace unos meses, mientras morfaba en esa fonda ¿a quién veo? Me caigo de orto quince veces: a Salka, mendiga harapienta. Entró al boliche, le gritó a varios en una mesa, pero sobre todo a un muchacho. Nadie entendió un joraca, la rajaron, se cagaron de risa. Me acerco al muchacho, no lo conozco, charlo un poco con él y se presenta: Santiago Baraldi. Tu primo, que me cuenta las ganas que tiene de verte después de tantos años. No le conté nada. Pero intuí que Olga Stromberg se estaba desperezando de una siestita y soltaba su primer dope. De esta me abro, pensé, hasta que leí en los avisos fúnebres la muerte de Ernestina de Queirolo, y me sentí tentado de enroscarme de nuevo. Después me dijiste que Santiago te había contado esa escena con la vieja mendiga, cuando se reencontraron; cuando tomaron un café por Tribunales a la salida de un estudio de abogados, y vos no le diste la mínima pelota.

Supo quién era ella a pesar de sus rostros desaparecidos, a pesar del fragor de esos agujeros de agua sin ojos ni bocas: era un tiempo en ruinas. Pudo verse en la cara de ella, la cara estaba vacía pero no había muerto, persistía en los huecos. No existía el silencio sino voces que no conseguía escuchar, palabras envueltas que nunca se extinguieron, lugares recónditos que guardaban sus brazos y sus piernas allá, cubiertos por la arena. Ella había vuelto para abrir la puerta, para abrir su cuerpo, para desintegrarlo.

Cerró los ojos, buscó desesperadamente imaginarse cómo serían sus manos frías. Él tampoco tenía nombre ni seña. Ella lo arrastró por el piso oscuro. Él también arrastraba su propio cuerpo para llevarlo. Quiso saber quién era, desde dónde venían sus imágenes. Sintió las manos de ella que se aferraban a su cuerpo, oyó el chillido del polvo, de la bestia que desplegaba alas infinitas, que remontó vuelo y cubrió la playa y se abalanzó contra su pecho y lo hundió.

32

Santiago lo llamó por teléfono para avisarle cuándo llegaba. Se había sentado en un sillón de la galería junto al camino de las hormigas hacia el escarabajo muerto. Humberto quiso saber si vendría Celina, días antes ella también prometió viajar a la costa por un fin de semana. Pero su primo dijo no saber nada ni haberla visto en ese último tiempo. Miró la copa de los árboles, el cielo gris: los pájaros de ayer no estaban. Santiago llegó un mediodía, almorzaron en uno de los pocos restaurantes abiertos para caminar durante la tarde por las calles de pinares hasta los médanos de la playa sin viento.

El escarabajo patas para arriba parecía moverse cada tanto, como si hubiese resucitado para agonizar otra vez. Después Santiago regresó a Buenos Aires, le había contado que seguían averiguando. Acompañó a su primo hasta la terminal de ómnibus de Pinamar, le había traído el sueldo y varios libros, también una noche pusieron chorizos en la parrilla pero llovió sin parar. Humberto le entregó algunas cartas escritas durante la última semana para Guido instalado por dos años más en Chicago, y una para Estévez. Había pateado al escarabajo que fue a caer lejos, sobre los ladrillos.

–¿Para qué le escribiste esa carta a Guido? –Santiago deslizó el reproche sin animarse a mirarlo en la cara–. Tu ex mujer te manda una flor de puteada, tu hijo estaba a punto de largar todo y venirse para acá.

Santiago habló mucho una mañana, así creía recordar: su primo siguió parado debajo del quincho cuando las ramas se veían insólitamente quietas. Había recordado muchas cosas, pero Humberto no lo interrumpió, prefirió escucharlo. Después, en la playa, vieron a los perros correr a las gaviotas, hasta que volvían a descubrirlas lejos picoteando en la arena y otras vez el tropel y los ladridos. Santiago trató de serenarlo, le pidió que hiciese memoria. Sentado al lado de la cama su primo recordó cosas: habían empezado tiempo atrás rastreando la vida de Sebastián Lieger durante su trabajo en la materia de la Facultad, luego la vida de Ariel, militante muerto hace años tal vez en un combate con tropa del ejército, también las huellas de Matías cuando estuvieron juntos en el París de las revueltas del 68, los vericuetos de una vieja cátedra de Filosofía, su tiempo joven en el barrio y las amistades de entonces, su primer noviazgo, pero también otras cosas anteriores a todo eso, los últimos años de su abuelo y ciertas relaciones del pastor nunca mencionadas por las tías, la confusa vida de una familia germana radicada en los cuarenta en Almagro, y antes de eso, historias más brumosas todavía de cómo algunos de esos personajes se conocieron aquí y en Berlín a principios de siglo. Eso era todo. Después Santiago habló largo tiempo.

Humberto vio despuntar el sol de la tarde por detrás de las nubes, los agujeros celestes se ensancharon y la luminosidad cambió el tono de los árboles, de las hojas, las formas de la sombra. Su primo dijo algo de eso, se sirvió vino varias veces, se recostó en el sillón del living, había mirado el mar desde la solitaria baranda del balneario. No, no se refirió exactamente a esas cosas. Dijo que se había estado viendo con el Palo y con Estévez.

Se quedó solo otra vez en la casa de Valeria del Mar. Se sentó en una reposera bajo los pinos y los vio petrificados, ramas blancas, dibujos inciertos. Su primo había dormido hasta tarde y Humberto aprovechó para escribirle al Palo una larga carta donde repasó algunos recuerdos de su infancia.

Hay que encontrar a Jacobo Klinger, dijo Santiago. Hacer guardia en la librería abandonada de Belgrano. Tenés que decirle a

Celina que la estoy esperando, dijo Humberto. Santiago no le respondió. Su primo no conocía esa librería, nunca había ido, ni solo ni con él, tampoco asistió al velorio de Ernestina. Le explicó a Santiago cómo llegar, pero Humberto no recordó el nombre de esa calle. Deseó hablar de otra cosa, o no hablar de nada. Debió llorar, o gritar, o asustarse. Contempló desde la puerta de la cocina aquella escena nocturna de árboles agitados de una manera desaforada arriba, donde no llegaba la vista sino únicamente el oído. Imaginó una lluvia que ya estaba cayendo en silencio, vio gotas negras en las baldosas de la entrada. Su primo lo ayudó, lo recostó en la cama, le aconsejó que cerrase los ojos y tratase de descansar, él haría la comida. Santiago le prometió comunicarse con Celina, darle la carta, convencerla para que viajase a Valeria del Mar. Antes de la partida de Santiago, esa mañana, le escribió al decano sus dudas sobre aquella noche lejana de 1963 en una casa de la calle Francisco Acuña. Eran más que nada preguntas y preguntas. Santiago no quiso que lo acompañase al ómnibus, lo dejó recostado en el sillón, se comprometió a volver en quince días con María Velárdez.

Se quedó en cama varios días, no fue una decisión meditada, tampoco miedo de salir al jardín, no supo dónde guardó los libros, creyó que Santiago los había escondido pero no los buscaría. Caminó por los fondos del parque donde los pinos eran más viejos y altos, estudió las casas vecinas cerradas herméticamente, sospechó que una de ellas no estaba deshabitada aunque así lo pareciese. Durante largos minutos clavó la mirada en aquellas persianas bajas, un perro olfateaba la puerta, se lo veía nervioso, se alejaba para regresar y seguir husmeando. Pensó que debía escribirle otra carta a Guido. Se recostó boca abajo sobre la tierra, mordió un manojo de pasto, sintió ganas de dormir. Santiago había recordado el final de la visita nocturna al negocio de antigüedades de Ernestina, el decano que consiguió escapar y regresó con cincuenta estudiantes, el alboroto en la calle, los vecinos que llamaron a la policía y la aparición de los patrulleros. Pero antes los estudiantes los habían rescatado: a él desmayado en una pieza, al Palo a las puteadas desde la terraza del local, revoleando el sobretodo como bandera de auxilio y absolutamente convencido de que había sido una advertencia de la runfia del garito. Estévez manejó los hilos desde un bar a dos cuadras. El oficial inspector no pudo encontrar a nadie ni entendió nada, por lo que dio orden de retirada a las cuatro lanchas cerrando la cuadra.

Con los ojos a ras del pasto Humberto vio la distante silueta de una mujer, creyó que podía ser Celina pero al aproximarse fue una vieja con dos bolsas de leña. Recién para fines de octubre el teléfono le trajo la voz de Cristina Lieger informándole que podía seguir el tiempo que necesitase en la casa de Valeria. No escuchó bien lo que ella le contaba, la línea estuvo siempre interferida por estallidos de tormenta, aunque Humberto permaneció durante toda la conversación telefónica en el dintel de la puerta de la cocina observando el jardín, y más allá el inmenso pinar sin casas que cubría la manzana de enfrente. Escuchó otra vez aquel gemido arruinado proveniente del lugar. La tarde se iba, también las siluetas finales de las cosas. Era una fiera lacerada, un lamento aberrante. Estaba allá, encerrada. Atisbó el fogonazo que quemaba la tierra y cómo el hedor impregnaba su cuerpo. Cerró la puerta, miró por detrás de las cortinas blancas de la ventana, daba la sensación de una danza que barrenaba el pasto, que lo arrancaba de cuajo para disolverse como una napa sangrante de la corteza del mundo. Había llamado a Celina dos o tres días atrás, o ayer a la noche, ella le aseguró que muy pronto iría a visitarlo, ahora estaba buscando un director de tesis para presentar su proyecto en la comisión de posgrado sobre dispositivos y estrategias de la literatura argentina en la época de la violencia política.

Se levantó de la cama a medianoche, o quizás fue del sillón. Presintió que alguien lo había despertado, calentó café, se distrajo primero con el resto de una botella de brandy y escribió una larga carta para Santiago en la que quiso desentrañar lo que había vivido durante sus años de exilio. Un día el Palo lo llamó desde la telefónica de Valeria exigiéndole que lo pasase a buscar y lo ayudase con el arpón. El Palo le trajo diez paquetes de negros que no fumaba, un compact con lo mejor del primer Troilo, también algo de dulce de leche como si llegase a Estocolmo, y esa misma tarde su desgarbada osamenta se animó a las olas pertrechado con las bermudas de un amigo tachero, gorra plástica y antiparras.

—Dedicáte a leer —dijo el Palo—, poné la poronga en algún agujero en vez de mandarme cartas pelotudas como Mariano Moreno con el plan de operaciones. Aunque reconozco que con tus recuerdos de pibe, sin querer me diste una pista para ubicar al ruso David Schulem. Pero acabála de una vez, pejertazo, hace meses que no escribís un joraca ni pensás algo que valga la pena. Si te dedicás al arte, a la tragedia, a toda esa huevada, no sigas corriendo mosquitos por la pieza.

Por la tarde lo ayudó a rastrillar las hojas de la entrada para hacer una fogata en la calle con la montaña de yuyos. De tres tarascones el Palo terminó la flauta con milanesa y se recostó en el sillón grande a fumar mirando el techo. No supo cómo describirle a Frías lo que había sucedido la noche anterior.

—La noche antes de que llegaras ¿Me estás escuchando?

Comprendió que el Palo no quería hablar de esas cosas. El periodista en cambio le comentó haberse visto en Buenos Aires con Rocío y con Amalia, que había vuelto a la poesía.

—¿Cuándo llegaste Palo?

—Llegué ayer, cara con trampa.

A la madrugada Palo le dejó el grabador para que escuchase la cinta. Humberto fijó la vista en las rugosidades de la pared y pensó en Celina. La pintura del dormitorio se había resquebrajado, al principio sólo notó el dibujo de las grietas aunque poco a poco sus ojos quedaron atenazados por esas líneas gruesas que se ensanchaban para esconder una profundidad sorprendente. Cerró los ojos, volvió a mirar el muro, ahora intacto, la superficie tersa, un cuadro colgado que derramaba tonos sombríos más allá del marco. Humberto encendió el grabador y reconoció la voz del Palo, el murmullo de conversaciones por detrás con ruido de tazas. Una música difusa. El Palo hablaba con David Schulem.

"–Escúcheme don David ¿dónde aparece Katia Hans en esta historia?

–Katia Hans, fíjese de quién se viene a acordar usted, Katia Hans. Fue por 1936 cuando Katia llegó de Alemania, lo recuerdo. El mismo mes y año que murió mi vieja. En los primeros tiempos Katia vivió en la casa de una prima suya.

–Rosalía.

–Rosalía, así es. Una linda pebeta de 25 años, de la congregación metodista, muy amiga de Baraldi. No sé si me hago entender, Frías. El pastor tenía su hogar constituido a todo trapo, y a la nena para las noches. Después ella, que decía embarazarse en comunión con las embarazadas y otros desafines del balero, se volvió loca, de remate. De nada valieron los electroshocks que garpó durante varios años el viejo Baraldi. Pero Katia también era una cuarentona sabrosa, bien conservada, inteligente. Y el viejo Baraldi se enamoró de ella y hasta estuvieron a punto de rajarse a Alemania los dos, ahí por 1940. Pero lo cierto es que a finales de 1936, tengo entendido, Egon, Jacobo, el pastor y Katia comenzaron a juntarse casi todas las noches en las mesas de atrás de una cantina del Abasto, Ligure, donde también yo empecé a caer, al salir de *Noticias Gráficas* a la madrugada. Ese año conocí a Jacobo, que me los fue presentando a todos. Se jugaba a los naipes, Baraldi escribía sus sermones o entonaba algunas milongas a eso de las tres de la mañana, bordoneadas por Jacobo cuando volvía de sus actuaciones, Egon trabajaba extraños inventos audioeléctricos que nunca quiso patentar, y la Katia recitaba sus visiones. En ese cruce se conjeturaba la necesidad de un proyecto o algo así. Algo que reuniese arte y política decía Katia, pueblo y política decía Jacobo. Era buen ambiente, eran años que hervían, imagínese, Mussolini gustaba, el comunismo prometía todo, el nacionalismo renacía, el ejército era la patria heroica, la revolución obrera se cantaba en Iberia. Yo era anarquista, imprentero, me mantenía editando parte de *Alumni*, la revista para saber los goles en las canchas, también periodista, y andaba precisamente intentando un libro sobre las causas de la guerra española. Así fue la cosa, Jacobo enganchado con la

Lombrozo recién recibida de la facultad y tan buena de bocho como de culo, Egon con Salka que tenía un lomo grecolatino, Baraldi con la piba Rosalía y sus soleras escotadas. También caían a veces los Queirolo, parejita media sórdida que contrabandeaba mercancía desde Montevideo, y Ema Sayago, maestra de piano, con una santería en Acassuso y un noviecito comunardo que le recitaba a Jacobo párrafos de Lenin. Pero la cosa cambió, se puso seria en serio cuando se hicieron presente otros colifatos envidiables. Un teólogo dinamarqués, de alta sabiduría ¿Lo tenía Frías? Tome nota: Humms Sewer. Y el padre Edelmiro Sayago, cura de Betania. Estos dos se arrimaron de la mano de Baraldi, eran viejos conocidos del pastor, gente furibunda el trío, con querosén en la boca cuando hablaban. Sobre todo el padre Edelmiro Sayago, hermano de Ema, él fue como un viento en tempestad a pesar de que hablaba bajito y escudriñaba siempre la puerta de la fonda como si estuviese por aparecer mandinga en uniforme. Sobraban platos de fideos, salsas estrambóticas y carne estofada con ensalada. Con ellos tres puede decirse que nació la cátedra, un enquilombamiento de ideas. Los tres eran letrados, instruidos, eruditos en muchísimas morondangas importantes, y encandilaron al resto. Las barajas, las guitarras y los burros y hasta el fútbol pasaron a segundo plano. En ocasiones también el grupo piraba para Acassuso, a la casa del padre Sayago, benedictino el santo, que todavía calza 99 años y sigue coleccionando íconos. Ellos fueron los que hablaron sobre todo de filosofía política y una nueva tierra nacional, y los demás entendieron, se entusiasmaron, la cosa se armó pensando en la Facultad de Filosofía, de donde venían algunos de los habitués del Ligure. Ellos pensaban que había que entrar sigilosamente, tangencialmente a la pelea, con amagues religiosos, estéticos y filosóficos, y los tres convencieron nada menos que a Jacobo, a Egon, a Katia y a mí mismo fijesé, que una cátedra, un instituto muerto en vida, era la casamata apropiada para no avivar a los giles. Con la labia de Sayago, Baraldi y el danés se empezaron a tener las primeras cosas claras y el rumbo elegido. Jacobo pasaba en limpio las conjeturas en un inmenso cuaderno de contabilidad de tapa dura, donde apoyábamos siempre el ventilador para que el aire pegase justo. Una noche, me acuerdo, también cayó al Ligure Erna Stromberg, la hermana de Egon. ¡Qué germanastra, mi dios! Con ella anduve de amores un tiempo. Linda potranca. A los veinte años había estado en el Berlín de los luxemburguistas. Yo, por los anteojos y el pelo rojo le hacía acordar a un novio muerto allá en las barricadas.

—Y usted, don David, ahora con ochenta y siete añitos, ¿en ese tiempo qué pensaba?

—Yo era anarco, no lunático. Diferencie. Las cosas nunca son un laberinto, en el fondo están siempre bien claritas. Explotadores y explotados, lo demás es canela. A mí me engancharon en la cátedra por mi hobby con la cábala judía.

—Muchos después, en los años sesenta, Katia Hans y una de sus nietas, visitaban la casa deshabitada de Baraldi en Almagro ¿Lo sabía, don David?

—Lo supe, Frías. Alguien me lo contó alguna vez ¿A qué viene semejante gansada?

—¿Con qué nieta visitaba Katia Hans esa casa?

—¿Me avisa adónde quiere llegar, Frías? Así nos bajamos juntos.

—¿Iba a esa casa con Olga Stromberg?

—¿Y con cuál otra, Frías? con cuál otra si Eugenia había muerto, ángel de dios.

—No sé, por eso le pregunto. Nunca hablé con Olga.

—Ni va a hablar, esa locardia murió jovencita, hace años.

—¿Murió Olga Stromberg?

—Qué Pascual me resultaste, Frías ¿ Así que no lo sabías? Olga murió al dar a luz una hermosa niña, así me dijeron, que era hermosa como la luz del sol. Fue todo un espanto, ella no debió quedar embarazada, y menos de algún pelafustán del que nunca se supo ni el santo ni la seña. A la beba la crió su abuela Salka, y ahora debe andar, debe andar por los 25 pirulos esa chica

—¿Cómo se llama la hija de Olga?

—No sé, pero algún nombre le habrán dado, me supongo. Veo que anda en cosas pesadas, Frías, cuídese, por la CIA se lo digo.

–Me anda escondiendo datos, don David, en aquel tiempo pasaron cosas muy fuertes, temerarias.

–Vea Frías, tratemos de entendernos. En esa época las cosas no resultaban tan escandalosas como suenan ahora. Acépteme que andamos viviendo un tiempo marica, giboso, democrático al pedo, tolerante dice mi hermana Ambrosia que nunca se animó ni a correr la cortina, sólo espía. Un tiempo donde te miran como el ojete si uno recuerda ciertas andanzas. Katia Hans por ejemplo fue una hembra con ideología fuerte, con ideas categóricas, una mujer sin complejos, que se imponía por las suyas. Yo era muy tierno entonces, imagínese, anarquista, judío, con anteojos y sabiola fideo con tuco. Como decía Jacobo, faltaba que fuese invertido para que me condecorase la Liga Patriótica atándome de las pelotas al obelisco. Me gustaba el tango, de alma, Egon me leía en voz alta autores que jamás había escuchado, Spengler, Klages, Junger, Stefan George.

–Una caverna de fascistas.

–A mí me venían como anillo al dedo para darme dique en las reuniones con los anarcos. No sé, toda idea fuerte hacía que el corazón bombease al mango. Así eran las cosas.

–¿Y Jacobo Klinger qué le iba contando?

–Él fue el increíble hijo de puta que defendió el proyecto hasta cuando pasó a ser indefendible, un eructo de Lucifer. Él fue el confidente de Egon, de Katia, y de Baraldi. Y también con el tiempo gran amigote del padre Sayago ¿No le contaron sobre las extrañas elucubraciones de Baraldi y Sayago cuando eran jóvenes a principio de siglo, antes de que ambos se pusieran sus respectivas sotanas?"

Humberto interrumpió la marcha del grabador, le pesaban los párpados, se había adormecido varias veces pero algo lo despertó, un susurro que no venía del aparato, que no fue la voz de Palo en la cinta. Le quedó en los oídos el nombre de Edelmiro Sayago: en ese instante recobró la conciencia, volvió del entresueño hacia los contornos de la pieza para buscar aquel sonido que lo había despabilado. Tanteó con su mano sobre la mesita y apagó la luz. Se preguntó de quién era esa pieza.

Trataba de reconstruir el llamado de Celina esa tarde, la noche anterior. El lunes había regresado el Palo Frías a Buenos Aires con un camionero amigo. Le había comentado sobre Estévez pero no recordaba las palabras del Palo. Su ayudante Gabriela Cevallos había renunciado a la cátedra. Tal vez había sido ella. O fue la voz de Celina en el teléfono anunciándole que llegaba a Valeria a las dos de la mañana. Sí, fue eso. Miró su reloj. No alcanzaba a divisar las agujas. Encendió la luz, buscó los anteojos sobre la manta. Era la una y cuarto de la madrugada. Faltaba muy poco.

Se sentó en la cama, otra vez el susurro acariciaba los muebles de la habitación. Se apoyó contra la almohada y abrió el grabador. Con el dedo fue arrancando la cinta, la observó amontonada en la cama, la fue empujando con los pies hasta verla sobre el piso. Estaba seguro de que Celina se recostaría a lado suyo. Algo le llenaba la cabeza, se le clavaba en la nuca ¿Qué le había dicho ella? Le preguntó si estaba solo en la casa. El Palo ya no dormía en el otro dormitorio ni en el sillón. Se levantó para cerciorarse. Nadie había quedado adentro. Desentrañó el rostro del abuelo en la esquina del living, junto a la ventana. Seguían afuera, se dijo.

Se sentó en el suelo del dormitorio, reconoció el cansancio en los brazos, en las piernas. Necesitaba bañarse. Las tablas del piso se levantaban, fijó la vista en ese rincón, la madera se arqueaba a punto de quebrarse. Oyó el fragor, el mar en la playa.

Encendió un cigarrillo. Acarició el atado con los dedos. Lo tranquilizaba saber que estaba casi lleno. Fue a la cocina para escudriñar la oscuridad afuera. Una sombra se movió imperceptiblemente en el jardín. El rumor había pasado. Creyó que si la nombraba iba a salir de algún rincón, la besaría como otras veces. Nada de eso tenía que ver con los delirios del Palo Frías. Eran palabras calladas, eran palabras quietas en los ojos, en los libros cerrados, en las páginas sigilosas, esas eran historias verdaderas. Escuchó el crepitar de las hojas, vio las cadencias de aquella sombra deslizándose entre los pinos, descubrió también a Humberto, su cara, sus ojos. Sintió una profunda tristeza. Pudo oler las bocanadas del viento tumefacto, ese cúmulo hediondo que lo arañaba. Pensó en Celina, la recordó en el cine al lado suyo, en los pasillos de la facultad, creyó oír una respiración atrofiada, un soplido sin tregua, gemidos, vuelos aniquiladores, tifones hundidos entre los dientes, un cuerpo y sus labios que plañía y las palabras de esa figura con traje negro y el libro abierto en las manos. Esas cosas pudo ver. Palabras bramantes en la hiel de la noche, una estridencia que dejó a las palabras como pedazos de aire, lunas esmeriladas. Celina, pronunció Humberto.

Lo desentumeció el teléfono. Reconoció el dolor en los huesos, la dureza del piso de mosaico en la cocina, la luz de la noche afuera cuando se fue arrastrando hasta el aparato. Era Santiago.

–Humberto.

–Santiago, sí, ¿qué pasa?

Su primo hizo silencio. Pensó que se había cortado la comunicación.

–¿Santiago, estás aquí?

–Humberto, escuchá bien ¿Me escuchás?

–Sí.

–¿Con quién estás?

–Solo.

–¿No estás con el Palo?

–Se fue, creo.

Santiago tardó en retomar la conversación.

–Humberto ¿Me escuchás bien?

–Sí.

–La casa de Belgrano, la de la librería. Recién la vi, Humberto.

–No entiendo.

–Es la casa de la familia de Celina.

–No te entiendo.

–La casa de Celina es la misma casa del velorio.

–¿La de arriba de la librería?

–Sí, esa misma. Donde vos dijiste que debió vivir Olga Stromberg. Nunca me aclaraste exactamente dónde quedaba esta librería, Humberto.

–¿Estás aquí?

–Cuando salía con Celina, las dos primeras veces la llevé hasta esa puerta. La dejé ahí, Humberto. Nunca entré. Nunca me invitó a entrar. La librería estaba cerrada, como ahora. Ella vive ahí.

No podía comprender lo que decía Santiago. Pero había escuchado perfectamente lo que le había dicho

–Celina vive en esa casa, Humberto ¿Te das cuenta? No lo sabía. Nunca lo relacioné.

–No te entiendo.

–Ahora ato cabos, Humberto. A Celina la conocí la segunda vez que fui a merodear la casa del abuelo en Almagro. Antes que nosotros nos encontráramos en lo del abogado Conti. Me acuerdo, Humberto, A Celina la conocí la segunda vez que me acerqué a la casa del abuelo, cuando vi luz adentro, cuando toqué el timbre pero no me contestó nadie.

–¿Dónde la conociste a Celina?

–¿Escuchás bien Humberto?

–¿Dónde la conociste?

–Fue esa noche, cuando nadie me abrió la puerta. Fui a tomar una cerveza en la fonda de la esquina, en Lavalle y Salguero. Y ella apareció al ratito. Se ve que estaba en la casa, que me vio en la puerta. Celina se sentó en la fonda con un libro, en la mesa de al lado. Y al rato empezamos a hablar. Yo le hablé de la casa del abuelo ¿Te acordás que te lo conté una vez?

–No te entiendo.

–Te lo conté una tarde tomando café en Galerías Pacífico. Cuando un borracho de la mesa del al lado se nos cayó encima ¿Te acordás?

–No

–Humberto ¿me escuchás? ¿Quién es Celina?

–Ella es ella.

–¿Quién es Celina, Humberto?

–No sé. Yo le grabé cosas para un video.

–¿La hija de Olga Stromberg?

–Es ella.

–Celina tiene 25 años, Humberto.

–No te entiendo.

–Te acordás Humberto la noche que fuiste a la casa del abuelo con esa actriz.

–Con Yolanda, sí.

–Me llamaste para que también fuera yo ¿te acordás?

–No te entiendo.

–Pero yo no estaba, te atendió Celina, así me lo contaste. Vos le dijiste dónde ibas para que ella me avisara. Celina se enteró esa noche ¿Entendés? Pero cuando llegué a la pensión Celina se había ido, no supe dónde. Humberto ¿me oís?

–Sí.

–¿Hablaste con Celina últimamente?

–¿Con Celina? No, no hablé.

–Humberto, oíme ¿no sabés dónde está ella ahora?

–Ni idea primito.

–Humberto, sólo quería decirte eso ¿Estás bien? Contestáme.

–Estoy bien.

–Yo voy de aquí en diez días.

Humberto colgó. Se peinó con las manos.

Desde la ventana de la cocina pudo ver la espalda de Humberto.

Estaba apoyado sobre el tronco de la entrada, esperando. La niebla había bajado en pedazos para mecerse muy despacio entre las plantas. Lo presentía temblando contra el viento y aquella mansedumbre de las cosas sin luz ¿Quién era?

Apoyó los dedos contra el tronco, le dolían las palmas apretadas sobre los tajos de la corteza. Desde ahí la calle estaba muerta. Sólo la zanja seca, la luna de tormenta envuelta por algún destello. Celina se aproximaba. Imaginó sus pasos, la belleza de su rostro, la sombra de su cuerpo en la esquina más cercana.

Lo contempló desde la cocina, lo encontró allá lejos, en el jardín, sin moverse, aguardándola. Trató de concebir el gesto de su cara. Lo veía encorvado. Como si la cabeza se hubiese desprendido de su espalda para caer sobre la tierra. Como si el tronco fuese una cruz inmensa que lo aprisionaba. Abrió la ventana, pensó gritarle, despertarlo, que volviese, que pudiera ver sus lágrimas ¿Quién era él? Ahora la descubría, había llegado. Apoyó los codos sobre el tronco, sintió que también le dolían. Ahora la reconocía infinitamente, ella tenía las caras de siempre. Humberto recordó los lugares inciertos donde estuvieron, los recordó tal como habían sido, ella tenía el aroma de esos sitios, el miedo de la penumbra. Sintió que sus manos se estremecían de una antigua dicha, como la música de un himno en la iglesia, como los tonos anunciadores del órgano detrás de las voces, detrás de ella, detrás de sus ojos endurecidos.

Humberto gritó, imaginó un grito inmenso que traspasase la ventana de la cocina, la reja, el quincho, los árboles. Escuchó el alarido de su boca, vislumbró las dentelladas oscuras.

Apoyó su cuerpo contra el tronco, elevó la cabeza, contempló las hojas secas en la calle de tierra, el remolino de una parva ¿Cómo había olvidado su presencia? ¿Cómo había desconocido su nombre? ¿Cómo pudo concebir que todo existía lejos, muy lejos? Sus vuelos diamantaban la noche y eran murciélagos de pechos sangrantes. Ahora sabía, el aire sólo raspaba la memoria de las cosas, el borde de las historias que nunca nacieron todavía. Ahora percibía los vestigios, las muertes prematuras. Ahora podría verla, ella era el color de sus ojos sin titilaciones. Sólo en sus pupilas dilatadas, ahí únicamente, destellarían las cosas, las señales. Sólo ahí, sólo cuando sus pupilas se volviesen inmensas, cuando se paralizasen como dos gotas blancas para desperezarse sin saber cuánto durmieron.

Calculó cómo sería el aullido, el dolor, la refriega, calculó esa visión a punto de aparecer desde los confines. Calculó cómo sería el horror, el miedo sin límites, el desorden brutal de su propia sangre, de sus huesos, de su carne, calculó cómo brotaría esa imagen, ninguna otra, sus contornos, su majestuosidad, su violencia desatada, sus formas informes. Pero se dio cuenta de que su cuerpo ya no temblaba, que su respiración era serena, ni sus dedos ni su piel ni su cara sentían el aire de la noche, el roce invisible de viento. Se dio cuenta de que su nariz no aspiraba ya ningún olor ni el recuerdo de algún aroma, y su boca tampoco tenía la más pequeña huella dulce o amarga ni la idea de un sabor, ya no escuchaba ni un minúsculo sonido, no podía ver algo afuera, tampoco dibujarlo en su mente, tampoco conseguía pensar lo que había ahí, cerca, lejos, ni adentro suyo, en alguien, en algún lugar, en sus ojos, en su voz, en sus manos, cuando tampoco estuvieron las palabras, ninguna. Corría detrás de ellas pero se extinguían siempre un poco antes, las perseguía pero sin alcanzarlas nunca porque no había nada, nada. Recién entonces empezó lentamente a saber.

33

Santiago observó divertido la cara de la secretaria de Estévez. La mujer no desprendía los ojos de la figura del Palo Frías con la cabeza envuelta por una prolija venda blanca a la manera de un casco de oficial de la primera guerra. Aunque eran las ostentosas muecas de fastidio de Frías, su voz destemplando la sosegada recepción del decano, la causa del malestar de la secretaria, sus gestos de no entender aquellas presencias en los sillones a las seis y media de la tarde de un día viernes, como tampoco la aparición de Santiago en overol después de abandonar la trepanación de tres cuadras de empedrado por Lugano.

–¿Usted viene a arreglar el acondicionador?

–Vengo a charlar con Raúl –dijo Santiago.

Con su larga uña la mujer tan confundida y malhumorada como antes le señaló los sillones donde ya estaban Rocío de minifalda roja y medias caladas celestes, Amalia enfundada en su hábito gris de primavera, y María Velárdez con maquillaje de no haberse acostado, con la mitad de un pebete de jamón en la mano y envuelta en un impermeable negro que arrastraba por el suelo. Las tres muy atentas a la desventura del Palo y su incursión en la casa del padre Sayago, el haberse llevado por delante un caño de gas en el sótano y su aterrizaje como pudo en urgencias donde además de raparlo lo adornaron con siete puntos en la parte alta de la frente.

—Que no se te ocurra nada ingenioso porque no das para eso —fue el saludo ácido del Palo con un cigarrillo olvidado en la comisura. Santiago se sentó sin comentarios.

Amalia quiso saber sobre Humberto. Pero Santiago no supo qué contestarle. Le hizo una seña a la Velárdez pidiéndole el resto del sándwich, aunque ella dijo que no. El Palo apoyó la nuca en el respaldo y cerró los ojos como si todavía le retumbase el caño en el cerebelo.

—¿Tenés un faso? —le preguntó a Rocío, y vio cómo ella escarbaba en su carterita de cocodrilo.

El decano los invitó a pasar al salón de juntas. Los amontonó a todos cerca de una de las cabeceras de la larga mesa. Después se dedicó a abrir, cerrar y revisar varias carpetas por un tiempo indefinido y en silencio.

—Bueno, amigos, quise que nos viéramos, que nos juntásemos todos al menos una vez, para conversar un rato sobre algo que en estos últimos tiempos fuimos compartiendo bastante azorados. Nos conocemos, podría decir que nació una buena amistad entre nosotros, no muy prevista pero sincera. De mi parte existe una real preocupación por lo que sucedió y quizás siga sucediendo en esta facultad de la cual soy decano. Pero la cuestión tiene muchos hilos enmarañados, y sé que ustedes, al igual que yo, continúan afectados en lo personal y tratando de aclarar ciertas cosas cada uno por su lado. En lo que a mí respecta, confío en ustedes, por lo que genuinamente son, por lo que me demostraron. Al mismo tiempo creo que este asunto tiene que despejarse y pasar a archivo alguna vez ¿Coinciden conmigo? Alguna buena y putísima vez se tiene que acabar. Perdone usted, hermana Amalia.

—No se aflija, señor rector.

—No es que los culpe a ustedes, me lo digo y me lo repito a mí mismo, quiero convencerme. Ésta es una cuestión delicada. Institucionalmente delicada, diría. Y me está absorbiendo un tiempo no calculado. Cotejé con Frías lo que pudimos obtener a través de un par de visitas, diría clandestinas, no legales, a la casa de Edelmiro Sayago en Acassuso. Dos alumnos nos ayudaron en esta empresa que podría interpretarse como violación de domicilio, pero que no es el caso discutir ahora. Si bien puede parecer tal cosa, interpreto que no es así. Según mi modesta opinión, el padre Sayago puede ser la punta terminal de esta madeja, aunque María Velárdez no opine lo mismo.

–¿Vos que pensás, María? –quiso saber Rocío

–Perdón, ¿estoy hablando yo o vemos la tele? Decía, en los últimos días estuve analizando ciertas cosas con mucho cuidado. Como se sabe, el padre Edelmiro Sayago fue miembro de la cátedra fantasma.

–¿Fantasma? –interrumpió el Palo.

–Fantasma, sí ¿qué pasa?. De acuerdo, no fue tan fantasmal, hizo lo que quiso y cuando quiso. Digo fantasma porque creo que, en fin, toda cátedra es un poco fantasmal.

–¿Le parece? –se sorprendió Amalia.

–Lo cierto es que Sayago y Humberto Baraldi, ya en 1909 o 1910 intercambian pareceres teológicos y filosóficos. Hemos reunido dos cartas, ciertas anotaciones, papelitos sueltos, datos en márgenes de algunos libros. Quiero aclarar que ayer le dije a Frías que no fuera otra vez de noche a Acassuso y por el sótano. Yo me opuse esta vez, pero en fin. Les decía, ya para 1911 no son sólo papeles los que intercambian Baraldi y Sayago. Hay un anotador, bueno, páginas sueltas que suponemos de un anotador, que hacen alusión a ciertas asistencias de ambos a esta Facultad de Filosofía, y más que eso. En un cuaderno al cual se le arrancaron todas las hojas menos una, aparecen ciertas anotaciones del padre Sayago sobre una conferencia dictada por el profesor danés Humms Sewer en la Facultad, y ciertas referencias a un curso anterior dictado por Humms Sewer, al que habría asistido Baraldi, aunque no se aclara dónde se desarrolló este curso. Lo curioso es que en un trabajo escrito a mano por Edelmiro Sayago en 1913, el único texto completo en nuestro poder, un par de párrafos citan dicho curso y abominan de la

Nicolás Casullo

carrera de Filosofía. No es que saque a ese párrafo del contexto general, pero así dice.

–En esos años estaba por conquistarse el voto secreto y obligatorio –dijo Amalia.

–Digo, no lo saco del contexto de lo que discuten estos dos señores, pero de alguna manera aquella idea se repite, sin duda más livianamente, en otro artículo de Sayago escrito mucho después, en 1948, ya con aquella cátedra en pleno funcionamiento. Y aunque pareciera, a primera vista que dicho párrafo tiene poco que ver con el más antiguo, no es tan así. Sayago, daría la sensación, es el ideólogo que define por qué la elección de esta facultad, y qué cosa hacer en esta facultad, y en la carrera. Lo cierto es que diez años después de este escrito, para 1959, y de manera muy arrevesada, el padre Sayago, en un nuevo artículo que tenemos bastante incompleto, cita al pastor Baraldi a pie de página, y en la cita remite a un escrito retrospectivo, escuchen bien, retrospectivo, que podría ser visto como una propuesta epistemológica general y como un armado de operaciones por debajo del agua.

–¿Cómo se sustenta todo eso? –preguntó fríamente María Velárdez

–¿Cómo se sustenta? –el decano miró a todos, su corbata daba la impresión de ahorcarlo–. Estamos hablando de la interpretación de ciertos documentos en el marco de una historia que ya tenemos más bien situada.

–¿Pero con qué metodología?

–Oíme María, échate una siestita –ahora era el Palo–. ¿Sabés lo que pasa? a esta altura tengo la verga pegada al slip con cemento. Me declararon herido de guerra en esta menesunda.

–Yo hablé hace una semana con Jacobo Klinger, Palo –se defendió la Velárdez.

–Ya lo sé, pero en este balurdo Jacobo está pasando a ser la mona Chita. La cuestión es más siniestra para esta benemérita casa de estudios. Pescamos que en el Ministerio de Educación, en l941, el monje Edelmiro Sayago fue nombrado asesor en temas universitarios junto con su hermanita Ema Sayago, en ese entonces pianista de 25 años. Desde ahí, creo, manejaron después algunas cositas claves que nunca pasaron por decanato de Filosofía. El dúo de los hermanos Sayago figuraba oficialmente como representante del Sexto Seminario. Andá a saber qué poronga fue eso en plena época de peculado y avance de las entrañables *panzerdivisionen* con las que aquí eyaculaba el generalato. Aunque no te creas, la cosa más bien vendría por izquierda, si leés algunos memorándum elevados al ministro por Ema Sayago, a la que en ese momento se garfiolaba Pedro Rossi, de la juventud comunista. Pedro Rossi, también pianista de tango y futuro marido radical antipersonalista de la inocente Ema, muchacha a la que el Ministerio, es decir su hermanito en sotanas Edelmiro Sayago, manda en 1942 a Londres a conocer la yema del anular de algún presbítero y humedecer sus negros pendejos en el Támesis. Pero algún moco une todo esto con los dislates mentales del viejo Baraldi y sus seminarios teológicos, el sexto precisamente. El que nunca se encontró en la Facultad de Teología, y que debió tener también letra de Sayago. Además quiero decirles que todo esto ya me rompió las bolas, largo para siempre.

—Estoy con vos, precioso —dijo Rocío con el lápiz de labio en la mano y mirándose en el espejito.

—¿Ah sí? te agradezco.

—Perdonáme Estévez, pero estoy de la nuca —dijo la bailarina—. A mí me preocupa lo que hablé con Santiago en estos días. Quiero seguir averiguando el paradero de Matías Gastrelli. Conversé varias veces con su madre, la psicóloga. Le escribí a Vladimir a Francia pero no me contestó. No sé si pescan, hijitos míos: lo que le pasó a Matías hace dos meses cuando desapareció sin avisar. Ustedes están hablando de dos curas en 1910. Me vuelvo loca.

—Todo está de alguna manera conectado —se excusó el decano.

—¿Pero adónde vamos a llegar con tus conexiones, papito? No conectes más nada, empezá a desenchufar.

—Tratá de pensar, Rocío —recomendó Frías.

—¿Qué historia me contás, Palo? Te juro que me hace lagrimear, es una congoja que me desangra, la veo en colores, me imagino a Anthony Hopkins y Robert Duval intercambiando papelitos del sexto seminario, soy así mi amor, qué querés que le haga, no me tenés que infligir tanto dolor.

–Sos linda, Rocío, me voy a casar con vos.

–Volvamos a lo que nos preocupa –dijo Estévez– y tené un poco de paciencia, al final resumimos.

–En cierta medida estoy de acuerdo con Rocío –dijo María Velárdez–, en cuanto a que esa pista supuestamente originaria sobre el padre Sayago y el señor Baraldi es inconducente. Y además, demasiado fragmentaria y voluntarista de parte tuya, Raúl. Es como una hermenéutica insostenible. Me parece muchísimo más aportadora, quiero decir develadora, mi entrevista con Jacobo Klinger la semana pasada, su testimonio.

–¿Pero vos hablaste con Jacobo? –quiso saber Rocío.

–Efectivamente, en Londres, donde Jacobo Klinger reside desde muchos hace años. Yo estaba en Estocolmo en un coloquio científico cuando me llamó el decano para informarme que junto con Frías habían dado finalmente con el paradero de Klinger, a través de sus averiguaciones sobre Edelmiro Sayago y sus relaciones con la Facultad de Filosofía.

–Disculpe señorita Velárdez, pero me siento lamentablemente confundida –interrumpió Amalia–. Estamos aquí, al menos yo lo siento así y sé que no soy la única, para saber qué pasó con tres jóvenes, con Sebastián Lieger, con Ariel Rossi y con Matías Gastrelli, que sospecho no murieron de manera muy clara. Respeto la preocupación de esta Facultad por averiguar sus manejos dolosos, pero si vengo aquí es por ellos, no por otra cosa. Conocí a Sebastián, supe también lo que este muchacho amaba a Ariel Rossi y a Esteban Baraldi, visité frecuentemente la tumba de ellos tres como si no pudiese desprenderme de sus infortunios. Comparto la pena de Rocío por Matías, a quien ella conoció personalmente hasta hace poco. Pienso que esto tendría que ser lo que nos reúne, estos dramas son los que humanamente me desconsuelan, y no las pesquisas funambulescas del señor Palo arriesgando su vida en un sótano y lastimándose la cabeza de una manera tan brutal que da vergüenza. A propósito ¿cómo cristianamente se llama usted?

–Hermana Amalia, hermanita ¿no tiene una aspirina? –preguntó Frías–. Visitar sótanos es más o menos como visitar cementerios. Estamos los dos más rayados que el ajo.

–¿Qué me dice del profesor Humberto Baraldi y las cartas falsas?

–Ya me abrí de esto, acabo de anunciarlo. Pero quiero decirle algo antes: no sé, ni tampoco me hable, sobre quién habrá pergeñado una puta carta falsa ¿Piensa en el reverendo Sayago? El cura pispeó siempre entre las sombras y supo todo desde el año uno, con pelos y señales, pero no estaba para esas sandeces ¿Jacobo Klinger? pasta de intrigante le sobró, y escribir escribía hasta cuando garcaba, pero otras cosas ¿Katia Hans, la poeta? Le pido humildemente que no me la nombren más, está muerta muy lejos o tan chota que no debe reconocer ni los pedos de sus tripas. Di la vida y ahora el marote por este menjunje, y ni para copetear me quedó ¿Qué cartas falsas? Nadie pudo saber tanto sobre la vida de Humbertito Baraldi, nuestro Schiller juniors de Almagro. Ni yo. No me mencione a Olga Stromberg, que si garabateó algo en una hoja debió ser con la diarrea de su ojete, y murió hace años al dar a luz un crío de siete patas. No puedo entonces pensar en una enema satánica en papel carta ¿Quién me queda, hermana Amalia? ¿Baltazar sentado atrás de todo en el camello? Vaya metiendo en la computadora: Sebastián murió de sida de cuartel tucumano después de una heroica misión salvando gente perseguida. Ariel como combatiente ensimismado, Matías embretado contra el fundamentalismo antioccidental. Y al lado de esta galería de personajes Humbertito anda pidiendo auxilio, compungido por su primera paja. Así parece que es la historia. Pero tiene razón, así no fue la historia ¿Cómo quieren que me la crea? ¿Saben cómo me siento? Como si le hubiese chamuyado bajito lo mejor de mi vida a Beethoven. Nada sirvió para un maloliente coño, virgen de las tetas caídas. No hay nada por detrás ni por delante, sólo ese cabrón de Humbertito como naranja exprimida vendiendo melancolía estética en esta facultad.

–Presumo que usted sabe cosas que yo ignoro –dijo Amalia.

–Así es hermana.

–Sida, terrorismo, fundamentalismo ¿es cierto que te querés casar conmigo flaquito? –preguntó Rocío jugando con su collar de perlas rojas.

–Sigamos reuniendo antecedentes, si me hacen el favor –dijo Raúl Estévez–, comparto muchas de las apreciaciones del Palo, aunque no su terminología. Pero antes de pedirle a Palo que nos cuente qué conclusiones sacó de todo esto quisiera escuchar a María Velárdez para aprender un poco de metodología.

–Voy a ser sintética –tomó la palabra María–, llegué a Londres por la mañana y llamé desde el mismo Hearthrow al número que me había dado Estévez. Me atendió una mujer que me pasó con Klinger. Nos citamos en el Southbank, en el Café de Uggo. Ahí me esperaba sentado, viejo, cordial y elegante. Seis cosas puntualizo de ese encuentro que se prolongó sólo por cincuenta y cinco minutos y en el cual Jacobo no quiso hablar sobre el tema que nos reunía, aduciendo que siempre había sido un hombre silencioso de sus propios recuerdos, y además, así dijo, porque la cosas tal vez se vivan, pero nunca se rescatan. Primera, cuadro general: hace casi cincuenta años que vive en Gran Bretaña, desde 1946, corroborado por diversos datos que ya tenemos: ninguno de nosotros lo vio nunca aquí ni pudo hablar con él en ese tiempo. Nunca integró la cátedra. Nadie de sus conocidos de entonces supo darnos su paradero, conseguido azarosamente en una viejísima agenda del Padre Sayago hace muy poco. El propio Jacobo en un momento de la charla me mostró su pasaporte con viejos sellos de entradas y salidas de Inglaterra. La entrevista que aparece en el libro de Esteban Baraldi jamás se efectuó. Esteban visitó Londres en oportunidad de su viaje a Europa en 1969, y se vio con Jacobo para hablar de cosas sueltas, pero en ningún momento se rozó nada que tuviese que ver con la biografía del bandoneonista. Segundo, tipo de vida de Jacobo: tranquila, burocrática, veranea en una playa italiana año tras año. Viajó varias veces a Buenos Aires por muy breves estadías para no verse con nadie y comprar discos, parando en la casa de Matilde Lombrozo. Allá por los sesenta, en uno de su viajes, un periodista de *La Razón* le hace una entrevista de tango y política en el restaurante El Globo, encuentro al que califica de pura pavada. Ese sos vos, Palo. Matilde Lombrozo sí, en cambio viaja una vez por año a Londres, desde hace cinco décadas, para permanecer allá un semestre, aquel en el cual no dicta curso ni materia en la Facultad. Tercero, la cátedra: considero que Jacobo estuvo siempre al tanto de todo, pero involucrado directamente en nada. Reconoció con buen humor que efectivamente hubo un Proyecto de la Cátedra. Dijo tener excelentes recuerdos de Egon Stromberg, argentino, cordobés, con un hermano en Alemania al que nunca conoció. No así con Salka, argentina, hija de suizos, de la que prefirió no hablar. Recordó fugaz y relativamente mal a Edelmiro Sayago y a Humberto Baraldi. Se reconoció laico en creencias trascendentes, pero religioso en política. Aclaró que nazi o comunista no resultaba la mejor manera para entender aquel tiempo, aunque sí para salir del paso rápido. Se declaró peronista antiguo. Frente a varias preguntas sobre su función en aquel grupo respondió sonriendo que nunca tuvo función ni hubo ningún grupo. Durante algún tiempito, así dijo textualmente, el viejo Baraldi y el padre Sayago fueron dos teólogos del tango, dos pedazos de cosituertos aclaró, sin explicitar el significado de dicha palabra. De ahí que los dos le tuvieran aprecio por su profesión de bandoneonista, sin salir nunca del asombro de saberlo un ruso camuflado. Decían descifrar en la cosa tanguera el único camino no reflexivo, y por lo tanto cierto, para entender lo caído. Y ejemplificó el interés de ambos por las letras canyengues, la víctima angelical, el verdugo culposo, lo fatídico que un día te ensarta, la rayada que te destina, el deleite criminal del nostálgico, la expiación del arrepentido, y sobre todo por esa música amontonándose de pronto, cayendo en abismo, estirándose como dopada, cortada a tajos, la música siempre ahí, antes de todo, como un mal de fondo y sólo para justificar cualquier historia inútil en tres o cuatro estrofas. Aclaró que Baraldi y Sayago siempre tenían poco que hacer, eran ministros de dios, le sobraba todo el tiempo del mundo a la mañana a las cuatro de la tarde o a la noche, y ese fue el gran secreto de sus berretines y don de gente. A renglón siguiente Jacobo ratificó que nunca tuvo relación con la

Nicolás Casullo

Facultad de Filosofía y Letras. La peor persona que conoció en
la vida, humanamente: Ernestina de Queirolo, una perra de presa
por sus rabiosos rencores. Textual. Cuarto, enigmas: se carteó
siempre con Egon y David Schulem. De ciertos episodios infor-
tunados dijo estar al tanto, pero arguyendo que tales cosas formaban parte de cualquiera de las miles de historias que se dan
de manera auténtica, palabras textuales. Quinto, por qué se fue
del país en 1946: por relaciones políticas oportunas, como ayudante menor en la agregaduría cultural del nuevo gobierno.
Luego, diversos trabajos y empleos nunca nada del otro mundo. Preguntado reiteradamente por el tema de la causas de su
alejamiento del país, dijo: por algunas cosas que sucedieron y
no tenían que haber sucedido, o al menos no me gustaron. Sebastián Lieger, Ariel Rossi, Matías Gastrelli: ignoraba quiénes
eran. Esteban Baraldi: excelente persona, inteligente, atribulada,
algo fantasiosa. Humberto Baraldi: que Matilde Lombrozo le
había contado haberlo visto recientemente, asustado. Lo recordaba en brazos del ya muy enfermo abuelo Baraldi. Sexto, lo
contradictorio; interrogado sobre por qué desde tan lejos se
mantuvo al tanto de todo durante medio siglo: por Matilde
Lombrozo que es una chismosa, por nostalgia de Buenos Aires
y su gente. Precaria respuesta. Consultado en una ocasión absolutamente propicia del diálogo sobre si fue siempre el cerebro de
esta historia, rió de manera espontánea para preguntar ¿Qué
historia? Agregado pintoresco: todavía toca el bandoneón algunos sábados con tres uruguayos en El Gaucho Grill de Picadilly.
Síntesis final de Klinger pronunciada dos veces con la misma frase: la cosas en el país son como el tango, señorita, todo terminó
hace mucho, lo bueno y lo malo.

María Velárdez y el resto se quedaron en silencio. La hermana Amalia se acomodó nerviosa en la silla. Estévez hojeaba
displicentemente una de sus carpetas.

–¿Qué me contás bonita? –dijo Palo.

–¿Qué te cuento? Creo que no se puede avanzar más. Él es
el último, lo conoce todo, pero no lo sabremos nunca. Después
de una hora con Jacobo Klinger lo vivencié terminantemente.

–Así que lo vivenciaste ¿Por dónde? ¿Por aquí, por el corazón, entre las mamas? No te rías, contestame.

–Lo vivencié por acá, por los brazos, por el cuello. Hacéme el favor, Palo.

–Hacéme el favor vos, que estuviste en Londres y te comiste todo.

–No me comí nada, Palo. Nos guste o nos desilusione, la vida de Jacobo Klinger está en su silencio de medio siglo londinense. Nunca mejor expuesta que por el propio Jacobo.

–A la salida te invito un trago. Ahí debés ser inigualable.

–Esa es la historia, Palo.

–Nada que ver –se metió la bailarina–, aquí en la puerta, cuando entraba, unos chicos me dieron un cuadernillo sobre Jacobo Klinger ¿O este Jacobo que aparece acá es otra persona, señor decano?

–Eso es algo por demás desventurado –contestó Estévez–, desde hace un mes apareció la agrupación Jacobo Klinger, que encima me dijeron anda bastante bien para las elecciones. Y bueno, han escrito ese disparate fundamentándose en una inexistente relación de Jacobo con la Facultad, nada que ver con nada.

–Se les fue la mano en el discurso del velorio de Ernestina –dijo Palo–, ahí les diste demasiadas alas.

–Es verdad, ya lo sé. Pero no quita que son unos delirantes sin frontera. Traté de discutir con esa agrupación, demostrarles que es un invento absurdo que no conduce a nada. Me acusaron a los gritos y en pleno pasillo de represor de la memoria nacional y no sé qué otras cosas. Son un infierno.

–Lo estoy hojeando –agregó Rocío con cierto dejo de entusiasmo–, dicen que Klinger fue profesor titular de una cátedra antiimperialista en 1965, que lo expulsó la dictadura, que pasó a la resistencia en Rosario, que participó del Cordobazo, que trabajó en el gobierno de la UP en Valparaíso, después en los 70 se volvió combatiente armado, cayó preso en La Plata, escapó a Bolivia, después integró el grupo inicial de las Madres de la Plaza, leo sólo los subtítulos, son como seis páginas. Es divino este viejo. Un tipazo.

–Ya me escucharon lo que desarrollé recién –dijo serenamente María Velárdez–. Hace una semana estuve con ese anciano a orillas del Támesis. La historia de ese panfleto es torpe y falsa.

–¿Por qué falsa? –protestó la bailarina– ¿Qué pruebas tenés de que Jacobo no está en Londres desde hace un año? Si es por papeles de inmigración, yo todavía estoy en Sevilla o en Oslo. Pasaportes falsos en Avenida de Mayo corren más que el brandy.

–Es ridículo, Rocío. No digas estupideces.

–No son estupideces –terció Amalia–, supongo que cuando los universitarios cuentan cómo pasaron las cosas, es porque las cosas pasaron como ellos las cuentan ¿Acaso lo que dice el señor Frías con sus insoportables palabrotas es una historia más creíble?

–Estoy harta de este galimatías.

–De acuerdo con usted, totalmente de acuerdo, Amalia. Es como si dios la iluminara en momentos álgidos –dijo el Palo–, la cuestión es acertar cómo contar la historia, ahí empieza todo.

–Los ánimos están un poco caldeados, así que apuremos –propuso Estévez–. ¿Vos querés plantear tus hipótesis, Palo?

–Me duele el bocho.

–Y ya son las nueve.

–Tanto que alardeaba –dijo Amalia

–Téngame lástima hermanita. No sólo la veo, la veo triple. Como si estuviera mateando en la Edad Media.

34

En la calle, María Velárdez se despidió rápido, tenía cita por Recoleta con un empresario del aluminio. El decano le ofreció a la monja llevarla en auto hacia Palermo, le quedaba de paso. Santiago caminó con Rocío y con el Palo hasta Rivadavia. Al llegar a Primera Junta notó cómo los hombres se comían con los ojos el vaivén de las caderas de la bailarina en minifalda, mientras otros no podían sustraerse al aparatoso vendaje en la cabeza del periodista.

–No soportan ver un tipo en overol – dijo el Palo

Rocío tomó un taxi, sin perder ni en el beso de despedida el semblante sombrío de una reunión que la había malhumorado. Ellos bajaron al subte y en el vagón vacío Palo le preguntó por Humberto.

–No sé nada.

–¿Sigue en la costa?

–No sé, creo que volvió –dijo Santiago. Miró por la ventanilla el muro negro.

–¿O sigue en Valeria?

–Qué sé yo, la última vez que lo llamé a la costa fue hace dos meses. Levantó el tubo y cortó sin atenderme.

Palo se miró el vendaje en el reflejo del vidrio. Sonrió con algún pensamiento suelto y estiró las piernas hasta el otro lado del pasillo.

–Estuviste austero en la reunión, Santiaguito.

–¿Qué iba a decir?

–Estévez quedó caliente con este balurdo en su Facultad. No se apioló nunca. Como si se echase a dormir la siesta, y al primer ronquido su jermu levanta la colcha y hace entrar a la tercera de Boca sobre el gomaespuma.

–No tengo nada que ver con toda esa verdura de la facultad.

–¿Te comés un bife de chorizo? Lo único que morfé hoy son aspirinas. Yo también me abro y para siempre, esta vez va en serio. Me voy a Gualeguay, una novia que tengo gordita y maternal. Seis meses zapán arriba. Además aquí no veo un peso ni cuando lo tengo.

Subieron por Montevideo hasta Corrientes. Venían de contadas palabras, según el Palo, la ciudad a esa altura tenía siempre ese olor dulce y húmedo a río podrido. Fue uno de los pocos comentarios en tantas cuadras. En un cruce vieron un tumulto de gente, varios patrulleros amontonados y tres camiones de mudanzas. Era un desalojo de invasores, los sacaban de a uno en fondo desde un fantasmal edificio de tres pisos. Los más pibes puteaban mientras iban siendo amontonados en la esquina, varios muchachos y algunas mujeres estaban boca abajo en la vereda con las manos en la nuca, vigilados por tres policías con metralleta. Después, casi al llegar a la avenida se detuvieron frente a un restaurante. El Palo se olvidó del cansancio, de las deudas, del casquete sobre su cabeza. Se había sentado de costado en la silla para apoyar la espalda contra la pared. Santiago supo, intuyó o quiso creer que Palo estaba volviendo de sus juramentos, de sus promesas, de su retiro en Gualeguay, como si la madrugada recién fuese el café con leche para empezar las cosas.

–No te gustó lo que hoy dije sobre tu primo Humberto. Confesá grandulón, despacháte contra un pobre lisiado.

–Me da lo mismo. No sirvo para reuniones de análisis. Soy bueno en los tres palos, me gustan los ovejeros y los labradores.

–Y te tecleás a María Velárdez con enter y sin enter.

–Ya no. En serio te lo digo ¿Por qué te voy a mentir, Palo? No seas boludo.

–Hoy la mirabas a ella, te derretías escuchándola, pero te entripaste conmigo.

–Humberto es un buen tipo, Palo. Hizo sus cosas, claro. Pero lo quiero mucho.

–Hizo sus cosas, eso no te lo discuto.

–¿Qué pensás de Humberto? No me mires así, Palo, te lo pregunto en serio ¿Qué pensás sobre lo que le anduvo pasando en este tiempo?, no sé, ahora se amontonó todo, mil años de cosas. Pero él terminó mal, aceptálo.

–¿Terminó mal?

–No lo volví a ver desde Valeria, su jermu dice que debe seguir allá, pero no creo. Me lo imagino en Alemania, tenía un pasaje abierto, aunque también me chimentaron que va a retomar la cátedra después de tanta licencia. No tengo idea, Estévez escuchó que fue a un encuentro sobre Borges en Estados Unidos para pasarse unos meses con su hijo, con Guido.

–Mirá que mal.

–No se vio con nadie, así me dicen. O no lo ve nadie desde hace tiempo. Pero vos sabés de que te hablo, Palo ¿Qué es lo que pasó? ¿Qué ibas a decir en la reunión, que no dijiste?

—¿De Humberto? Quiero que te quede claro: yo le conté a Humberto ciertas cosas. Pero nunca hablé de Humberto con nadie. Tu primo debe andar en una de sus tremebundas aventura, leyendo un libro y escuchando música ¿Por qué no vas a preguntarle qué pasó?

—No creo que tenga ganas de verme. Además todas las persianas de su depto están cerradas. A veces paso por ahí y miro.

—Así que a veces pasás y mirás.

—Vos lo ves de otra forma, Palo. Qué sé yo. Me gustó charlar con Humberto en todo ese tiempo. No sé cómo decirte, escucharlo cuando habla de una época, de las cosas que pasan, las que pasaron, las que pueden pasar, lo que dicen algunos libros contra los que dicen otros libros ¿Viste cuando escuchás a un tipo como si saliese de otro boliche a contar lo que pasó? Bueno, ni yo entiendo mucho lo que te estoy diciendo. Es como un tipo antiguo.

—¿Qué te puedo decir, Santiago? Yo creo que a Humberto no le pasó nada casi nunca. Siempre bajó las persianas para dormir hasta más tarde y encima debe tener cortinas negras. Yo terminé de atar la mayor parte de la historia cuando leí los papeles de Jacobo, y eso que la Lombrozo no me dio todos los que esconde ese guanaco. Pero lo que supe se lo conté a tu primo en los últimos tiempos. Él estuvo enterado. El tanguero cuenta como haciéndose el otario, pero lo cuenta. Tiene dos o tres páginas sueltas donde habla de la pared falsa, viste en el fútbol, cuando venís con la pelota y amagás una pared con el nueve, y el nueve se prepara para recibirla, hace la mímica pero vos seguís con la pelota sin nadie enfrente, bueno él lo llama el camelo.

—¿El camelo? ¿Qué quiere decir eso?

—Camelo, camelear, bueno pibe si no sabés jodéte. Viene de camello y caramelo ¿qué ponés esa cara?

—Dale, seguí.

—Hace poco me pasaste las cintas grabadas que Humberto le fue mandando a tu antigua noviecita Celina. Las cintas son seis, como los seminarios del finado pastor. Con los días me había llamado la atención ese numero seis y la coincidencia de mes y año en el nacimiento de Humberto y Olga Stromberg: octubre de 1944. Hace dos meses el propio Humberto, solitario y baboso en Valeria del Mar, me manda una carta disparatada sobre su infancia ¿Por qué? ¿A qué viene semejante desubique? Y en un párrafo pone, "de mis años de pibe recuerdo el respeto que dejó mi abuelo en la gente del barrio, y entre esos admiradores, un imprentero judío con su taller en Boedo, que a veces solía abrazarme emocionado para decirme, fuiste el elegido de don Humberto Baraldi". ¿Por qué esa mineta desde Valeria en lugar de pedirme que le pague las expensas? ¿Qué significa esa pordiosera palabra elegido? Entiendo rápido, el dato me llevó a buscar esa vieja imprenta que ya no existe, y a confirmar que el remoto imprentero era David Schulem, un tipo medio desdibujado en esta historia, como de segundo línea, al que rastreé inútilmente muchas veces, y del cual la semana pasada me dijeron que vivía en Barracas desde hacía 35 años. No sin esfuerzo lo ubiqué. Era como una piecita de oro que me faltaba. Y me doy cuenta que el ruso respeta la vieja contraseña orquestada por Jacobo, me cuenta otra vez la historia que despista. El viejo imprentero me habla de entrada de una Rosalía loca ¿Rosalía loca? Rosalía nunca estuvo loca, Rosalía siguió siendo la de siempre ¿Qué me quiere contar David Schulem sobre Rosalía, quien "decía embarazarse en conjunción con las embarazadas"? ¿De qué me habla David Schulem, de un delirio paranormal? Nada que ver, ella fue cogida y garcó un hijo a los nueve meses como viene sucediendo desde la putona Lilit. Parió a ese que después sería Humberto Baraldi, para humillación de toda su familia, y portando nada menos que el nombre que el ministro de dios decidió darle, tal vez por ser su padre, o comprador de semen fresco. El ruso David entiende todo de golpe, por eso me cuenta lo que me cuenta, y deja de decirme lo que quiero. Cuando Rosalía le escribe a tu abuelo a fines de 1944 "vámonos antes de que sea tarde", lo que busca es que no le saquen su hijo, escapar, y en ese trance medio se le embadurna el bocho. Entonces decretan que está loca, la encierran, la borran del mundo de la razón. David Schulem respeta cierto libreto de Jacobo, no quiere hablar de Olga Stromberg, me miente, dice que Olga está muerta hace mucho, no me quiere contar por qué Olga volvió como posesa a recorrer la casa deshabitada de los Baraldi. No me da la mínima huella de cuando tu primo Humberto y Olga Stromberg formaron parte de una misma cosa arañada de otro lado, de una patología de ideas ensoberbecidas hecha cátedra de estética filosófica. De esto se entera Esteban un mes de diciembre de 1963, una Nochebuena, cuando habla con Katia Hans, que vaya a saber por qué ese día decide deslizarle algunos datos mal computarizados sobre su primo Humbertito, pero sin aclararle cuál de sus dos nietas era la que terminaba ese rostro fantasmagórico, brotado en octubre de 1944 de Salka y Rosalía pariendo críos lunáticamente entre teólogos jubilados, ruido de armas y proyectos escatológicos. Esa tarde Esteban ata en su cabeza los gargajos de la efigie, descifra lo que leyó y no había entendido del sexto seminario escrito por el abuelo. Descula la figura borrosa de la ciénaga y sus dos caras angélicas caídas a un pozo de la tierra. Esteban se siente el Thomas Munzer porteño a punto de llegar a la última flagelación. Pero Esteban piensa en Eugenia, no en Olga. O la granja de Katia decide no aclaráselo, o la vieja cree ese día que todo acaba en una charla en El Satélite de Almagro. Esteban está convencido de que es Eugenia, ya tiene el caño apuntado su sien, piensa que la relación entre Humberto y Eugenia certifica sus conjeturas, y entonces se abalanza como un tétrico animal del pantano sobre la muchacha dormida en su cuarto y la mata. Piantado, cuáquero, se inmola por el abuelo y su elegido, el primo Humberto. Salva la estirpe y cree aniquilar una historia. Misión cumplida Meister Eckhart. Descubrimiento, acto y vocación encontrada, la triple de Palermo. Vuelve a su casa esa Nochebuena, habla con Humberto, lo calla todo, sólo le informa lo que sabe repugnará a Humberto: se hará pastor metodista, nada menos que él. Pero esa misma noche en una pieza oscura, por Almagro, Olga Stromberg oliendo el olor de la sangre, sin entender por qué lo único que adora ya no habla ni se mueve, vomitará por primera vez sobre una colcha pedazos infectos del mundo.

Santiago lo miró fijo. No entendía lo que tenía adelante de sus ojos, del otro lado de la mesa. Frías empezó a desenroscarse la venda de la cabeza con ademanes poco disimulados, hasta que la amontonó junto al cenicero. Los dos mozos y el de la caja también lo contemplaban absolutamente rapado y con la marca de los puntos casi en la frente.

—Me cago en vos, Palo

—¿Cómo pensás que son las historias reales, pelandrún?

—¿Pero quién puede creerse eso?

—¿Y cuál te creés papamoscas? Te trepanaron la cabeza las telenovelas para la pendejada, todo igualito, ordinario, realistón, como la inútil familia de cualquiera ¿Ésas te las creés, no? Sacás queso de la heladera y te lo comés. Me gusta Roxana, y bueno decile a Roxana que te gusta ¿Qué divertido, no? ¿Ésas son las de verdad?

—¿Y Jacobo Klinger piensa lo mismo?

—Jacobo da a entender todo, pero tira mucho humo sobre la tamaño oficio. Es más letrista que escritor pienso, con algo de Scalabrini y de Arreghi ¿los tenés? No importa, parecido pero más cogedor de minas que esos dos, posiblemente por el ambiente en el que la yugó. Escribe cada hoja como sintiendo que esa noche llega el desquite y ya junó la cara que va a tener ¿Cómo te diría para que la cacés, vos que ves los noticieros? Jacobo rompe en dos la cátedra, en el 45. Y se queda con Katia y el ruso David. Con ellos sigue el plan y lo conversa de soslayo con Egon, quien lo recibía todas las tardes en Francisco Acuña con Cinzano y diez platitos. Esas cositas cuentan, esos rituales también se valoran y arma amores mucho más allá de las ideologías. Como tanguero ya sabe que en cualquier sobremesa un borracho, otro que volvió y una vagina hacen la historia del siglo. Jacobo entonces rompe la cátedra y sigue chismorreando al pedo hasta las cuatro de la mañana en páginas y páginas sobre las fuerzas oscuras, los esperpentos que acosan, las malas lenguas, los hijos del diablo. Él es uno.

La mujer dijo algo, no pudo escucharla bien. Pero no, ella estaba parada entre las mesas, el Palo también la miró como si le hubiese hablado a alguien. Entonces Santiago vio al muchacho flaco, pálido, junto al mostrador. No supo qué tenía que ver una cosa con la otra.

–¡Quietitos todos, nadie se me mueva! – dijo ella, ahora más alto.

–El pibe está cargado –le deslizó Frías moviendo apenas los labios.

Lo pudo ver con la pistola en la mano, con la mano sobre el mostrador. El revólver acostado cerquita del estómago del cajero.

–¡Pongan todo sobre la mesa, todo! –la voz de ella fue dura.

El muchacho pegó un salto y encañonó la cabeza de un canoso sentado con una vieja.

–Hijo de puta, sos tira.

–¡Dejálo, recogé rápido.

–¡Lo conozco, mamá! ¡Hijo de puta!

Le puso el caño contra la sien y lo fue inclinando hasta que aplastó la nariz sobre el plato

–¡Te agujereo, reputo, estás cocinado reputo!

–No se mueva nadie, y larguen todo sobre la mesa – dijo ella como si la otra escena no existiese.

Era una cincuentona pasada en kilos pero no tenía arma en la mano, sólo un paraguas negro y un bolso Adidas colgado del hombro.

–Vos abrí la caja –gritó mirando al del mostrador.

–¡Abrí la caja, puto de mierda! – repitió el muchacho, aunque apuntó sobre dos mozos.

Mamita querida –murmuró el Palo.

Debe estar calzada, no jodas.

La mujer pareció escucharlos, los señaló con el paraguas y se fue acercando despacio a la mesa.

–¡No te levantés, carajo!

Un tipo se había parado en el fondo para quedarse paralizado frente al muchacho.

–¡Sentáte reputo!

El hombre no se movió, tenía los brazos y las manos estiradas hacia abajo contra nada.

−¡Sentate te digo!

El muchacho le cruzó la cara con el revólver, se escuchó el golpe en el pómulo, un grito, después se desplomó debajo de la mesa.

−Bestia −ahora fue el de la caja

−¿Qué te pasa reputo, sorete hijo de puta, qué dijiste?

−Ustedes dos −dijo ella mirando a Frías, ya al lado de la mesa.

−No tengo casi nada, señora −contestó el Palo

−Largá y no hablés.

−¿Quiere el reloj?

Calláte, ¿no la oíste? −el loco arremetió apuntando contra la mesa.

−Tranquilo pibe.

−¡Calláte puto!

−Me callo.

−¡Calláte o te coheteo!

−Cincuenta pesos −dijo ella al ver el billete del Palo.

−Larga todo o te cojo, y vos también la concha de tu hermana.

−Un llavero y veinte pesos −informó la mujer levantando lo de Santiago.

−¡Me los cojo, reputos, me los culeo con sida! ¿Qué mirás trolo de mierda?

−No miro nada.

−Estoy bañado en sida, reputo hijo de puta, de cogerme a reputos como vos.

La mujer empezó a recolectar las cosas de las otras mesas. Metía la mano dentro de los sacos y las carteras, encontró una billetera.

−Te la guardabas.

El muchacho corrió hacia la mesa de la pareja sin dejar de apuntar al resto. Revisó la billetera.

Frula, frulita, frulero hijo de puta, dame toda.

−Más no te entra −silabeó bajito el Palo

Santiago miró a Frías para que no pronunciase una sola palabra más.

−¡Tiene más, en algún lado tiene más, mamá!

La mujer no le escuchó, siguió pasando el paraguas sobre cada mesa para arrastrar lo que fuese. Con la otra mano ensanchaba la abertura del bolso.

—¡Soltala toda negro puto! —gritó el muchacho— Mierda, mierda, jubilación privada, club de pesca, tarjetita de crédito, ¿dónde la escondés drogo reputo?

—No tengo más.

—¡Te coheteo putito, basta, te coheteo! Pero antes tu amorcito me va a chupar la pija.

—Dejálo y vamos —ordenó la mujer del bolso.

—¡Te perforo, boludo!

—¡Dejálo! —gritó ella, y el muchacho sonrió, le acarició la tetas, fue apuntando su revólver sobre cada mesa, retrocedió hasta la puerta.

—¡No salgan, los destripo!

El cajero llamó a la policía, mientras varios fueron a atender al desmayado del fondo. Tenía un tajo en el pómulo y el hueso a la vista. No reaccionaba a pesar de los esfuerzos de varios. Lo acostaron sobre tres mesas hasta que llegó la ambulancia y lo cargaron para llevárselo. El oficial inspector pidió que se quedaran todos en sus respectivos lugares con el fin de tomar declaración a los testigos. El Palo pidió dos cañas dobles, la gente lentamente se fue serenando.

—Lo que contaste es pura verdura, Palo. Estás en la cornisa.

—¿Me preguntás si lo creo? Te digo que no, aunque tengo los datos ¿Me preguntás si lo rechazo? Te digo que no, porque tengo los datos. Humberto es apenas una anécdota sin el menor significado en toda esta historia. Una especie de boludo grande que ni siquiera se dio cuenta de nada, cero al as, el último del reparto. No fue malo ni bueno, pasó de largo con algún autor de moda en el bolsillo o releyendo a un clásico. Pintaba el techo de la casamata cuando adentro los complotados se cagaban hasta el último tiro, todos presos de una misma obsesión ¿Cuál? Si pudiese decírtelo sería porque nací en un pesebre en Medio Oriente al lado de una vaca.

—¿Entonces para qué sirve, Palo? Balurdos, más balurdos, entrevistas, una suma insoportable de balurdos. En cambio

Humberto era como si no buscase esa historia, como si supiese que efectivamente era así, o parecida, o que iba a ser así, pero le interesaba otra cosa ¿Qué otra cosa? No sé, es difícil pescar el yeite, como si buscase lo que no podía decir de esa historia, lo que no iba a estar en ningún dato preciso. Lo que al pensarla se le escapaba. No eran las alcahueteadas lo que perseguía. Algo así me parece, o yo que sé.

–Manganetas, simple verso, letra fácil, inventos de escritorio. Ponélo a seguir un rastro, hacélo salir a la calle a ver a la perra gente y se esconde en el primer baño de un bar.

–A lo mejor tenés razón. Pero se me hace que son dos inventos, el tuyo y el de Humberto.

–El mío no es invento, querubín, yugué duro, corrí por todas partes, me abrí siete puntadas el balero.

–Nada es verdad de todo lo que me dijiste.

–¿Cómo pensar a un ensayista lúcido, académico, progresista, fusionado con una insana despavorida que grita desde sus veinte tetas flamígeras, cuando los dos van ser una sola cosa toda la vida y cuajar a las mil maravillas? Así fue, así es. Y lo más triste es que Humberto ni se apioló, no sacó ni siquiera el maldito rédito, no estuvo ni en el cielo ni en el infierno. Es un intelectual con astucias y pará de contar.

–¿Y que otra quiso ser? No te entiendo.

–Digo, le tuvo miedo a los demonios, los sintió como un insulto. En todo caso las cartas son sus cartas.

–Lo que quieras, Palo, seguí amontonando anotadores, nombres, versiones, fechas. Pero falta lo que valdría la pena entender.

–El propio Humberto, en las cintas grabadas para Celina, me terminó de destapar este abracadabras que trato de explicarte.

–Celina es la hija de Olga Stromberg. La nieta de Salka. Lo supe hace muy poco.

–Exacto.

–¿Y? ¿Y entonces? ¿Le vas a hacer un reportaje a la Celinita?

–No sé por dónde anda la guachona.

–El pobre Humberto la esperaba hace un tiempo en Valeria

del Mar, pero ella creo que no fue nunca. Cortó, lo largó duro. Pienso que se aburría con un cincuentón. Celina consiguió una beca por seis meses en la Universidad de Río de Janeiro. Allá anda me dijo una compañera suya, recién vuelta de Brasil.

—Me gustaría hablar con el padre Sayago antes que se muera, me juego los dos huevos, oí bien lo que te digo, me juego los dos huevos que él estuvo al tanto de cosas que a mí se me escapan. Él conoció a ese profesor danés, Humms Sewer, allá atrás, al principio de todo. Sayago es un personaje irremplazable, quiero decir, el que sabe sobre esta historia, no sobre el pelotudo de tu primo.

—¿No largaste este asunto para siempre? ¿No te vas a Gualeguay?

—Cuando vuelva, esquenún.

Dos oficiales de la policía con un par de máquinas de escribir almacenaban datos del asalto, la gente después de declarar se iba yendo mientras los mozos ponían las sillas sobre las mesas para pasar el trapo de piso.

—¿Qué pensás?

—No me la creo, Palo. Para nada.

—Investigué duro. Hacéme caso.

—Son todos disparates.

—¿Cuál te creés, la de los estudiantes?

—Tampoco. Ninguna.

—Pero esta es buena, te lo digo yo.

—Están todos fracturados, Palo. Vos el primero.

—No siempre.

—Dejáme de joder.

Un cabo los llamó y primero pasó Frías a la silla a contar lo que había visto. El morocho de la frula se levantó nervioso para dejarle el lugar y salió disparado hacia la puerta.

Quizás no volviese a verlo. Palo subió al colectivo, amanecía, alzó el pulgar desde el estribo. No lograba explicarse dónde brotaban tipos como Frías. Le hubiese gustado escribir sobre esa noche con el periodista, pero jamás pudo con dos oraciones juntas. Absolutamente rayado.

Santiago cruzó la avenida, el sueño estaba lejos, también la pensión. En un rato llamaría a su madre, la tenía colgada sin noticias desde el miércoles. Se fijó en la libreta, recién trabajaba el lunes, segundo turno, Floresta, cuatro veredas. Entonces agarró al revés, para Corrientes. Siguió por Esmeralda hacia Córdoba y cuando llegó a esa esquina miró el balcón y la dos ventanas del sexto piso. Cerradas, como siempre que pasaba por ahí.